le Guide du routard

Directeur de colle[illegible]

Philip[illegible]

Philippe GLOA[illegible]

Réd[illegible]

Pier[illegible]

Rédacteur[illegible] *adjoints*

Amanda KERAVEL et Benoît LUCCHINI

Directrice de la coordination

Florence CHARMETANT

Rédaction

Olivier PAGE, Véronique de CHARDON,
Isabelle AL SUBAIHI, Anne-Caroline DUMAS,
Carole BORDES, Bénédicte BAZAILLE,
André PONCELET, Marie BURIN des ROZIERS,
Thierry BROUARD, Géraldine LEMAUF-BEAUVOIS,
Anne POINSOT, Mathilde de BOISGROLLIER,
Gavin's CLEMENTE-RUÏZ, Alain PALLIER
et Fiona DEBRABANDER

RESTOS ET BISTROTS DE PARIS

2006

2007

Hachette

D0801222

Avis aux hôteliers et aux restaurateurs

Les enquêteurs du *Routard* travaillent dans le plus strict anonymat. Aucune réduction, aucun avantage quelconque, aucune rétribution n'est jamais demandé en contrepartie. Face aux aigrefins, la loi autorise les hôteliers et restaurateurs à porter plainte.

Hors-d'œuvre

Le *Guide du routard,* ce n'est pas comme le bon vin, il vieillit mal. On ne veut pas pousser à la consommation, mais évitez de partir avec une édition ancienne. Les modifications sont souvent importantes.

Pour que votre pub voyage autant que nos lecteurs,
contactez nos régies publicitaires :

● fbrunel@hachette-livre.fr ●

● veronique@routard.com ●

ON EN EST FIERS : www.routard.com

Tout pour préparer votre voyage en ligne, de A comme argent à Z comme Zanzibar : des fiches pratiques sur 125 destinations (y compris les régions françaises), nos tuyaux perso pour voyager, des cartes et des photos sur chaque pays, des infos météo et santé, la possibilité de réserver en ligne son visa, son vol sec, son séjour, son hébergement ou sa voiture. En prime, *routard mag,* véritable magazine en ligne, propose interviews de voyageurs, reportages, carnets de route, événements culturels, dossiers pratiques, produits nomades, fêtes et infos du monde. Et bien sûr : des concours, des *chats,* des petites annonces, une boutique de produits de voyage...

Comité Éthique

Nous avons créé un Comité Éthique comprenant des membres issus de la rédaction et d'autres n'appartenant pas à celle-ci. Si vous avez des questions et des commentaires concernant certains textes, merci d'écrire au Comité Éthique : 5, rue de l'Arrivée, 92190 Meudon. ● guide@routard.com ●

Les réductions accordées à nos lecteurs ne sont jamais demandées par nos rédacteurs afin de préserver leur indépendance. Les hôteliers et restaurateurs sont sollicités par une société de mailing, totalement indépendante de la rédaction qui reste libre de ses choix. Idem pour les autocollants et plaques émaillées.

Mille excuses ! On ne peut plus répondre individuellement aux centaines de CV reçus chaque année.

Le contenu des annonces publicitaires insérées dans ce guide n'engage en rien la responsabilité de l'éditeur.

© **HACHETTE LIVRE (Hachette Tourisme), 2006**
Tous droits de traduction, de reproduction
et d'adaptation réservés pour tous pays.

© **Cartographie** Hachette Tourisme.

TABLE DES MATIÈRES

1er ARRONDISSEMENT

2e ARRONDISSEMENT

3e ARRONDISSEMENT

4e ARRONDISSEMENT

5e ARRONDISSEMENT

6e ARRONDISSEMENT

7e ARRONDISSEMENT

8e ARRONDISSEMENT

9e ARRONDISSEMENT

10e ARRONDISSEMENT

11e ARRONDISSEMENT

Du côté de Bastille

Du côté d'Oberkampf

12e ARRONDISSEMENT

13e ARRONDISSEMENT

14e ARRONDISSEMENT

15e ARRONDISSEMENT

16e ARRONDISSEMENT

17e ARRONDISSEMENT

18e ARRONDISSEMENT

19e ARRONDISSEMENT

20e ARRONDISSEMENT

INDEX DES RESTOS PAR SPÉCIALITÉS

Cuisine française

Cuisine européenne

Cuisine africaine

Cuisine nord-africaine et proche-orientale

Cuisine asiatique

Cuisine des Amériques

INDEX DES RESTOS PAR THÈMES

INDEX DES LIEUX OÙ BOIRE UN VERRE

Recommandation à nos lecteurs qui souhaitent profiter des réductions et avantages proposés dans le *Guide du routard* par les hôteliers et les restaurateurs : à l'hôtel, prenez la précaution de les réclamer **à l'arrivée** et au restaurant, **au moment** de la commande (pour les apéritifs) et surtout **avant** l'établissement de l'addition. Poser votre *Guide du routard* sur la table ne suffit pas : le personnel de salle n'est pas toujours au courant et une fois le ticket de caisse imprimé, il est difficile pour votre hôte d'en modifier le contenu. En cas de doute, montrez la notice relative à l'établissement dans le guide et ne manquez pas de nous faire part de toute difficulté rencontrée.

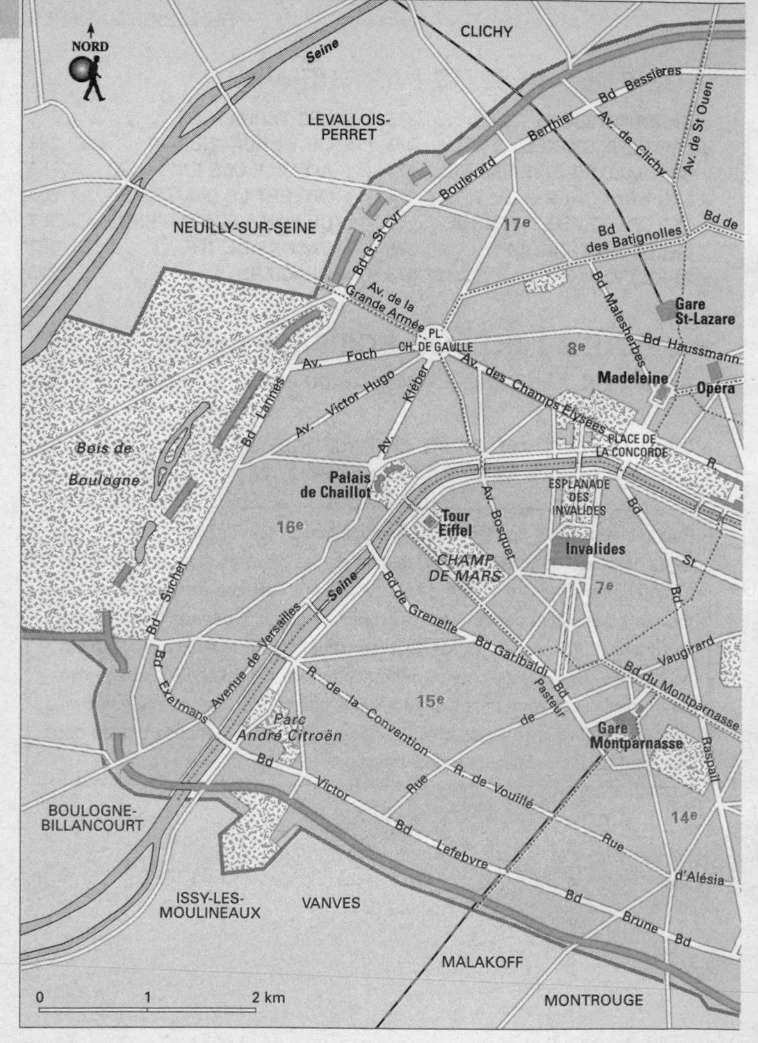

NORD
Seine
CLICHY
LEVALLOIS-PERRET
NEUILLY-SUR-SEINE
Bd Bessières
Bd Berthier
Boulevard
Av. de Clichy
Av. de St Ouen
Bd G. St Cyr
17e
Bd des Batignolles
Bd de
Av. de la Grande Armée
PL. CH. DE GAULLE
Av. Foch
Av. Victor Hugo
Av. Kléber
Bd Lannes
Bd Malesherbes
Gare St-Lazare
Bd Haussmann
8e
Madeleine
Opéra
Av. des Champs Élysées
PLACE DE LA CONCORDE
Bois de Boulogne
Palais de Chaillot
ESPLANADE DES INVALIDES
Av. Bosquet
Tour Eiffel
16e
Invalides
CHAMP DE MARS
Bd St
7e
Bd Suchet
Bd de Grenelle
Avenue de Versailles
Bd Garibaldi
Vaugirard
Bd du Montparnasse
Bd Exelmans
R. de la Convention
15e
Bd Pasteur
Rue de
Parc André Citroën
Gare Montparnasse
Raspail
Bd Victor
R. de Vouillé
BOULOGNE-BILLANCOURT
14e
Bd Lefebvre
Rue d'Alésia
ISSY-LES-MOULINEAUX
VANVES
Bd Brune
MALAKOFF
MONTROUGE
0
1
2 km

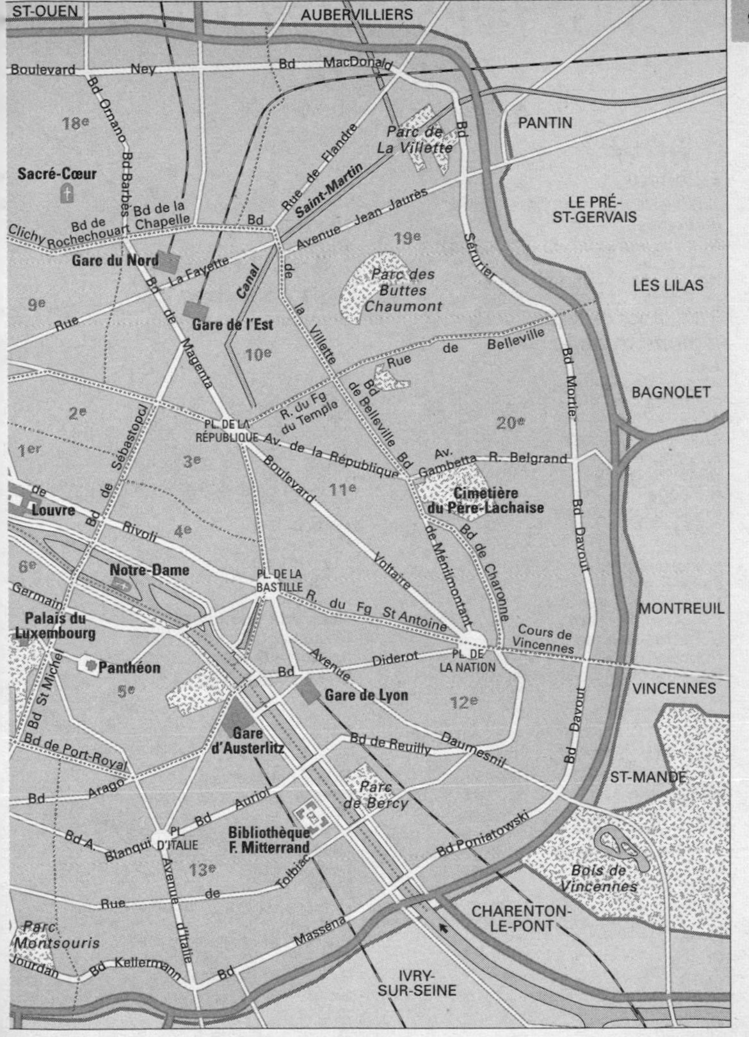
ST-OUEN
AUBERVILLIERS
Boulevard Ney
Bd MacDonald
Bd Ornano
18e
PANTIN
Parc de La Villette
Bd Sérurier
Rue de Flandre
Saint-Martin
Sacré-Cœur
Bd Barbès
Bd de la Chapelle
Bd de Rochechouart
Clichy
Bd
Avenue Jean Jaurès
LE PRÉ-ST-GERVAIS
19e
Gare du Nord
Rue La Fayette
Canal
de la Villette
Parc des Buttes Chaumont
LES LILAS
9e
Bd de Magenta
Gare de l'Est
10e
Rue de Belleville
Bd Mortier
Bd de Belleville
BAGNOLET
2e
R. du Fg du Temple
PL. DE LA RÉPUBLIQUE
20e
1er
Av. de la République
Av. Gambetta
R. Belgrand
Bd de Sébastopol
3e
Boulevard Voltaire
11e
Cimetière du Père-Lachaise
Louvre
Rue de Rivoli
4e
Bd de Ménilmontant
Bd de Charonne
Bd Davout
6e
Notre-Dame
PL. DE LA BASTILLE
Germain
R. du Fg St Antoine
MONTREUIL
Palais du Luxembourg
Cours de Vincennes
PL. DE LA NATION
Avenue Daumesnil
Bd Diderot
Panthéon
VINCENNES
5e
Gare de Lyon
12e
Bd St Michel
Gare d'Austerlitz
Bd de Reuilly
Bd de Port-Royal
ST-MANDÉ
Bd Arago
Parc de Bercy
Bd Auriol
Bd A. Blanqui
PL D'ITALIE
Bibliothèque F. Mitterrand
Bd Poniatowski
Tolbiac
Bois de Vincennes
13e
Avenue d'Italie
Rue de
CHARENTON-LE-PONT
Parc Montsouris
Masséna
Jourdan
Bd Kellermann
Bd
IVRY-SUR-SEINE

PARIS

LES GUIDES DU ROUTARD 2006-2007

(dates de parution sur **www.routard.com**)

France

Nationaux

- Nos meilleures chambres d'hôtes en France
- Nos meilleures tables à la ferme en France
- Nos meilleurs hôtels et restos en France
- Petits restos des grands chefs

Régions françaises

- Alpes
- Alsace, Vosges
- Aquitaine
- Ardèche, Drôme
- Auvergne, Limousin
- Bourgogne
- Bretagne Nord
- Bretagne Sud
- Châteaux de la Loire
- Corse
- Côte d'Azur
- Franche-Comté
- Île-de-France
- Languedoc-Roussillon
- Lot, Aveyron, Tarn
- Nord-Pas-de-Calais
- Normandie
- Pays basque (France, Espagne)
- Pays de la Loire
- Poitou-Charentes
- Provence
- Pyrénées, Gascogne

Villes françaises

- Bordeaux
- Lille
- Lyon
- Marseille
- Montpellier
- Nice
- Toulouse

Paris

- Junior à Paris et ses environs
- Paris
- Paris balades
- Paris exotique
- Paris la nuit
- Paris sportif
- Paris à vélo
- **Paris zen (avril 2006)**
- Restos et bistrots de Paris
- Le Routard des amoureux à Paris
- Week-ends autour de Paris

Europe

Pays européens

- Allemagne
- Andalousie
- Andorre, Catalogne
- Angleterre, Pays de Galles
- Athènes et les îles grecques
- Autriche
- Baléares
- Belgique
- Castille (Estrémadure et Aragon)
- Crète
- Croatie
- Écosse
- Espagne du Nord-Ouest (Galice, Asturies, Cantabrie)
- Finlande
- Grèce continentale
- Hongrie, République tchèque, Slovaquie
- Irlande
- Islande
- Italie du Nord
- Italie du Sud
- Malte
- Norvège, Suède, Danemark
- Piémont
- Pologne et capitales baltes
- Portugal
- Roumanie, Bulgarie
- Sicile
- Suisse
- Toscane, Ombrie

LES GUIDES DU ROUTARD 2006-2007 (suite)

(dates de parution sur **www.routard.com**)

Villes européennes

- Amsterdam
- Barcelone
- **Berlin (avril 2006)**
- Florence
- Londres
- Moscou, Saint-Pétersbourg
- Prague
- Rome
- Venise

Amériques

- Argentine
- Brésil
- Californie
- Canada Ouest et Ontario
- Chili et île de Pâques
- Cuba
- Équateur
- États-Unis, côte Est
- Floride, Louisiane
- Guadeloupe, Saint-Martin, Saint-Barth
- Martinique, Dominique, Sainte-Lucie
- Mexique, Belize, Guatemala
- New York
- Parcs nationaux de l'Ouest américain et Las Vegas
- Pérou, Bolivie
- Québec et Provinces maritimes
- République dominicaine (Saint-Domingue)

Asie

- Birmanie
- Cambodge, Laos
- Chine (Sud, Pékin, Yunnan)
- Inde du Nord
- Inde du Sud
- Indonésie
- Israël
- Istanbul
- Jordanie, Syrie
- Malaisie, Singapour
- Népal, Tibet
- Sri Lanka (Ceylan)
- Thaïlande
- Turquie
- Vietnam

Afrique

- Afrique de l'Ouest
- Afrique du Sud
- Égypte
- Île Maurice, Rodrigues
- Kenya, Tanzanie et Zanzibar
- Madagascar
- Maroc
- Marrakech
- Réunion
- Sénégal, Gambie
- Tunisie

Guides de conversation

- **Allemand (nouveauté)**
- **Anglais (nouveauté)**
- **Chinois (nouveauté)**
- **Croate (nouveauté)**
- **Espagnol (nouveauté)**
- **Grec (nouveauté)**
- **Italien (nouveauté)**
- **Portugais (nouveauté)**
- **Russe (nouveauté)**

Et aussi...

- Le Guide de l'expatrié
- Le Guide de l'humanitaire

SPÉCIAL DÉFENSE DU CONSOMMATEUR

Un routard informé en vaut dix ! Pour éviter les arnaques en tout genre, il est bon de les connaître. Voici un petit vade-mecum destiné à parer aux coûts et aux coups les plus redoutables.

Affichage des prix : les hôtels et les restos sont tenus d'informer les clients de leurs prix, à l'aide d'une affichette, d'un panneau extérieur, ou de tout autre moyen. Vous ne pouvez donc contester des prix exorbitants que s'ils ne sont pas clairement affichés.

HÔTELS

1 - Arrhes ou acompte ? : au moment de réserver votre chambre par téléphone – par précaution, toujours confirmer par écrit – ou directement par écrit), il n'est pas rare que l'hôtelier vous demande de verser à l'avance une certaine somme, celle-ci faisant office de garantie. Il est d'usage de parler d'arrhes et non d'acompte (en fait, la loi dispose que « sauf stipulation contraire du contrat, les sommes versées d'avance sont des arrhes »). Légalement, aucune règle n'en précise le montant. Toutefois, ne versez que des arrhes raisonnables : 25 à 30 % du prix total, sachant qu'il s'agit d'un engagement définitif sur la réservation de la chambre. Cette somme ne pourra donc être remboursée en cas d'annulation de la réservation, sauf cas de force majeure (maladie ou accident) ou en accord avec l'hôtelier si l'annulation est faite dans des délais raisonnables. Si, au contraire, l'annulation est le fait de l'hôtelier, il doit vous rembourser le double des arrhes versées. À l'inverse, l'acompte engage définitivement client et hôtelier.

2 - Subordination de vente : comme les restaurateurs, les hôteliers ont interdiction de pratiquer la subordination de vente. C'est-à-dire qu'ils ne peuvent pas vous obliger à réserver plusieurs nuits d'hôtel si vous n'en souhaitez qu'une. Dans le même ordre d'idée, on ne peut vous obliger à prendre votre petit déjeuner ou vos repas dans l'hôtel; ce principe, illégal, est néanmoins répandu dans la profession, toléré en pratique... Bien se renseigner avant de prendre la chambre dans les hôtels-restaurants. Si vous dormez en compagnie de votre enfant, il peut vous être demandé un supplément.

3 - Responsabilité en cas de vol : un hôtelier ne peut en aucun cas dégager sa responsabilité pour des objets qui auraient été volés dans la chambre d'un de ses clients, même si ces objets n'ont pas été mis au coffre. En d'autres termes, les éventuels panonceaux dégageant la responsabilité de l'hôtelier n'ont aucun fondement juridique.

RESTOS

1 - Menus : très souvent, les premiers menus (les moins chers) ne sont servis qu'en semaine et avant certaines heures (12 h 30 et 20 h 30 généralement). Cela doit être clairement indiqué sur le panneau extérieur : à vous de vérifier.

2 - Commande insuffisante : il arrive que certains restos refusent de servir une commande jugée insuffisante. Sachez, toutefois, qu'il est illégal de pousser le client à la consommation.

3 - Eau : une banale carafe d'eau du robinet est gratuite – à condition qu'elle accompagne un repas – sauf si son prix est affiché. La bouteille d'eau minérale, quant à elle, doit comme le vin être ouverte devant vous.

4 - Vins : les cartes des vins ne sont pas toujours très claires. Exemple : vous commandez un bourgogne à 16 € la bouteille. On vous la facture 32 €. En vérifiant sur la carte, vous découvrez que 16 € correspondent au prix d'une demi-bouteille. Mais c'était écrit en petits caractères illisibles.
Par ailleurs, la bouteille doit être obligatoirement débouchée devant le client.

5 - Couvert enfant : le restaurateur peut tout à fait compter un couvert par enfant, même s'il ne consomme pas, à condition que ce soit spécifié sur la carte.

6 - Repas pour une personne seule : le restaurateur ne peut vous refuser l'accès à son établissement, même si celui-ci est bondé ; vous devrez en revanche vous satisfaire de la table qui vous est proposée.

7 - Sous-marin : après le coup de bambou et le coup de fusil, celui du sous-marin. Le procédé consiste à rendre la monnaie en plaçant dans la soucoupe (de bas en haut) : les pièces, l'addition puis les billets. Si l'on est pressé, on récupère les billets en oubliant les pièces cachées sous l'addition.

NOS NOUVEAUTÉS

BERLIN (avril 2006)

Redevenue la capitale de l'Allemagne, Berlin est une ville qui surprend, non seulement par son étendue (9 fois la superficie de Paris) et par la juxtaposition de ses divers styles (du classique au post-moderne) au milieu de gigantesques espaces verts, mais surtout parce qu'il s'agit d'une ville en ébullition. La complète métamorphose et le bouillonnement alternatif côtoient une branchitude teintée d'*Ostalgie.* On y recense pas moins de 150 théâtres, 300 galeries et quelque 170 musées rénovés de fond en comble ! De quoi satisfaire le plus boulimique des cultureux. En pansant les cicatrices de son histoire, Berlin n'est pas seulement un nouveau rendez-vous des Allemands avec eux-mêmes, c'est aussi un rendez-vous incontournable de l'Europe, et surtout de sa jeunesse, avec son avenir.

PARIS ZEN (avril 2006)

Las du rythme effréné de la vie citadine, fatigué par le métro, épuisé par le stress du boulot et le manque de dodo ? « Om ! » Bienvenue dans l'ère du bien-être ! Voici une boîte à outils qui invite chacun à se réconcilier avec soi-même et à donner un peu plus de sens à sa vie pari-zen. De A comme Alimentation saine à Z comme Zazen, ce guide révèle ce qui peut, à Paris, détendre, déstresser, recentrer, équilibrer, harmoniser... : des hammams aux salons de massage et aux spas, en passant par la pratique des gyms douces, du yoga, du tai chi et du qi gong... Quant aux sages en devenir, ils trouveront ici un choix de lieux où s'extraire de l'agitation du monde pour méditer. Enfin, pour s'ouvrir les chakras autant que l'appétit, nos meilleurs restos végétariens et une belle sélection d'endroits où vous approvisionner en produits bio. Sans tomber dans le mysticisme, tout ce qu'il faut pour devenir totalement zen sans finir zinzin !

3 000 hôtels-restaurants partout en France

Avec le guide des Logis de France, 3 000 hôtels-restaurants vous attendent au cœur des terroirs pour des escales chaleureuses dans une ambiance familiale et toujours différente. Chaque Logis est le point de départ de mille escapades au cœur de la France.

Réservations : 01 45 84 83 84

www.logis-de-france.fr

Disponible gratuitement chez les hôteliers Logis de France,
dans les Offices du Tourisme ou à Logis de France : 83, avenue d'Italie - 75013 PARIS
Tél. : 01 45 84 70 00 - Fax : 01 45 83 59 66 - guide@logis-de-france.fr
Par correspondance : frais de port demandés (3,20 €)

NSA Bastille - RCS PARIS B 393 193 131

NOS NOUVEAUTÉS

GUIDE DE CONVERSATION ALLEMAND (paru)

L'allemand, trop complexe ? Plus d'excuse avec ce guide de poche. Ludique et complet, il répertorie plus de 7 000 mots et expressions. Tout le lexique pour organiser votre voyage ou simplement discuter autour d'une bière. Un outil indispensable qui rend accessible à tous la langue de Goethe.

GUIDE DE CONVERSATION ANGLAIS (paru)

Certes votre accent *frenchy* est irrésistible, mais encore faut-il avoir le vocabulaire adéquat ! La langue privilégiée de l'échange dispose désormais d'un nouveau guide. Dans votre nouvel indispensable, des centaines de phrases-clés pour toutes les situations de voyage. *Exit* le temps du bégaiement hésitant : le routard que vous êtes peut désormais s'épanouir hors de nos frontières. *Have a good trip !*

GUIDE DE CONVERSATION ESPAGNOL (paru)

Excuse me, où est la Sagrada Familía ? Visiblement, les mots vous manquent... Votre mini-guide en poche, palabrer dans la langue d'Almodóvar deviendra un jeu d'enfant. Phrases-clés prêtes à l'emploi, encadrés culturels et conseils pratiques : tout est là. Vous êtes fin prêt pour arpenter les contrées hispanophones !

GUIDE DE CONVERSATION ITALIEN (paru)

Un voyage dans la Botte en prévision et vous parlez seulement avec les mains ? Rassurez-vous, la tchatche italienne est désormais à portée de guide. Tous les mots et expressions-clés de la vie quotidienne, transcrits en phonétique, enfin réunis dans un format poche très fonctionnel. Et pour que l'immersion soit complète, des encadrés vous dévoilent les us et coutumes autochtones. Un compagnon de route indispensable pour vivre au rythme de la *dolce vita.*

Voyageurs DU MONDE

>> Les Cités des Voyageurs

des espaces uniques pour commencer à voyager...

- 150 spécialistes pays pour construire votre voyage
- Librairies/Conférences
- Expositions-ventes d'Artisanat

VOYAGEURS DU MONDE LIC.0759950346 / © A. Bouldouyre

www.vdm.com Ⓣ 0892 23 56 56 (0,34€ttc/min)

PARIS • BORDEAUX • GRENOBLE • LILLE • LYON • MARSEILLE • NANTES • NICE • RENNES • TOULOUSE

Nous tenons à remercier tout particulièrement Loup-Maëlle Besançon, Thierry Bessou, Gérard Bouchu, François Chauvin, Grégory Dalex, Fabrice de Lestang, Cédric Fischer, Carole Fouque, Michelle Georget, David Giason, Claudine de Gubernatis, Lucien Jedwab, Emmanuel Juste, Florent Lamontagne, Delphine Meudic, Jean-Sébastien Petitdemange, Laurence Pinsard, Thomas Rivallain, Claudio Tombari et Solange Vivier pour leur collaboration régulière.

Et pour cette nouvelle collection, nous remercions aussi :

David Alon et Andréa Valouchova
Antonin Amado
Didier Angelo
Marjorie Bensaada
Jean-Jacques Bordier-Chêne
Philippe Bourget
Nathalie Boyer
Ellenore Busch
Florence Cavé
Raymond Chabaud
Caroline Chapeaux
Alain Chaplais
Bénédicte Charmetant
Cécile Chavent
Geneviève Clastres
Stéphanie Condis
Agnès Debiage
Tovi et Ahmet Diler
Bénédicte des Dorides
Émilie Droit
Sophie Duval
Sophie Ferard
Alain Fisch
Cécile Gauneau
Stéphanie Genin
Arnaud Gèze
Adrien Gloaguen
Angela Gosmann
Romuald Goujon
Stéphane Gourmelen
Merrill Goussot
Xavier Haudiquet
Bernard Hilaire
Lionel Husson
Catherine Jarrige
Sébastien Jauffret
François et Sylvie Jouffa
Olga Krokhina
Hélène Labriet
Lionel Lambert
Vincent Launstorfer
Francis Lecompte
Benoît Legault
Jean-Claude et Florence Lemoine
Sacha Lenormand
Valérie Loth
Dorica Lucaci
Stéphanie Lucas
Philippe Melul
Kristell Menez
Éric Milet
Catherine Moine
Xavier de Moulins
Jacques Muller
Alain Nierga et Cécile Fischer
Sébastien Noulet
Hélène Odoux
Caroline Ollion
Nicolas Pallier
Patrick de Panthou
Martine Partrat
Odile Paugam et Didier Jehanno
Xavier Ramon
Dominique Roland
Déborah Rudetzki et Philippe Martineau
Corinne Russo
Caroline Sabljak
Jean-Luc et Antigone Schilling
Brindha Seethanen
Alexandra Sémon
Guillaume Soubrié
Nicolas Tiphagne
Christophe Trognon
Charlotte Valade
Muriel Villebrun
Julien Vitry

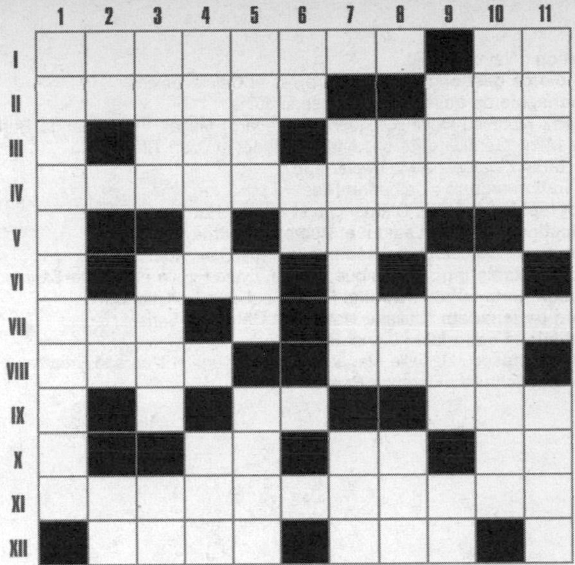

HORIZONTALEMENT

I. Préliminaire d'ados. Très Bien. **II.** Âpres. Jour ibère. **III.** Direction Générale de la Santé. Mayonnaise à l'ail. **IV.** Provoquent souvent des effets indésirables. **V.** Les notres **VI.** Infection Sexuellement Transmissible. "Assez" en texto. **VII.** Dans le noyau. Se porte rouge contre le sida. **VIII.** Élément de bord de mer. Fin de phrase télégraphique. **IX.** Que l'on sait. Positif ou négatif. **X.** Participe passé de rire. Avant. La tienne. **XI.** Entraides. **XII.** Patrie du Ché. Un des virus de l'hépatite.

VERTICALEMENT

1. À Protéger. **2.** Avant certains verbes. Note. Langue du sud. **3.** Castor et Pollux sont ses fils. La vache y est sacrée. Déchiffré. **4.** Parties de débauche.Pour prélèvement. **5.** Dépistage. Toi. Les séropositifs en souffrent. **6.** Excelle. Dans. **7.** Avec ou sans lendemains. Antirétroviraux. **8.** Fin de maladies. Do courant. Responsable du sida. **9.** De soi ou d'argent. Aboiement. Symbole du technétium. **10.** On comprend quand on le fait. Anglaise en France. **11.** Affluent de la Garonne. En mauvais état.

Direction : Nathalie Pujo
Contrôle de gestion : Joséphine Veyres et Céline Déléris
Responsable de collection : Catherine Julhe
Édition : Matthieu Devaux, Stéphane Renard, Magali Vidal, Marine Barbier-Blin, Laure Méry, Géraldine Péron, Amélie Renaut et Jean Tiffon
Secrétariat : Catherine Maîtrepierre
Préparation-lecture : Catherine Hidé
Cartographie : Frédéric Clémençon et Aurélie Huot
Fabrication : Nathalie Lautout et Audrey Detournay
Couverture : conçue et réalisée par Thibault Reumaux
Direction Marketing : Dominique Nouvel, Lydie Firmin et Juliette Caillaud
Direction partenariats : Jérôme Denoix et Dana Lichiardopol
Édition partenariats : Juliette Neveux et Géraldine Seris
Informatique éditoriale : Lionel Barth
Relations presse : Danielle Magne, Martine Levens et Maureen Browne
Régie publicitaire : Florence Brunel

Chers lecteurs, nous indiquons par le logo ♿ les établissements qui possèdent un accès ou des chambres pouvant accueillir des personnes handicapées. Certaines adresses sont parfaitement équipées selon les critères les plus modernes. D'autres, plus simples, plus anciennes aussi, sans répondre aux normes les plus récentes, favorisent leur accueil, facilitent l'accès aux chambres ou au resto. Évidemment, les handicaps étant très divers, des lieux accessibles à certaines personnes ne le seront pas pour d'autres. Appelez auparavant pour savoir si l'équipement de l'hôtel ou du resto est compatible avec votre niveau de mobilité.
Malgré les combats menés par les nombreuses assocations, l'intégration des personnes handicapées à la vie de tous les jours est encore balbutiante en France. Il tient à chacun de nous de faire changer les choses. Une prise de conscience est nécessaire, nous sommes tous concernés.

1er ARRONDISSEMENT

Où manger ?

Très bon marché

|●| ***En passant par la Lorraine*** *(plan B2,* ***34****)* **:** 2, rue de l'Échelle, 75001. ☎ 01-42-60-30-96. Ⓜ Palais-Royal ou Pyramides. Ouvert tous les jours de 10 h à 18 h. Sandwichs à emporter ou sur place de 4,10 à 5,70 €. Quiches à 3,35 € sur place et 2,90 € à emporter. Menus de 7 à 7,70 €. Une boutique-snack qui présente de bien gourmande façon les meilleurs produits de la région. Idéal pour faire un pique-nique : il y a même un panier que l'on vous remplit, à la carte, de terrine de campagne à la mirabelle, pâté lorrain, pur jus de pomme ou bons petits vins des côtes de Toul. Sandwichs appétissants servis avec le sourire (terrine à l'échalote, brie ou fuseau lorrain et jambonneau), vraie quiche lorraine, tartes aux fruits. Huit bières à découvrir, dans un cadre qui donne envie de repasser par la Lorraine.

|●| ***Chez Stella*** *(plan C1,* ***17****)* **:** 3, rue Thérèse, 75001. ☎ 01-42-96-22-15. Ⓜ Pyramides. Ouvert de 12 h à 14 h et de 19 h 30 à 22 h. Fermé le week-end. Congés annuels : les 3 dernières semaines d'août et de décembre. Menu 3 plats à 11 €, formules à 9,60 et 10,40 €. Adresse discrète entre Palais-Royal et Opéra. Mouchoir de poche de 30 couverts, sorte de salle à manger de grand-mère avec poêlons de cuivre et paysages naïfs en guise de décor. Petite cuisine ménagère, entrées simples et petits plats frais et honnêtes pour le prix. Une mention spéciale pour les tartes, toutes disposées sur un buffet à l'entrée. Service souriant et efficace. Cartes de paiement refusées. Apéritif offert (le soir uniquement) à nos lecteurs sur présentation de ce guide.

|●| ***La Ferme*** *(plan B1,* ***2****)* **:** 55-57, rue Saint-Roch, 75001. ☎ 01-40-20-12-12. Ⓜ Pyramides. ♿ Ouvert du lundi au vendredi de 8 h à 20 h, le samedi de 9 h à 19 h et le dimanche de 10 h à 19 h. Compter autour de 9 € pour une salade et un jus de fruits, 3,30 € pour une soupe. On est loin de l'étable, et même des tables avec nappes en plastique des fermières d'antan. Ce « prêt-à-manger » écolo serait l'équivalent d'un fast-food, version saine ! On prend son panier, on choisit dans les vitrines réfrigérées sandwichs, salades, yaourts et jus

de fruits pressés du jour, et on va s'installer dans l'une des salles, où l'on peut lire la presse et traînasser. L'endroit est clair, clean, et les produits laitiers ainsi que les poulets viennent d'une douzaine de fermes dûment contrôlées des environs de Paris. Du self-service très tendance ! Nouveau : un bar à jus avec des *smoothies* et des cocktails.

I●I ***Au Petit Bar*** *(plan B1, **11**)* **:** 7, rue du Mont-Thabor, 75001. ☎ 01-42-60-62-09. Ⓜ Tuileries. Service de 12 h à 14 h 30 et de 19 h à 21 h. Fermé les dimanche et jours fériés. Congés annuels : en août. Plats entre 9 et 9,50 €, salades aux alentours de 3 €. Caché derrière le luxueux hôtel *Meurice,* face à la dernière demeure de Musset, un minuscule bistrot de quartier comme on n'en fait plus... Le cadre est on ne peut plus simple et la gentillesse est au rendez-vous. Papa est à la caisse, maman en cuisine et fiston au service. Clientèle de fidèles où se côtoient employés de quartiers, prolos venus en amis et jeunes branchés égarés, le tout dans une ambiance de cantine. Venir tôt car la salle est vite pleine.

I●I ***Higuma*** *(plan B1, **3**)* **:** 32 bis, rue Sainte-Anne, 75001. ☎ 01-47-03-38-59. Ⓜ Pyramides. Ouvert tous les jours de 11 h 30 à 22 h. Congés annuels : à Noël et le Jour de l'an. Menu autour de 10 € servi midi et soir. Voici une bonne petite adresse japonaise, façon cantine améliorée, où les employés et vendeuses des sociétés nippones installées dans le quartier débarquent en masse pour se sustenter rapidement mais copieusement. Au programme de ce resto populaire, des bols de bouillon variés qui ne vous laissent pas sur votre faim, ou encore de généreuses nouilles sautées et de bons raviolis frits. À déguster au comptoir, face aux cuistots en action, ou dans les 2 salles embaumant le graillon. Authentique !

Bon marché

I●I ***L'Écume Saint-Honoré*** *(plan B1, **5**)* **:** 6, rue du Marché-Saint-Honoré, 75001. ☎ 01-42-61-93-87. Ⓜ Pyramides. Ouvert du mardi au jeudi de 11 h à 19 h et les vendredi et samedi jusqu'à 22 h. Congés annuels : en août. Formule express (6 huîtres avec un verre de muscadet) à 9,90 €, assiette nordique ou atlantique à 15 €. Une poissonnerie-bar à huîtres où les prix sont encore plus serrés que les clients, qui viennent poser une fesse sur un tabouret le temps d'une dégustation d'une fraîcheur garantie. C'est rapide, sain, servi avec le sourire et un petit blanc revigorant. Si vous hésitez, demandez une des exclusivités maison, 6 « Émeraudes » d'Oléron à 16,80 €, une petite merveille en bouche. Sinon, il y a les assiettes composées de produits traiteur ou de coquillages « selon votre sourire et l'humeur du patron ». Un verre de vin blanc offert à nos lecteurs sur présentation de ce guide.

|●| ***Foujita 1*** *(plan B1, **4**) :* 41, rue Saint-Roch, 75001. ☎ 01-42-61-42-93. Ⓜ Pyramides ou Tuileries. Ouvert le midi jusqu'à 14 h 15 et le soir jusqu'à 22 h 15. Fermé le dimanche. Un 1er menu à 12 € le midi. Un sushi-bar réputé, à des prix encore raisonnables. Menus très copieux au déjeuner. Malheureusement, la salle est toute petite et c'est souvent complet. Le soir, le rapport qualité-prix des menus est bien moindre. Il existe aussi un *Foujita 2* : 7, rue du 29-Juillet, 75001, beaucoup plus grand mais moins bien que le *Foujita 1.*

|●| ***Le Béarn*** *(plan D2-3, **7**) :* 2, pl. Sainte-Opportune, 75001. ☎ 01-42-36-93-35. Ⓜ Châtelet. Ouvert midi et soir, jusqu'à 21 h. Fermé le dimanche. Congés annuels : 1 ou 2 semaines en août. Pas de menu, repas à la carte autour de 15 € sans la boisson. Le midi (et le soir de mai à octobre), plats du jour autour de 9 €. Minuscule bistrot de quartier où se pressent les habitués le midi pour un plat chaud

|●| Où manger ?

2 La Ferme
3 Higuma
4 Foujita 1
5 L'Écume Saint-Honoré
6 Olio Pane Vino
7 Le Béarn
8 La Crypte Polska
9 Subito
10 Le Coude à Coude
11 Au Petit Bar
12 Ca d'Oro
13 Livingstone
14 Lescure
15 Jarabacoa
16 La Fresque
17 Chez Stella
18 L'Autobus Impérial
21 Bistrot Victoires
22 Le Soufflé
23 L'Ardoise
25 Les Dessous de la Robe
26 Bistrot Saint-Honoré
27 Ragueneau
28 Nodaïwa
29 Saudade
34 En passant par la Lorraine
36 Au Vieux Comptoir
37 Kong

|●| Bars à vin

42 Le Rubis
43 À la Cloche des Halles
45 Wine and Bubbles
46 Le Père Fouettard

|●| Restaurants de nuit

30 Au Pied de Cochon
32 La Poule au Pot
33 À la Tour de Montlhéry, Chez Denise

|●| Salons de thé

19 Muscade
20 Angélina

Où manger une glace ?

50 Delisie Follie

Où boire un verre ?

52 Colette
53 Le Café Marly
55 Carr's
56 Le Fumoir
57 Papou Lounge

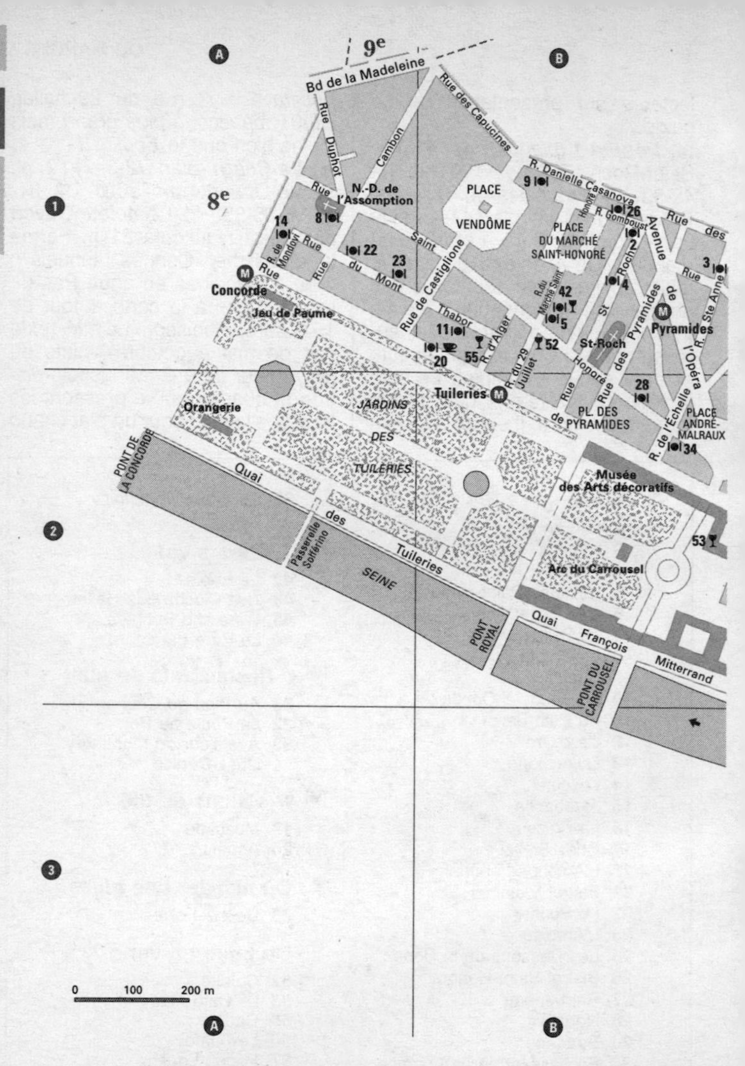

9e
8e
Bd de la Madeleine
Rue Duphot
Cambon
Rue des Capucines
R. Danielle Casanova
PLACE
VENDÔME
N.-D. de l'Assomption
Rue Saint
Rue du Mont Thabor
R. de Mondovi
Rue de Castiglione
PLACE DU MARCHÉ SAINT-HONORÉ
R. Gomboust
Honoré
R. du Marché Saint
Avenue de l'Opéra
Rue des
Rue Ste Anne
Rue des Pyramides
St Roch
St-Roch
Pyramides
Concorde
Jeu de Paume
R. d'Alger
R. du 29 Juillet
Tuileries
Rue Honoré
Rue de Rivoli
PL. DES PYRAMIDES
R. de l'Echelle
PLACE ANDRÉ-MALRAUX
Orangerie
JARDINS DES TUILERIES
Musée des Arts décoratifs
Arc du Carrousel
PONT DE LA CONCORDE
Quai des Tuileries
Passerelle Solférino
SEINE
PONT ROYAL
Quai François Mitterrand
PONT DU CARROUSEL
14
8
22
23
9
26
2
3
4
42
5
11
20
55
52
28
34
53
A
B
1
2
3
0
100
200 m

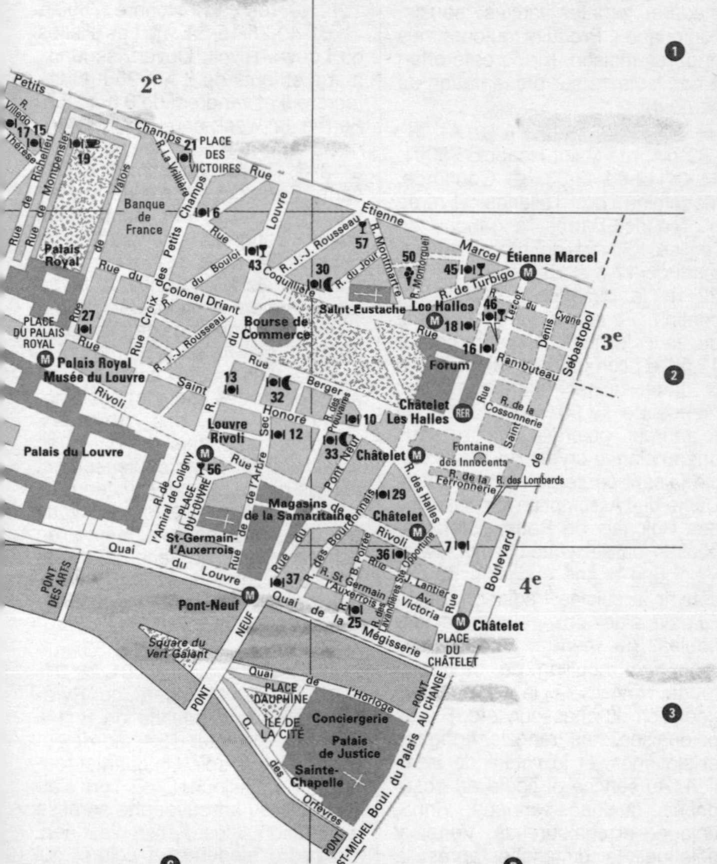

1er ARRONDISSEMENT

sur le pouce. Cuisine gentille et service souriant autour du zinc : petit salé aux lentilles, rognons au madère, tomates farcies, saucisson chaud... Produits toujours frais et purée maison. Kir ou café offert à nos lecteurs sur présentation de ce guide.

La Crypte Polska *(plan A1, **8**) :* 263 bis, rue Saint-Honoré, 75001. ☎ 01-42-60-43-33. Ⓜ Concorde, Madeleine ou Tuileries. Entrée pl. Maurice-Barrès, à gauche de l'église. Ouvert du mardi au samedi de 12 h à 15 h et de 19 h à 22 h; le dimanche, service en continu. Fermé le lundi. Formule du jour le midi en semaine à 12,50 €; compter de 14 à 20 € à la carte, boisson non comprise; menus de 12,90 à 16,20 €. Un restaurant polonais, niché dans une ancienne crypte du XVIIIe siècle faisant partie de l'église Notre-Dame-de-l'Assomption (c'est l'église des Polonais de Paris). Claustrophobes, passez votre chemin, donc! Voici une bonne occasion de découvrir la cuisine traditionnelle de ce pays à des prix vraiment raisonnables. Au menu : hareng à la polonaise, bouillon de betterave rouge, raviolis à la choucroute, goulasch du chasseur, etc. Bières polonaises, vins français, hongrois et slovènes, et la vodka de tradition. Au service et fidèle au poste depuis quelques années, Anna, enjouée et chaleureuse. Venez y déjeuner le dimanche après la messe, parce que là, c'est vraiment en Pologne que vous vous sentirez. Salle non-fumeurs uniquement! Chèques refusés.

Le Coude à Coude *(plan D2, **10**) :* 46, rue Saint-Honoré, 75001. ☎ 01-40-28-15-64. Ⓜ Les Halles ou Louvre-Rivoli. Ouvert les lundi, mardi et jeudi de 8 h à 20 h et les mercredi et vendredi de 8 h à 23 h. Fermé le week-end. Congés annuels : en août. Formule déjeuner à 13 €. Prévoir environ 20 € à la carte. Sous des allures de troquet banal, voici l'un des bons petits plans « bougnats » du quartier. La petite salle n'est pas d'une folle gaieté, mais elle fait quand même régulièrement le plein. Car chacun sait qu'ici on ne transige pas sur la qualité des viandes (la côte comme l'entrecôte sont servies avec des frites maison), des cochonnailles ou des fromages, qu'on accompagne de quelques vins au verre scrupuleusement choisis par le patron. Prix tenus et baguette sublime : si le cœur vous en dit, vous pouvez même en acheter, juste en face, à la fameuse boulangerie *Julien*. Café offert à nos lecteurs sur présentation de ce guide.

Subito *(plan B1, **9**) :* 33, rue Danielle-Casanova, 75001. ☎ 01-49-26-01-66. Ⓜ Opéra ou Pyramides. Service continu de 8 h à 22 h 30. Compter 15 € au déjeuner et 20 € le soir. Un quartier touristico-professionnel, où l'on s'attend un peu à trouver une adresse à l'addition salée. Il n'en n'est rien. Un cadre moderne et coloré, qui rassemble une clientèle de 30-40 ans et quelques oiseaux de passage autour de plats italiens, souvent copieusement et gentiment servis : pâtes, gratins d'aubergines, salades, risottos... Pas de la grande gastronomie, mais vraiment rien à redire (desserts à 4 € !), et des plats qu'on peut parfois directement choisir à travers la vitre du comptoir. Propose quelques vins au verre. Fait également épicerie et traiteur. Animations les mercredi (cours de salsa), jeudi (musique live) et vendredi soir (DJ). *NOUVEAUTÉ.*

Prix moyens

Iel ***Ragueneau*** *(plan C2, **27**) :* 202, rue Saint-Honoré, 75001. ☎ 01-42-60-29-20. Ⓜ Palais-Royal-Musée-du-Louvre. Presque sur la place du Palais-Royal, à deux pas du Louvre. Ouvert du 8 h à 22 h 30 en continu. Fermé le samedi soir, le dimanche soir et le lundi. Au snack, menus de 9,60 à 10,90 €, incluant dessert et café. Plat du jour à 14 €. Au restaurant (à l'étage), menus du déjeuner à 18,50 € (plat + entrée ou dessert) et à 23 € (entrée + plat + dessert). Brunchs le dimanche à 19 et 24 €. Un petit théâtre gourmand qui a bien changé depuis l'époque de Molière et de Cyrano de Bergerac. Il y a d'abord le « snack chic », au rez-de-chaussée, où l'on se régale de quiches, salades, tartines. En dessert, des tartes vraiment tentantes, qui nous font de l'œil derrière la vitrine. À l'étage, menu plus raffiné en 2 ou 3 actes. Délicieuse mise en scène de jus de tomate, caviar de courgette, crevette et concombre, brandade de morue d'une finesse inouïe et, pour conclure en beauté, feuillantine de fruits des bois, crème légère au Cointreau, ultra-aérienne. On est moins surpris de ce parcours sans faute, conforté par un service diligent, quand on sait que le chef est un ancien de *Taillevent,* du *Lutetia,* de la *Maison Blanche...* Et bon élève de surcroît ! Café offert à nos lecteurs sur présentation de ce guide.

Iel ***Bistrot Victoires*** *(plan C1, **21**) :* 6, rue de la Vrillière, 75001. ☎ 01-42-61-43-78. Ⓜ Bourse. ♿ Ouvert tous les jours midi et soir jusqu'à 23 h 30. Plats à 9 €. Compter de 20 à 28 € pour un repas complet à la carte. Brunch le dimanche pour 13,90 €. À deux pas de la place du même nom, ce bistrot cultive l'ambiance chaleureuse de la Belle Époque sans tomber dans l'artifice. Avec ses boiseries sombres, ses grands miroirs, son antique comptoir en étain et jusqu'à sa vaisselle, empruntée à un vieux « bouillon » des environs de la République, on se croirait dans un roman de Maupassant. La clientèle se presse autour d'une cuisine simple et roborative. Entrecôte grillée au thym, poulet rôti au jus, grandes salades et tartines tiennent le haut de l'ardoise. On ne saurait trop vous conseiller d'arroser le tout d'un petit vin du mois, sélectionné avec soin par le patron. L'été, profitant de la terrasse, vous pourrez alors lever votre verre à la santé du Grand Louis qui trône à quelques mètres de là.

|●| ***Olio Pane Vino*** *(plan C1-2,* ***6****) :* 44, rue Coquillière, 75001. ☎ 01-42-33-21-15. Ⓜ Les Halles ou Palais-Royal. Ouvert toute la semaine au déjeuner et le vendredi soir. Fermé les samedi et dimanche. Compter 18 € pour un plat et un dessert. Seulement 2 plats chauds du jour (toujours la *pasta*!) ; le reste de la carte est froid. Un resto-épicerie transalpin toujours bondé qui fait mouche dans le quartier. Dans l'assiette, c'est simple et bon. Carpaccio de bresaola, foie de poulet cuisiné avec anchois, câpres et vin blanc... Les produits sont de bonne qualité, et l'équipe sympathique. Quelques vins au verre. Mieux vaut réserver. Café offert à nos lecteurs sur présentation de ce guide. *NOUVEAUTÉ.*

|●| ***Jarabacoa*** *(plan C1,* ***15****) :* 3, rue Villedo, 75001. ☎ 01-42-96-90-74. Ⓜ Pyramides. À la hauteur de la rue Richelieu. Fermé le dimanche. À midi, formule à 7,50 € (entrée + plat + dessert ou café). Une restauration indienne authentique dans un décor original et mystique. Ambiance Bollywood ou classique indien, selon le jour. Apéritif maison offert à nos lecteurs sur présentation de ce guide.

|●| ***Au Vieux Comptoir*** *(plan D3,* ***36****) :* 17, rue des Lavandières-Sainte-Opportune, 75001. ☎ 01-45-08-53-08. Ⓜ Châtelet. Service non-stop de 12 h à 22 h 30. Fermé les dimanche et lundi. Congés annuels : les 3 premières semaines d'août. À midi, menu à 15 € (plat + entrée ou dessert) ; compter 35 € à la carte le soir. Dans ce joli petit bistrot, l'accueil est une qualité naturelle. On déjeune ou on dîne de plats simples délicieusement cuisinés où tous les produits sont d'une grande fraîcheur. Avec un bon petit verre de mâcon, vous ne ferez guère monter l'addition.

|●| ***Ca d'Oro*** *(plan C2,* ***12****) :* 54, rue de l'Arbre-Sec, 75001. ☎ 01-40-20-97-79. Ⓜ Louvre-Rivoli. ♿ Ouvert tous les jours de 12 h à 14 h 30 et de 19 h à 23 h. Congés annuels : 2 semaines en août. Menu à 15 € le midi. Compter autour de 28 € à la carte. Une table discrète et accueillante. Passé une minuscule salle et un étroit couloir, on débouche dans une autre salle au décor évoquant doucement Venise, d'où est originaire le cuisinier. On se régale d'une *bruschetta* simple comme bonjour (pain grillé frotté d'ail, recouvert d'huile d'olive, de basilic et de tomate fraîche), avant de sacrifier aux pâtes ou encore aux risottos pour deux (cèpes, fruits de mer ou encore seiche) et de terminer par une mousse chaude au marsala. Une cuisine authentique et généreuse. Apéritif maison offert à nos lecteurs sur présentation de ce guide.

|●| ***L'Autobus Impérial*** *(plan D2,* ***18****) :* 14, rue Mondétour, 75001. ☎ 01-42-36-00-18. Ⓜ Étienne-Marcel ou Les Halles. Service de 12 h à 14 h 30 et de 19 h 15 à 23 h. Fermé le dimanche. Menu à 12,50 € le midi en semaine ; autres menus de 14,50 à 29 €. On

l'a connu *Batifol, Royal Mondétour,* puis fermé et oublié. L'affaire reprend vie sous la houlette de trois copains formés dans la grande restauration *(Le Crillon)* qui ont eu envie de ranimer cette belle salle (aménagée avec une partie lounge à l'entrée) et de lui trouver enfin un public, sur le créneau du bistrot gourmand. Pour cela, plusieurs formules bien ficelées et un petit plus : un chariot de desserts vraiment top, qui portent la patte d'un excellent chef pâtissier. Service féminin tout en gentillesse. Apéritif maison ou café offert à nos lecteurs sur présentation de ce guide. *NOUVEAUTÉ.*

Les Dessous de la Robe *(plan D3,* ***25****)* **:** 4, rue Bertin-Poirée, 75001. ☎ 01-40-26-68-18. Ⓜ Châtelet. Service de 12 h à 14 h 30 et de 19 h 30 à 1 h. Fermé les samedi midi, dimanche et lundi. Congés annuels : à Noël et en août. À la carte midi et soir ; plats du jour le midi à partir de 10 €, le soir à partir de 12 € ; *plancha* bien garnie à 12 €. Aucune allusion à une quelconque histoire de jupons dans cette ancienne maison du XVIIe siècle. Le mobilier rustique se fond dans ce décor de vieilles pierres, plancher et poutres apparentes. Des vins du Languedoc, de la Loire et des côtes du Rhône accompagnent une cuisine simple mais réussie. Pas d'esbroufe dans les plats, qui changent souvent, c'est la fraîcheur des produits qui prime. Les tables en mezzanine, plus intimistes, ne sont pas recommandées aux grands gaillards, mais indiquées pour les rendez-vous à deux (et quand on est un grand gaillard amoureux, alors ?). Café offert à nos lecteurs sur présentation de ce guide.

Lescure *(plan A1,* ***14****)* **:** 7, rue de Mondovi, 75001. ☎ 01-42-60-18-91. Ⓜ Concorde. Service de 12 h à 14 h 15 et de 19 h à 22 h 15. Fermé le week-end. Congés annuels : en août et 1 semaine à Noël. Menu à 22 € midi et soir. À la carte, compter environ 30 €. À deux pas de la place de la Concorde, cette maison de tradition nourrit le quartier depuis 1919, et cela de grand-père en petits-fils. Si l'on peut qualifier le décor de rustique et provincial, les serveurs, en revanche, ont une gouaille résolument parigote et, entre deux saillies verbales, font montre d'une grande efficacité. Résultat, on mange sans chichis une cuisine saine et franche (bœuf bourguignon, gibier en saison, poule au pot farcie, magret de canard...). Succulents desserts. Vins au verre. L'ambiance très décontractée et le bon rapport qualité-prix drainent largement de quoi remplir la petite salle, aussi mieux vaut-il arriver tôt le soir. Si vous êtes seul ou même à deux, on vous trouvera de la place à la table commune. En été, on s'arrache les terrasses.

La Fresque *(plan D2,* ***16****)* **:** 100, rue Rambuteau, 75001. ☎ 01-42-33-17-56. Ⓜ Étienne-Marcel ou Les Halles. Service de 12 h à 15 h 30 et de 19 h à minuit. Fermé le dimanche. Congés annuels :

1 semaine autour du 15 août. Formule à 13 € le midi avec entrée + plat + boisson. À la carte, un peu différente au déjeuner et au dîner, compter autour de 22 €. Un resto sympa avec terrasse, installé dans la boutique d'un ancien marchand d'escargots : antiques carreaux de faïence blancs, fresques colorées, longues tables de bois, etc. Le midi, une formule rapide mais consistante. Le soir, pas de menu. Tous les jours, des entrées sympathiques, 5 ou 6 plats de cuisine traditionnelle agrémentée d'une pointe d'originalité, et toujours une assiette végétarienne, une tourte aux légumes, excellente en l'occurrence. Salle plus calme et chaleureuse au sous-sol. Ambiance très animée sinon; c'est simple, tout le monde se connaît! Les serveurs s'activent tant qu'ils peuvent, mais aux heures de bousculade, on est parfois un peu délaissé.

Plus chic

|●| ***Kong*** *(plan C3, **37**) :* 1, rue du Pont-Neuf, 75001. ☎ 01-40-39-09-00. Ⓜ Pont-Neuf. Ouvert tous les jours de 12 h à minuit. Compter 35 € à la carte pour un repas complet. Un lieu qui vous en met plein la vue, aux 2 derniers étages du spectaculaire immeuble *Kenzo*. L'endroit, signé Philippe Starck, a été conçu pour étonner les plus blasés, de la bulle de verre géante en forme de dirigeable, avec vue sur les toits environnants, à la moquette au décor de galets, en passant par les fauteuils « Louis XIX » en Plexiglas. Le service est assuré par de charmantes jeunes filles et de beaux garçons souriants, plutôt efficaces. La clientèle, elle, est un mélange de jeunes gens chic branchés, de bobos décontractés et de vieux beaux revenus de tout. Et la cuisine propose des plats de tradition française, que viennent réveiller des incursions mesurées dans la gastronomie nippone.

|●| ***Bistrot Saint-Honoré*** *(plan B1, **26**) :* 10, rue Gomboust, 75001. ☎ 01-42-61-77-78. Ⓜ Pyramides. Parking payant. Service de 12 h à 15 h et de 19 h 30 à 22 h 30. Fermé le week-end. Congés annuels : 2 semaines en août et 1 semaine entre Noël et le Jour de l'an. Menus à 26 €, en semaine, et 28 €; compter 40 € à la carte. Le terroir de Bourgogne en bordure du marché Saint-Honoré. Décor bistrotier agréable. On s'attable là avec tout le solennel requis pour aborder les choses sérieuses : grenouilles, coquilles Saint-Jacques au beurre blanc, veau vigneronne, par exemple. Cuisine roborative pour bonnes fourchettes. Service rapide et gouailleur. Apéritif maison offert à nos lecteurs sur présentation de ce guide.

|●| ***Livingstone*** *(plan C2, **13**) :* 106, rue Saint-Honoré, 75001. ☎ 01-53-40-80-50. Ⓜ Châtelet-Les Halles, Palais-Royal-Musée-

du-Louvre ou Louvre-Rivoli. Ouvert du lundi au vendredi de 12 h à 15 h et tous les soirs de 20 h à 1 h. Congés annuels : 2 semaines en mai et en décembre ainsi qu'une dizaine de jours en août. Menus à 15 € (le midi), 20 et 25 €. À la carte, compter 40 € sans le vin. Avant d'investir cette ancienne échoppe de fruits et légumes transformée en caverne d'Ali Baba, le patron, en vrai routard, a amassé des objets hétéroclites trouvés dans tous les coins du globe. Le décor néocolonial est donc très réussi. Avec ses poutres peintes et ses banquettes léopard, on s'y croirait. Où ? En Thaïlande, puisqu'en cuisine, le chef soigne ses *satays* (brochettes de poulet mariné), sa *tom kha gai* (soupe de poulet au lait de coco) et sa *ma praw kung* (lotte, crevettes et Saint-Jacques au curry rouge cuites dans une noix de coco entière). Au dessert, ne pas manquer le *phat trang* (flan à la citrouille cuit au lait de coco). Pas de vins asiatiques, mais des bières chinoises ou thaïes.

|●| ***Saudade*** *(plan D2,* ***29****)* **:** 34, rue des Bourdonnais, 75001. ☎ 01-42-36-03-65. Ⓜ Châtelet. Service de 12 h à 14 h et de 19 h à 22 h 30 (23 h les vendredi et samedi). Fermé le dimanche. Menu à 20 € à midi. À la carte, prévoir environ 30 €. L'ambassadrice de la cuisine portugaise. Azulejos sur les murs clairs, voix de Madredeus ou de Cesaria Evora. *O saudade,* nostalgie... Le 1er mardi de chaque mois, il y a du *fado* pour les amateurs. *Pasteis de bacalhau* ou *escabeche de sardina* précèdent *peixes* (poissons) et *carnes* (viandes) ou l'indétrônable morue, avec ses 8 préparations différentes (poêlée, gratinée, grillée, frite, panée...). Pour les desserts, ne pas manquer l'*arroz doce,* fondant riz au lait à la cannelle. *Vinho verde* ou rouges plus charnus, pour accompagner. Ne pas se refuser un (vieux) porto en digestif : il n'y a pas de meilleure conclusion.

|●| ***Le Soufflé*** *(plan A1,* ***22****)* **:** 36, rue du Mont-Thabor, 75001. ☎ 01-42-60-27-19. Ⓜ Concorde. ♿ Service de 12 h à 14 h 30 et de 19 h à 22 h. Fermé le dimanche. Congés annuels : 2 semaines en février et 3 semaines en août. Menu à 23 € au déjeuner avec verre de vin et café ; deux autres menus à 29 et 32 €, celui du soir est à 35 €. Un resto trentenaire niché dans une petite rue à quelques encablures de la Concorde et de l'Opéra. Ce qui nous a attirés, c'est l'amusante formule autour du soufflé qu'on a fleuré bon de l'extérieur... Et notre nez ne nous a pas trompés. Quelque 10 soufflés salés se partagent la vedette, et à peine moins pour le dessert. Appétits de lendemain de fête passez votre chemin, parce qu'en plus d'être bien parfumées, les portions sont copieuses. Mais on peut, bien sûr, préférer un fondant d'agneau ou un gratin de moules par exemple ; le choix est là. Alors là, à vous de nous donner vos impressions ! Une adresse de tradition, au cadre gentiment désuet, très prisée par les touristes des grands hôtels alentour. Apéritif

maison ou café ou digestif maison offert à nos lecteurs sur présentation de ce guide. *NOUVEAUTÉ.*

|●| ***L'Ardoise*** *(plan A1, **23**)* **:** 28, rue du Mont-Thabor, 75001. ☎ 01-42-96-28-18. Ⓜ Tuileries ou Concorde. Service de 12 h à 14 h 30 et de 18 h 30 à 23 h. Fermé le dimanche midi et le lundi. Congés annuels : en août et entre Noël et le Jour de l'an. Menu-carte unique à 31 € avec entrée, plat et dessert. Décor plutôt banal de cantine de quartier. Tables très serrées. Menu (servi tous les jours midi et soir) bien ficelé et riche en idées. Tournedos d'agneau aux herbes, foie gras de canard cuit au torchon, voilà un aperçu des spécialités du chef. Belle présentation, produits cuisinés avec intelligence et une jolie pointe d'inventivité, vins intéressants, tarifés au plus serré. Clientèle mélangée d'amateurs avertis et de touristes en goguette.

|●| ***Nodaïwa*** *(plan B2, **28**)* **:** 272, rue Saint-Honoré, 75001. ☎ 01-42-86-03-42. Ⓜ Pyramides. Service de 12 h à 14 h 30 et de 19 h à 22 h. Fermé le dimanche. Congés annuels : la 2e quinzaine d'août. Menus de 16 à 58 €. À la carte, compter environ 21 € sans la boisson. Ce minuscule restaurant monomaniaque, qui ne vibre que pour l'anguille grillée, est l'antenne parisienne d'un restaurant réputé de Tokyo qui, depuis le XVIIIe siècle, ne sert que ça. Déco sobre et raffinée, ikebana et petites estampes. Servie grillée avec une sauce sur un lit de riz avec consommé chaud et légumes salés (c'est le *kabayaki*) ou encore en sushi ou sashimi, l'anguille, d'une exquise délicatesse, fond littéralement dans la bouche. Plats à emporter.

Bars à vin

|●| 🍷 ***Le Rubis*** *(plan B1, **42**)* **:** 10, rue du Marché-Saint-Honoré, 75001. ☎ 01-42-61-03-34. Ⓜ Pyramides. Ouvert jusqu'à 22 h (15 h le samedi). Fermé les dimanche et jours fériés. Congés annuels : 3 semaines en août et 10 jours à Noël. Plats du jour entre 10 et 12 €. Le voilà, le Paris-canaille que vous croyiez disparu, avec ses joyeux sires, ses belles trognes, ses petits plats, ses vins qu'on s'arrache, ses serveurs incroyables... C'est la vie, la vraie, celle qu'on croyait disparue à jamais, avec ses casquettes et ses coups de gueule, ses sandwichs au comptoir et le vin rouge « en direct de la propriété ». Une vieille mais excellente valeur des bars à vin, toujours bon pied bon œil, tenue par des gens vraiment accueillants, ce qui se fait rare. Salle à l'étage. L'été, il y a tant de monde qu'on déguste dehors, accoudé aux tonneaux.

|●| 🍷 ***Le Père Fouettard*** *(plan D2, **46**)* **:** 9, rue Pierre-Lescot, 75001. ☎ 01-42-33-74-17. Ⓜ Les Halles ou Étienne-Marcel. ♿ Ouvert tous les jours de 7 h 30 à 2 h ; service

de 11 h 30 à minuit. Congés annuels : à Noël. Formule, le midi en semaine, à 13,50 €. Nombreux plats de type brasserie entre 12 et 15 €. Brunch le week-end à 17,50 €. Une superbe terrasse (chauffée en hiver) à l'écart de l'agitation des Halles et à l'abri des voitures. Salle sympa à l'étage. Ce café, pratiquement en face du *Père Tranquille,* contribua à sa manière à l'histoire et à l'âme du quartier, avant le Forum bien sûr... Une déco bien rétro, des petits vins de terroir, de sympathiques charcutailles pour les accompagner, de belles salades et de bonnes viandes... Également 4 ou 5 plats végétariens à la carte. Service diligent et souriant. Café offert à nos lecteurs sur présentation de ce guide.

À la Cloche des Halles *(plan C2, **43**)* **:** 28, rue Coquillière, 75001. ☎ 01-42-36-93-89. Ⓜ Louvre-Rivoli ou Les Halles. Ouvert du lundi au vendredi de 8 h à 21 h et le samedi de 10 h à 16 h. Fermé le dimanche. Congés annuels : 10 jours en février et les 3 premières semaines d'août. Compter entre 6,50 et 8 € pour une assiette de charcuterie ou de fromage. Verre de vin de 1,50 à 5 €. Une cloche, qui, du temps des Halles, annonçait le début et la fin des marchés, surplombe la façade. Réputation méritée et qualité des produits. Il faut dire que le patron met en bouteille lui-même tous ses petits vins de propriété et que les produits qui les accompagnent sont d'une fraîcheur jamais prise en défaut. Solides assiettes de charcuterie, jambon à l'os, fromages fermiers, tout est bon et copieux. Le midi, les cravatés du quartier se serrent sur 3 rangs devant le comptoir. Un rendez-vous bien sympathique pour se taper la cloche à petits prix. Cartes de paiement refusées.

Wine and Bubbles *(plan D2, **45**)* **:** 3, rue Française, 75001. ☎ 01-44-76-99-84. Ⓜ Les Halles. Bar ouvert du mardi au dimanche de 18 h à 2 h. Verre de vin de 3 à 7 €. Un bar à vin lumineux et *hype* avec des consos qui n'assomment pas : ça existe encore. Cette cave propose des centaines de flacons, dont un champagne à partir de 14 € la bouteille, à boire sur place ou à emporter. Petite terrasse. *NOUVEAUTÉ.*

Restaurants de nuit

Au Pied de Cochon *(plan C-D2, **30**)* **:** 6, rue Coquillière, 75001. ☎ 01-40-13-77-00. Ⓜ Louvre-Rivoli ou Les Halles. ♿ Ouvert toute l'année, tous les jours, 24 h/24. Menu cochon express à 18 € ; carte autour de 48 € ; le simple plateau de fruits de mer est à 36,40 €, le « Royal » à 89,50 € pour 2 personnes ; et le petit dej', pour les noctambules, à partir de 11 €. Cette vénérable institution, connue dans le monde entier, reste un solide pilier des Halles. On y vient aussi bien de Strasbourg que de Cabourg, de Toronto que de Tokyo pour déguster son fameux pied de cochon, son andouillette AAAAA, un « Fort des Halles » ou encore une « Tentation de saint Antoine », plat qui réunit museau, oreilles, pied et queue de porc grillés. Terrasse aux beaux jours. Un monument historique !

À la Tour de Montlhéry, Chez Denise *(plan D2, **33**)* **:** 5, rue des Prouvaires, 75001. ☎ 01-42-36-21-82. Ⓜ Louvre-Rivoli, Châtelet ou Les Halles. Restaurant ouvert 24 h/24 ; service de 12 h 30 à 15 h 30 et de 19 h 30 à 6 h 30. Fermé le week-end. Congés annuels : du 14 juillet au 15 août. Plats entre 16 et 26 € ; compter au minimum 35 € avec le vin (pas de menu). L'un des plus anciens restos de nuit de Paris, bondé à toute heure. Ancien bistrot des Halles qui a su garder ce quelque chose de l'atmosphère d'antan, mais dont les prix sont bien d'aujourd'hui et même déjà de demain. Les serveurs rudoient un peu les habitués et l'accueil est parfois lourdaud, mais bon, ça fait partie du jeu. Aux murs : tableaux, dessins de Moretti, affiches. Banquettes de moleskine, nappes à carreaux, jambons accrochés au plafond, ventilos qui tournent poussivement. Joyeusement animé. Grosse cuisine généreuse bien de chez nous : andouillette, tripes, gigot-flageolets, bœuf gros sel, cervelle, tête de veau, etc., le tout arrosé de brouilly de négoce.

La Poule au Pot *(plan C2, **32**)* **:** 9, rue Vauvilliers, 75001. ☎ 01-42-36-32-96. Ⓜ Louvre-Rivoli ou Les Halles. Ouvert de 19 h à 5 h (depuis 1935 !). Fermé le lundi. Un menu à 30 € ; à la carte, compter autour de 40 €. Pour faire un bon repas la nuit, c'est l'endroit idéal dans le quartier des Halles. Longue salle décorée d'affiches, vieille TSF, cuivres, lumières rétros sachant ménager une certaine intimité et atmosphère de brasserie agréable. Le service est impeccable, ce qui, dans ce quartier, ne va pas toujours de soi, et la carte aligne quelques valeurs sûres, comme les tripes à la mode de Caen, les œufs cocotte au foie gras, sans oublier la fameuse poule au pot qui justifie l'enseigne. D'innombrables plaques dorées incrustées dans les boiseries portent les noms de stars et quasi-stars qui sont venues manger ici. Toujours beaucoup de monde. Il est conseillé de réserver. Digestif maison offert à nos lecteurs sur présentation de ce guide.

Salons de thé

Angélina *(plan B1, **20**)* **:** 226, rue de Rivoli, 75001. ☎ 01-42-60-82-00. Ⓜ Tuileries. Ouvert tous les jours de 9 h à 19 h. Compter 6,20 € le chocolat servi en pot. Ce restaurant-salon de thé à la fois chic et désuet possède un décor 1900 avec des petites tables rondes en marbre. On y vient surtout pour le plus onctueux des chocolats (le « chocolat africain »), noyé sous une aérienne crème chantilly. Le breuvage est si réputé qu'on fait souvent la queue, en plein hiver, jusque sur le trottoir pour accéder à ce palais des délices où il faut également goûter le « Mont Blanc » (pour estomacs solides exclusivement : meringue, crème de marron, chantilly).

Muscade *(plan C1,* ***19****)* **:** 36, rue de Montpensier, 75001. ☎ 01-42-97-51-36. Ⓜ Pyramides, Bourse ou Palais-Royal. À l'un des angles du jardin du Palais-Royal. Autre entrée rue de Montpensier. Ouvert tous les jours sauf le lundi. Congés annuels : pendant les vacances scolaires de Noël. Salon de thé de 15 h à 20 h 30 (18 h en été). Excellentes pâtisseries. Fait également des salades et des plats du jour à midi. Idéal, en été, pour la longue terrasse donnant sur la galerie et les jardins.

Où manger une glace?

Delisie Follle *(plan D2,* ***50****)* **:** 7, rue Montorgueil, 75001. ☎ 01-40-26-06-00. Ⓜ Châtelet-Les Halles. Ouvert tous les jours de 8 h à 20 h. Cornets de 3 à 7 €, selon la taille. On se bouscule déjà devant ce nouveau glacier, tenu par un Napolitain. Mais rien ne sert d'être impatient puisqu'il faut d'abord choisir parmi les nombreux parfums proposés... tous plus appétissants les uns que les autres! À côté des classiques (aux fruits, au chocolat noir...), on retrouve des spécialités du pays *(pana cotta, bacio, amaretto...).* Vraies glaces italiennes, copieuses et fondantes, servies avec le sourire. On trouve aussi des *granite* (3,20 €), spécialités siciliennes à base de glace pilée. Aux beaux jours, on peut emporter ces « délicieuses folies » au jardin des Halles, tout proche, et les déguster sur un banc, au soleil. Également quelques tables et chaises sur place. Un de nos meilleurs glaciers italiens de Paris. *NOUVEAUTÉ.*

Où boire un verre?

Le Café Marly *(plan B2,* ***53****)* **:** 93, rue de Rivoli, 75001. ☎ 01-49-26-06-60. Ⓜ Palais-Royal-Musée-du-Louvre ou Louvre-Rivoli. Situé sur la place de la pyramide du Louvre. Ouvert tous les jours de 8 h à 2 h. Table assez chère, fréquentation très parisienne, mais décor somptueux (dorures et mobilier contemporain). Quelques plats : noix de Saint-Jacques, fouetté d'avocat au thon. Pas de quoi crier au miracle, mais estimez-vous déjà heureux d'avoir une place et d'être servi, avec ou sans sourire... Surtout si vous avez la chance d'être en terrasse, profitez de ce lieu magique aux premiers rayons du soleil pour boire un verre face à la pyramide du Louvre !

Colette *(plan B1, **52**)* : 213, rue Saint-Honoré, 75001. ☎ 01-55-35-33-90. Ⓜ Tuileries ou Pyramides. Accès Internet. Ouvert de 11 h à 19 h. Fermé les dimanche et jours fériés. Salades entre 11 et 14 € ; tartes salées à 13 €. Au sous-sol de ce qu'il est convenu d'appeler la boutique *in* (librairie, CD, DVD, high-tech, cosmétique, mode...), le premier *water-bar* de Paris propose 90 eaux plates ou pétillantes du monde entier, cafés, mokas et, pour se restaurer, un large choix de produits frais et pâtisseries sélectionnées parmi les adresses les plus fines de Paris. Le tout dans un décor froidement design. On aime ou on déteste ; on est dans le coup ou on ne l'est pas. Clientèle très agence de pub et Nippons branchés. Café offert à nos lecteurs sur présentation de ce guide.

Carr's *(plan B1, **55**)* : 1, rue du Mont-Thabor, 75001. ☎ 01-42-60-60-26. Ⓜ Tuileries. Ouvert tous les jours de 12 h à 2 h. Menus à 18 € le midi, 20,50 et 25,50 € ; à la carte, l'addition approche les 32 €, sans la boisson. Verre à environ 4 €. Le cadre de ce pub irlandais est cosy, les serveuses souriantes. Avec une belle cheminée et une grande bibliothèque, l'endroit fait penser à l'intérieur des clubs d'étudiants des universités britanniques. Les amateurs de whisky irlandais trouveront forcément leur bonheur parmi le grand choix proposé.

Le Fumoir *(plan C2, **56**)* : 6, rue de l'Amiral-de-Coligny, 75001. ☎ 01-42-92-00-24. Ⓜ Louvre-Rivoli ou Châtelet. Ouvert tous les jours de 11 h à 2 h. Congés annuels : 1 semaine en août, 3 jours à Noël et le Jour de l'an. Ambiance mode garantie dans ce splendide café stratégiquement situé sur la place du Louvre. Le coin salon-bibliothèque et la vue sur la place encadrée par de longs rideaux rayés justifient à eux seuls un détour. Une occasion de goûter aux excellents cocktails, notamment les rhums arrangés (10 €).

Papou Lounge *(plan D2, **57**)* : 74, rue Jean-Jacques-Rousseau, 75001. ☎ 01-44-76-00-03. Ⓜ Étienne-Marcel. Ouvert jusqu'à 2 h (service jusqu'à minuit). Fermé le dimanche. Cocktail maison à 7 €. Un rade à l'écart des *spots hype* de la rue Tiquetonne. Ici, on s'installe au milieu des bibelots africains et asiatiques collectés par les deux frères propriétaires du lieu au cours de leurs voyages, et on trinque à coups de cocktails sucrés. Si la faim se fait sentir, on peut aussi savourer quelques plats exotiques, genre poulet *yassa* ou pastilla à la pintade. Musique cosmopolite en fond sonore.

2e ARRONDISSEMENT

Où manger ?

Très bon marché

IOI ***Bougainville*** *(plan B2, **26**)* **:** 5, rue de la Banque, 75002. ☎ 01-42-60-05-19. Ⓜ Bourse. Ouvert du lundi au samedi de 12 h à 15 h. Fermé le dimanche. Congés annuels : 1 semaine en février et 4 semaines en août. Plat du jour entre 12 et 15 €. Sandwichs à environ 3 €. Muscadet et coteaux-du-vendômois au verre, respectivement à 1,60 et 1,80 € sur le zinc. Encore un petit coin d'Auvergne à Paris. À l'entrée du passage Vivienne, un lieu de vie à l'ancienne où l'on peut se contenter d'un sandwich de pays au bar. En revanche, il y a du monde pour aller, dans l'une des salles, faire un sort au petit salé ou au confit de canard.

IOI ***Les Dénicheurs*** *(plan D3, **2**)* **:** 4, rue Tiquetonne, 75002. ☎ 01-42-21-31-01. Ⓜ Étienne-Marcel. Ouvert de 12 h à 15 h 30 et de 19 h à minuit. Congés annuels : 2 semaines autour du 15 août. Formules à 8 et 10,50 € le midi, et à 13 et 16 € le soir. À la carte, compter autour de 15 € pour un repas complet. Petit troquet rigolo, à la déco de bric et de broc, très *seventies* (ça fait aussi brocante). Petite bouffe sympa et pas compliquée, autour de copieuses salades, d'assiettes de pâtes ou du plat du jour. Idéal pour les petites bourses ou pour se retrouver entre copains. Cartes de paiement refusées. Café offert à nos lecteurs sur présentation de ce guide.

Bon marché

IOI ***Tyr*** *(plan A1, **3**)* **:** 3, rue de la Michodière, 75002. ☎ 01-49-24-09-45. Ⓜ Quatre-Septembre. Ouvert du lundi au samedi de 11 h 30 à 15 h 30 et de 19 h à 23 h 30. Le midi, assiettes de *mezze* de 10,50 à 14 €. Formules *mezze* pour 2 à 6 personnes de 32 à 96 €. Le soir, menu Tyr à 16 € ou menu découverte à 22 € avec *mezze,* grillade mixte ou plat du jour, dessert, apéritif, thé ou café. Ambiance cantine sans façon au rez-de-chaussée et salle plus cosy mais un peu tape-à-l'œil au sous-sol. Cuisine libanaise traditionnelle

2e

9e

1er

A B 1 2 3

Richelieu Drouot
Bd des Italiens
Boulevard des Capucines
Opéra
PLACE DE L'OPÉRA
Opéra Comique
Rue Favart
R. Amboise
Rue Richelieu
Rue Saint
Rue Vivienne
Rue de Gramont
Rue de la Michodière
Rue du Grand
Quatre Septembre
Rue du Quatre Septembre
Rue Volney
Rue des Capucines
Rue de la Paix
Rue Daunou
Av. de l'Opéra
Rue Louis le Grand
R. d'Antin
R. Gaillon
R. Monsigny
Rue Saint Augustin
PLACE DE LA BOURSE
Bourse
R. de Louvois
Square Louvois
Rue Sainte Anne
Passage Choiseul
R. Danielle Casanova
Rue des Petits Champs
Bibliothèque Nationale
Notre-Dame-des-Victoires
Rue de la Banque
Galerie Vivienne
R. de la Vrillière
PL. DES PETITS PÈRES

0 100 200 m

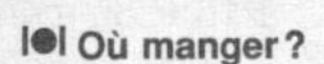

Où manger ?

1 Café Moderne
2 Les Dénicheurs
3 Tyr
4 Mémère Paulette
6 La Souris Verte
8 Le Tire-Bouchon
9 La Grille Montorgueil
14 Le Loup Blanc
15 Il Buco
16 La Bocca
17 Little Italy Caffè
18 Chez Clément
19 Voyageurs du Monde, le Restaurant
20 Silk & Spice
21 Canard'Avril
23 The Kitchen
26 Bougainville
27 Le Mesturet

2e ARRONDISSEMENT

Restaurant de nuit

10 Le Tambour

Salons de thé

30 L'Arbre à Cannelle
31 A Priori Thé

Où boire un verre ?

19 Voyageurs du Monde, le Lounge Bar
35 Kitty O'Shea's
36 Le Café
37 The Frog and Rosbif
38 Le Café Noir
39 Pouchla
40 Le Cœur Fou
41 O'Sullivans Irish Pub
44 La Jungle
46 Harry's Bar
47 Footsie
48 L'Étienne Marcel

sans trop de surprises, mais réalisée avec de bons produits et beaucoup de savoir-faire. Les formules *mezze* sont très copieuses et pleines de saveurs. Accueil chaleureux et service conciliant.

|●| ***La Souris Verte*** *(plan B2,* ***6****)* **:** 52, rue Sainte-Anne, 75002. ☎ 01-40-20-03-70. Ⓜ Quatre-Septembre. Service midi et soir (à partir de 19 h, dernière commande à 23 h). Fermé le dimanche. Réservation conseillée. Menu avec entrée, plat et dessert à 15 € midi et soir, à 22 € avec boisson. Carte autour de 23 €. Un restaurant des plus chaleureux, qui ressemble à une petite maison du XIXe siècle avec des poutres apparentes et des tissus rouges sur les murs. Plusieurs salles sur 3 niveaux et des petites souris cachées partout dans le décor. Les habitués complètent allègrement la collection de la maison. La cuisine est simple, française et d'un bon rapport qualité-prix. Ambiance intime.

|●| ***Mémère Paulette*** *(plan C2,* ***4****)* **:** 3, rue Paul-Lelong, 75002. ☎ 01-40-26-12-36. Ⓜ Sentier ou Bourse. Menus à 13 et 15 € au déjeuner, 17,50 € au dîner. Poutrée et habillée de toile cirée, cette mini-auberge oubliée du temps détonne dans le quartier. On est à deux pas de la Bourse, de la très *fashion* place des Victoires, et cette *Mémère,* elle, reste arc-boutée sur ses plats de terroir, ses viandes tranchées épais et ses tarifs sans dérives. Les malins du coin y vont aussi, certains diront surtout, pour la carte des vins incroyablement dense (plus de 150 références) et pleine de pépites à prix doux. *NOUVEAUTÉ.*

|●| ***The Kitchen*** *(plan C1,* ***23****)* **:** 153, rue Montmartre, 75002. ☎ 01-42-33-33-97. Ⓜ Grands-Boulevards ou Bourse. Service jusqu'à 22 h 30. Fermé le samedi midi et le dimanche soir. Le midi, menus à 12,50 et 15,50 €; le soir, à la carte, prévoir de 25 à 29 €. L'enseigne ne ment pas : *The Kitchen* ressemble bel et bien à... une cuisine. À la limite, si on avait mauvais esprit, on pourrait dire que ça ressemble au *showroom* d'un magasin de meubles ! Bref, chacun fait comme à la maison, on prend ses couverts dans le tiroir de la table, avant d'attaquer les petits plats du jour, une soupe à la courgette glacée, ou encore une tarte champignons-fromage. Le soir, la carte, à l'ardoise, est un poil plus élaborée et internationale. C'est plutôt bon, pas trop cher et servi avec le sourire. La salle au 1er étage est la plus agréable. Le midi, rez-de-chaussée non-fumeurs. Brunch avec buffet à volonté le dimanche. Miniterrasse, franchement bruyante.

|●| ***Little Italy Caffè*** *(plan C2,* ***17****)* **:** 92, rue Montorgueil, 75002. ☎ 01-42-36-36-25. Ⓜ Étienne-Marcel. Ouvert tous les jours sauf le dimanche ; service de 12 h à 15 h et de 19 h 30 à 23 h 30. Pas de menu ; compter environ 22 € le repas ; pâtes entre 9 et 17 €. Littéralement pris d'assaut, ce qui nuit parfois à la cuisine. Une élégante petite *trattoria* de poche tout en

longueur, copiée sur le modèle de celles que l'on trouve dans Little Italy à New York. Cuisine bien de là-bas : *fusilli* aux champignons, *farfalle* à la crème d'olive, mais aussi carpaccio de saumon et l'inévitable tiramisù. Coloré et bruyant. Aux beaux jours, minuscule terrasse ensoleillée pour profiter de l'animation de la rue Montorgueil. Grand choix de vins et délicieux *espresso.*

Prix moyens

lel ***Le Mesturet*** *(plan B2, **27**)* **:** 77, rue de Richelieu, 75002. ☎ 01-42-97-40-68. Ⓜ Bourse ou Quatre-Septembre. ♿ Ouvert à partir de 8 h. Service de 12 h à 15 h et de 19 h à 22 h 15. Fermé le samedi midi et le dimanche. Formules-carte à 19 € (entrée + plat ou plat + dessert) et 25 € (entrée + plat + dessert). Ce bistrot au coude à coude s'est calé sur les heures du palais Brongniart ! Dès le matin, il mouline avec des formules petit dej', frôle la surchauffe à midi, quand les estomacs sont au bord du krach, et ferme ses portes vers minuit pour refaire sereinement des stocks. Le patron a une passion pour les bons produits du terroir et l'affiche au menu : charcuterie artisanale du Lot ou joue de cochon de Bretagne. D'autres plats plus classiques mais toujours aussi bien servis. Belle carte de vins et carte des desserts irrésistible : le paris-brest et sa crème pralinée aux noisettes, un grand moment pour les gourmands ! Plus cosy le soir. Super accueil. Apéritif maison offert à nos lecteurs sur présentation de ce guide.

lel ***La Grille Montorgueil*** *(plan C2, 9)* **:** 50, rue Montorgueil, 75002. ☎ 01-42-33-21-21. Ⓜ Les Halles ou Étienne-Marcel. Service de 12 h à 15 h et de 19 h 30 à minuit ; le week-end, service en continu. Pas de menu, on fait son choix sur l'ardoise du jour ; l'addition avoisine les 30 € ; plat du jour à 12 €. Ce bougnat centenaire, joliment rénové à l'identique dans cette sympathique rue piétonne, propose une cuisine plaisante et sans fioriture, typique bistrot. Le comptoir en zinc, qui ondule gentiment depuis 1904, fut le décor des scènes de *Gueule d'amour,* avec Jean Gabin. Aux beaux jours, agréable terrasse ensoleillée. Apéritif maison offert à nos lecteurs sur présentation de ce guide.

lel ***Le Tire-Bouchon*** *(plan D2-3, 8)* **:** 22, rue Tiquetonne, 75002. ☎ 01-42-21-95-51. Ⓜ Étienne-Marcel. Service de 12 h à 14 h 30 et de 19 h 30 à 23 h. Le midi, 2 formules à 13,50 et 20 €. Le soir, à la carte, compter de 8 à 10 € pour une entrée, 13 à 20 € pour un plat et 6 € pour un dessert. Un restaurant de charme au cœur de la rue Tiquetonne. Au *Tire-Bouchon,* le vin coule à flots et accompagne des petits plats simples toujours relevés d'une touche d'originalité : chausson de chèvre aux pommes, porcelet rôti au miel, magret de canard aux morilles, etc. Aux murs, une décoration chaleureuse alterne boiseries et miroirs, renvoyant les lueurs des bougies pour un cadre intimiste et simple. Une mention spéciale pour le service !

Le Loup Blanc *(plan C2,* ***14****)* **:** 42, rue Tiquetonne, 75002. ☎ 01-40-13-08-35. Ⓜ Étienne-Marcel. ♿ Ouvert tous les jours de 19 h 30 à minuit (minuit et demi le vendredi et 1 h le samedi), plus le dimanche de 11 h à 16 h 30 pour le brunch. Réservation conseillée. Plats à partir de 13 € ; sinon, compter autour de 25 € pour un repas et 19 € pour le brunch. Un resto conceptuel qui change des plats du terroir. Question surprise, on n'est pas déçu par la cuisine, entre *world food* et *Elle à table.* Murs colorés, déco tendance industrielle mais chaleureuse, lumières tamisées, c'est là qu'il faut sortir le soir entre copains. On choisit son plat, un assortiment de viandes ou de poissons marinés et grillés, puis les accompagnements (2, 3 ou 4) en version sucré-salé, céréales ou légumes (épinards aux amandes et à l'ail confit, pousses de fougères, oranges et mâche...). Une adresse différente et souriante.

Café Moderne *(plan C2,* ***1****)* **:** 40, rue Notre-Dame-des-Victoires, 75002. ☎ 01-53-40-84-10. Ⓜ Bourse. Service de 12 h 15 à 14 h 30 et de 19 h 30 à 22 h 30. Fermé les samedi midi et dimanche. Formules à 26 et 30 € au déjeuner. Une bonne petite adresse dans un quartier qui a bien besoin d'un peu d'animation nocturne. Musique jazz, lumière tamisée et clientèle de jeunes cadres du quartier. Les suggestions sont raisonnablement créatives (tempura de langoustines, fenouil et chutney de tomates à la citronnelle, thon *a la plancha,* poêlée de légumes, sauce satay au lait de coco...) et les assiettes bien garnies. Une cuisine réussie ; dommage que certains desserts soient un peu décevants. Le petit plus : presque tous les vins peuvent être demandés au verre. Et côté vins justement, les bordeaux sont à l'honneur. Patio en été. Préférer les tables rondes, plus cosy que le coude à coude côté banquette. Apéritif maison offert à nos lecteurs sur présentation de ce guide.

Chez Clément *(plan A1,* ***18****)* **:** 17, bd des Capucines, 75002. ☎ 01-53-43-82-00. Ⓜ Opéra ; RER A : Auber. Service continu tous les jours jusqu'à 1 h (minuit les dimanche et lundi). Formule rôtisserie (entrée + plat ou plat + dessert) à 15,90 € servie midi et soir. Carte autour de 27 €. Décor de charme et atmosphère chaleureuse pour cette adresse très prisée, idéalement située près de la place de l'Opéra et des grands magasins. Magnifique terrasse en teck aux beaux jours. Apéritif maison offert à nos lecteurs sur présentation de ce guide.

Canard'Avril *(plan C2,* ***21****)* **:** 5, rue Paul-Lelong, 75002. ☎ 01-42-36-26-08. Ⓜ Sentier ou Bourse. Fermé le week-end, les lundi soir, mardi soir, mercredi soir et les jours fériés. Réservation conseillée le midi. Formules à 14,50 et 21 € ;

compter autour de 28 € à la carte. Patrick au fourneau et Bruno au service, respectivement palois et aveyronnais déracinés, ont remis au goût du jour un ancien bistrot. Le canard y est à l'honneur sur les murs comme dans l'assiette. Les menus changent tous les jours sur le tableau noir en fonction du marché. La cuisine du Sud-Ouest est en bonne place, y compris à la carte : magret de canard au bon goût d'herbe séchée (au foin, la spécialité !), confit de canard maison... Apéritif maison offert à nos lecteurs sur présentation de ce guide.

|●| ***Il Buco*** *(plan C2,* ***15****)* **:** 18, rue Léopold-Bellan, 75002. ☎ 01-45-08-50-10. Ⓜ Sentier. Service de 12 h à 14 h 30 et de 20 h à 23 h. Fermé les samedi midi et dimanche. Carte autour de 25 €. Pâtes, salades, *antipasti,* jambon et figues fraîches... un plat cale déjà son monde. Vin au verre à partir de 2,30 €. Petit restaurant tout en longueur, avec les murs ocre et le menu inscrit sur des miroirs. On s'assoit autour d'une longue rangée de tables. Très convivial mais pas vraiment intime. En plus de la cuisson *al dente* de la cuisine italienne et des jolies assiettes, on apprécie les 3 sortes de pains sur la table, les fleurs fraîches, les verres fins et les bougies.

|●| ***La Bocca*** *(plan C2,* ***16****)* **:** 59, rue Montmartre, 75002. ☎ 01-42-36-71-88. Ⓜ Sentier. Ouvert tous les jours, midi et soir. Il vaut mieux réserver. À partir de 27 € sans la boisson. Au cœur du Sentier, un excellent resto italien installé dans un élégant décor de céramique, vestige d'une ancienne boulangerie. Impressionnant four à pain de 1850 dans la salle du fond. Salle à l'étage avec lustres de Murano. Une atmosphère un rien branchée et un poil bruyante, mais un service décontracté et un jeune patron qui s'affaire sans perdre le sourire. Courte carte de plats où la *pasta* se pare chaque jour de sauces différentes, où les *antipasti* ou les *primi* de viande et de poisson conjuguent avec maestria fraîcheur et qualité. Quelques fiers vins péninsulaires au verre à partir de 4 €. On regrette cependant les prix exagérés. Dommage, car c'est vraiment savoureux.

Plus chic

|●| ***Voyageurs du Monde, le Restaurant*** *(plan B2,* ***19****)* **:** 51 bis, rue Sainte-Anne, 75002. ☎ 01-42-86-17-17. Ⓜ Pyramides. Fermé le week-end. Certains lundi et mardi, en soirée, conférence + repas à thème sur un pays, uniquement sur réservation. Congés annuels : 1 semaine en mai, au mois d'août et entre Noël et le Jour de l'an. Menus à 23 € le midi et 42 € le soir. Patrick Charvet, jeune chef brillant, ne pouvait, à pareille enseigne, que choisir de jouer avec les saveurs venues d'ailleurs. Il suffit d'un subtil accompagnement d'épices et d'aromates pour que le paleron de bœuf transporte nos papilles sur

les rives de l'Amérique latine. Un curry rouge au lait de coco accompagnera à merveille un médaillon de lotte... C'est un peu une cuisine « à la manière de », inventive et raffinée, accompagnée d'une carte des vins très raisonnable qui fait la part belle au Chili, à l'Espagne et à l'Afrique du Sud. Jolie salle, jolie vaisselle et jolie lumière. Quatorze tables seulement : réservation plus que recommandée. Un *lounge bar* pour soirées... tamisées (voir plus loin la rubrique « Où boire un verre ? »).

|●| ***Silk & Spice*** *(plan C2,* ***20****) :* 6, rue Mandar, 75002. ☎ 01-44-88-21-91. Ⓜ Étienne-Marcel ou Sentier. Ouvert tous les jours de 12 h à 15 h et de 19 h 30 à minuit. En août, fermé à midi le week-end. Plats autour de 20 €. L'endroit idéal pour une escapade exotique... Quand l'élégance de la soie se marie au charme discret des épices, on obtient ce lieu de pierre, baigné dans une douce lumière tamisée. Sous une orchidée, goûtez avec votre chère/cher et tendre le fruit d'une cuisine raffinée, un peu relevée. Saumon au lait de coco dans sa feuille de bananier, poulet à l'ananas et aux noix de cajou ou au satay, rien ne manque, pas même la *Singha,* bière thaïlandaise s'il en est ! Belle sélection de vins, notamment au verre. Service délicat, avec le glouglou des fontaines pour tout accompagnement. Desserts sympathiques, comme le riz gluant à la banane ou « les 3 façons de déguster le chocolat », moins typique mais tellement bon ! *NOUVEAUTÉ.*

Restaurant de nuit

|●| ☾ ***Le Tambour*** *(plan C2,* ***10****) :* 41, rue Montmartre, 75002. ☎ 01-42-33-06-90. Ⓜ Étienne-Marcel, Les Halles ou Sentier. Ouvert du mardi au samedi de 12 h à 15 h et tous les soirs de 18 h à 6 h (service jusqu'à 3 h 30 ; les dimanche et lundi jusqu'à 1 h). À la carte, compter au moins 28 € avec la boisson. Christine Camboulas vous accueille chaleureusement. Une adresse du Paris authentique, en voie de disparition. Décor original à partir du mobilier urbain parisien (bouche d'incendie, pavage de rue, plaques d'égout, plaques de rues...) pour une cuisine franco-française de bon aloi, à défaut d'être raffinée. À déguster sur une terrasse couverte et chauffée quand c'est plein à l'intérieur.

Salons de thé

|●| ☕ ***L'Arbre à Cannelle*** *(plan C1,* ***30****) :* 57, passage des Panoramas, 75002. ☎ 01-45-08-55-87. Ⓜ Grands-Boulevards. Ouvert de 11 h 30 à 18 h 30 ; les repas sont servis de 11 h 30 à 16 h environ (un peu

plus tard le samedi). Fermé les dimanche (sauf en décembre) et jours fériés. À la carte, compter 17 € ; plat du jour à 10 €. On est attiré par la superbe façade aux boiseries sculptées qui s'intègre parfaitement au charme désuet du passage. Splendides plafonds à caissons (lesquels rendent d'ailleurs l'ambiance un peu bruyante aux heures de pointe). On agrémente le break par un gâteau au chocolat ou un beau crumble aux fruits rouges. À moins de venir au déjeuner partager les tartes salées du jour ! Très fréquenté, évidemment. Et moins « glamour » peut-être, le succès aidant. Café offert à nos lecteurs sur présentation de ce guide.

***A Priori Thé** (plan B2, **31**) :* 35-37, galerie Vivienne, 75002. ☎ 01-42-97-48-75. Ⓜ Palais-Royal ou Bourse. Ouvert du lundi au vendredi de 9 h à 18 h, le samedi jusqu'à 18 h 30 et le dimanche de 12 h à 18 h 30. Brunch à 23 € le samedi et 26 € le dimanche. Plats à partir de 12,50 €. Menu-enfants à 10 €. Avec ses tables en terrasse sous la verrière de la galerie Vivienne, passage couvert du début du XIXe siècle, ce salon de thé possède un charme fou. Nappes de couleurs, fleurs fraîches, bois et rotin. Les salades sont délicieuses et les plats alléchants. Il en va de même pour le brunch, qui fait régulièrement le plein. Un peu cher mais reposant.

Où boire un verre ?

***Footsie** (plan A1, **47**) :* 12, rue Daunou, 75002. ☎ 01-42-60-07-20. Ⓜ Opéra. Ouvert de 12 h à 15 h et de 18 h à 2 h (4 h les vendredi et samedi). Fermé le dimanche. Vous n'êtes pas habitué des salles de marché et des subtilités du CAC 40 ? Venez donc vous entraîner sur les consos du *Footsie*. Le principe est original et assez rigolo : selon la demande des clients, les prix varient. Plus une boisson est commandée, plus son prix augmente. Le tout étant indiqué sur des écrans au-dessus du bar avec le défilement des variations comme à Wall Street. Du coup, la bière bouteille se retrouve parfois moins chère que le demi. Le cadre, genre vieux club de gentlemen anglais, est vraiment beau. Bonne ambiance, souvent après 22 h 30.

***Kitty O'Shea's** (plan A2, **35**) :* 10, rue des Capucines, 75002. ☎ 01-40-15-00-30. Ⓜ Madeleine ou Opéra. Ouvert tous les jours de 11 h à 2 h. Congés annuels : quelques jours autour de Noël. Demi à 4 € et pinte à 6,50 €. Ce morceau d'Irlande installé dans le quartier de l'Opéra, avec parquet patiné et boiseries, n'est pas en toc. Ici, on boit debout, à l'anglo-saxonne, et surtout de la Guinness. La clientèle bon enfant, et souvent cravatée en sortant du bureau, s'exprime dans la langue de Shakespeare. À l'étage, un 2e bar est plus tranquille. Le week-end, il vous faut environ 15 mn pour atteindre le comptoir ! Le dimanche, musique traditionnelle de 21 h à 23 h environ ; là, c'est payant (7 € avec une pinte offerte).

Le Café *(plan C2,* ***36****)* **:** 62, rue Tiquetonne, 75002. ☎ 01-40-39-08-00. Ⓜ Étienne-Marcel. Ouvert de 10 h à 2 h (service jusqu'à minuit) ; le dimanche, de 12 h à minuit. Salades, tartes salées et tartines autour de 11 €. Un des cafés les plus branchés de Paris car Naomi Campbell ou John Galliano, en passant par Emma Thompson se sont un jour assis ici. Le plus intéressant n'est pas là. Dans la journée, on aime surtout la terrasse ensoleillée, la déco délibérément *world* pour des *beautiful people,* les croques végétariens et les demis à 3,50 €. Terrasse.

The Frog and Rosbif *(plan D3,* ***37****)* **:** 116, rue Saint-Denis, 75002. ☎ 01-42-36-34-73. Ⓜ Étienne-Marcel ou Les Halles. Ouvert tous les jours de 12 h à 2 h 30. Formules à 12 et 15 €. Consommations entre 3 et 6 €. *Happy hours* tous les jours entre 18 h et 20 h (pinte à 4,50 €). Membre de la famille des microbrasseries, le *Frog* propose des bières faites maison : blanche, rousse, ambrée ou brune, 100 % pur malt, non pasteurisées, elles font l'unanimité, notamment chez la clientèle anglo-saxonne, très présente. Chips, cuisine, service... tout est fait ici à l'anglaise. Au sous-sol, la *brewery,* au rez-de-chaussée, le bar et la *dining-room,* sans oublier la terrasse, ouverte jusqu'à 2 h. Grosse ambiance les jours de match de rugby, retransmis sur grand écran.

Le Café Noir *(plan C2,* ***38****)* **:** 65, rue Montmartre, 75002. ☎ 01-40-39-07-36. Ⓜ Sentier ou Les Halles. Resto le midi uniquement (plats maison autour de 10 €). Ouvert jusqu'à 2 h. Fermé les samedi matin et dimanche. Demi à 2,70 €. Un des bars à ne pas rater dans le quartier. Clientèle hétéroclite qui se mélange allègrement autour du vieux comptoir un peu pourri. Pas de prise de tête, juste de la bière fraîche qui descend et des grappes de copains qui parlent un peu fort. Petite terrasse pour prendre le soleil aux beaux jours.

L'Étienne Marcel *(plan C2,* ***48****)* **:** 34, rue Étienne-Marcel, 75002. ☎ 01-45-08-01-03. Ⓜ Étienne-Marcel. ♿ Ouvert tous les jours de 9 h à 2 h (dernier service à 1 h le week-end). Verres de vin à 4,50 et 7 €, tous les cocktails à 10 €. Bienvenue dans la galaxie Costes. Si vous arrivez à trouver l'entrée, vous pourrez pénétrer dans un insolite labyrinthe de petites salles et de longs couloirs aux volumes contrariés et au décor tarabiscoté. Le design *sixties* psychédélique des meubles s'allie étonnamment bien au réseau électro-organique des luminaires et aux réminiscences minimalistes de l'architecture intérieure. Le service irréprochable aura du mal à vous faire oublier le prix des consommations. Si jamais il vous vient une petite faim, vous pourrez vous sustenter d'un cheeseburger à 15 € (autant dire donné !). Mais voilà, il faut bien le reconnaître, le cadre est unique et la musique bien meilleure que dans n'importe quel fast-food ; ça se paie...

Pouchla *(plan C2,* ***39****) :* 10, rue Mandar, 75002. ☎ 01-40-26-40-75. Ⓜ Sentier, Les Halles ou Étienne-Marcel. Ouvert de 12 h à 23 h 30. Demi à 3 €, pinte à 5,70 €. À deux pas de la rue Montorgueil, dans une rue des plus calme, un bar ambiance chalet où l'on ne sert que d'excellentes bières allemandes à la pression. Au milieu de la salle, la *stammtisch,* une grande table d'hôtes (en bois) typiquement germanique. On peut aussi accompagner sa bière de plats puisque la maison fait restaurant (cuisine kurde). Une trentaine de jeux de société sont à la disposition des clients : dominos, dames, backgammon... ainsi que des journaux dont la liste est affichée à l'extérieur.

La Jungle *(plan C2,* ***44****) :* 56, rue d'Argout, 75002. ☎ 01-40-41-03-45. Ⓜ Sentier. Ouvert du lundi au vendredi de 10 h à 2 h ; les week-ends et jours fériés, ouverture à 16 h. Le midi, menu à 9,50 € ; autre menu à 15,50 €. Consos autour de 5 €. Les moulures rococo rescapées de l'ancienne maison close ont pris un bon coup de soleil tropical ! Aujourd'hui, peaux de bêtes et masques afro font de la *Jungle* un flamboyant lieu de métissage. Attention, le pouvoir du rhum peut être détonant ! Que cela ne vous empêche pas de goûter au *maffe,* d'écouter les palabres du griot, de forcer sur le *dépanneur* (gingembre et rhum) ou le *lait de panthère* (recette tenue secrète par le charmant patron Georges) et de chalouper sur l'afro-beat et la musique zouk. Dépaysement garanti ! Apéritif maison offert à nos lecteurs sur présentation de ce guide.

Harry's Bar *(plan A2,* ***46****) :* 5, rue Daunou, 75002. ☎ 01-42-61-71-14. Ⓜ Opéra. Ouvert tous les jours de 10 h 30 à 4 h. Cocktails à partir de 10,50 €. C'est le QG des Américains à Paris. Dans un décor de moleskine rouge et de boiseries, la clientèle, plutôt sage en début de soirée, tombe la chemise au fil des heures et des verres... avec un choix de boissons vertigineux : près de 270 cocktails différents (le *Bloody Mary* est la spécialité maison) et plus de 160 whiskies. Idéal aussi pour finir la nuit.

O'Sullivans Irish Pub *(plan C1,* ***41****) :* 1, bd Montmartre, 75002. ☎ 01-40-26-73-41. Ⓜ Grands-Boulevards. ♿ Ouvert tous les jours de 12 h à 5 h. Cocktails de 6 à 11 € ; pressions (50 cl) autour de 6 €. Un pub des plus classique, une valeur sûre, que l'on aime surtout pour son petit coin cosy à l'étage, loin du bruit, avec canapés en cuir et pierre apparente. On y sirote un cocktail ou un café Bailey's, servi par des serveurs souriants. Un petit moment de bonheur.

2e

🍷 ***Le Cœur Fou*** *(plan C2,* ***40****)* **:** 55, rue Montmartre, 75002. ☎ 01-42-33-91-33. Ⓜ Sentier ou Les Halles. Ouvert tous les jours de 16 h à 2 h. Demi à 2,50 € et cocktails à 6,50 €. Un mur truffé de petites bougies, une ambiance « tout peut arriver » dans ce petit bar pour des gars sortis du boulot et des filles exhibant leurs dernières bottes – ou tongs – pas – encore – vues à la télé. Musique électro ou variété second degré. Minuscule terrasse. Excellent mojito. Idéal pour commenter les filles – ou les gars – à l'apéro. *NOUVEAUTÉ.*

🍷 ***Voyageurs du Monde, le Lounge Bar*** *(plan B2,* ***19****)* **:** 51 bis, rue Sainte-Anne, 75002. ☎ 01-42-86-17-17. Ⓜ Pyramides. Ouvert de 10 h 30 à 23 h environ. Fermé le week-end. Congés annuels : 1 semaine en mai, au mois d'août et entre Noël et le Jour de l'an. Cocktails autour de 11-12 € ; thés de 4 à 5 €. Dans le prolongement du resto (voir plus haut la rubrique « Où manger ? Plus chic »), ce *Lounge Bar* a récemment fait son apparition. Décor ethnique et musique en adéquation pour un petit déjeuner, une fringale ou tout simplement un verre à partager entre amis.

3e ARRONDISSEMENT

Où manger ?

Très bon marché

lel ***Andy Wahloo*** *(plan B2, **21**)* **:** 69, rue des Gravilliers, 75003. ☎ 01-42-71-20-38. Ⓜ Arts-et-Métiers. Service de 16 h à 2 h. Fermé le dimanche. Congés annuels : 15 jours en août. Menus à 12 € au déjeuner et à 15 € le soir. Dès l'entrée, la déco, mélange de récup' orientale avec couleurs flashy et clins d'œil à Andy Warhol, fait sourire. Les plateaux de tables sont des triangles de signalisation bricolés, les poufs, des pots de peinture industriels sertis d'un coussin rond, et les babouches Vuitton, en bonne place, sont encadrées ! Bref, dans ce cadre tonique qui ne se prend pas au sérieux, on vient (le soir de préférence) boire un verre et grignoter des tapas arabo-andalouses, facturées à prix doux, dans une ambiance de musique raïe. Service adorable qui peut aussi mettre le feu, certains soirs.

Bon marché

lel ***Pachamanca*** *(plan B2, **2**)* **:** 2, impasse Berthaud, 75003. ☎ 01-48-87-88-22. Ⓜ Rambuteau. Ouvert non-stop de 12 h à 23 h. Fermé le lundi. Congés annuels : la 2e quinzaine d'août. Menus à 12 € (de 12 h à 15 h) et 10 € (de 15 h à 16 h 30) servis en semaine, puis à 19 € (le week-end et le soir). À la carte, compter 20 € ; plats à partir de 12 € ; 10 % moins cher pour les plats à emporter. Nichée près de Beaubourg, cette hospitalière et minuscule *cantina* péruvienne est tout indiquée si vous ressentez un petit creux avant une longue nuit de danse. Pour une somme modique, on s'offre un voyage culinaire à travers la Cordillère *(tamales, frijoles con seco...)*, qui vaut largement celui que proposent les troquets des alentours. Plats du jour très honorables. Apéritif maison offert à nos lecteurs sur présentation de ce guide.

lel ***Page 35*** *(plan C3, **17**)* **:** 4, rue du Parc-Royal, 75003. ☎ 01-44-54-35-35. Ⓜ Saint-Paul ou Chemin-Vert. Ouvert de 11 h 30 à

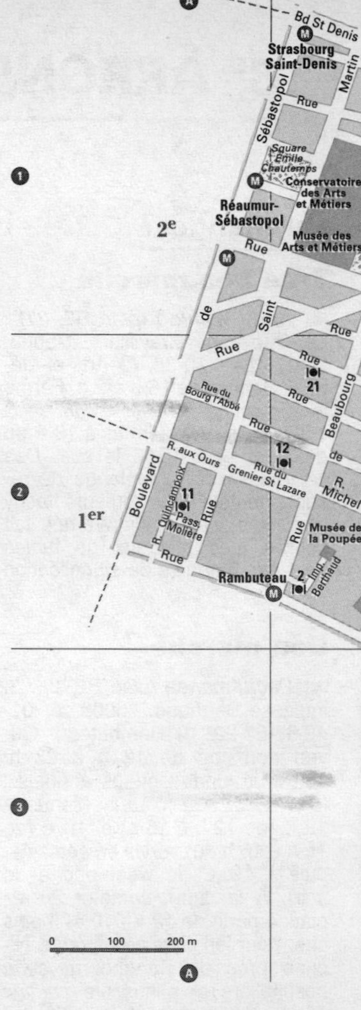

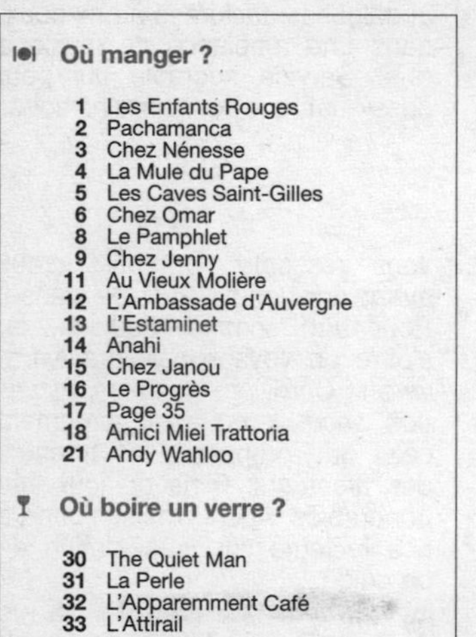

Où manger ?

1 Les Enfants Rouges
2 Pachamanca
3 Chez Nénesse
4 La Mule du Pape
5 Les Caves Saint-Gilles
6 Chez Omar
8 Le Pamphlet
9 Chez Jenny
11 Au Vieux Molière
12 L'Ambassade d'Auvergne
13 L'Estaminet
14 Anahi
15 Chez Janou
16 Le Progrès
17 Page 35
18 Amici Miei Trattoria
21 Andy Wahloo

Où boire un verre ?

30 The Quiet Man
31 La Perle
32 L'Apparemment Café
33 L'Attirail

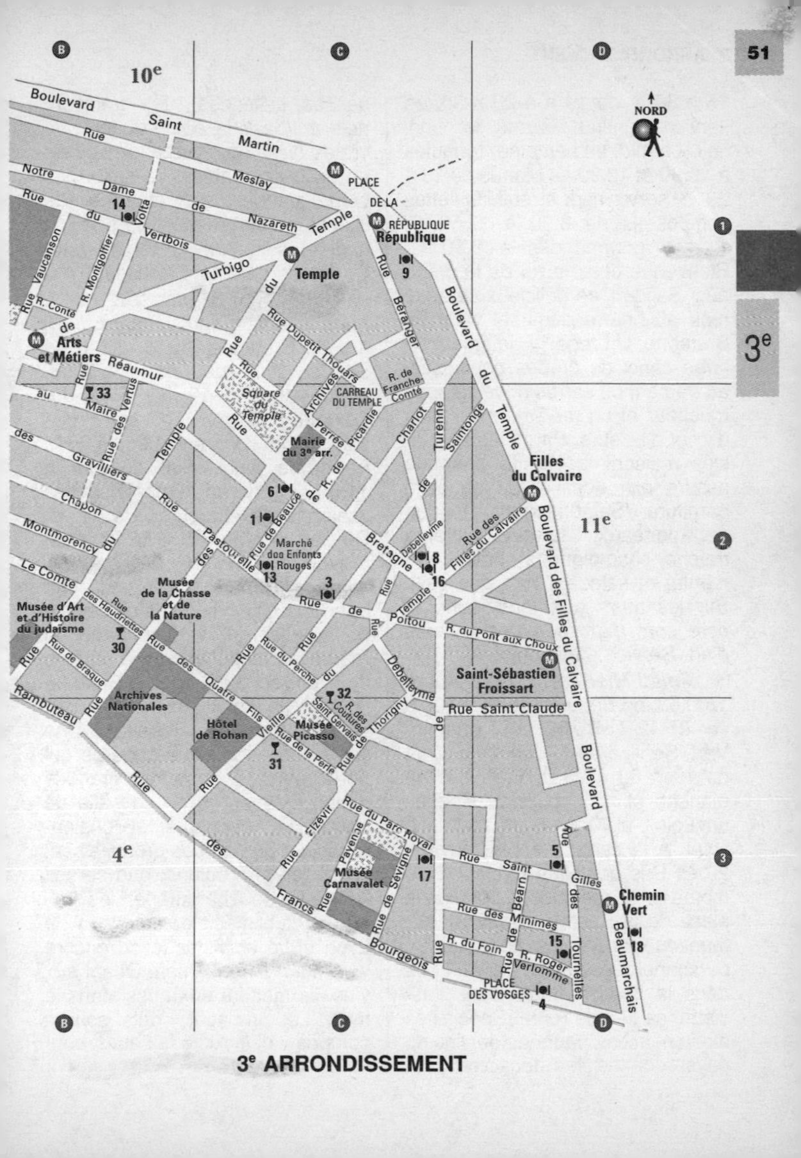

3e ARRONDISSEMENT

15 h 30 et de 19 h à 23 h 30, en service continu. Fermé le lundi soir. Le midi en semaine, formules à 10,90 et 12,90 €. Menus de 18 à 29 €, servis midi et soir. Galettes composées de 8,90 à 13,50 €. Crêpes gourmandes à 8,50 €. Bienvenue chez le roi de la crêpe au... Salidou, ce délicieux caramel mou au beurre demi-sel venu de Bretagne. Un régal ! Également un large choix de crêpes copieuses, au froment ou sarrasin, de salades fraîcheur et un méli-mélo de plats d'ici et d'ailleurs. Parmi les spécialités maison, la galette bretonne assure elle aussi avec sa belle garniture (Saint-Jacques, fondue de poireaux, lardons, crème fraîche, champignons poêlés, emmental et salade... rien que ça !). Sur les murs aux tons jaune et ocre sont exposées des œuvres d'art. Service attentionné.

Amici Miei Trattoria *(plan D3, 18) :* 53, bd Beaumarchais, 75003. ☎ 01-42-71-82-62. Ⓜ Chemin-Vert. Service de 12 h à 14 h 30 et de 19 h 30 à 23 h. Fermé le dimanche et le lundi midi. Congés annuels : à Pâques, en août et à Noël. À la carte, compter environ 20 €. Pris entre les magasins de motos ou de meubles, à 50 m de la place de la Bastille, un italien authentique, bruyant et convivial. Le personnel gouailleur ne fait pas dans la finesse, mais dans l'assiette, ça tient la route. Spécialités maison, accompagnées de vins du pays, comme les *focaccie* (fougasses italiennes), les traditionnels *antipasti,* la *pasta* du jour, de vraies *pizze* (une *pizza,* des *pizze,* eh oui !) abordables. La salle, pas bien grande, est chargée de clients qui se pressent au portillon midi et soir. Arrivez tôt ou tard. Cartes de paiement refusées.

L'Estaminet *(plan C2, **13**) :* marché des Enfants-Rouges, 39, rue de Bretagne, entre la rue de Beauce et la rue Charlot, 75003. ☎ 01-42-72-28-12. Ⓜ Filles-du-Calvaire ou Saint-Sébastien-Froissart. ♿ Ouvert le soir jusqu'à 20 h. Fermé le lundi. Plat du jour à 11,50 € servi en semaine. Belles assiettes de charcuterie à 12 €. Dessert maison à 5 €. À la carte, prévoir environ 20 €. Un bistrot au cœur d'un marché : en voilà une bonne idée ! On la doit à un caviste du quartier qui a réaménagé de fond en comble l'ancienne réserve du poissonnier des Enfants-Rouges (le plus vieux marché couvert de Paris). Le résultat ? Une sorte de petite ferme-auberge qui nous ouvre, au choix, ses grandes tables extérieures ou sa salle de bois clair, avenante et chaleureuse. La plupart des produits sont en direct des régions, que ce soit l'assiette de charcuterie, les fromages sublimes, le saucisson de Lyon truffé et pistaché ou encore le boudin aux pommes. Quant aux vins, ils mettent eux aussi dans le mille ! Les prix sont « nets, sourire compris » et le resto fait aussi boutique. Soyez prudent : réservez.

Prix moyens

Le Progrès *(plan C2, 16)* : 1, rue de Bretagne, 75003. ☎ 01-42-72-01-44. Ⓜ Saint-Sébastien-Froissart. Service le midi seulement, de 12 h à 15 h 30. Fermé le dimanche. Congés annuels : 1 semaine en février, la 1re semaine de mai et les 3 premières semaines d'août. Plats autour de 15 €. Un bistrot authentique, avec ses vieilles chaises, son lustre *seventies* et son horloge de grand-mère. Un conseil : commander dès l'arrivée ! Ici, tout le monde se connaît par son prénom, et on se bizouille en louchant sur l'ardoise au fond de la salle pour connaître les 2 plats du jour. Cuisine généreuse de saison, bonne viande et, surtout, accompagnements très réussis : le patron a fait ses classes chez *Robuchon* ! Huîtres selon l'arrivage. Carte des vins variée et abordable. Bons desserts maison. Salle à l'étage, terrasse aux beaux jours. Service très sympa. Apéritif maison ou café offert à nos lecteurs sur présentation de ce guide.

Chez Nénesse *(plan C2, 3)* : 17, rue de Saintonge, 75003. ☎ 01-42-78-46-49. Ⓜ Filles-du-Calvaire. Service de 12 h à 14 h 30 et de 19 h 45 à 22 h 30. Fermé les week-ends et jours fériés. Congés annuels : en août, ainsi qu'entre Noël et le Jour de l'an. Le midi, toujours 2 ou 3 petits plats du jour sympas entre 10 et 15 € ; le soir, à la carte seulement, prévoir autour de 35 €. Ce lieu a l'allure typique du vieux Paris revisité, avec poêle au milieu de la salle, carrelage qui court au sol, nappes en tissu et bar en formica. Bonnes vibrations générales, accueil vraiment adorable, sincère et souriant. Une cuisine française, classique, copieuse et réussie, à défaut d'être particulièrement inventive. Voilà l'exemple typique de la petite affaire familiale qui tourne bien rond, et où se pressent les habitués le midi pour les bonnes assiettes garnies. Le soir, à la carte, cuisine un peu plus élaborée mais toujours dans le même esprit.

La Mule du Pape *(plan D3, 4)* : 8, rue du Pas-de-la-Mule, 75003. ☎ 01-42-74-55-80. Ⓜ Bastille ou Chemin-Vert. Ouvert de 12 h à 16 h et de 19 h à 23 h. Brunch et salon de thé le week-end. Fermé les mardi soir et dimanche soir. Congés annuels : 3 semaines en août. Formules entrée + plat ou plat + dessert à 15 €. À la carte, compter 21 €. Ça ressemble plus à un salon bourgeois qu'à un resto à la bonne franquette. Alors on hésite un peu. On se dit que ça va être guindé et que le porte-monnaie va en souffrir. Pas du tout : l'accueil simple et gentil vous met immédiatement à l'aise, et, en fonction de votre appétit, on vous laisse picorer à la carte. Les « œufs de la Mule » pour une grignoterie, les « assiettes de la Mule » pour reprendre des forces et les « plats de la Mule » pour se caler bien comme il faut. Un bon dessert là-dessus, et on repart heureux. Apéritif maison ou café offert à nos lecteurs sur présentation de ce guide.

Les Enfants Rouges *(plan C2, **1**)* **:** 9, rue de Beauce et 90, rue des Archives, 75003. ☎ 01-48-87-80-61. Ⓜ Filles-du-Calvaire ou Temple. Service de 12 h à 14 h 30 et de 19 h 30 à 2 h. Ouvert le soir les jeudi et vendredi uniquement. Fermé les dimanche et lundi. Congés annuels : 3 semaines en août et 1 semaine à Noël. Formule déjeuner à 14,50 € ; menu-carte à 28 €. Le visage de la patronne ne vous est pas inconnu ? Normal, si vous avez l'habitude de fréquenter les bons bars à vin : il s'agit de Dany, qui était autrefois au *Moulin à Vins,* aux Abbesses. Mais le changement de quartier ne lui a pas fait oublier ses bonnes habitudes pour autant : une carte des vins toujours superbe (au verre, à partir de 2 € environ), arpentant avec soin la vallée du Rhône comme le beaujolais, et des petits plats de famille simples et savoureux comme l'andouillette AAAAA, la bavette aux échalotes, le magret à la fourme d'Ambert ou la saucisse d'Auvergne au couteau. Accueil maternel et soigné.

Les Caves Saint-Gilles *(plan D3, **5**)* **:** 4, rue Saint-Gilles, 75003. ☎ 01-48-87-22-62. Ⓜ Chemin-Vert. Ouvert tous les jours de 12 h à 15 h et de 20 h à minuit (bar ouvert de 8 h à 2 h). Pas de réservation les vendredi et samedi soir. Compter 20-25 € à la carte ; tapas froides ou chaudes entre 8 et 12 € ; plat du jour autour de 12 € ; paella les week-ends et jours fériés à 19 €. N'hésitez pas à pousser la porte de ce bistrot à *vinos* pour goûter l'assortiment de tapas chaudes ou la paella richement garnie du week-end dans un décor ibérique inspiré de l'idée que l'on s'en fait. Les azulejos et les affiches de corridas n'étant qu'un prétexte pour venir se frotter aux VIP du quartier. *Platos combinados* bien typiques. Ambiance garantie.

Chez Omar *(plan C2, **6**)* **:** 47, rue de Bretagne, 75003. ☎ 01-42-72-36-26. Ⓜ Temple. Ouvert midi et soir ; sert en général au moins jusqu'à 23 h 30. Fermé le dimanche midi. À la carte uniquement : compter 25 € ; entrées à 5 € ; couscous entre 10 € (végétarien) et 22 € ; plats du jour de 11 à 18 €. *Chez Omar,* ça fait plus de 20 ans qu'on trouve de tout : Américains en goguette, gens du quartier, techniciens de cinéma, Japonais en quête d'authentique et une kyrielle d'habitués. Et c'est vrai qu'on se sent bien dans ce troquet vieux Paris, nappé d'une convivialité tout droit venue d'Afrique du Nord. Hauts plafonds, glaces biseautées, superbe comptoir et tables à touche-touche où, coudes au corps mais cœur ouvert, on se parle facilement d'une table à l'autre. Sûrement se sent-on prolixe grâce à ces serveurs souriants et gentils, toujours prêts à vous gronder si vous n'avez pas fini votre (bon) couscous. Il y a aussi les viandes, remarquablement tendres, ou la *pastilla*. Cartes de paiement refusées.

Chez Janou (plan D3, 15) : 2, rue Roger-Verlomme, 75003. ☎ 01-42-72-28-41. Ⓜ Chemin-Vert. Service de 12 h à 15 h (16 h les samedi et dimanche) et de 19 h 45 à minuit. Bar ouvert de 7 h à 2 h. Congés annuels : à Noël et le Jour de l'an. Menu à 13 € le midi ; à la carte, prévoir environ 25 € sans le vin. Un petit coin de Provence perdu, tranquille, dans le Marais. Service décontracté et amical dans ce resto qui a pour principal mérite d'être doté d'une adorable et bien calme terrasse (rare dans le coin). Cuisine originale et parfumée : salade d'épinards au chèvre, farcis provençaux, gambas flambées au pastis, blanc-manger au citron et son coulis de framboises. Bonne sélection de vins, dont il ne faut pas oublier de demander la suggestion du jour. Seul bémol, on paie le quartier.

Plus chic

Chez Jenny *(plan C1,* ***9****)* **:** 39, bd du Temple, 75003. ☎ 01-44-54-39-00. Ⓜ République. ♿ Ouvert tous les jours de 11 h 30 à 1 h. Trois menus, servis midi et soir, à partir de 19 € (boisson comprise) ; à la carte, compter autour de 35 € sans la boisson. À deux pas de la place de la République, cette vaste brasserie fut créée en 1932 par un vendeur de choucroute et de bière installé à Strasbourg. Superbe décor alsacien : panneaux de marqueterie de Charles Spindler, bois sculpté et jolis carreaux anciens au sol. À la carte, les choucroutes et autres spécialités de poisson côtoient les fruits de mer et les plats traditionnels de brasserie : grillades, jarret de porc au miel, rognons de veau flambés... Juste à côté, le *café Jenny*, annexe pour petits budgets, fort sympathique.

Au Vieux Molière *(plan A2,* ***11****)* **:** 12, passage Molière, 75003. ☎ 01-42-78-37-87. Ⓜ Rambuteau. Ouvert de 10 h à 2 h ; service de 12 h à 14 h et de 19 h 30 à 22 h. Le midi en semaine, formule à 17 € ; le soir, à partir de 45 € à la carte. Le passage Molière est un petit écrin préservé, genre vieux Paris en plein Beaubourg, et ce n'est pas son moindre attrait. Car il y a plus que la nostalgie ; les galeries et librairies qui se sont installées ici ont su créer un microclimat littéraire et culturel séduisant. À la table de ce joli bistrot, vous vous régalerez d'une cuisine bourgeoise, et donc un peu chère, qui colle bien au cadre : mignon de saumon aux morilles, joue de bœuf braisée aux carottes... Ici, on aime les sauces, les produits nobles et les cuissons parfaites. Décor réussi, avec aux murs portraits et photos de nos plus belles plumes... À l'apéritif, laissez-vous tenter par une « Absente », pour revivre, sans risque, les délices de la fée verte.

Le Pamphlet *(plan C2,* ***8****)* **:** 38, rue Debelleyme, 75003. ☎ 01-42-

72-39-24. Ⓜ Filles-du-Calvaire ou Saint-Sébastien-Froissart. Ouvert de 12 h à 14 h et de 19 h 30 à 23 h. Fermé les samedi midi, dimanche et lundi midi. Congés annuels : les 15 premiers jours de janvier et 2 semaines en août. Menu-carte à 30 € et menu dégustation à 45 € (midi et soir). Le cadre boisé est élégant, les sièges confortables et l'ambiance apaisante. Pris entre une table de chefs d'entreprise et celle d'un premier repas avec la belle-famille, on se laisse séduire par une carte renouvelée chaque midi et soir. Quatre choix par plats pour un résultat qui éveille les papilles, fin et original : aiguillette de saint-pierre avec sa purée d'andouillette, onglet et ses tagliatelles à la fourme d'Ambert, et un subtil clafoutis à la banane. Apéritif accompagné d'une saucisse sèche de Laguiole, bien appréciable. Bon choix de vins bien adaptés aux plats.

|●| ***L'Ambassade d'Auvergne*** *(plan B2, **12**)* **:** 22, rue du Grenier-Saint-Lazare, 75003. ☎ 01-42-72-31-22. Ⓜ Rambuteau. Ouvert tous les jours ; service de 12 h à 14 h et de 19 h 30 à 22 h 30. Menu à 28 € servi midi et soir ; à la carte, compter autour de 31 € sans le vin ; verre de vin à partir de 4 €. Ici, c'est cochon à tous les étages. Sous forme de jambon, saucisse d'Auvergne ou saucisson. Et puisqu'on est ancré dans la tradition jusqu'aux sabots, on vous fait déguster une merveille de saucisse-aligot filant tout comme il faut. Et qui a dit que tradition rimait avec manque de raffinement ? C'est pas vous ? Bon, ça va ! Parce qu'il suffit de goûter cette jolie saucisse pour se laisser imprégner le palais de toute la rondeur des monts Dore. Et depuis peu, quelques recettes variées au fil des saisons : cake au laguiole et feuilles de roquette, pavé d'agneau rôti en croûte d'herbes... Accompagné d'un gouleyant vin d'Auvergne – le saint-pourçain descend aisément la pente –, une belle affaire. Quasiment tous les vins locaux sont servis au verre. Le décor est suffisamment rassurant pour plaire à votre belle-mère, l'accueil suffisamment franc et malicieux à la fois pour nous séduire, et on apprécie tous les petits bonus, terrine, fouace, amuse-bouche, etc., offerts au cours du repas. Apéritif maison ou digestif maison offert à nos lecteurs sur présentation de ce guide.

|●| ***Anahi*** *(plan B1, **14**)* **:** 49, rue Volta, 75003. ☎ 01-48-87-88-24. Ⓜ Arts-et-Métiers. Ouvert tous les jours de 20 h à 2 h (dernière commande à minuit). Réservation conseillée. Compter autour de 45 € sans la boisson. Installé dans les murs « écorchés vifs » d'une ancienne charcuterie, carrelée façon métro, ce restaurant n'a jamais cessé de s'attirer les foules ultra-tendance à coup d'*empanadas* bien léchés, de steaks argentins pas fous et d'onctueuses confitures de lait. Plutôt cher mais tellement dépaysant. Accueil charmant, avec l'accent.

Où boire un verre ?

🍸 ***The Quiet Man** (plan B2, **30**) :* 5, rue des Haudriettes, 75003. ☎ 01-48-04-02-77. Ⓜ Rambuteau ou Hôtel-de-Ville. ♿ Ouvert tous les jours de 17 h à 2 h. Congés annuels : les 24 et 25 décembre. Bières irlandaises : demi à 3,20 € et pinte à 5,90 €. Consommations non alcoolisées à 3 €. *Happy hours* jusqu'à 20 h 30 : pinte à 4,30 €. Authentique semble être l'adjectif qui qualifie le mieux *The Quiet Man.* Les parties de *darts* (fléchettes) sont acharnées, et gratuites pour une fois, et le prix des consommations raisonnable. Attention, la cloche sonnant la dernière commande résonne à 1 h 30 ; prévoyez des munitions. Concerts de musique traditionnelle irlandaise, québécoise ou bretonne les jeudi et samedi.

🍸 ***L'Apparemment Café** (plan C2-3, **32**) :* 18, rue des Coutures-Saint-Gervais, 75003. ☎ 01-48-87-12-22. Ⓜ Saint-Sébastien-Froissart. Ouvert du lundi au vendredi de 12 h à 2 h, le samedi de 16 h à 2 h et le dimanche de 12 h 30 à minuit. Fermé le samedi midi. Brunch ou petit dej' à 15,50 et 20 € ; à la carte, prévoir 18 € ; cocktails de 7,50 à 9 €. En plein cœur du Marais historique, à deux encablures du musée Picasso. Murs recouverts de planches en bois naturel accueillant les toiles de jeunes artistes. Fauteuils en velours et canapés à l'américaine style années 1930. Salon avec une bibliothèque bien fournie et choix de jeux de société. Le concept est plutôt sympa. Pour caler sa faim, copieuses assiettes : fromage, charcuterie, poisson. Grand choix de cocktails : après un « Premier Frisson » (gin, Grand Marnier, citron, grenadine), on peut se « Laisser Aller » (bourbon, sirop d'érable, citron).

🍸 ***La Perle** (plan C3, **31**) :* 78, rue Vieille-du-Temple, 75003. ☎ 01-42-72-69-93. Ⓜ Saint-Paul ou Saint-Sébastien-Froissart. Ouvert tous les jours de 6 h (8 h le dimanche) à 2 h. Demi à 3 € et cocktail à 8 €. À l'écart des flots du Marais, un bar kitsch qui... déborde ! Le principe est simple : les *beautiful people* bohêmes se servent au comptoir de bière pas chère et, l'été venu, refont le monde debout sur le trottoir ! Romain Duris y a été vu... *NOUVEAUTÉ.*

🍸 ***L'Attirail** (plan B2, **33**) :* 9, rue au Maire, 75003. ☎ 01-42-72-44-42. Ⓜ Arts-et-Métiers. Ouvert tous les jours de 10 h à minuit, les samedi et dimanche jusqu'à 2 h. Demi à 3 €. Le rade où aurait pu chanter Dalida ! Au détour d'une ruelle d'ateliers chinois, de la lumière et des photos d'acteurs en noir et blanc jaunies accueillent des concerts improbables ou des fanfares échevelées. *NOUVEAUTÉ.*

4e ARRONDISSEMENT

Où manger ?

Très bon marché

4e

|●| ***Karine*** *(plan C2, **4**)* **:** 16, rue Charlemagne, 75004. ☎ 01-42-72-14-16. Ⓜ Saint-Paul-le-Marais. Ouvert de 12 h à 15 h. Fermé le dimanche. Congés annuels : en août. Plat du jour à 9,50 € ; formule entrée, plat et dessert à 12,50 € ; sandwichs de 2,70 à 4,20 €. Niché au cœur d'un bâtiment en pierre, un petit resto qui ne paie pas de mine, où tout se joue dans l'arrière-salle. La patronne passe entre les quelques tables vite prises d'assaut, son panneau en ardoise à la main, vous proposant quelque 6 entrées et des plats simples, comme l'andouillette moutarde à l'ancienne. Le tout servi sur des nappes à carreaux dans un cadre égayé par quelques vieilles affiches publicitaires en tôle émaillée. Ambiance chaleureuse, comme le vin du mois.

|●| ***Atelier Café*** *(plan B1, **15**)* **:** au sous-sol du *BHV*, 52, rue de Rivoli, 75004. ☎ 01-42-74-90-00. Ⓜ Hôtel-de-Ville. Ouvert de 9 h 30 à 18 h 30 ; jusqu'à 20 h le mercredi. Fermé le dimanche. « Bricollation » autour de 4-5 €. Rien ne vaut un jambon-beurre avalé sur le pouce, au milieu des vis et des boulons ! Dans un décor de vieil atelier reconstitué (un vrai décor de cinéma !), installez-vous autour d'une table faussement patinée ou sur un établi bien poli et propre sur lui. En prime, chaque jour à 16 h, *master classes* (gratuites) de bricolage, avec les programmes variés. L'après-midi, on vous sert tartes et boissons chaudes.

|●| ***L'As du Falafel*** *(plan C1, **23**)* **:** 34, rue des Rosiers, 75004. ☎ 01-48-87-63-60. Ⓜ Saint-Paul. Ouvert de 12 h à minuit. Fermé les vendredi soir et samedi. À partir de 4 €. L'adresse incontournable pour déguster l'authentique *falafel*. Qu'est-ce qu'il met dedans, *L'As* ? C'est indiqué, suffit de lire : roquette et pois chiches, chou rouge et blanc, crème de sésame, aubergine, betterave rouge, cornichons aigre-doux, un chouia de harissa. Vous aimez ? Sinon, bonnes assiettes aussi variées et colorées.

|●| ***Coffee and Friends*** *(plan D2, **41**)* **:** 23, bd Beaumarchais, 75004. ☎ 01-42-71-07-77. Ⓜ Bastille. ♿ Wi-fi. Ouvert tous les jours de 10 h à 19 h (20 h les samedi et dimanche). Cafés de 1,50 à 3,30 € pour les singles, de 2,60 à 4,20 € pour les doubles. Pâtisseries de

2,20 à 3,40 €. Snacks autour de 4,50 €. Brunch le dimanche (de 11 h à 15 h) à 18 €. À deux pas de la Bastille, un *coffee-shop* avec 25 spécialités de café de toute l'Europe, ceux-ci moulus sous vos yeux. Grand choix de sandwichs (club, suédois, italien), de salades, de pâtisseries autrichiennes et anglo-saxonnes. Pause-déjeuner idéale pour grignoter quand on est pressé ou pour s'installer plus confortablement à l'étage, dans les fauteuils. Fond de musique jazzy. Bon accueil. Évidemment, tous les cafés sont à emporter. Également bar à eaux du monde. Juke-box et wi-fi gratuits pour nos lecteurs sur présentation de ce guide.

|●| ***Frascati*** *(plan D2,* ***3****)* **:** 14, rue de Turenne, 75004. ☎ 01-42-77-27-42. Ⓜ Saint-Paul. Ouvert du mardi au vendredi de 10 h 30 à 15 h et de 17 h à 20 h, et le samedi de 11 h à 18 h. Fermé les dimanche (sauf de mars à juillet) et lundi. Sandwichs de 6,50 à 8,50 € à partir de 12 h. À l'entrée, un bar-*corner* pour manger vite et bien, et boire un *espresso*. Partout, sur des étagères ou des petits meubles en bois, des pâtes, des huiles d'olive, des sauces, etc. Excellents sandwichs préparés à la minute. Après, s'il fait beau, vous n'avez plus qu'à aller choisir votre banc, place des Vosges...

Bon marché

|●| ***Le Temps des Cerises*** *(plan D2,* ***6****)* **:** 31, rue de la Cerisaie, 75004. ☎ 01-42-72-08-63. Ⓜ Bastille ou Sully-Morland. ♿ Ouvert de 8 h à 20 h ; cuisine le midi uniquement, mais le bar reste ouvert jusqu'en début de soirée. Fermé les week-ends et jours fériés. Congés annuels : en août. Menu unique au déjeuner à 13,50 € ; plats autour de 11 €. Compter 18 € pour un repas à la carte. Situé dans une pittoresque maison basse de la fin du XVIIIe siècle, ancienne intendance du couvent des Célestins. Bistrot depuis 1910, il s'appelait précédemment *Trains Bonnet* en hommage à Louis Bonnet, fondateur de *L'Auvergnat de Paris,* qui faisait venir des compatriotes par trains entiers. Un décor d'emblée familier, le zinc, les tables de café et les banquettes de moleskine où l'on sert le midi dans une promiscuité joyeuse. Cuisine familiale : fricassée de cuisses de grenouilles, tripoux de l'Aveyron... Le programme est écrit au tableau noir. Sélection de vins un peu trop éclectique à tous les prix (clos-vougeot, gaillac, chablis, bourgueil...). Cartes de paiement refusées.

|●| ***Le Petit Marcel*** *(plan B1,* ***33****)* **:** 65, rue Rambuteau, 75004. ☎ 01-48-87-10-20. Ⓜ Rambuteau. Ouvert de 8 h (12 h le dimanche) à minuit environ. Service continu. Congés annuels : à Noël. Repas complet autour de 18 € environ, plats autour de 10 € ; demi à 3,70 €. Bistrot parisien du genre de ceux où l'on attaque au petit blanc

Où manger ?

1 Il Piccolo Teatro
3 Frascati
4 Karine
5 À l'Escale
6 Le Temps des Cerises
9 Le Grand Appétit
10 La Table des Gourmets
12 Le Ravaillac
14 L'Endroit
15 Atelier Café
16 Aux Vins des Pyrénées
17 Baracane
19 Arirang
20 Chez Clément
21 Isami
22 L'Alivi
23 L'As du Falafel
24 Cucina Napoletana
25 Le Dôme du Marais
27 La Taverne du Nil
29 Brasserie Bofinger
31 La Belle Histoire
32 L'Impasse
33 Le Petit Marcel
40 Bel Canto
41 Coffee and Friends

Bars à vin

35 L'Enoteca
36 Le Coude Fou
37 Le Soleil en Cave
38 La Tartine
65 Le Bubar

Salons de thé

11 La Galerie 88
45 Le Loir dans la Théière
46 La Charlotte de l'Isle

Où manger une glace ?

50 Berthillon
51 Amorino

Où boire un verre ?

62 Le Petit Fer à Cheval
63 La Belle Hortense
64 Le Stolly's
69 Le Pick-Clops
70 Le 3 w Kafé
71 Les 7 Lézards
74 L'Étoile Manquante
75 Café Martini
76 Le Cox
80 L'Imprévu Café

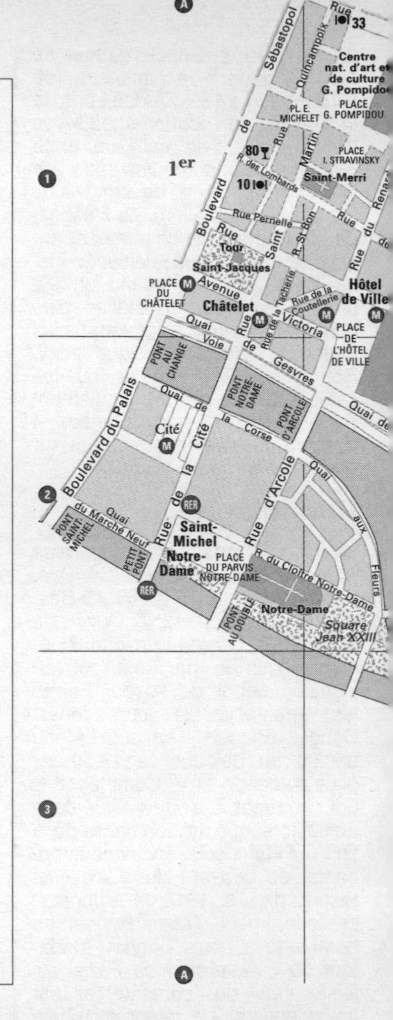

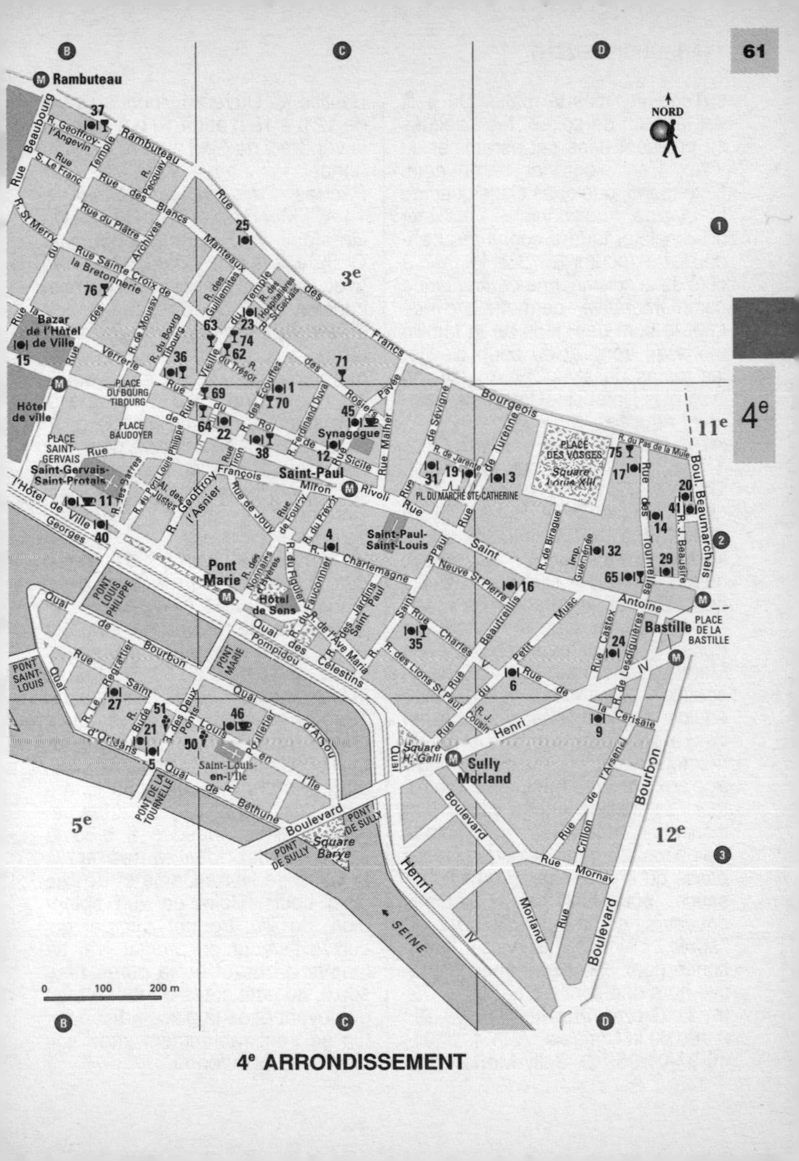

4e ARRONDISSEMENT

su'l'comptoir dès le matin. Du petit dej' à la fin de soirée, les habitués se pressent dans cet estaminet du vieux Paris, agrandi récemment. Côté menu, quelques classiques de la cuisine traditionnelle : bavette à l'échalote, tartare copieux ou andouillette moutarde. Sur le mur à côté de la cuisine, une petite plaque commémorative permettait d'indiquer le nom des gens de la famille morts au front, et du coup d'éviter les gaffes du style : « Au fait, on l'voit plus Untel ?! » Cartes de paiement refusées.

|●| ***Il Piccolo Teatro*** *(plan C1-2, 1)* : 6, rue des Écouffes, 75004. ☎ 01-42-72-17-79. Ⓜ Saint-Paul. Ouvert tous les jours de 12 h à 15 h et de 19 h à 23 h. Le midi, plusieurs formules de 8,90 à 14,70 € ; le soir, menus de 15,10 à 21,50 €. L'une des adresses végétariennes et végétaliennes les plus anciennes de Paris. Dans un cadre typique du Marais, avec murs en pierre et poutres apparentes, la petite équipe du *Petit Théâtre* se met en quatre pour satisfaire une clientèle hétéroclite qui va du couple *new age* aux soixante-huitards sur le retour. La cuisine variée puise son inspiration dans les patrimoines culinaires les plus exotiques : on passe du *chili sin carne* au tofu en sauce, pour finir par d'exquises douceurs, comme l'*agar agar* ou l'*apple crumble.* Service attentionné pour une expérience gustative hors des sentiers battus.

|●| ***Le Grand Appétit*** *(plan D3, **9**)* : 9, rue de la Cerisaie, 75004. ☎ 01-40-27-04-95. Ⓜ Sully-Morland ou Bastille. ♿ Ouvert du lundi au jeudi de 12 h à 15 h et de 19 h à 21 h, et le vendredi de 12 h à 14 h. Congés annuels : aux vacances de Pâques. Plats du jour de 7,50 à 14 €. Menus à 14 et 20 €. Un classique du Paris macrobiotique. Grande assiette de légumes bio avec céréales ou bol de riz garni et infusion du jour. Une suggestion différente tous les jours. Épaisses tartes aux légumes. Fait également épicerie (elle est tout à côté). Très zen. Une halte reposante et très saine après une balade dans le Marais. N'oubliez pas de prendre plateaux et couverts et de les rapporter à la fin du repas. Comme à la cantine ! Cartes de paiement refusées.

|●| ***À l'Escale*** *(plan B3, **5**)* : 1, rue des Deux-Ponts ou 2, quai d'Orléans, 75004. ☎ 01-42-54-94-23. Ⓜ Pont-Marie. Ouvert de 7 h 30 à 21 h ; sert à manger le midi seulement, de 11 h 30 à 15 h 30. Fermé le dimanche. Congés annuels : 15 jours en août et quelques jours à Noël. Pas de menu, compter autour de 23 € sans la boisson ; plats du jour entre 9,50 et 12,50 €, salades de 6,90 à 9,20 €, tartes salées, tartines chaudes à 8,80 € (avec salade). Idéal le midi après la visite de Notre-Dame et de l'île Saint-Louis. Point de vue splendide de ce troquet sympa qui cultive l'amour du produit vrai (la langue de bœuf et sa purée maison !), du petit côtes-du-rhône bien gouleyant et de la glace artisanale. On se sent rapidement chez soi. Une halte bienvenue.

Prix moyens

|●| ***L'Impasse*** *(plan D2, **32**)* **:** 4, impasse Guéménée, 75004. ☎ 01-42-72-08-45. Ⓜ Bastille. Fermé le samedi midi, le dimanche et le lundi midi. Congés annuels : en août et 1 semaine en hiver. Menu le midi à 13 € avec plat et entrée ou dessert ; menu le soir à 24 € avec plat et entrée ou dessert et 27 € avec entrée, plat et dessert. Menu-carte à 27 €. Grande gamme de vins en pichet. L'établissement était déjà là en 1917. À l'époque, on y vendait du foin et du charbon. Repris par une ancienne danseuse de l'Opéra, qui habite le quartier depuis toujours et vous reçoit comme des amis. Un mot gentil pour chaque table, une petite histoire pour les habitués, une cuisine simple mais raffinée et une salle cosy en font une valeur sûre. Petite terrasse. Seuls bémols à la partition : les prix de la carte des vins montent vite dans les aigus, et les desserts mériteraient un brin d'attention supplémentaire.

|●| ***La Belle Histoire*** *(plan C2, **31**)* **:** 6, pl. du Marché-Sainte-Catherine, 75004. ☎ 01-42-74-04-85. Ⓜ Saint-Paul-le-Marais. Service de 12 h à 15 h et de 19 h à 23 h 30 (minuit du vendredi au dimanche). Fermé le lundi et le mardi midi de novembre à mars. Plats autour de 10 € ; menus à 14 et 18 € le midi, puis à 19, 21 et 26 €. Sur la petite place du Marché, la plupart des restos se ressemblent mais ce n'est pas vraiment un problème puisqu'ils sont tous plus ou moins potes et tous bondés en été. On aime bien celui-ci avec sa toute petite salle et sa miniterrasse, comme esseulée dans son petit coin. La carte, à consonances italiennes (goûter les pâtes, délicieuses), est à la fois simple et inventive. On y trouve aussi du carré d'agneau, de la salade de poisson, du steak d'autruche... Les tarifs sont raisonnables pour la place, et le service est chaleureux. Une petite mais bien belle histoire, en effet... Apéritif maison offert à nos lecteurs sur présentation de ce guide.

|●| ***L'Endroit*** *(plan D2, **14**)* **:** 24, rue des Tournelles, 75004. ☎ 01-42-72-03-07. Ⓜ Bastille. Ouvert de 12 h à 14 h et de 19 h à 22 h 30 (minuit les vendredi et samedi). Fermé les dimanche et lundi. Formule à 18 € et menu-carte à 30 €. Ah, le bel *Endroit* que voilà ! Pas immense, mais avec une déco dans le style éphémère de bon goût qui allie la chaleur du bois et le raffinement de la légèreté. Lors de notre passage, au-dessus des tables asymétriques virevoltaient des plumettes blanches, remplacées en été par des pétales ou encore des feuilles séchées et des bouchons en liège. De bonnes choses à déguster ; une cuisine simple, s'inspirant des classiques comme la souris d'agneau caramélisée au romarin, avec quelques audaces réussies : carpaccio de Saint-Jacques à l'huile de truffe ou

Tatin à la tomate confite (succulente !). Belle carte de vins (servis au compteur pour certains) et personnel très aimable et efficace. Digestif maison offert à nos lecteurs sur présentation de ce guide.

Aux Vins des Pyrénées *(plan D2, **16**)* **:** 25, rue Beautreillis, 75004. ☎ 01-42-72-64-94. Ⓜ Bastille ou Sully-Morland. Ouvert midi et soir (service jusqu'à 23 h 30). Fermé le samedi midi. Congés annuels : 2 semaines autour du 15 août. Le midi, menu à 12,50 €. À la carte, compter autour de 19 € le midi et de 23 € le soir. Une ambiance copain-copain de bon aloi (le patron fait la bise à la moitié des clients, mais les têtes nouvelles sont très bien reçues), pas mal de « pipole » en vue, un habile mélange de parisianisme et de décontraction presque provinciale, et des petits plats de boucher bien ficelés qu'on choisit sur l'ardoise. Viande de qualité, grillée pour la plupart, garnie d'accompagnements généreux et arrosée de petits vins au verre. Carte de saison qui change régulièrement. Les dames à taille de guêpe et les non-viandards apprécieront les bons plats de poisson. Une de nos adresses préférées.

Baracane *(plan D2, **17**)* **:** 38, rue des Tournelles, 75004. ☎ 01-42-71-43-33. Ⓜ Chemin-Vert ou Bastille. Service de 12 h à 14 h 30 et de 19 h à minuit. Fermé les samedi midi et dimanche. Réservation conseillée. Formules déjeuner à 11 et 16 € (vin et café compris). Une formule du lundi au jeudi à 23 € (boisson non comprise). Menu à 28 € et menu-carte à 38 € (vin compris). Côté pile, il y a l'*Oulette,* la chic maison mère du 12e arrondissement. Côté face, il y a la *Baracane,* sa petite annexe canaille. Dans les deux cas, la cuisine met le cap vers le Sud-Ouest, mais ici, c'est dans un esprit plus bon enfant et « brut de décoffrage ». Au coude à coude, chacun peut jeter un œil dans l'assiette du voisin, s'exclamer « ail, ail, ail ! » quand arrive l'excellent magret, demander du sel de Bayonne, réviser son *english* ou son *Deutsch* avec les touristes, aider les petits appétits à finir leur cassoulet ou leur suavissime crème catalane. Vu la bonne tenue des prix, il y a matière à clore ces agapes par un armagnac 1975. Apéritif maison offert à nos lecteurs sur présentation de ce guide.

Arirang *(plan C2, **19**)* **:** 6, pl. du Marché-Sainte-Catherine, 75004. ☎ 01-42-77-16-26. Ⓜ Saint-Paul-le-Marais. Ouvert tous les jours de 12 h à 15 h 30 et de 19 h à minuit. Mieux vaut réserver, surtout l'été, quand les tables en plein air sont très prisées. Les menus (avec entrée et barbecue) commencent à 15 €. À la carte, compter 23 €. On apprécie ce resto coréen pour sa terrasse estivale sur l'une des plus belles places de Paris et pour ses portions généreuses. Ici, le dépaysement est dans l'assiette : barbecue au saumon, aux fruits de mer ou au poulet. Grandes salades de légumes pleines de saveur.

🍽 ***Le Ravaillac*** *(plan C2, **12**) :* 10, rue du Roi-de-Sicile, 75004. ☎ 01-42-72-85-85. Ⓜ Saint-Paul-le-Marais. Ouvert midi et soir jusqu'à 23 h (dernière commande). Fermé le dimanche, ainsi que certains jours fériés. Congés annuels : 3 semaines en août. À la carte uniquement : compter autour de 23 € (boisson comprise) ; spécialités entre 11 et 15 €. Dans ce resto polonais, l'ambiance se situe au 1er étage, dans une salle dont les tables sont éclairées par des bougies. Nombreuses spécialités du pays servies avec gentillesse, comme le *pozarsky* (boulettes de veau avec sarrasin et pommes sautées), la choucroute spéciale (côte de porc grillée, poitrine de porc, saucisson polonais), le *bigos* et le *golabki* (chou farci à la viande et au riz) qui tiennent au corps.

🍽 ***Chez Clément*** *(plan D2, **20**) :* 21, bd Beaumarchais, 75004. ☎ 01-40-29-17-00. Ⓜ Bastille. Service continu tous les jours jusqu'à minuit (jusqu'à 1 h du jeudi au samedi). Formule rôtisserie (entrée + plat ou plat + dessert) à 15 € le midi en semaine. Carte autour de 28 €. Dans l'ancien *Enclos de Ninon* – lieu incontournable dans les années 1960 – vous trouverez une atmosphère conviviale alliant la bonne cuisine de brasserie à un cadre réussi. Voir le texte *Chez Clément* dans le 17e. Apéritif maison offert à nos lecteurs sur présentation de ce guide.

🍽 ***La Table des Gourmets*** *(plan A1, **10**) :* 14, rue des Lombards, 75004. ☎ 01-40-27-00-87. Ⓜ Châtelet-Les Halles ou Rambuteau. Ouvert de 12 h à 15 h et de 19 h à 23 h 30 (dernier service à 22 h 30). Fermé le dimanche. Menus à 16 € (servi aussi le soir), 30 et 36 €. À deux pas du Centre Pompidou, en plein quartier touristique, un resto tenu par une famille chinoise, dans une surprenante chapelle médiévale à voûtes d'ogives. Large carte de cuisine française, archi-classique mais très correctement préparée : magret de canard, entrecôte, carré d'agneau ou foie de veau. Desserts moins convaincants. Vins en pichet tout à fait acceptables. Service attentionné. Convient parfaitement à ceux qui souhaitent un repas romantique entre quatre « zyeux » qui ne grève pas trop le porte-monnaie, avant un ciné ou après une expo. Une aubaine pour le quartier. *NOUVEAUTÉ.*

Plus chic

🍽 ***Cucina Napoletana*** *(plan D2, **24**) :* 6, rue Castex, 75004. ☎ 01-44-54-06-61. Ⓜ Bastille. Ouvert de 12 h à 15 h et de 19 h 30 à 23 h. Fermé les dimanche et lundi midi. Congés annuels : en août. *Antipasti* à partir de 8 €, plats de 11 à 24 €. La cuisine napolitaine, c'est avant tout un art de vivre. Et on s'en rend vite compte en lisant le règlement en vitrine ! Et pour manger ici, il faut s'y conformer ! Si le cadre n'a rien d'exceptionnel, on apprécie vite le va-et-vient des serveurs sifflant les standards de la pop napolitaine. Les produits respirent le soleil de la Campanie, les *antipasti* donnent le *la* d'une cuisine menée de main de maître. Les pâtes sont divines, les calamars juste frits pour être appréciés, et la *mozzarella di bufala Campana* bien suave. Carte des vins alléchante mais pas donnée. Cependant, beaucoup de vins au verre. Cartes de paiement refusées.

IOI ***Isami*** *(plan B3, **21**)* **:** 4, quai d'Orléans, 75004. ☎ 01-40-46-06-97. Ⓜ Pont-Marie. Ouvert de 12 h à 14 h et de 19 h à 22 h. Fermé les dimanche et lundi. Congés annuels : en août et 2 semaines à Noël. À la carte uniquement, compter autour de 40 €. Au cœur de l'île Saint-Louis (face à la *Tour d'Argent*), cet authentique japonais offre aux vrais amateurs de sushis des produits d'une exquise délicatesse et d'une remarquable fraîcheur. Si l'on hésite, les assortiments de sushis et sashimis (avec amuse-bouche et soupe *miso* en prime) sont parfaits ; sinon, on peut aussi piocher ici et là dans les bouchées à la pièce. Ainsi, on passe allègrement de l'anguille au poulpe et à la coquille Saint-Jacques, sans oublier le saumon et l'huître. Tout est préparé devant vos yeux par M. Nakamura. L'accueil, empreint d'une politesse nippone bien agréable, et le service sont assurés par sa femme. La salle, minuscule, étant vite remplie (par un public averti ou aventurier !), la réservation est indispensable.

IOI ***L'Alivi*** *(plan C2, **22**)* **:** 27, rue du Roi-de-Sicile, 75004. ☎ 01-48-87-90-20. Ⓜ Saint-Paul-le-Marais ou Hôtel-de-Ville. Ouvert tous les jours midi et soir (dernier service à 23 h 30 en semaine et minuit le week-end). Formule à 15 € (entrée + plat ou plat + dessert) du lundi au vendredi midi. Menu à 22 € servi midi et soir. À la carte, compter un minimum de 28 € et environ 40 € pour un repas complet. Le resto corse qui monte, qui monte... La salle est petite, arrangée avec chaleur, et la table est bonne, alors on n'a pas hésité à laisser les prix s'envoler. Cela dit, l'affaire est belle. On prend son repas baigné par les chants de l'île. Et ça chante aussi dans l'assiette : filets de sardines au fenouil, mousse de coppa aux poireaux, filet de rascasse aux blettes, gratinée d'aubergines... *O Corsica bella !* Tout est préparé à base de produits frais et soigneusement présenté. En prime, l'accueil est chaleureux et le service efficace. Seul bémol, l'addition grimpe vite à la carte et les portions sont parfois un peu restreintes.

IOI ***Le Dôme du Marais*** *(plan C1, **25**)* **:** 53 bis, rue des Francs-Bourgeois, 75004. ☎ 01-42-74-54-17. Ⓜ Hôtel-de-Ville. Ouvert du mardi au samedi de 12 h à 14 h 30 et de 19 h à 23 h. Congés annuels : du 10 au 20 août. Menus à 17 et 23 € le midi, 32 et 45 € le soir. Dans l'ancienne salle des ventes du Mont-de-Piété, une très belle adresse, assez chic. On dîne sous la coupole XVIIIe siècle en verre dépoli. Aux murs, la décoration a été refaite façon feuille d'or et chaleureux bordeaux. Ayant exercé ses talents dans de grandes maisons et à l'étranger, le chef sait relever ses plats d'épices rares dont il distille les saveurs avec subtilité, comme son filet de bar au gingembre ou son cuissot de biche (mmm !). Service aimable et aux petits soins. Belle carte des vins. Un conseil : éviter le week-end, il y a vraiment beaucoup de monde et la salle devient bruyante.

La Taverne du Nil *(plan B2-3, **27**)* **:** 16, rue Le Regrattier, 75004. ☎ 01-40-46-09-02. Ⓜ Pont-Marie. Ouvert de 12 h à 14 h 30 et de 19 h 30 à 23 h. Fermé le lundi midi. Menus à 15 € le midi, puis de 22 à 34 € ; à la carte, compter autour de 25 € sans la boisson. Un nom plutôt incongru pour un restaurant libanais, mais les taverniers sont d'authentiques natifs du pays du Cèdre. Les viandes grillées sont bonnes (brochettes...), et on vient en priorité pour cela. La bonne idée à deux pour le soir : prendre le 1er menu, qui propose assortiment de hors-d'œuvre et brochettes, et le coupler avec un plat de viande grillée différente du menu avec le vin compris. Ambiance plutôt feutrée. Une danseuse du ventre vient vous détourner de votre assiette le week-end, le soir. Côté addition, le tout est quand même un peu salé. Kir (hors week-ends et jours fériés) offert à nos lecteurs sur présentation de ce guide.

Brasserie Bofinger *(plan D2, **29**)* **:** 5-7, rue de la Bastille, 75004. ☎ 01-42-72-87-82. Ⓜ Bastille. Ouvert du lundi au vendredi de 12 h à 15 h et de 18 h 30 à 1 h, et le week-end en continu de 12 h à 1 h. Formule à 22,50 € le midi en semaine, menu à 32,90 € ; choucroutes à partir de 16,50 € et plateaux de fruits de mer à 39,50 et 53 €, ou 96 € pour deux. Cette célèbre brasserie, créée en 1864 et transformée en 1919, offre un décor qu'apprécient les nombreux touristes qui viennent y dîner. Les Parisiens sont, tout comme eux, sensibles à l'esthétique de la belle verrière et du salon du 1er étage décoré par Hansi. Et c'est vrai qu'on en a plein la vue. Que l'on soit d'ici ou d'ailleurs, on sacrifie à la sacro-sainte choucroute et aux fruits de mer, vedettes incontestées de la maison. Mention spéciale pour la choucroute paysanne, la « Spéciale », et les plateaux de fruits de mer « Mareyeur » et « Royal ».

Très chic

Bel Canto *(plan B2, **40**)* **:** 72, quai de l'Hôtel-de-Ville, 75004. ☎ 01-42-78-30-18. Ⓜ Hôtel-de-Ville. Ouvert tous les jours. Service de 20 h à 22 h. Menu lyrique à 68 €, sans la boisson. Restaurant non-fumeurs. Dîner-spectacle d'un genre nouveau : entre un *prosciutto* et une *panna cotta,* Carmen et Don Juan s'incarnent à votre table. Les verres vibrent au son de la voix de ces sopranos, barytons et autres altos cachés derrière leurs tabliers de serveurs et de serveuses. L'équipe est joyeuse et bien orchestrée. En effet, on vient surtout ici pour le spectacle. De ce côté-là, on est plus près de l'opéra-bouffe que de la traditionnelle gastronomie italienne. Tous les classiques sont à la carte, du carpaccio au tiramisù en passant par l'inévitable *lambrusco.* Une annexe tout aussi lyrique au 88, rue de la Tombe-Issoire, dans le 14e arrondissement (☎ 01-43-22-96-15 ; fermé le dimanche et le lundi soir) et au 6, rue du Commandant-Pilot à Neuilly-sur-Seine, Ⓜ Sablons (☎ 01-47-47-19-94 ; fermé le dimanche et le lundi soir). Réservation indispensable.

Bars à vin

🍽 🍷 ***L'Enoteca** (plan C2, **35**) :* 25, rue Charles-V, 75004. ☎ 01-42-78-91-44. Ⓜ Saint-Paul-le-Marais. Ouvert tous les jours de 12 h à 1 h (service jusqu'à 23 h 30) ; en août, service seulement le soir. Congés annuels : 1 ou 2 jours à Pâques, 1 semaine autour du 15 août, 2 ou 3 jours à Noël et le Jour de l'an. Formule déjeuner boisson comprise, uniquement en semaine, à 13 € ; pâtes du jour à 10 €. Repas à la carte autour de 30 €. Dans un décor chaleureux, définitivement Marais, avec ses vieilles pierres, ses poutres apparentes et ses murs patinés, inconnus comme reconnus viennent en amateurs découvrir toute la richesse du vignoble transalpin (chaque semaine les propositions au verre changent) en grignotant des *antipasti misti,* des paupiettes d'aubergines tièdes au fromage de chèvre frais ou des pâtes fraîches. Et puis les vrais amateurs de vins de la péninsule jetteront un œil, voire deux, à la carte : plus de 450 références. Ne pas hésiter à se laisser guider.

🍽 🍷 ***Le Coude Fou** (plan B1, **36**) :* 12, rue du Bourg-Tibourg, 75004. ☎ 01-42-77-15-16. Ⓜ Hôtel-de-Ville. Ouvert tous les jours de 12 h à 14 h 45 et de 19 h 30 à minuit. Le midi, formule entrée + plat ou plat + dessert, avec un verre de vin, à 16,50 € ; le soir, menus à 19,50 et 24 €. Carte autour de 30 €. Le dimanche, brunch à 23 € (de 12 h à 16 h). Un bar à vin à succès, dont la renommée attire en nombre vrais connaisseurs et amateurs curieux. Le patron a su proposer une carte originale qui se promène hors des vignobles battus, et c'est ce qui fait la différence, tout comme son sourire et celui de ses acolytes. Murs patinés et jolies fresques naïves qui courent le long des deux salles. Tables recouvertes de vieilles caisses de bouteilles de vin (et pas des moindres !). Petits plats traditionnels ou plus surprenants comme le pavé d'autruche sauce foie gras ou le médaillon de lotte au safran. Cuissons justes et atmosphère chaleureuse. Apéritif maison offert à nos lecteurs sur présentation de ce guide.

|●| 🍷 ***Le Soleil en Cave*** *(plan B1, **37**)* **:** 21, rue Rambuteau, 75004. ☎ 01-42-72-26-25. Ⓜ Rambuteau. Ouvert de 12 h 30 à 15 h et de 19 h 30 à 22 h. Fermé les lundi et mardi. Congés annuels : la dernière quinzaine de juillet. Formules à 11 € le midi en semaine ou à 14 € avec le vin du jour. Menu-dégustation à 22 €. Brunch le dimanche à 19 €, jusqu'à 15 h 30. De l'extérieur, ça a tout l'air d'une simple boutique à vins... et ça l'est, mais on y fait aussi restaurant ! Dans une ambiance ensoleillée, qui sent bon les produits du terroir, des serveurs souriants servent sans perte de temps, au son d'une musique jazzy. On se fait plaisir aussi bien avec une grosse salade Sémillon qu'avec le plat du jour ou une belle tartine sur pain frais « Bouchon » (au boudin noir) ou « Serrano ». La carte des vins (présentée sur une bouteille) est fournie, ça va de soi, et les assiettes sont copieuses. On a apprécié le « tablier » accroché sur les verres mentionnant le nom du cru. Desserts classiques. Apéritif maison offert à nos lecteurs sur présentation de ce guide.

|●| 🍷 ***La Tartine*** *(plan C2, **38**)* **:** 24, rue de Rivoli, 75004. ☎ 01-42-72-76-85. Ⓜ Hôtel-de-Ville ou Saint-Paul-le-Marais. Ouvert du mardi au samedi de 8 h à 2 h, le dimanche de 10 h à 22 h et le lundi de 8 h à 23 h. Un peu plus de 50 vins au verre (spécialités de bordeaux et de vins du Rhône) de 3 à 8 €. Tartines chaudes de 5 à 7 € et assiettes de charcuterie de 9 à 14 €. Spécialités lyonnaises et beaujolaises. On aime le côté rétro de ce vieux bar à vin, repris en main et complètement rénové. Grands miroirs, plafond ouvragé, banquettes et tables de bistrot sympas. Ambiance agréable. Petite terrasse aux beaux jours.

|●| 🍷 ***Bubar*** *(plan D2, **65**)* **:** 3, rue des Tournelles, 75004. ☎ 01-40-29-97-72. Ⓜ Bastille. Ouvert tous les jours à partir de 19 h. Un patron barbu autant que débonnaire, dans un petit bar à vin bordeaux intimiste et trendy, ouvert il y a 4 ans. Beau choix de flacons du monde à partir de 3 € le verre, que l'on boit au comptoir, en grignotant poivrons et autres amuse-gueules, ou dans l'un des recoins, tranquille. Si la faim se fait sentir, on vous proposera assiettes de charcuteries et de fromages. Bonne sélection musicale, tendance jazzy. Un des rares bars du coin à la déco sympa où il fait bon discuter entre amis ou avec son voisin. Une belle surprise si près de la Bastille effervescente. *NOUVEAUTÉ.*

Salons de thé

|●| ☕ ***Le Loir dans la Théière*** *(plan C2, **45**)* **:** 3, rue des Rosiers, 75004. ☎ 01-42-72-90-61. Ⓜ Saint-Paul-le-Marais. Ouvert du lundi au vendredi de 11 h à 19 h et le week-end de 10 h à 19 h. Tartes salées

et plats du jour de 8 à 10,50 €. Brunchs à 15,50 et 21 € le week-end. Salon de thé adorable qui sert des plats chauds le midi, notamment des tartes salées. Atmosphère assez cosy et relax. Vieux fauteuils moelleux dans lesquels on s'enfonce délicieusement ou tables plus conventionnelles, c'est au choix. Les épaisses tourtes aux épinards *(pascualina)* ou les tartes salées donnent à elles seules envie d'y revenir. Bons gâteaux, entre autres pommes-noix-cannelle ou tarte au citron meringuée. Quelques salades également et une bonne sélection de thés.

La Charlotte de l'Isle *(plan C3, **46**) :* 24, rue Saint-Louis-en-l'Île, 75004. ☎ 01-43-54-25-83. Ⓜ Pont-Marie ou Sully-Morland. Ouvert du jeudi au dimanche de 12 h à 20 h et le mercredi après-midi (uniquement sur réservation) lors des goûters-marionnettes. Fermé les lundi et mardi. Congés annuels : en juillet et août. Compter 8 € pour un thé et un gâteau. Fille de pâtissier, Sylvie Langlet, d'abord séduite par la céramique, a fini par renouer avec le geste familial. Depuis plus de 30 ans, avec quelques mesures de farine, deux ou trois de sucre, quelques graines de folie, amour et patience (dixit Sylvie), elle confectionne de délicieux gâteaux qui font le bonheur des gourmands. Florentins, tartes au chocolat ou au citron, cakes... Les vitrines de son salon de thé, pleines d'animaux, sont, elles aussi, à croquer (rares sont ceux qui ne stationnent pas longuement devant). L'intérieur minuscule est tout aussi charmant.

La Galerie 88 *(plan B2, **11**) :* 88, quai de l'Hôtel-de-Ville, 75004. ☎ 01-42-72-17-58. Ⓜ Pont-Marie ou Hôtel-de-Ville. Ouvert tous les jours de 10 h à 2 h; service continu jusqu'à 2 h. Entre Marais et île Saint-Louis, une petite étape reposante et relax pour déguster un thé parmi les 20 variétés exotiques proposées. Le patron, qui a pas mal bourlingué, a d'ailleurs truffé son lieu de souvenirs et d'objets rapportés de ses voyages. Ça donne un côté chaleureux bien plaisant. Petite restauration, salades, *mezze* et pâtes, mais sans imagination.

Où manger une glace?

Berthillon *(plan B-C3, **50**) :* 31, rue Saint-Louis-en-l'Île, 75004. ☎ 01-43-54-31-61. Ⓜ Pont-Marie. Pour les glaces à emporter comme pour la dégustation sur place, ouvert du mercredi au dimanche de 10 h à 20 h. Fermé les lundi et mardi. Congés annuels : pendant une partie des vacances scolaires, sauf celles de Noël, ce qui, pour un glacier, n'est pas sans sel! Compter 2, 3,20 et 4,20 € le cornet pour 1, 2 ou 3 boules de glace. Une institution qui s'endort un peu sur ses lauriers ! Beaucoup de restos se valorisent en affichant dans leur menu « glaces de chez *Berthillon* ». Une trentaine de parfums (fraise des bois, banane, pêche...), un sublime granité à la poire Williams et toujours des inventions nouvelles. Sa renommée explique les longues queues patientes devant la boutique.

Amorino *(plan B3,* ***51****)* **:** 47, rue Saint-Louis-en-l'Île, 75004. ☎ 01-44-07-48-08. Ⓜ Pont-Marie. Ouvert tous les jours de midi à minuit. Compter 3, 4 et 5 € pour une glace petite, moyenne ou grande. Une sympathique alternative à *Berthillon.* Ce glacier artisanal propose des spécialités italiennes assez exotiques pour nos papilles françaises : *amarena* (vanille-cerise), *stracciatella* (lait et chocolat), *Nutella* et beaucoup d'autres...

Où boire un verre ?

Le Petit Fer à Cheval *(plan C1,* ***62****)* **:** 30, rue Vieille-du-Temple, 75004. ☎ 01-42-72-47-47. Ⓜ Saint-Paul-le-Marais ou Hôtel-de-Ville. Ouvert tous les jours de 9 h à 2 h ; service de 12 h à 1 h. Plats du jour autour de 12 €. Demi à 2,50 € au comptoir, verre de vin à partir de 3 €. Vénérable établissement, *Le Petit Fer à Cheval* a ouvert ses portes en 1903. Depuis cette date, rien n'a changé. Ce bistrot de quartier, 100 % parigot, a conservé ses vieux bancs en bois provenant des anciens wagons de métro et son bar original en forme de... fer à cheval. On y déguste encore de bons petits ballons chipés parmi les 22 sélections vineuses de la maison. Une musique un brin jazzy, discrètement diffusée, ne couvre pas les conversations des jeunes branchés en maraude.

La Belle Hortense *(plan C1,* ***63****)* **:** 31, rue Vieille-du-Temple, 75004. ☎ 01-48-04-71-60. Ⓜ Saint-Paul-le-Marais ou Hôtel-de-Ville. ♿ Ouvert de 17 h à 2 h. Verres de vin de 3 à 7 € ; la bouteille est à 15 € sur place et à 5 € à emporter. Juste en face du *Petit Fer à Cheval* (même patron), un bar littéraire qui joue la carte conviviale qu'on regrette tant ailleurs. Rencontres fréquentes garanties, mais avec des écrivains cette fois. Programme des lectures, notamment de poésie, parfois en v.o., dans l'arrière-salle. Demandez à voir la cave du patron, elle vaut le détour. Expos de photos, dessins ou peintures et coin librairie.

Le Pick-Clops *(plan C2,* ***69****)* **:** 16, rue Vieille-du-Temple, 75004. ☎ 01-40-29-02-18. Ⓜ Saint-Paul-le-Marais. À l'angle avec la rue du Roi-de-Sicile. Ouvert de 7 h (8 h le dimanche) à 2 h. Demi de 2,20 à 3,20 € (supplément de 0,50 € après 22 h). Petite restauration : plats du jour et salades autour de 10 €. *Le Pick-Clops* est le rendez-vous rock des titis branchés qui se respectent. Clientèle d'habitués. Le cadre néon, glaces et formica n'a pas d'importance, le feeling est dans la salle. Pour un dernier verre entre amis ou en solitaire. Parfois un peu chaud et ça dérape un rien.

🍸 ***Les 3 w Kafé*** *(plan C2, **70**)* **:** 8, rue des Écouffes, 75004. ☎ 01-48-87-39-26. Ⓜ Saint-Paul-le-Marais. Ouvert tous les jours de 18 h à 2 h. Bières pression à 3,50 €. Voilà une sympathique adresse de filles qui aiment les filles, mais pas du tout ghetto (les garçons ne sont pas refoulés s'ils sont accompagnés). Entre pierres apparentes et zinc brillant, l'endroit est chaleureux, et une clientèle 20-40 ans vient y gazouiller ou s'échauffer en *before* le week-end.

🍸 ***Les 7 Lézards*** *(plan C1, **71**)* **:** 10, rue des Rosiers, 75004. ☎ 01-48-87-08-97. • www.7lezards.com • Ⓜ Saint-Paul-le-Marais. Ouvert tous les jours, toute l'année, de 18 h à 2 h. Service de 20 h à minuit et jusqu'à 1 h le week-end. Compter 20 € pour un repas complet. Consos à partir de 2,50 € et cocktails autour de 7,50 €. On vient dans ce resto-bar pour discuter le bout de gras autour d'un petit plat (genre tagine de poulet aux citrons confits), un œil sur le bar, l'autre sur le journal (bibliothèque à disposition des clients). Rendez-vous des artistes et amateurs d'art, *Les 7 Lézards* organise des expositions de peintures, des concerts, du théâtre, de la poésie... Scène ouverte aux musiciens le dimanche (jam-sessions) et, toute l'année, 2 concerts par jour à 19 h et 22 h (2 groupes). Pas de pression ici, mais du jus de gingembre et du thé en guise d'excitants. Cartes de paiement refusées.

🍸 ***L'Étoile Manquante*** *(plan C1, **74**)* **:** 34, rue Vieille-du-Temple, 75004. ☎ 01-42-72-48-34. Ⓜ Hôtel-de-Ville. Ouvert tous les jours de 9 h à 2 h. Service de 12 h à 1 h 15. Salades et assiettes froides à 8 et 10 € ; demi à 2,50 € au bar et 3,50 € en salle, les autres bières sont à 4 € en salle ; *caïpirinha* à 9 €. Une déco réussie et bien singulière sur le thème du seuil et de la frontière, genre galerie d'art moderne avec des sculptures, des cadres et des lumières façon anneau de Saturne, avec son plafond-constellation, son énorme pendule pour scander le temps, ses cybatrans (photos sous verre lumineuses) et surtout ses w.-c. très cinoche où le petit train électrique circule en boucle entre les hommes et les femmes (!). Un service plutôt sympa assuré par des jeunes gens que la nature a gâtés, des grignoteries de bon goût, des journaux à disposition. Ces lieux ne sont qu'amabilités.

🍸 ***Café Martini*** *(plan D2, **75**)* **:** 11, rue du Pas-de-la-Mule, 75004. ☎ 01-42-77-05-04. Ⓜ Bastille ou Chemin-Vert. Ouvert tous les jours de 10 h à 2 h. Demi à partir de 2,50 €. L'espace est compacté, les conversations bourdonnantes, la lumière étudiée. Le meilleur café au charme Marais à côté de la place des Vosges, malheureusement sans terrasse pour les beaux jours. Essayer impérativement le chocolat chaud fait maison : un délice. Bonne musique, jazzy à souhait.

Le Cox (*plan B1, **76***) **:** 15, rue des Archives, 75004. ☎ 01-42-72-08-00. Ⓜ Hôtel-de-Ville. Ouvert tous les jours de 12 h à 2 h, le week-end à partir de 13 h. Bière à 3,50 € ; la quantité double pendant les *happy hours* de 18 h à 21 h ; alcools à 6,40 €. Ce bar gay de la rue des Archives n'est pas le plus enfiévré du quartier, mais pas mal de fidèles y apprécient une ambiance toute de bonne humeur. Lumière sombre et musique plutôt forte, ça tchatche pas mal et ça mate gentiment d'un bout à l'autre du comptoir. Serveurs affables et déco qui change tous les 3 mois.

L'Imprévu Café (*plan A1, **80***) **:** 9, rue Quincampoix, 75004. ☎ 01-42-78-23-50. Ⓜ Châtelet. Ouvert tous les jours de 12 h à 2 h. Demi à 3,10 € (3,30 € après 22 h) ; café à 1,90 € (3,60 € après 22 h). Un endroit idéal pour se donner rendez-vous au cœur de Paris. Que l'on s'y retrouve à deux ou en bande, le lieu est aussi propice aux longues discussions qu'aux rencontres fortuites. L'ambiance de chacune des 4 salles est aussi hétéroclite que le mobilier. On s'installe dans un vieux siège de dentiste ou on se presse sur des fauteuils de théâtre, tandis que les verres défilent. Une bonne petite adresse tranquille.

Le Stolly's (*plan C2, **64***) **:** 16, rue du Cloche-Perce, 75004. ☎ 01-42-76-06-76. Ⓜ Saint-Paul-le-Marais ou Hôtel-de-Ville. Ouvert tous les jours de 16 h 30 à 2 h. Demi à 3 €, mais *happy hours* de 16 h 30 à 20 h (pinte à 5 €). Dans ce petit troquet *British* au zinc en bois, poutres et pierre apparentes, on vous accueille avec le sourire. On y entend de la *brit* pop en fond derrière une baleine en papier mâché en dégustant, le lundi, une *cheap blonde* à 3 € la pinte. Petite terrasse dans l'impasse. Marais *straight* et cool. *NOUVEAUTÉ.*

5e ARRONDISSEMENT

Où manger ?

Très bon marché

|●| ***L'Olivier du Village*** *(plan B2,* ***22****)* **:** 45, rue Descartes, 75005. ☎ 01-44-07-18-19. Ⓜ Cardinal-Lemoine ou Place-Monge. Ouvert tous les jours. Service de 11 h à 15 h et de 18 h à 23 h 30 environ ; en continu le dimanche. Menus de 8,50 à 11 €. Resto grand comme un demi-timbre-poste (14 couverts !), en plein cœur du quartier Mouffetard. On ne vient pas ici pour le cadre, mais pour déguster des *mezze* frais et goûteux, ainsi que de classiques plats libanais (le *shish taouk* mariné est bien bon). Excellentes pâtisseries, comme celles que l'on trouve au pays, sans oublier les vins du pays.

|●| ***Le Royal Saint-Jacques*** *(plan A3,* ***32****)* **:** 263, rue Saint-Jacques, 75005. ☎ 01-43-54-56-20. Ⓜ Monge ; RER B : Port-Royal ou Luxembourg. Ouvert du lundi au samedi, le midi seulement. Congés annuels : en août. Plat du jour autour de 10 €. L'archétype du bistrot de quartier au décor banal, mais sachant offrir un copieux plat du jour, de belles salades et des viandes d'une tendreté sans égal (ah ! la sublime entrecôte !) pour un prix à jamais modéré. Vins de propriété de qualité et toujours bien choisis. Patron aux p'tits soins pour une clientèle d'habitués toujours réjouis. D'ailleurs, c'est la cantine de Gilles (le meilleur luthier de la rive gauche et peut-être de la rive droite) et de son équipe. C'est dire que vous trouvez toujours le bon accord ici !

|●| ***Comptoir Méditerranée*** *(plan C2,* ***46****)* **:** 42, rue du Cardinal-Lemoine, 75005. ☎ 01-43-25-29-08. Ⓜ Cardinal-Lemoine. Ouvert du lundi au samedi de 11 h à 22 h. Fermé le dimanche. Congés annuels : de mi-décembre à début janvier et 1 semaine autour du 15 août. Vente à emporter : sandwichs ou pizza au thym à partir de 3,50 €. Assiettes composées à partir de 5,70 €. Café et thé à la menthe à 1,50 €. Une adresse colorée, qui fait découvrir, sur le pouce, la gastronomie du Liban, avec des *mezze* froids type *hoummos,* feuilles de vigne, caviar d'aubergine, salade « Bulgaria » (fromage de brebis, tomate et menthe fraîche) et *labné* (fromage frais à l'huile d'olive). Ou, encore mieux, avec des *mezze* chauds, nos préférés étant la brochette de

poulet au citron et les *kebbes* (boulettes de viande farcies aux oignons et pignons). Tables en terrasse ou à l'intérieur. Parfait pour compléter la visite de l'Institut du monde arabe !

I●I ***Boulangerie Kayser*** *(plan B1, **45**) :* 14, rue Monge, 75005. ☎ 01-44-07-17-81. Ⓜ Maubert-Mutualité. Ouvert de 8 h (7 h le mardi) à 20 h 15. Fermé le lundi. Congés annuels : en août. Plats du jour avec viande ou poisson aux alentours de 10 €. Potage du jour, quiche et sandwichs entre 3 et 5 €. Formule 3 salades à 6,50 €. Pour grignoter entre deux balades dans le Quartier latin. Éric Kayser, excellent boulanger, a ouvert ce *deli* à l'américaine pour y faire du pain biologique. On y retrouve tout le talent et le savoir-faire du boulanger pour un super rapport qualité-prix.

I●I ***Foyer du Vietnam*** *(plan C3, **1**) :* 80, rue Monge, 75005. ☎ 01-45-35-32-54. Ⓜ Monge. Service de 12 h à 14 h 30 et de 19 h à 22 h 30. Fermé le dimanche. Menus à 8,20, 12,20 et 12,50 € midi et soir ; menu-étudiants à 7 € en semaine. À la carte, compter autour de 15 €. Poussez sans hésitation la porte de ce foyer. Devanture blanche qui ne paie pas de mine, mais on y mange une cuisine vietnamienne familiale excellente. Délicieuse soupe au porc (le petit modèle est très copieux), où nouilles et bouillon forment un tout savoureux, et les raviolis à la vapeur sont délicieux. Le reste (brochettes de porc, soupe Hanoï...) est à l'avenant. Quelques spécialités intéressantes en fin de semaine, comme la soupe de riz aux tripes (en alternance avec une soupe de canard) ou encore les gambas grillées aux vermicelles. On y croise même Daniel Pennac.

I●I ***Le Reflet*** *(plan A1, **5**) :* 6, rue Champollion, 75005. ☎ 01-43-29-97-27. Ⓜ Cluny-La Sorbonne. Ouvert de 11 h (15 h le dimanche) à 2 h (dernier service à minuit). Le midi, compter 10 € pour un plat, 6 € pour un petit plat ou une tarte salée. Dans un décor 7ᵉ art avec les *sunlights* au-dessus des têtes en attendant la prochaine séance, jeunes et moins jeunes cinéphiles, qui ont leurs habitudes dans les salles environnantes, dévorent quelques tartines, des entrées façon petits plats (pommes de terre farcies au fromage, tarte salée avec salade verte), ou carrément un plat (lasagnes, bavette)... Il n'est pas non plus interdit d'y refaire le film après la dernière séance, sous l'œil bienveillant d'Orson Welles...

I●I ***MIET*** *(plan C1, **33**) :* 18, rue du Cardinal-Lemoine, 75005. ☎ 01-43-25-50-95. Ⓜ Cardinal-Lemoine. Ouvert du lundi au jeudi de 11 h à 17 h et le vendredi de 11 h à 18 h (le soir sur réservation). Fermé les samedi et dimanche. Congés annuels : du 15 juillet au 15 août, les 1ᵉʳ et 11 novembre et entre Noël et le Jour de l'an. Formules déjeuner à 11 et 13,50 €, avec tartine, boisson (et même du vin !), dessert (compote aux fruits de saison des plus onctueuse) et café. Accueilli

Où manger ?

1 Foyer du Vietnam
2 Le Jardin d'Ivy
3 Mexi and Co
4 Chez Alexis & Daniel
5 Le Reflet
6 Le Coup de Torchon
7 Basilica
9 L'Époque
10 Esperluette
11 Au Bon Coin
12 El Picaflor
13 Les Délices d'Aphrodite
14 Amore Mio
15 Han Lim
16 Rotiss'bar
17 Louis Vins
18 Les Papilles
19 ChantAirelle
20 Lhassa
21 Tashi-Delek
22 L'Olivier du Village
23 Machu-Picchu
25 Anahuacalli
26 Le Languedoc
27 L'Équitable
28 L'Écureuil, l'Oie et le Canard
29 Le Pré Verre
30 L'Atlas
31 Mavrommatis le Restaurant
32 Le Royal Saint-Jacques
33 MIET
36 Le Balzar
37 La Table de Michel
38 Le Reminet
39 Kootchi
40 Le Buisson Ardent
41 Le Petit Pontoise
42 Le Café des Isles
43 Le Vin Sobre
44 L'Estrapade
45 Boulangerie Kayser
46 Comptoir Méditerranée
48 Chez Léna et Mimile

Bar à vin

69 Café de la Nouvelle Mairie

Salons de thé

50 Le Café Maure de la mosquée de Paris
51 Café Oum Kalthoum
52 The Tea Caddy

Où manger une glace ?

55 Dammann's
56 Gelati d'Alberto
57 Octave

Où boire un verre ?

60 Finnegan's Wake
61 La Taverne
62 Le Pantalon
63 Le Piano Vache
65 Le Requin Chagrin
66 Le Bistrot des Artistes
70 Le Violon Dingue
71 Café Aussie
73 Le Verre à Pied

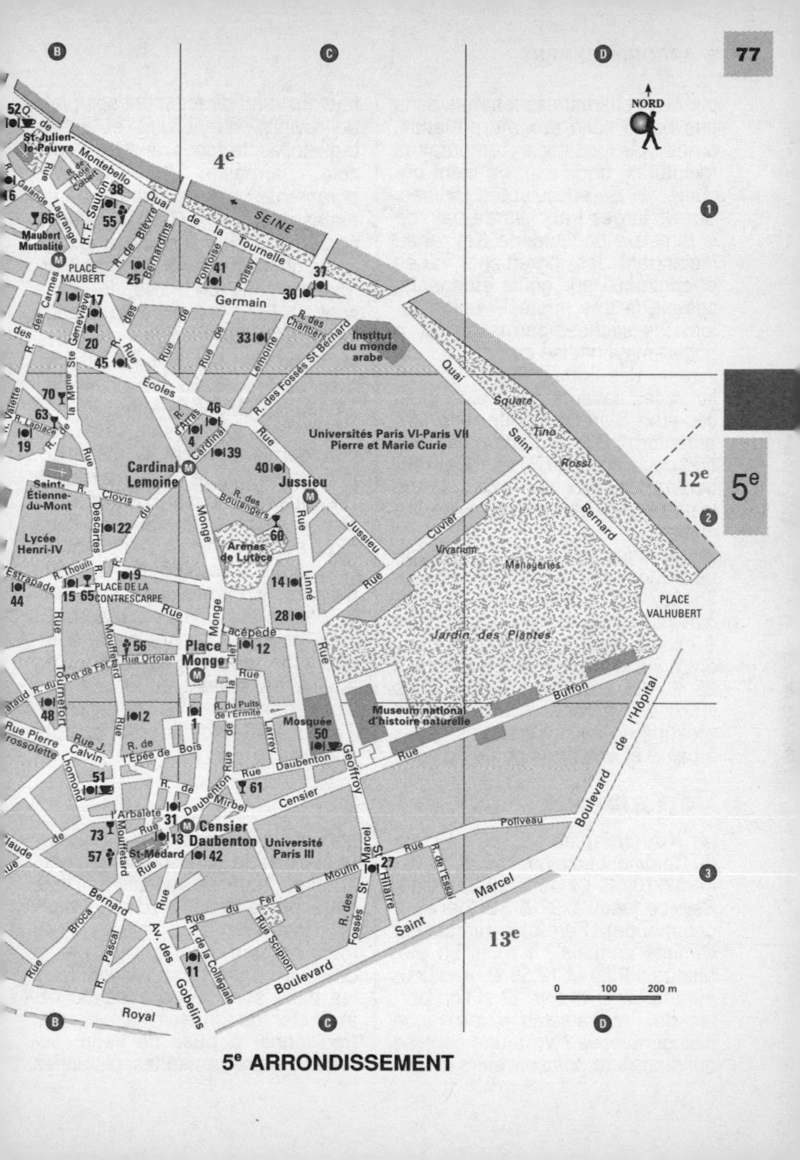

5e ARRONDISSEMENT

par deux charmantes femmes dans une petite salle aux murs blancs, ornés d'expositions temporaires (peintures, photos...), on vient déguster ici de succulentes tartines. Sur de larges tranches de pain de la fameuse boulangerie *Kayser* se mélangent des ingrédients variés et originaux, aux goûts étonnants, comme le très apprécié épinards-tomates séchées-parmesan ou le poulet-mayonnaise-curry. Ici, on invente des compositions, on mélange les saveurs et en plus, c'est copieux ! Bien joué pour cette *Manufacture indépendante d'élaboration de tartine (MIET)* et super rapport qualité-prix. Kir offert à nos lecteurs sur présentation de ce guide.

|●| ***Basilico*** *(plan B1,* ***7****) :* 2, rue de la Montagne-Sainte-Geneviève, 75005. ☎ 01-55-42-38-92. Ⓜ Maubert-Mutualité. Ouvert uniquement à midi. Fermé le dimanche. Plats entre 8 et 10 € ; risotto pour deux à 25 €. Verre de vin à 2,50 €. Les jours de marché, on se croirait presque en Italie. Quelques tables à peine et une toute petite épicerie fine qui vend directement ses plats de raviolis, cannellonis et autres tagliatelles fraîches avec gorgonzola, parmesan et mozzarella, agrémentés d'aubergines et de tomates confites. Belles salades également, et plus d'une vingtaine de jambons au choix. Le tout arrosé de vins de Sicile, fruités à souhait. Petite terrasse aux beaux jours. *NOUVEAUTÉ.*

|●| ***Mexi and Co*** *(plan B1,* ***3****) :* 10, rue Dante, 75005. ☎ 01-46-34-14-12. Ⓜ Maubert-Mutualité. ♿ Ouvert tous les jours de 12 h à minuit (dernier service). Compter autour de 14 € à la carte. *Burritos* à 7 €, *quesadillas* à 5 €. Sorte d'épicerie-buvette ensoleillée. Un coup d'œil au panneau où s'affichent les classiques : *tacos* poulet ou bœuf, guacamole, *burritos* légumes, bœuf ou poulet, *tamales, empanadas.* Et vous pourrez prendre place à table. Une *comida caliente* qu'on apaise en buvant au goulot une bière mexicaine ou péruvienne. Tables sur le trottoir pour lézarder au soleil.

Bon marché

|●| ***Kootchi*** *(plan C2,* ***39****) :* 40, rue du Cardinal-Lemoine, 75005. ☎ 01-44-07-20-56. Ⓜ Cardinal-Lemoine. Service jusqu'à 22 h 30 (dernière commande). Fermé le dimanche. Congés annuels : 1 mois en été. Menus à 9,20 et 12,50 € au déjeuner, 15,50 € le soir. Et si l'on parlait de l'Afghanistan d'une façon plus généreuse ? Voilà une adresse qui rappellera des souvenirs à ceux qui ont suivi la route des « Zindes » et éveillera la curiosité de ceux qui auraient rêvé de la suivre. Dans cette petite salle, ornée de tapis et d'instruments de musique au mur, on sert une cuisine pleine de saveurs mais pas épicée. Tous les plats sont servis avec du riz, à l'instar du *qhaboli palawo,* plat traditionnel à base de veau, carottes, raisins, amandes, pistaches

et épices. On accompagne le repas de *dogh* (boisson constituée de yaourt liquide et salé) pour finir avec un thé ou un café à la cardamome.

Le Coup de Torchon *(plan A2, 6)* : 187, rue Saint-Jacques, 75005. ☎ 01-46-33-22-93. RER B : Luxembourg. Fermé les samedi midi et dimanche. Congés annuels : en août. Menus à 11,90 € (2 plats) et 14,20 € ; à la carte, compter autour de 19 €. Petit par la taille mais grand par son bon rapport qualité-prix, ce resto dispose d'une agréable petite salle (non-fumeurs) au 1er étage, avec des reproductions de peintres impressionnistes, et s'avère plus calme qu'au rez-de-chaussée. La cuisine reste simple et modeste, comme les prix, sans mauvaise surprise (assiettes de crudités, sauté de viande, filet de saumon, crème brûlée à la framboise... et grand choix de glaces). Accueil courtois et nombreux habitués du quartier le midi.

Tashi-Delek *(plan A-B2, **21**)* : 4, rue des Fossés-Saint-Jacques, 75005. ☎ 01-43-26-55-55. Ⓜ Monge ; RER B : Luxembourg. Ouvert de 12 h à 14 h 30 et de 19 h à 23 h. Fermé le dimanche. Réservation indispensable le soir. Congés annuels : du 15 au 27 août. Menus à 9,50 €, à midi, puis de 10 à 21 €. Adresse incontournable ! Le 1er restaurant de Paris tenu par d'authentiques Tibétains installés ici depuis l'invasion chinoise de leur pays. Face à la porte d'entrée, le grand mandala qui attire le regard nous informe sur la nationalité du resto, sobrement décoré. Si vous n'optez pas pour le menu, qui propose les traditionnels *momoks* (chaussons à la viande cuits à la vapeur), prenez donc plusieurs plats pour vous familiariser avec cette cuisine du bout du monde : *sharil gobtseu* (boulettes de bœuf, ail, gingembre, sauce tomate), *baktsa markhou,* dessert tibétain (boulettes de pâtes avec beurre fondu, fromage de chèvre et sucre)... et puis le thé au beurre salé pour les courageux. Attention, les accompagnements sont en supplément. L'adresse est connue et appréciée. Apéritif maison ou café offert à nos lecteurs sur présentation de ce guide.

Au Bon Coin *(plan C3, **11**)* : 21, rue de la Collégiale, 75005. ☎ 01-43-31-55-57. Ⓜ Gobelins ou Censier-Daubenton. Ouvert de 12 h à 15 h et de 19 h à 23 h (23 h 30 les vendredi et samedi). Fermé le dimanche. Congés annuels : les 3 premières semaines d'août. Premiers menus à 11,20 € à midi (sauf les samedi et jours fériés) et 13,50 € le soir ; autre menu (entrée, plat et dessert maison) à 18,50 €. Repaire des amateurs de cuisine française généreuse et sincère. Au programme, filets de hareng pommes à l'huile, escalope de foie gras poêlée, croustillant de bar ou cassoulet. Et on en passe ! Dans un décor de brocante, avec les nappes à carreaux de rigueur, les gourmands lorgneront du côté du buffet des desserts. Très bon rapport qualité-prix-ambiance. En été, les places en terrasse sont vite prises d'assaut. Réservation conseillée. Apéritif maison offert à nos lecteurs sur présentation de ce guide.

Rotiss'bar *(plan B1, **16**)* **:** 57, rue Galande, 75005. ☎ 01-46-34-70-96. Ⓜ Saint-Michel ou Maubert-Mutualité. Ouvert de 12 h à 14 h 30 et de 19 h à 23 h. Fermé les lundi midi et samedi midi. Formule express au déjeuner à 12 € (entrée, plat et dessert) ; plats à la broche de 10,50 à 43 € (selle d'agneau pour 3 personnes). À l'entrée d'une salle sombre et toute en longueur, des pièces qui tournent en broche, dorées à souhait, arrosées de leur jus, dont profitent les pommes de terre servies en garniture. Dans cette rue Galande, dont le tracé médiéval remonte au XIIIe siècle, déjà rôtissaient à la flamme oies et pourceaux pour rassasier pèlerins et escholiers. La tradition y est maintenue, avec rondeur et générosité. Brillat-Savarin ne s'était pas trompé : on naît cuisinier, on devient rôtisseur !

5e

Han Lim *(plan B2, **15**)* **:** 6, rue Blainville, 75005. ☎ 01-43-54-62-74. Ⓜ Place-Monge. Service de 12 h à 14 h 30 et de 19 h à 22 h 30. Fermé le lundi et le mardi midi. Congés annuels : en août. Menu à 14 € le midi ; menu barbecue à 17,10 € ; carte autour de 20 €. Le décor est clair et sobre, la clientèle en partie coréenne (plutôt bon signe). Menu intéressant à midi, comprenant potage au pot-au-feu, fruits de mer sautés (bulots et seiches), riz et assortiment de légumes coréens, dessert et boisson, ou barbecue coréen à prix raisonnable. Très bonnes grillades de bœuf mariné sur brasero, crêpe à la ciboule et excellent poulet farci à l'ail. Une bagatelle pour un voyage dans l'exotisme d'une cuisine méconnue. Café offert à nos lecteurs sur présentation de ce guide.

Machu-Picchu *(plan A2, **23**)* **:** 9, rue Royer-Collard, 75005. ☎ 01-43-26-13-13. RER B : Luxembourg. Service de 12 h à 14 h et de 20 h à 23 h. Fermé les samedi midi et dimanche. Congés annuels : en août. Menu plutôt copieux à 8,50 € le midi ; uniquement à la carte le soir : compter autour de 26 €. Les nappes colorées et l'accueil qui incarne la douceur de vivre latine vous donneront envie de vous envoler vers l'Amérique du Sud. En entrée, il faut évidemment essayer le *ceviche de pescado.* Ensuite, vous aurez du mal à choisir entre le *lomo soltado* (filet de bœuf émincé aux oignons) et l'*arroz con pato* (canard au riz), généreusement servis. Desserts originaux. Bières péruviennes et vins du Chili et d'Argentine. Service souriant mais pas toujours pro. Cartes de paiement refusées.

Esperluette *(plan A-B3, **10**)* **:** 72, rue Gay-Lussac, 75005. ☎ 01-40-51-05-02. RER B : Luxembourg. Service de 12 h à 23 h. Fermé le week-end. Congés annuels : en août. Formule à midi (entrée + plat ou plat + dessert) à 12,50 € ; plats de 10 à 14 € ; verre de vin à 2,10 €. Un bistrot-café-galerie, placé sous le signe de l'esperluette, ce « & » qu'on ne sait jamais nommer, où se retrouvent les habitués des grandes écoles voisines. Deux femmes aux commandes, Irène et Laurence, l'œil à tout, pour une cuisine de bistrot bien menée, relevée d'épices, comme ce paleron de bœuf au citron ou le confit de gigot d'agneau. Tout est frais, bon et fait maison (pommes-frites irrésistibles). Très bons vins à tout petits prix. Ajoutez un sourire qui n'a rien d'exagéré. Apéritif maison offert à nos lecteurs sur présentation de ce guide. *NOUVEAUTÉ.*

Le Jardin d'Ivy *(plan B3, **2**)* **:** 75, rue Mouffetard, 75005. ☎ 01-47-07-19-29. ♿ Ouvert tous les jours ; service de 12 h à 15 h et de 18 h 30 à 23 h (en continu le week-end). Formule 2 plats à 14 € et formule 3 plats à 19 € (choix restreint). Menus du jour à 12 € le midi, à 14 € le soir en choix restreint et à 27 € sur toute la carte. Au cœur du quartier Mouffetard, hyper-touristique, une adresse qui se distingue par son accueil et ses formules avantageuses. Décor plaisant avec jardin éclairé à l'arrière. Cuisine française assez traditionnelle, le foie gras est à l'honneur. Gigot, côte de veau, magret, rien de très surprenant, mais quantité et qualité sans reproche. Accueil souriant et très pro d'Ivy, Australienne qui réalise de fort jolies peintures ornant les murs, et de son mari français. Apéritif maison offert à nos lecteurs sur présentation de ce guide.

5e

Prix moyens

Le Pré Verre *(plan B1, **29**)* **:** 8, rue Thénard, 75005. ☎ 01-43-54-59-47. Ⓜ Maubert-Mutualité. Service de 12 h à 14 h et de 19 h 30 à 22 h 30. Fermé les dimanche et lundi. Congés annuels : 3 semaines en août et 10 jours entre Noël et le Jour de l'an. Formule déjeuner à 12 € (verre de vin et café compris). Menu-carte à 25 €. Salade d'encornets au sésame grillé, quenelles de crabe au pavot, cochon de lait aux épices, onglet de veau et son échalote confite au gingembre : décidément, voilà un chef qui aime les saveurs épicées, métissées, audacieuses ! Son nom ? Philippe Delacourcelle, qui a abandonné le resto chic au profit du bistrot rigolo, décontracté et bien décoré (des pochettes d'albums de jazz un peu partout). Comme c'est bon et pas cher, les places sont vite prises d'assaut.

Louis Vins *(plan B1, **17**)* **:** 9, rue de la Montagne-Sainte-Geneviève, 75005. ☎ 01-43-29-12-12. Ⓜ Maubert-Mutualité ou Cluny-La Sorbonne. Ouvert tous les jours midi et soir jusqu'à 23 h (jusqu'au dernier client le week-end, mais penser à réserver). Formules à 23 et 26 €. Toute nouvelle adresse gastronomique qui n'a pas tardé à trouver sa clientèle de fans. Fifi, qui tenait avant, avec succès, *La*

Grange à Boulogne, a eu le bourdon de Paris et a ouvert ce beau lieu ménageant tout à la fois espace et intimité. Tables bien séparées, lumières harmonieusement réparties, pour une sérieuse cuisine aux élans inspirés s'appuyant avant tout sur les bons produits. Cinq ou six choix d'entrées et de plats, et des formules séduisantes ne commettant aucun attentat au portefeuille. Plats de facture classique, mais toujours avec une touche personnelle et de fines saveurs... Amoureux du vin, le patron propose ses « vins d'émoi », une sympathique sélection de p'tits crus de propriété dans les 25-30 €. *NOUVEAUTÉ.*

|●| ***Le Vin Sobre*** *(plan A3, **43**)* : 25, rue des Feuillantines, 75005. ☎ 01-43-29-00-23. Ⓜ Monge ; RER B : Port-Royal ou Luxembourg. Ouvert tous les jours, midi et soir ; service jusqu'à 22 h 30 ; vin, charcuterie et fromage jusqu'à 1 h 30. Congés annuels : du 24 décembre au 3 janvier et 2 semaines en août. À l'ardoise, compter de 22 à 28 € pour un repas. Le nom de ce bistrot à la cuisine épatante évoque un village des Côtes du Rhône. Le vin y est à l'honneur, au verre, en pot (une quinzaine de références) ou en bouteille, à prix plutôt doux. Quant aux produits, frais et de première qualité, ils sont apprêtés avec un vrai savoir-faire, sans frime. Du tartare d'avocat-crevettes et bulots aux figues rôties au vin rouge et sorbet, en passant par la côte de veau du Limousin aux champignons de saison, ce n'est que du bon, du très bon même ! Les horaires, le cadre simple et accueillant, avec sa terrasse à un jet de pierre du Val-de-Grâce chauffée aux premiers froids, le service, sympathique et efficace : autant d'atouts qui font de cette adresse un vrai coup de cœur. Café offert à nos lecteurs sur présentation de ce guide.

|●| ***El Picaflor*** *(plan C2, **12**)* : 9, rue Lacépède, 75005. ☎ 01-43-31-06-01. Ⓜ Place-Monge. Ouvert de 12 h à 15 h et de 19 h 30 à 23 h (dernière commande à 22 h 30). Fermé le lundi. Réservation conseillée. Le midi, en semaine, menu à 9 € ; le soir, menus à 13,50 et 19,80 € ; à la carte, compter de 25 à 30 €. Excellent resto péruvien, ce « colibri » (eh oui, *picaflor...*) prodigue une délicieuse cuisine nationale et bien d'autres spécialités sud-américaines. Accueil et cadre chaleureux. À la carte, nos coups de cœur : *aji de gallina, ceviche* (poisson mariné), *chupe de camarones* (soupe parfumée de crevettes, gambas et poisson... mmm !). Nombreuses spécialités sur commande (téléphoner 24 h avant pour plus de 4 personnes) : *adobo a l'arequiperia* (ragoût de porc aux oignons et citron), *piquante de conejo* (lapin mariné aux épices) et le mystérieux *quinoa atamalada,* un plat préhispanique au blé des Incas... Des effluves et senteurs originaux pour vous rappeler votre trek au Machu Picchu ! Musique les vendredi et samedi soir.

Chez Alexis & Daniel *(plan C2, 4)* **:** 5, rue d'Arras, 75005. ☎ 01-43-29-30-74. Ⓜ Cardinal-Lemoine. Service de 12 h à 14 h 30 et de 19 h à 23 h. Fermé les samedi midi et dimanche. Menus à 13 € (entrée, plat et dessert), le midi uniquement, 20 et 25 €. Un menu dégustation à 52 € avec 6 plats au choix, chacun accompagné d'un verre de vin. À la carte, compter 25 €. À deux pas du *Grand Action,* après ou avant une toile, un bistrot gastronomique de poche style baroque, dorures et tentures à fleurs. Daniel en salle et Alexis (dans la cuisine) vous accueillent autour d'une carte de produits français à prix doux. Ambiance intime, avec des habitués qui viennent et reviennent.

Les Délices d'Aphrodite *(plan B3, 13)* **:** 4, rue Candolle, 75005. ☎ 01-43-31-40-39. Ⓜ Censier-Daubenton. Ouvert tous les jours de 12 h à 14 h 30 et de 19 h à 23 h 30. Au déjeuner, formule entrée + plat à 18,50 € ; le soir, à la carte, compter autour de 34 € ; assiettes de dégustation ou méga-*pikilia* à 17,50 € le midi, 20,80 € le soir. La cuisine est fine, aérienne, du *hoummos* au *tzatziki* en passant par le calamar au fenouil ou les travers de porc. Enfin, tout est bon (normal, le restaurant est tenu par les mêmes patrons que *Mavrommatis*). Pas négligeable non plus, un service impeccable et une terrasse où siroter son verre d'ouzo aux premiers rayons.

ChantAirelle *(plan B2, 19)* **:** 17, rue Laplace, 75005. ☎ 01-46-33-18-59. Ⓜ Cardinal-Lemoine ou Maubert-Mutualité ; RER B : Luxembourg. Service de 12 h à 14 h et de 19 h à 22 h 30. Fermé les samedi midi et dimanche. Congés annuels : 1 semaine autour du 15 août. Menus à 15 € le midi (entrée, plat et dessert), à 19,50 et 28 € le soir. Une ambassade du Livradois-Forez (Auvergne) tenue par un militant pur et dur des produits de son terroir, qui sont d'ailleurs vendus à emporter. Des spécialités rustiques qui font chaud au cœur : chou farci Yssingeaux à l'ancienne, pounti auvergnat... Cuisine copieuse et roborative... Excellent pain et petits vins locaux (qui a dit qu'en Auvergne il n'y avait que de l'eau ?). Cadre agréable et montagnard ; en fond sonore, chants d'oiseaux et croassements de grenouilles. Belle et reposante terrasse de jardin (pensez à y réserver votre table). Bonne petite carte de vins et d'eaux minérales à découvrir. Une assiette dégustation de fromages (pour la table) offerte à nos lecteurs sur présentation de ce guide.

Le Languedoc *(plan B3, 26)* **:** 64, bd de Port-Royal, 75005. ☎ 01-47-07-24-47. Ⓜ Gobelins ; RER B : Port-Royal. ♿ Service de 12 h à 14 h et de 19 h à 22 h. Fermé les mardi et mercredi. Congés annuels : du 20 décembre au 6 janvier et du 20 juillet au 20 août. Menu à 19 € midi et soir. À la carte, prévoir environ 24 €. Cuisine roborative du Sud-Ouest dans un cadre de vieille maison de province. Si le confit de canardpommes sautées à l'ail (pour deux) et le cassoulet au confit d'oie règnent en maîtres, les viandes se défendent bien. On recommande aussi le haddock poché à l'anglaise. Leur vin du Rouergue aide superbement à faire descendre tout cela (ainsi que le gaillac blanc ou rouge, produit par les vignes du patron). Une adresse qui ne change pas, et c'est tant mieux.

|●| ***Le Buisson Ardent*** *(plan C2,* ***40****) :* 25, rue Jussieu, 75005. ☎ 01-43-54-93-02. Ⓜ Jussieu. Ouvert midi et soir jusqu'à 22 h. Fermé les samedi midi et dimanche. Congés annuels : en août et à Noël. Menus à 12 € le midi et 29 € le soir. Menu dégustation ou repas complet à la carte autour de 35 €. Toujours une de nos bonnes adresses dans le coin. Le cadre, rajeuni mais agréable, correspond bien à ce que l'on trouve dans l'assiette : une cuisine faussement sage. Celle-ci joue avec les produits du terroir avec un rare bonheur et se montre résolument contemporaine, savoureuse et colorée. Le menu change régulièrement, ainsi que la carte. Les associations de goûts ne sont jamais hasardeuses et elles sont toujours bienvenues. Un vrai bon plan routard, en face de la fac de Jussieu.

|●| ***Les Papilles*** *(plan A2,* ***18****) :* 30, rue Gay-Lussac, 75005. ☎ 01-43-25-20-79. RER B : Luxembourg. Menu du jour à 28,50 €. La vedette, ici, c'est le vin, même si ce n'est pas à proprement parler un bar à vin. Plutôt un bistrot-épicerie, avec un mur recouvert de casiers, où l'on peut choisir sa bouteille et la boire à table, moyennant un droit de bouchon de 6 €. Côté solides, optez pour le menu du jour, voire une planche de charcuterie, car les produits sont nickel (en provenance du frère d'Yves Camdeborde, à Pau), et oubliez la carte qui fait vite grimper l'addition. Seul regret : le plat unique, qui peut tout à fait ne pas plaire à tout le monde ! Accueil authentique et chaleureux. *NOUVEAUTÉ.*

|●| ***Le Café des Isles*** *(plan C3,* ***42****) :* 111, rue Monge, 75005. ☎ 01-47-07-55-55. Ⓜ Place-Monge ou Censier-Daubenton. Formule buffet intéressante à midi avec entrée, plat et dessert à 15 €, ou plat du jour à 12 €. Le soir, prévoir aux alentours de 30 €. Sous des palmiers, dans un cadre qui rappelle les terrasses ensoleillées des îles, ce resto seychellois fait la part belle au poisson, et notamment au bourgeois, directement importé et dont la chair délicate, sans arêtes, saura certainement vous combler. Préparez-vous aussi à un voyage gustatif avec les *achards,* accompagnement à base de chou et de chou-fleur au safran, ou avec une purée de pistaches que les amateurs d'épices ne renieront pas ! Sans oublier les *samoussas* au requin ou les tartares de thon. En été, petite terrasse bien cachée derrière les bambous. Ne manque plus que le hamac pour piquer un somme... Café à la vanille (avec un repas complet) offert à nos lecteurs sur présentation de ce guide.

|●| ***Lhassa*** *(plan B1, **20**)* **:** 13, rue de la Montagne-Sainte-Geneviève, 75005. ☎ 01-43-26-22-19. Ⓜ Maubert-Mutualité. Ouvert du mardi au dimanche de 12 h à 14 h et de 19 h à 23 h (dernière commande à 22 h 30). Fermé le lundi. Formules de 11 €, le midi, à 21 € ; compter 23 € à la carte. Restaurant tibétain où, parmi une carte très variée, les plats, surprenants et soigneusement élaborés, ne déçoivent pas. Goûtez, pour une initiation en règle, à la soupe à la farine d'orge grillée, une spécialité de la maison, suivie d'un bœuf sauté aux épices ou d'une préparation végétarienne. Service aimable et discret.

|●| ***Amore Mio*** *(plan C2, **14**)* **:** 13, rue Linné, 75005. ☎ 01-45-35-83-95. Ⓜ Jussieu. Ouvert tous les jours de 12 h à 15 h et de 19 h à 23 h. Congés annuels : du 24 décembre au 3 janvier. Menus à 11,90 €, le midi seulement, puis de 13,90 à 21 €. Dans ce qui fut, mais il y a longtemps, une ferme, puis un chai (la halle aux vins était toute proche), il ne faut pas résister au plaisir de goûter à une agréable cuisine transalpine, pour une fois peu onéreuse, généreuse et de bonne facture. Très bons *piccata limon, penne* à la sicilienne, *pannacota* crémeuse à souhait et tiramisù aux fruits rouges à se damner. Aux beaux jours, tout particulièrement le dimanche, la terrasse – également protégée des intempéries – fait le bonheur des familles. Le Jardin des Plantes, à deux pas, tend ses bras ; les arènes de Lutèce, plus secrètes, attendent la visite des amoureux... Café offert à nos lecteurs sur présentation de ce guide.

|●| ***L'Époque*** *(plan B2, **9**)* **:** 81, rue du Cardinal-Lemoine, 75005. ☎ 01-46-34-15-84. Ⓜ Cardinal-Lemoine. ♿ Service de 12 h à 14 h 30 et de 18 h 30 à 23 h. Fermé le samedi midi. Menus à 12 € le midi, 15,50 et 23,50 € le soir. À la carte, compter de 26 à 30 €. Cerné par les restos grecs du quartier, dont la cuisine en a fait fuir plus d'un, voilà un bon bistrot. Des menus avec, par exemple, chausson de filet de bœuf au foie gras frais ou soupière de poisson à la julienne de légumes. L'ambiance est bon enfant et sans prétention. Une adresse bien honnête, avec un service attentionné et quelques bons petits vins de propriétaire à prix sages. Apéritif maison offert à nos lecteurs sur présentation de ce guide.

Plus chic

|●| ***L'Équitable*** *(plan C3, **27**)* **:** 47 bis, rue Poliveau, 75005. ☎ 01-43-31-69-20. Ⓜ Censier-Daubenton ou Saint-Marcel. Parking payant. Service de 12 h à 14 h 30 et de 19 h 30 à 22 h 30. Fermé le lundi. Congés annuels : du 2 au 21 août. Menus à 18,50 et 22 € le midi ;

menu-carte à 29 €. Une cuisine qui ne manque pas d'inventivité : le jeune chef a fait ses gammes chez des grands. Cadre d'auberge où les plats traditionnels sont relevés d'une touche exotique ou originale qui les rajeunit (un peu de vanille dans le poisson empereur, servi sur une feuille de bananier, par exemple). Apéritif maison ou café ou jus de fruit ou soda offert à nos lecteurs sur présentation de ce guide.

🍽 ***Le Petit Pontoise*** *(plan C1, **41**)* **:** 9, rue de Pontoise, 75005. ☎ 01-43-29-25-20. Ⓜ Maubert-Mutualité. Service de 12 h à 14 h 30 et de 19 h 30 à 22 h 30. Penser à réserver. À la carte, compter 35 € (entrée, plat et dessert). Dans cette petite salle aux tables de bistrot, pleine d'initiés, les plats à l'ardoise laissent déjà pressentir une bonne inspiration, à cheval entre une cuisine canaille et des plats plus inventifs (caille rôtie aux dattes). Le sympathique patron, qui a fait ses classes – excusez du peu – chez *Guérard, Maximin* et à *La Tour d'Argent,* peaufine sa sélection de produits et leur présentation dans l'assiette ! Les desserts (ah ! l'île flottante aux pralines roses) sont à se damner. On regrette simplement qu'une formule ne rende pas l'addition plus accessible. Mais vu la qualité, la gourmandise l'emporte finalement sur la raison. Le traiteur (*Le Canard des Pharaons,* 7, rue de Pontoise, ☎ 01-43-25-35-93) est de la même maison. Les plats sont italiens, mais pas seulement. Il n'y a que 2 ou 3 tables, et les habitués disent que c'est encore meilleur qu'à côté...

🍽 ***L'Atlas*** *(plan C1, **30**)* **:** 10-12, bd Saint-Germain, 75005. ☎ 01-46-33-86-98. Ⓜ Maubert-Mutualité. ♿ Ouvert de 12 h à 14 h 30 et de 19 h 30 à 23 h. Fermé le lundi et le mardi midi. À la carte uniquement, compter 30 € sans la boisson. Après une visite à l'Institut du Monde arabe, prolongez votre voyage en prenant place dans ce restaurant au décor des *Mille et Une Nuits.* Benjamin el-Jaziri, qui a un temps travaillé dans de grandes maisons, nous propose une cuisine fidèle à ses origines marocaines (couscous et tajines) mais allégée de ses sucres et matières grasses. En dehors de ces classiques, une incontestable inventivité : gambas grillées au paprika, quartier d'agneau à la mauve, *pastilla* au pigeon ou perdreau aux châtaignes (en saison). Accueil chaleureux et service attentionné. Ce n'est, hélas, pas donné. Digestif maison offert à nos lecteurs sur présentation de ce guide.

🍽 ***Chez Léna et Mimile*** *(plan B2-3, **48**)* **:** 32, rue Tournefort, 75005. ☎ 01-47-07-72-47. Ⓜ Censier-Daubenton. ♿ Ouvert de 12 h à 14 h 30 et de 19 h 30 à 23 h 30. Fermé les dimanche et lundi. Congés annuels : en mars. Le midi, menu à 15 € ; le soir, menu complet à 35 €. À la carte, compter 28 € environ. À préférer par beau temps. En effet, et quoique la cuisine soit très convenable, c'est surtout la terrasse en surplomb qui donne son charme à l'endroit. De plus, la circulation est quasi inexistante et ne couvrira donc pas vos doux mots d'amour... Bonne pièce de bœuf au beurre d'herbes. Le menu comprend une entrée, un plat, un dessert, une bouteille de vin pour 2 personnes, ainsi que le café. Apéritif maison offert à nos lecteurs sur présentation de ce guide.

Mavrommatis le Restaurant *(plan B-C3, **31**) :* 42, rue Daubenton, 75005. ☎ 01-43-31-17-17. Ⓜ Censier-Daubenton. ♿ Ouvert de 12 h à 14 h 15 et de 19 h à 23 h. Fermé les dimanche et lundi. Congés annuels : en août. Formule entrée + plat ou plat + dessert à 20 € le midi en semaine ; menu à 34 € ; à la carte, prévoir 45 € sans la boisson. La gastronomie grecque dans un cadre de maison athénienne du début du XXe siècle. Délicieuses spécialités hellènes et chypriotes, que l'on peut déguster en terrasse dès les beaux jours. Moussaka, bien sûr, espadons, filets de sardines aux haricots géants et œufs de mulet et spécialité d'agneau. Découvrez la formule « Mézédès » : dégustation de 14 mets chauds et froids à 32,80 € par personne (à partir de 4 personnes). Évidemment, l'amour a un prix...

L'Estrapade *(plan B2, **44**) :* 15, rue de l'Estrapade, 75005. ☎ 01-43-25-72-58. Ⓜ Place-Monge. Ouvert de 12 h 15 à 14 h 30 et de 20 h à 22 h 30. Fermé les samedi et dimanche. Congés annuels : les 3 premières semaines d'août. Formules à 22 et 28 €. Minuscule salle chaleureuse qui sent bon l'atmosphère des bistrots d'antan. La (jolie) patronne est à l'accueil. Son homme est au piano et propose, chaque jour, une belle cuisine lorraine et une carte différente en fonction de son humeur et du marché. Résultat, de bonnes surprises avec quelques plats qui reviennent heureusement sans qu'on se lasse : confit d'oie et fine choucroute parfumée, chateaubriand au poivre... Pour le vin, suivez les conseils de la patronne.

Le Balzar *(plan A1, **36**) :* 49, rue des Écoles, 75005. ☎ 01-43-54-13-67. Ⓜ Odéon ou Cluny-La Sorbonne. ♿ Ouvert tous les jours de 8 h à 23 h 45. Service en continu à partir de 12 h. Un menu (après 22 h) à 24,90 €, boisson comprise. À la carte, compter aux alentours de 35 €. Reprise en main par le groupe *Flo*, cette célèbre brasserie demeure un rendez-vous très agréable pour y souper après le cinéma ou le théâtre. Même décor et même ambiance que chez *Lipp*. D'ailleurs, le midi, tous les éditeurs et les profs de la Sorbonne s'y retrouvent. Décor traditionnel des brasseries cossues : banquettes de moleskine, grands miroirs et garçons en tablier blanc. Nourriture moyenne, classique et quand même chère, mais ce qui compte, c'est d'être là, n'est-ce pas ?

La Table de Michel *(plan C1, **37**) :* 13, quai de la Tournelle,

75005. ☎ 01-44-07-17-57. Ⓜ Cardinal-Lemoine ou Pont-Marie. Service de 12 h à 14 h 30 et de 19 h à 22 h 30. Fermé le dimanche et le lundi midi. Congés annuels : en août. Formule entrée + plat ou plat + dessert (le midi) à 19 € ou menu à 27 €; à la carte c'est un peu plus cher. Entre Notre-Dame et l'Institut du Monde arabe, à quelques mètres de... *La Tour d'Argent* – il fallait oser. Servie dans la petite salle du bas ou à l'étage, la cuisine de Michel Saggioro, qui va lorgner avec bonheur du côté de l'Italie, est goûteuse et élégante. Salade d'agrumes et queues de langoustines, spaghettis à l'encre avec crevettes à l'ail dans la formule, desserts particulièrement réussis, vin au verre (excellent). En prime, l'accueil est souriant et le service attentionné. Après une *grappa,* une petite promenade dans l'île Saint-Louis ? Digestif maison offert à nos lecteurs sur présentation de ce guide.

5e

|●| ***Le Reminet*** *(plan B1,* ***38****)* **:** 3, rue des Grands-Degrés, 75005. ☎ 01-44-07-04-24. Ⓜ Maubert-Mutualité. Service de 12 h à 14 h 15 et de 19 h 30 à 23 h en semaine, un peu au-delà le week-end. Fermé les mardi et mercredi. Congés annuels : 3 semaines en août. Penser à réserver. Menus à 13 €, le midi en semaine, 17 €, en semaine, et 50 € (gastronomique). À la carte, compter autour de 35 €. Dans cette partie pleine de charme de l'arrondissement, si calme, si proche pourtant de l'agitation factice de Saint-Séverin, on vous invite à apprécier la cuisine raffinée du jeune chef, normand d'origine, qui marie avec sûreté des produits simples mais de première fraîcheur. Moules, coques, carrelet : les amateurs de pêche à pied seront ravis; agneau, lapin... les arpenteurs de lande normande et de ses prés-salés aussi. Les desserts mettront tout le monde d'accord : ils sont... sublimes ! La salle est un écrin décoré avec recherche mais sans ostentation. On s'y sent bien, le service est diligent, naturellement décontracté. Un vrai plaisir.

|●| ***Anahuacalli*** *(plan B1,* ***25****)* **:** 30, rue des Bernardins, 75005. ☎ 01-43-26-10-20. Ⓜ Maubert-Mutualité. Ouvert tous les jours de 19 h à 23 h; le dimanche, ouvert également de 12 h à 15 h. Compter environ 35 € à la carte sans la boisson. Enfin un restaurant réellement mexicain, et non point une de ces gargotes tex-mex comme on en voit tant. Bien sûr, *tacos* et *enchiladas* sont de la partie, mais aussi le *mole poblano* (viande au chocolat épicé, un délice...), le *filete moctezuma* (bœuf poêlé sur sauce de champignons et maïs) et des spécialités de Veracruz et de Merida. Bon choix de tequilas et *cervezas.* Vous pouvez aussi goûter le café *Anahuac* (avec tequila et *Kahlùa*)... pas donné mais absolument délicieux ! Digestif maison offert à nos lecteurs sur présentation de ce guide.

|●| ***L'Écureuil, l'Oie et le Canard*** *(plan C2,* ***28****)* **:** 3, rue Linné, 75005. ☎ 01-43-31-61-18. Ⓜ Jussieu. ♿

Juste à côté de la fac. Ouvert tous les jours sauf le dimanche soir, de 12 h à 14 h 30 et de 19 h à 22 h 30. Congés annuels : la semaine du 15 août. Formule plat + entrée ou dessert à 18 € et menu complet à 21 € le midi ; pour un repas complet à la carte, compter autour de 28 €. Un resto typique du Sud-Ouest, tenu par un patron jovial et chaleureux, passionné de rugby, comme en témoigne la déco. Attention : le béret landais n'est pas basque, c'est-à-dire qu'il est rouge ; le noir, c'est le béarnais. C'est pourtant clair ! Honneur donc au cassoulet, au foie gras, à la garbure landaise et à la viande de Salers. Ce n'est pas donné, pas toujours très copieux, mais les produits sont frais et bons. Un détail amusant, à chaque table est attribuée une profession, avec sa plaque émaillée : le temps d'un repas, vous serez donc architecte, docteur, avocat ou vétérinaire...

Bar à vin

Café de la Nouvelle Mairie *(plan B2, **69**) :* 19, rue des Fossés-Saint-Jacques, 75005. ☎ 01-44-07-04-41. RER B : Luxembourg. Ouvert les lundi et vendredi de 9 h à 21 h et du mardi au jeudi de 9 h à minuit. Congés annuels : en août. Verres de vin (du naturel !) de 3 à 6 €. Assiettes de charcuterie, de fromage et auvergnate à 10 €. Plats entre 8 et 12 €. Ambiance néorétro pour ce bar à vin un peu jazzy avec le vieux zinc et les chaises de bistrot bien patinées dans des teintes sobres et élégantes. Juste en face de *Universal Music,* la célèbre maison de disques. C'est ici que talents de tout poil se retrouvent au milieu d'une clientèle de fidèles, heureuse de boire un bon vin de pays, choisi avec soin par le patron. Dommage que l'on privilégie ceux qui dînent en soirée ! Belle terrasse en été. Cartes de paiement refusées.

Salons de thé

Le Café Maure de la mosquée de Paris *(plan C3, **50**) :* 39, rue Geoffroy-Saint-Hilaire, 75005. ☎ 01-43-31-18-14. Ⓜ Jussieu ou Place-Monge. Ouvert tous les jours de 10 h à minuit (pris d'assaut durant le week-end). Thé et pâtisseries à partir de 2 €. Avec ses colonnes, ses arcades, ses belles faïences et son patio, *Le Café Maure* vous transporte instantanément dans les jardins de l'Alhambra ou à la cour d'un riche calife. Hélas, victime de son succès, cet ancien havre de paix se transforme peu à peu en usine à touristes en quête d'exotisme.

Café Oum Kalthoum *(plan B3, **51**) :* 4, sq. Vermenouze, 75005. ☎ 01-45-87-38-58. Ⓜ Censier-Daubenton. Ouvert tous les jours de 12 h à 2 h. *Chicha* à partir de 5 €. À la salle du rez-de-chaussée sans charme, où sont affichés quelques photos et articles de la diva égyptienne, préférez la petite pièce du bas, plus conforme à l'idée qu'on se fait de l'Orient : longues banquettes, coussins, lumière tamisée. Atmosphère vite enfumée quand tout le monde tire sur sa *chicha,* certes aux arômes fruités (pomme, orange, abricot, mangue, etc.). En revanche, petite restauration un peu chère pour la qualité (pas de vraie cuisine), mais n'hésitez pas à siroter un thé ou un *sahlab* en hiver (lait chaud à base de maïzena, pistaches et noix de coco). Beaucoup d'étudiants.

The Tea Caddy *(plan B1, **52**) :* 14, rue Saint-Julien-le-Pauvre, 75005. ☎ 01-43-54-15-56. Ⓜ Maubert-Mutualité ou Saint-Michel. Ouvert de 12 h à 19 h. Fermé le mardi. Congés annuels : en août. Sandwichs à partir de 7,50 €. Salades ou gratins à 9,50 €. Thé à 5,50 €. À la carte, comptez 16 € (22 € avec le thé) en moyenne pour un plat et un dessert. Dans la grande tradition *British.* Le square disparaît derrière les vitraux teintés du salon, c'est l'heure du *five o'clock tea...* Ruez-vous, s'il y a de la place, sur les tables proches des vitraux, et régalez-vous d'œufs brouillés sur toasts, servis avec un thé jeté en vrac dans la théière (ce qui est ici preuve de savoir-faire, et non de je-m'en-foutisme !) ou servi dans des filtres sur demande.

Où manger une glace ?

Dammann's *(plan B1, **55**) :* 1, rue des Grands-Degrés, 75005. ☎ 01-43-29-15-10. Ⓜ Maubert-Mutualité. Service de 11 h 30 à 19 h (23 h 30 en été). Fermé le lundi. Congés annuels : en janvier. Salades de 6,50 à 7 €, sandwichs à 4,80 €, pâtisseries maison à 3,50 €, et surtout glaces maison entre 2 et 4,50 €. Un des meilleurs glaciers de Paris, désormais installé à deux pas de Notre-Dame. Original et dans l'air du temps, avec ses glaces au pain d'épice ou aux marrons glacés, au pastis, l'été, aux plantes, idéales pour un après-midi tonique, ou à l'huile d'argan pour faire le plein d'Oméga 3 et de vitamine E. À déguster, tranquillement, en terrasse ou sur un coin de table. *NOUVEAUTÉ.*

Gelati d'Alberto *(plan B2, **56**) :* 45, rue Mouffetard, 75005. ☎ 01-43-37-88-07. Ⓜ Place-Monge. Ouvert en mars, avril et octobre de 12 h 30 à minuit et demi ; de mai à septembre de 12 h 30 à minuit (minuit et demi et plus le week-end). Congés annuels : de novembre à février. Compter 3 € pour 2 parfums, 4 € pour 3 parfums et 5 € pour 4 parfums. Alberto fabrique chaque matin 36 parfums : les classiques (citron, framboise...), les gourmands (crème caramélisée, *Nutella*...) et les originaux (laissez-vous tenter par le yaourt). La forme sympathique des glaces réchauffera tous les cœurs, elles se savourent pétale par pétale. Très bon rapport qualité-prix-accueil. Pour les insatiables, les glaces sont aussi vendues au litre.

Octave *(plan B3, **57**)* **:** 138, rue Mouffetard, 75005. ☎ 01-45-35-20-56. Ⓜ Censier-Daubenton. Ouvert de 11 h à 19 h 30 (minuit en été). Fermé le lundi. Congés annuels : la 1re quinzaine de janvier. Compter 2 € le cornet simple, 3,50 € le double (5,50 € en terrasse) et 7,50 € l'assiette dégustation. C'est le voisin toulousain du *Pain Quotidien,* qui s'est vite fait un nom avec un simple prénom. Pour goûter quelques-unes des meilleures glaces du quartier, dont les saveurs varient au gré des saisons. Que du naturel, et des parfums de fraise, de menthe ou de pruneau qui vous transportent loin de la Mouff'.

Où boire un verre ?

Le Pantalon *(plan A2, **62**)* **:** 7, rue Royer-Collard, 75005. RER B : Luxembourg. Ouvert de 17 h 30 à 2 h. Congés annuels : en août. *Happy hours* de 17 h 30 à 19 h 30 avec la pinte de Stella à 2,70 €. Ce repère d'étudiants fait de bric et de broc (et même un pantalon !) offre une déco conçue par le patron et des étudiants des Beaux-Arts. Les plus observateurs iront faire un tour au fond : étonnant ! Si vous êtes sages, le boss, Bernard, vous montrera peut-être ce qu'il vient de trouver et qui mesure 16 m ! *NOUVEAUTÉ.*

Le Bistrot des Artistes *(plan B1, **66**)* **:** 6, rue des Anglais, 75005. ☎ 01-43-29-06-73. Ⓜ Maubert-Mutualité ou Cluny-La Sorbonne. Ouvert tous les jours de 16 h (20 h le dimanche) à 2 h. Pinte à 3 €. On trouve ce petit bar dans une ruelle près du Panthéon. Ne vous fiez pas à sa vitrine et à sa maquette de galion ! L'intérieur est colonial, la musique world. Bon esprit. Des soirées et des concerts parfois. Les étudiants plébiscitent aussi la pinte à 3 € jusqu'à 22 h. *NOUVEAUTÉ.*

Le Verre à Pied *(plan B3, **73**)* **:** 118 bis, rue Mouffetard, 75005. ☎ 01-43-31-15-72. Ⓜ Censier-Daubenton. Ouvert de 9 h à 21 h (16 h le dimanche). Fermé le lundi. Congés annuels : 1 semaine mi-août. Demi à 2,80 €. Formule plat + dessert ou fromage à 11 € servie le midi. Vieux bistrot inchangé depuis 1914-1918, avec un comptoir si étroit qu'un verre tient à peine en largeur. Carrelage, poêle antique en fonte, tables de café classiques... Habitués et étudiants, journalistes et artistes s'y côtoient fraternellement dans une atmosphère très Marcel Carné. Goûtez au P'tit Léon (sucre de canne, rhum blanc et citron vert). La meilleure table ? Celle des dinosaures. Expos temporaires de peintres ou photographes. Cartes de paiement refusées.

🍷 ***Finnegan's Wake*** *(plan C2, **60**)* **:** 9, rue des Boulangers, 75005. ☎ 01-46-34-23-65. Ⓜ Jussieu ou Cardinal-Lemoine. Ouvert de 10 h 30 à 2 h. Toutes les pintes sont à 4,50 € ; *happy hours* entre 18 h et 20 h. Ce pub irlandais donne dans le culturel. Comme quoi, ce genre d'établissement n'est pas forcément qu'un lieu de dépravation éthylique ! Cours de breton le lundi ; musique live et danses bretonnes le jeudi soir (banjo, bièle, accordéon diatonique, saxo, cornemuse, bombarde, tambourin) ; soirée à thème le vendredi à partir de 22 h. Si vous êtes à cent lieues de la culture d'outre-Manche, rien ne vous empêche de venir prendre un verre dans un cadre authentique (zinc d'origine, piste de danse). Deux salles avec pierre et poutres apparentes créent l'ambiance... Cartes de paiement refusées. Une pinte de bière (pour une achetée) offerte à nos lecteurs sur présentation de ce guide.

🍷 ***La Taverne*** *(plan C3, **61**)* **:** 25, rue Daubenton, 75005. ☎ 01-43-31-44-00. Ⓜ Censier-Daubenton. Ouvert jusqu'à 2 h ; restauration de 12 h à 14 h 30 et de 19 h 30 à 23 h (le dimanche, service de 19 h à 23 h). Fermé le samedi midi. Menus à 9 € le midi et de 16,50 à 20,50 € le soir. Un petit resto capverdien où vous pourrez déguster à la fois des spécialités africaines, brésiliennes et créoles. Le soir, l'ambiance est assurée par des musiciens capverdiens, africains et brésiliens. Petit bout de terrasse bien agréable en été. Digestif maison offert à nos lecteurs sur présentation de ce guide.

🍷 ***Le Requin Chagrin*** *(plan B2, **65**)* **:** 10, rue Mouffetard, 75005. ☎ 01-44-07-23-24. Ⓜ Place-Monge. Ouvert tous les jours de 16 h à 2 h (toute la nuit le week-end). Demi à partir de 2,50 € avant 21 h, 3 € après. L'action se déroule autour d'un magnifique bar en bois, où étudiants et amateurs de mousses bien tirées (10 pressions différentes) se retrouvent pour célébrer de 16 h à 21 h des *happy hours* qui comptent parmi les plus animées du quartier de la Contrescarpe. Des groupes se forment pour jouer aux échecs, aux palets, ou se dispersent pour draguer les filles. Au sous-sol, une salle voûtée peut vous être prêtée pour fêter un anniversaire, par exemple.

🍷 ***Le Piano Vache*** *(plan B2, **63**)* **:** 8, rue Laplace, 75005. ☎ 01-46-33-75-03. Ⓜ Maubert-Mutualité. Ouvert tous les jours de 12 h (18 h pendant les périodes de vacances scolaires) à 2 h en semaine et à partir de 21 h le week-end. Le demi à partir de 3,50 €, 2,50 € en *happy hours.* Alcools et cocktails à 6,50 € (5,50 € en *happy hours*). L'établissement a vu défiler, en une vingtaine d'années d'existence, plus d'étudiants de tout poil et de punks que la plupart des bars de Paris. La décoration est chargée d'histoire, ça s'entasse allègrement. Unique, le trophée d'un animal curieux, surnommé le gnou du Tibet, qui trône au-dessus du bar. Nostalgiques, les photos des groupes de rock dissous. Soirées avec des DJs différents plusieurs fois par semaine.

Le Violon Dingue *(plan B2, 70) :* 46, rue de la Montagne-Sainte-Geneviève, 75005. Ⓜ Cardinal-Lemoine. Ouvert de 20 h à 5 h. Fermé les dimanche et lundi. Boissons sans alcool à 3,50 € ; bières à partir de 4 € (*happy hours* de 20 h à 22 h : 2 €) ; whisky à 6 €. Un petit tour au *Violon Dingue* avec ses soirées musicales s'impose : c'est un plan d'exception pour draguer les ravissantes Américaines en goguette. Au sous-sol (une cave du XIIIe siècle), un bar où l'on peut danser jusqu'à 5 h du matin, du mardi au samedi (entrée : 10 € pour la gente masculine le week-end).

Café Aussie *(plan A2, 71) :* 184, rue Saint-Jacques, 75005. ☎ 01-43-54-30-48. RER B : Luxembourg. Ouvert tous les jours de 16 h à 2 h. Boissons non alcoolisées à partir de 2,50 € et cocktails à 5 €, bière à 2,70 €. *Happy hours* tous les jours de 16 h à 21 h. Voilà une adresse pour les kangourous et autres *Crocodile Dundee* parisiens ! L'ancien café *Oz* s'est transformé en *Aussie,* ce surnom amical qu'on donne aux Australiens dans les pays anglo-saxons. Amicale, l'ambiance l'est aussi autour d'une Foster (la bière *made in Australia* !). Quelques écrans TV sont là pour suivre les matchs... même ceux où les Wallabies ne jouent pas ! En fond musical, INXS ou Midnight Oil s'imposent. Ardoise indiquant les soirées à thème régulièrement organisées. Déco à l'australienne avec tables basses et comptoir en rondins de bois. Ne manque plus que le bush. *Cheeeers !* Un *Shooter* offert à nos lecteurs sur présentation de ce guide.

6e ARRONDISSEMENT

Où manger?

Très bon marché

|●| ***Bar à Soupes et Quenelles – Giraudet*** *(zoom, **16**) :* 5, rue Princesse, 75006. ☎ 01-43-25-44-44. Ⓜ Mabillon. Service du lundi au samedi de 10 h à 17 h et de 18 h 30 à 22 h. Fermé le lundi soir. Congés annuels : en août. Bol de soupe à 5,20 € les 250 ml et à 11 € les 800 ml, quenelle à 2 €. Menu à 9,50 €. Décidément, les bars à soupes ont le vent en poupe! Celui-ci, tenu par la célèbre marque bressanne *Giraudet,* a le don de ne pas transformer le déjeuner en soupe à la grimace! Potages dont la composition varie avec les saisons : chauds en hiver (petits pois, champignons, fèves au cumin...), ils sont exclusivement frais en été et peuvent être accompagnés d'une quenelle au seigle ou au brochet, la spécialité initiale de la maison. Décor tendance : murs de pierre, comptoir en inox et marbre gris, et tabourets hauts recouverts de gomme noire. Un bon plan pour manger sain et sur le pouce.

|●| ***Cosi*** *(plan C1, **11**) :* 54, rue de Seine, 75006. ☎ 01-46-33-35-36. Ⓜ Mabillon. Ouvert tous les jours de 12 h à 23 h. Sandwichs entre 4,20 et 8,40 €, selon le nombre d'ingrédients. Cadre et musique de circonstance, très *cosi (fan tutte),* pour soigner l'entrée en scène de la diva des lieux, la célèbre *focaccia alla romana.* Le pain sort du four sous vos yeux. Plusieurs formules, du « Naked Willi », à base de *ricotta* et légumes rôtis, à la « Perfide Albion », qui s'accommode naturellement de rosbif, tomates confites à la coriandre et oignons rôtis. À déguster au 1er étage. Vins au verre.

|●| ***La Cuisine de Bar*** *(plan B2, **47**) :* 8, rue du Cherche-Midi, 75006. ☎ 01-45-48-45-69. Ⓜ Sèvres-Babylone. Ouvert du mardi au samedi de 8 h 30 à 19 h. Fermé les dimanche et lundi. Congés annuels : en août. Tartines à partir de 7 €. Formule petite salade + tartine + boisson + café à 12,50 €. L'annexe plutôt chic de la boulangerie *Poilâne,* où l'on vient de loin pour se régaler de tartines préparées devant vous. Original, frais et goûteux, dans un cadre propret. Une douzaine de propositions en tout, dont celle au pain toasté, mêlant sardines, beurre, aromates... Bons cocktails de fruits pressés. Accueil souriant.

|●| ***Orestias*** *(plan C1, **1**) :* 4, rue Grégoire-de-Tours, 75006. ☎ 01-43-54-62-01. Ⓜ Odéon. Ouvert midi et soir jusqu'à 23 h 30. Fermé le dimanche. Menus à 8,50 et 14,50 €, servis midi et soir ; à la carte, compter 12-15 €. Une des dernières adresses pas chères du quartier que cette taverne mi-grecque, mi-gauloise. Le décor de la salle est comme la cuisine, il oscille entre les deux nationalités. C'est ainsi qu'une grande fresque hellénique un peu kitsch fait face à des trophées de chasse et que, sur la carte, le tarama et la moussaka côtoient les œufs mayo, le chateaubriand sauce poivre et même le gibier en saison. De la bonne grosse tambouille à des prix d'avant-guerre, ce qui explique la salle toujours bondée.

|●| ***L'Assignat*** *(plan C1, **2**) :* 7, rue Guénégaud, 75006. ☎ 01-43-54-87-68. Ⓜ Odéon. Service de 12 h à 15 h. Fermé le dimanche. Congés annuels : en juillet. Plats du jour à 6,50 € ; menu à 11 € le midi. Qui penserait que cette petite rue, presque sans trottoirs et toujours encombrée, abrite un discret petit resto de quartier, refuge des marchands d'art, des ouvriers de la Monnaie de Paris et des étudiants des Beaux-Arts qui peuvent ici renouer avec un mode de paiement d'avant-guerre : le crédit ? Les boursiers mangent et inscrivent sur un carnet ce qu'ils ont pris, ils paieront en fin de mois. Intéressant : répétitions hebdomadaires des fanfares, comme celle des Beaux-Arts, dans la cave du bistrot : ces soirs-là, la fermeture est plus tardive. Au coude à coude, on déjeune de plats simples qui tiennent au corps dans une atmosphère animée. Cartes de paiement refusées.

6e

Bon marché

|●| ***La Tourelle*** *(plan D1-2, **4**) :* 5, rue Hautefeuille, 75006. ☎ 01-46-33-12-47. Ⓜ Odéon ou Saint-Michel. Ouvert de 12 h à 15 h et de 19 h à 22 h. Fermé les samedi midi et dimanche. Congés annuels : en août. Formule à 10 € le midi, menu à 18 € le soir ; carte autour de 23 € sans la boisson. Dans l'une des plus vieilles maisons du quartier, âgée de 5 siècles avec, à l'angle, une magnifique tourelle à encorbellement. Clientèle d'employés et d'habitués. Petite salle carrée au plafond bas, habillée de boiseries de restos parigots d'antan. Service rapide pour une halte reconstituante le midi, autour d'une cuisine fraîche et sans prétention.

|●| ***La Fromagerie 31*** *(plan C1, **6**) :* 64, rue de Seine, 75006. ☎ 01-43-26-50-31. Ouvert du mardi au jeudi de 12 h à 14 h 15 et de 17 h à 19 h 30, et les vendredi et samedi de 12 h à 19 h. Fermé les dimanche et lundi. Les horaires de la fromagerie elle-même sont un peu différents bien sûr. Trois assiettes de fromages entre 9,80 et 17,80 €, soupe à 5,95 € et tarte... au fromage autour de 13 €. Un courant

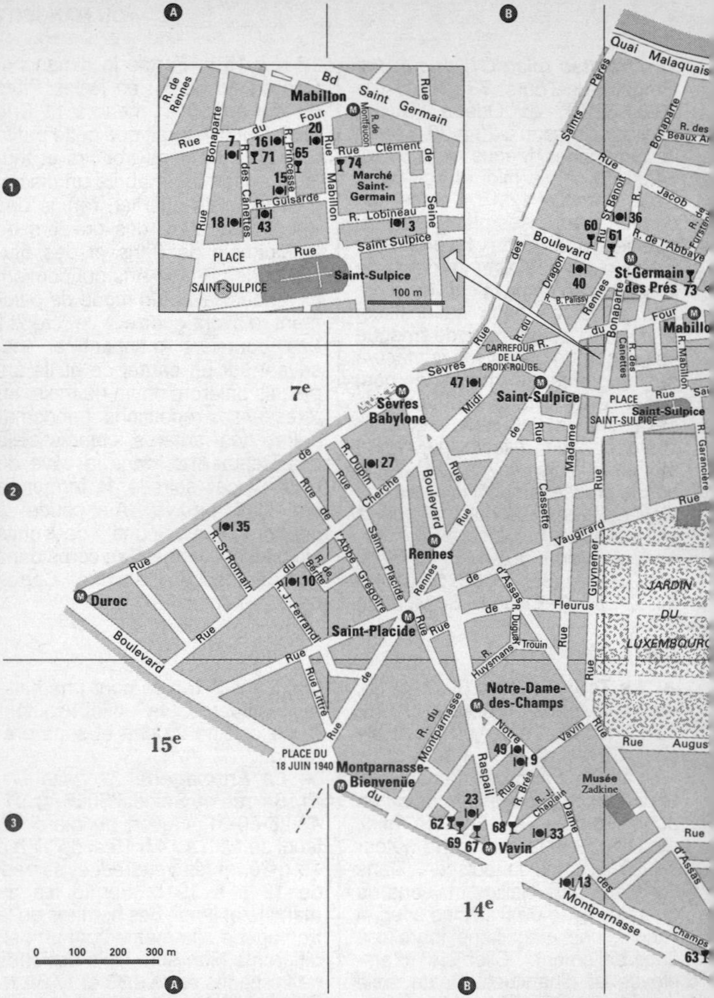

A B

1 2 3

6e

Bd Saint Germain
Mabillon
Rue du Four
R. de Rennes
Rue Bonaparte
R. de Montfaucon
Rue Mabillon
R. Princesse
R. des Canettes
R. Guisarde
Rue Clément
Rue de Seine
Marché Saint-Germain
R. Lobineau
Rue Saint Sulpice
PLACE SAINT-SULPICE
Saint-Sulpice
100 m
7 16 20 71 65 74 15 18 43 3

Quai Malaquais
Rue des Saints Pères
R. des Beaux Arts
Rue Bonaparte
Rue Jacob
R. St Benoît
R. de Furstenberg
R. de l'Abbaye
Boulevard Saint-Germain
St-Germain des Prés
Rue du Dragon
R. B. Palissy
Rue de Rennes
Rue du Four
Mabillon
R. des Canettes
R. Mabillon
CARREFOUR DE LA CROIX-ROUGE
Rue de Sèvres
Rue du Midi
Saint-Sulpice
PLACE SAINT-SULPICE
Saint-Sulpice
R. Garancière
Rue Madame
Rue Cassette
Rue de Vaugirard
7e
Sèvres Babylone
R. Dupin
Rue du Cherche Midi
Rue de l'Abbé Grégoire
Rue Saint Placide
Boulevard Raspail
Rennes
Rue de Rennes
R. St Romain
R. de Bérite
R. J. Ferrandi
Saint-Placide
Rue de Fleurus
Rue d'Assas
R. Duguay Trouin
R. Huysmans
Rue Guynemer
JARDIN DU LUXEMBOURG
Duroc
Boulevard du Montparnasse
Rue Littré
15e
PLACE DU 18 JUIN 1940
Montparnasse-Bienvenüe
R. du Montparnasse
Notre-Dame-des-Champs
Rue Notre Dame des Champs
Rue Vavin
Rue Auguste Comte
Musée Zadkine
Rue Bréa
R. J. Chaplain
Raspail
Vavin
Rue d'Assas
14e
Montparnasse
60 61 36 40 73 47 27 35 10 49 9 23 62 69 67 68 33 13 63

0 100 200 300 m

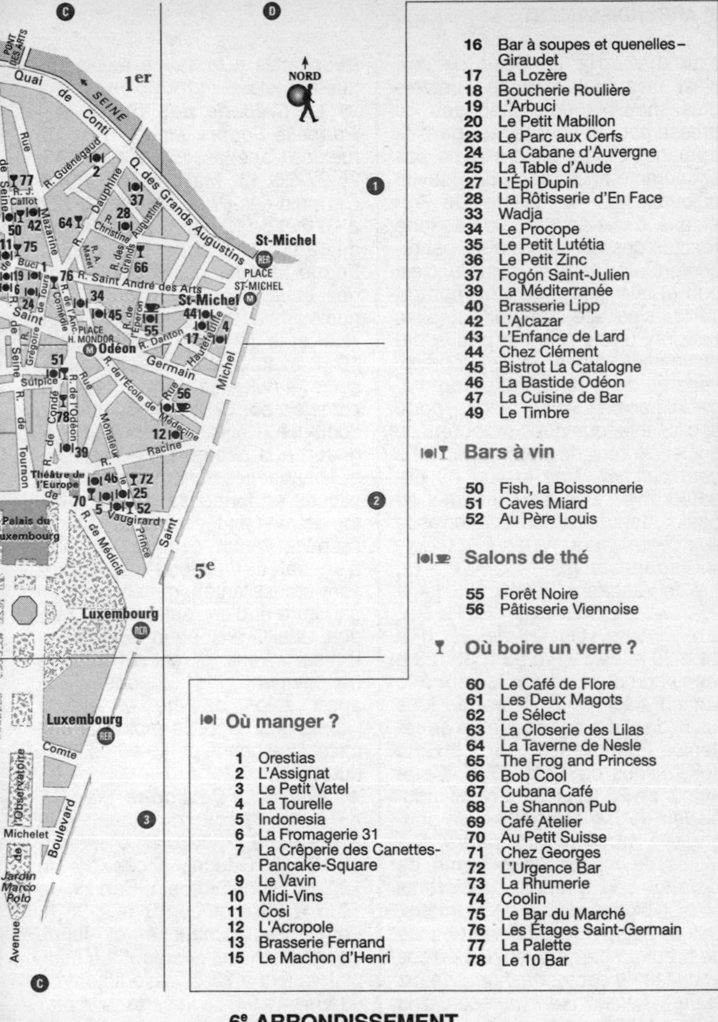

6e ARRONDISSEMENT

d'air (bavard !), un éclat de rire, c'est Lisa, qui a quitté l'univers plus show-biz des attachées de presse pour tomber la tête dans le fromage. L'idée, simple mais pas si courante finalement, de pouvoir déjeuner sur le pouce de fromages, d'une soupe ou d'une tarte (et d'un dessert, non mais !) est réconfortante, et puis comme c'est bon et que Lisa et Icham, qui travaille avec elle, en parlent avec passion, on ne regrette pas le déplacement. Dans la micropièce, séparée de la réfrigération du magasin par des vitres et une porte coulissante, quelques tabourets de bar encadrent de petits guéridons haut perchés. Pas le lieu où débouler avec tous les collègues de boulot donc ! Tables en terrasse aux beaux jours. *NOUVEAUTÉ.*

|●| ***Indonesia*** *(plan C2, **5**) :* 12, rue de Vaugirard, 75006. ☎ 01-43-25-70-22. Ⓜ Odéon ; RER B : Luxembourg. Ouvert de 12 h à 14 h 30 et de 19 h à 22 h 30 (23 h les vendredi et samedi). Fermé le samedi midi ; en août, fermé tous les midis. Le soir, préférable de réserver. Formule déjeuner à 9 € ; le soir, menus de 17 à 23 €. Carte autour de 20 €. Le seul resto indonésien de Paris organisé en coopérative ouvrière. Plusieurs formules de menus sous forme de *rijsttafel* comprenant différents plats typiques de Java, Sumatra, Bali et Sulawesi : *rendang* (viande de bœuf préparée avec des épices et du lait de coco), *nasi goreng* (riz sauté), *balado ikan* (poisson à la sauce tomate pimentée), *satays* (brochettes à la sauce aux cacahuètes), etc.

|●| ***La Crêperie des Canettes – Pancake-Square*** *(zoom, **7**) :* 10, rue des Canettes, 75006. ☎ 01-43-26-27-65. Ⓜ Mabillon ou Saint-Germain-des-Prés. Service de 12 h à 16 h et de 19 h à 23 h ; le samedi de 12 h à 18 h et de 19 h à 23 h. Fermé le dimanche toute la journée et le lundi soir. Congés annuels : en août et la semaine entre Noël et le Jour de l'an. Formule à 10 € avec galette, crêpe beurre-sucre et bolée de cidre ; à la carte, compter de 12 à 16 €, boisson comprise. Petite salle tout en longueur, à la déco marine : chaises et banquettes bleu océan, appliques en forme de bateau, photos de mer signées Plisson. Même l'espace réduit évoque le carré d'un bateau ! Galettes et crêpes sont croustillantes, généreuses en garniture et d'un remarquable rapport qualité-prix pour le quartier. Penser à venir tôt, car on se serre franchement les coudes ! Fait aussi salon de thé et glacier l'après-midi. Service rapide et efficace. Une bonne petite adresse du quartier.

|●| ***Bistrot La Catalogne*** *(plan C1, **45**) :* 4-6-8, cour du Commerce-Saint-André, 75006. ☎ 01-55-42-16-19. Ⓜ Odéon. Accès par le 130, bd Saint-Germain. Service de 12 h à 15 h et de 19 h à 23 h. Fermé les dimanche et lundi. Congés annuels : en août. Le midi, plat du jour à 12 €, assortiment de 4 tapas à 15 € ; à la carte, compter autour de 30 €. Au centre de cette

cour historique, à côté de la tour Philippe Auguste et dans les locaux où Marat imprima *La Déclaration des Droits de l'homme et du citoyen,* se niche la *maison de la Catalogne.* Elle abrite un centre culturel, un office de tourisme, une boutique et enfin un bistrot, qui donne un bon aperçu de l'art culinaire catalan. Les tapas, la charcuterie, la morue au four et la crème catalane ont vraiment le goût de là-bas. Et la carte des vins, très fournie, présente une sélection de 11 AOC catalanes (bon *Penedes* en pichet). Mais comme dans toutes les bonnes tables ibériques de la capitale, les prix ont tendance à s'envoler un peu. Aux beaux jours, terrasse avec vue sur l'animation de la cour. Café offert à nos lecteurs sur présentation de ce guide.

🍴 ***Le Petit Mabillon** (zoom, **20**) :* 6, rue Mabillon, 75006. ☎ 01-43-54-08-41. Ⓜ Mabillon. Ouvert de 12 h à 14 h 30 et de 19 h à 23 h. Fermé le lundi et le mardi midi. Congés annuels : 3 semaines après le 15 août et 2 semaines avant Noël et la fin de l'année. Menu à 13,80 € servi midi et soir ; plats du jour de 9,30 à 12,50 € ; carte autour de 23 €. Ce resto sicilien, douillet, gère au mieux son petit espace. Deux salles pour une douzaine de tables. Celle en sous-sol, dont les fenêtres ont une vue sur la cour, présente l'avantage d'être moins bruyante. Bons *bocconcini* aux fruits de mer et pâtes fraîches maison. Accueil et service efficaces. Café offert à nos lecteurs sur présentation de ce guide.

🍴 ***Le Timbre** (plan B3, **49**) :* 3, rue Sainte-Beuve, 75006. ☎ 01-45-49-10-40. Ⓜ Notre-Dame-des-Champs. Service de 12 h à 14 h et de 19 h 30 à 23 h. Fermé le dimanche. Congés annuels : en août. Menus à 22 € (plat + entrée ou dessert) et 26 € (entrée + plat + dessert). Même s'il y a quelques inévitables petits suppléments, ces menus sont à prix très compétitifs : dans le quartier, ça sonne comme une vraie affaire. Les 24 places sont donc souvent prises, car le chef anglais aux fourneaux a le sens du bon produit travaillé sans trop de chichis : essayez son saumon sauvage danois ou son poulet rôti à l'ail confit, et vous comprendrez qu'il y a matière à revenir.

🍴 ***Le Petit Vatel** (zoom, **3**) :* 5, rue Lobineau, 75006. ☎ 01-43-54-28-49. Ⓜ Mabillon. Ouvert de 12 h à 14 h 30 et de 19 h à 22 h 30. Fermé les dimanche et lundi. Congés annuels : la 2e quinzaine de février. Formule à 12 € le midi. À la carte, l'addition ne dépasse pas les 20 €. Verre de vin du mois à 3 €. Cette adresse de poche a été reprise par un sympathique patron qui a égayé l'ensemble mais a conservé des prix cléments. Essayez la terrine maison, les farcis ou les plats mijotés... Le rapport qualité-prix vous semblera encore plus évident. Effort tout aussi soutenu rayon liquide. Le choix (gaillac, madiran...) s'accorde avec la cuisine, et les prix, là non plus, ne s'envolent pas. Attention, pas de réservation, et vu la configuration des lieux, on aurait parfois tendance à vous mettre rapidement dehors. Dommage ! Restaurant non-fumeurs, mais petites tables en terrasse. Cartes de paiement refusées.

Prix moyens

|●| ***La Cabane d'Auvergne** (plan C1, **24**) :* 44, rue Grégoire-de-Tours, 75006. ☎ 01-43-25-14-75. Ⓜ Odéon. Service de 11 h 30 à 15 h et de 19 h à 23 h. Fermé les samedi midi et dimanche. Réservation conseillée. Congés annuels : du 1er au 21 août. Pas de menu, mais une carte régionale variée. Plats hyper-copieux, surtout ceux à 15 €. Compter environ 30 € pour un repas complet. Pichet de 50 cl (pas mauvais du tout) à 11 €. Vous l'aurez deviné, place d'honneur au Cantal et au Puy-de-Dôme : assiette du laboureur, potée auvergnate, tripoux, saucisse-truffade (et quelle saucisse !), salade de gésier, *pounti*. On passe la commande au bar en sirotant un *birlou* (apéro auvergnat à base de pomme et de châtaigne), puis on va s'installer dans la petite salle champêtre, minuscule et chaleureuse. Appétit d'oiseau, s'abstenir. On vous conseille d'y aller mollo sur l'entrée (une entrée pour deux suffit amplement) et de profiter du plat de résistance. Atmosphère unique garantie. Vous en sortez repu et guilleret, ravi d'avoir savouré d'excellents produits du terroir. Cartes de paiement refusées.

|●| ***Le Vavin** (plan B3, **9**) :* 18, rue Vavin, 75006. ☎ 01-43-26-67-47. Ⓜ Vavin. Wi-fi. Ouvert de 7 h à 23 h (19 h 30 le dimanche). Service de 12 h à 15 h et de 19 h à 22 h 30 (sauf le dimanche). Congés annuels : en août. À la carte uniquement, compter environ 20 € ; salades à partir de 7-8 €. Une belle brasserie d'angle, où la clientèle, à l'image de ce quartier chic et étudiant (la fac d'Assas est toute proche), remplit les tables du matin au soir. La vaste et agréable terrasse, orientée plein est, attire les foules au moindre rayon de soleil. Côté cuisine, les classiques de brasserie (tartare, andouillette AAAAA, etc.) et les belles salades se défendent plutôt mieux que le plat du jour, pas toujours convaincant. Pour les petites faims, des croques moelleux au pain de campagne, et pour les douceurs, tartes maison et glaces *Berthillon*. Apéritif maison offert à nos lecteurs sur présentation de ce guide.

|●| ***L'Enfance de Lard** (zoom, **43**) :* 21, rue Guisarde, 75006. ☎ 01-46-33-89-65. Ⓜ Mabillon ou Saint-Sulpice. Ouvert du mardi au samedi de 12 h à 14 h 30 et de 19 h à 3 h. Congés annuels : en août. À la carte, compter environ 30 € sans la boisson ; sinon, 2 formules : le midi, de 12 h à 14 h 30, à 16,50 € et le soir, de 19 h à 20 h, à 18 €. Situé en plein quartier presque piéton, près de l'église Saint-Sulpice, ce resto a su devenir une quasi-institution pour les

noctambules habitués du coin. Et on les comprend : même si l'on risque d'y être un peu à l'étroit, on en sort gâté et rassasié. Une bonne cuisine française, généreuse et variée, servie quelle que soit l'heure du jour ou de la nuit.

|●| ***Midi-Vins*** *(plan A2,* ***10****)* ***:*** 83, rue du Cherche-Midi, 75006. ☎ 01-45-48-33-71. Ⓜ Vaneau ou Rennes. Ouvert de 12 h à 14 h 30 et de 19 h 30 à 23 h. Fermé les dimanche et lundi. Formule à 18 € avec entrée + plat ou plat + dessert; menu à 21 €. Voici un petit bar à vin comme on les aime. Le vieux zinc nous accueille, la clientèle d'habitués, pas guindée pour deux sous, met l'ambiance entre les banquettes et les jolies tables (mention spéclale aux casiers à vin reconvertis), le service est rapide et souriant. Tout ici fait plaisir, des roses en bouquet aux petits vins bien gouleyants des quatre coins de France, servis avec passion par la jeune équipe. Côté plats, aux ardoises sur les murs, on découvre une cuisine de marché bien emmenée, pleine de goût et d'originalité. *NOUVEAUTÉ.*

|●| ***L'Acropole*** *(plan D2,* ***12****)* ***:*** 3, rue de l'École-de-Médecine, 75006. ☎ 01-43-26-88-90. Ⓜ Odéon. Ouvert tous les jours; service midi et soir jusque vers 23 h (dernière commande). Menus à 11 € (attention, pas grec), puis à 14 et 30 € (boissons comprises pour le dernier). À la carte, compter de 15 à 20 €. On vous l'accorde, le cadre n'a rien d'exceptionnel et la péninsule hellénique n'est guère évoquée qu'au travers de quelques objets un peu vieillots. Mais l'accueil est chaleureux, et l'assiette belle et bonne : le tarama maison est délicieux, les *mezze* soignés, brochettes et légumes farcis frais, savoureux et goûteux. On ne regrette pas l'addition, d'autant qu'elle reste raisonnable.

|●| ***Brasserie Fernand*** *(plan B3,* ***13****)* ***:*** 127, bd du Montparnasse, 75006. ☎ 01-43-27-47-11. Ⓜ Vavin. Service de 12 h à 14 h 30 et de 19 h à minuit. Fermé le dimanche. Congés annuels : 3 semaines fin juillet-début août. Menus à 15 € le midi, 24 € le soir. À la carte, compter 30 € hors boisson. La bonne vieille brasserie parisienne, avec les nappes à carreaux rouge et blanc et le carrelage au sol, un peu à l'écart de l'agitation de Montparnasse. Grande salle où déguster une cuisine de bistrot classique, sans prétention, bien tournée et franchement copieuse, de l'entrée au dessert. Pour se poser un moment en sortant du cinéma, par exemple, ou au retour d'une balade dans la froidure. Apéritif maison offert à nos lecteurs sur présentation de ce guide.

|●| ***Chez Clément*** *(plan D1,* ***44****)* ***:*** 9, pl. Saint-André-des-Arts, 75006. ☎ 01-56-81-32-00. Ⓜ et RER B : Saint-Michel. Ouvert tous les jours; service continu jusqu'à 1 h (les dimanche et lundi jusqu'à minuit). Formule rôtisserie (entrée + plat ou plat + dessert) à 15,90 € servie midi et soir. Carte autour de 27 €.

Au cœur du Paris historique, sur la très charmante place Saint-André-des-Arts, à quelques mètres de la fontaine Saint-Michel. Dans une belle demeure typique du quartier, on y trouve des décors étonnants, des atmosphères intimistes et variées, une ambiance chaleureuse, un service prévenant et une magnifique terrasse ombragée qui fait le bonheur du Paris littéraire en été. Une adresse à retenir. Apéritif maison, café ou digestif maison offert à nos lecteurs sur présentation de ce guide.

|●| ***Le Machon d'Henri*** *(zoom, **15**)* **:** 8, rue Guisarde, 75006. ☎ 01-43-29-08-70. Ⓜ Mabillon ou Saint-Germain-des-Prés. Ouvert de 12 h à 14 h 30 et de 19 h à 23 h 30. Réservation très conseillée. Plats de 12 à 14 €. Compter autour de 25 € le repas. Sympathique bistrot tout de pierre et de poutres, dispensant sa volée de bons p'tits plats classiques mais copieux : œufs cocotte, agneau de 7 heures, saucisson chaud comme à Lyon, croustillante tarte aux fruits du jour. Une adresse authentique dans ce coin éminemment touristique.

|●| ***La Lozère*** *(plan D1, **17**)* **:** 4, rue Hautefeuille, 75006. ☎ 01-43-54-26-64. Ⓜ Saint-Michel ou Odéon. Ouvert de 12 h à 14 h et de 19 h 30 à 22 h. Fermé les dimanche et lundi. Congés annuels : la 1re semaine de janvier, 1 semaine en avril et de mi-juillet à mi-août. Formules à 14,50 et 16 € le midi ; menus à 21,50 et 25,50 €. C'est le resto de la maison de la Lozère, ambassade de ce beau département qui rivalise avec l'Irlande. L'occasion de déguster ses bonnes spécialités régionales dans un cadre rustique. À la carte, entre autres, pâté caussenard au genièvre, agneau de Lozère, entrecôte fleur d'Aubrac et aligot de l'Aubrac tous les jeudis (minimum 2 personnes). En face du resto, le bureau de tourisme où l'on peut préparer son séjour en Lozère, la librairie régionale et l'espace exposition-vente.

|●| ***L'Arbuci*** *(plan C1, **19**)* **:** 25, rue de Buci, 75006. ☎ 01-44-32-16-00. Ⓜ Mabillon, Odéon ou Saint-Germain-des-Prés. Ouvert tous les jours de 12 h à minuit (1 h le week-end). Premier menu à 15,50 € ; autres menus à 20 et 30 €. À la carte, compter 35 €. Au cœur de Saint-Germain, *L'Arbuci* a fait peau neuve : boiseries claires, sièges et banquettes mauves, déco design de bon goût. À l'affiche, des formules qui ont fait leurs preuves : huîtres à volonté, huîtres et broches, plateaux de fruits de mer. À la carte, quelques jolies trouvailles comme la *pizzetta* maraîchère, l'assiette de rôtisserie avec pommes allumettes. Un coup de cœur pour les desserts, comme ce moelleux au chocolat cuit minute avec bavarois de café, ou les fruits frais de saison. Au sous-sol, renaissance de la tradition jazz de Saint-Germain avec l'ouverture d'un club en formule dîner-jazz les vendredi et samedi soir. Tables en terrasse pour voir déambuler la faune du quartier. Service souriant. Apéritif maison offert à nos lecteurs sur présentation de ce guide.

|●| ***Le Parc aux Cerfs** (plan B3, **23**) :* 50, rue Vavin, 75006. ☎ 01-43-54-87-83. Ⓜ Vavin, Montparnasse ou Notre-Dame-des-Champs. Ouvert tous les jours de 12 h à 14 h 15 et le soir jusqu'à 22 h 45 (23 h 15 le week-end). Congés annuels : de fin juillet à fin août. Le midi, formule entrée + plat ou plat + dessert à 23,50 € et menu à 29 € ; le soir, les prix grimpent avec les formules à 30 et 35 €. Une déco soignée, avec fresque, murs clairs et touches de bois sombre, et, dans la salle du fond, une belle verrière sur une grande cour lumineuse. Cuisine bourgeoise, sympathique, avec cette légèreté que l'on sait lui donner aujourd'hui : en somme, idéal pour les déjeuners du dimanche en famille, d'autant que les tables sont garnies de pots à crayons (Montparnasse oblige !) et de papier à dessin. De quoi faire patienter petits et grands. Le midi, le rapport qualité-prix reste intéressant. Apéritif maison offert à nos lecteurs sur présentation de ce guide.

|●| ***Wadja** (plan B3, **33**) :* 10, rue de la Grande-Chaumière, 75006. ☎ 01-46-33-02-02. Ⓜ Vavin. Ouvert de 12 h à 14 h 30 et de 19 h 30 à 23 h. Fermé le dimanche. Congés annuels : la semaine du 15 août. Formule à 11 € le midi et à 14 € le soir ; repas à la carte autour de 38 €, sans la boisson. Cette vénérable institution, où bon nombre d'artistes fauchés venaient manger pour 3 francs 6 sous, est depuis les Années folles, au même titre que *La Coupole,* un des lieux d'histoire de Montparnasse. En pénétrant dans la salle, les plus anciens se souviendront avec nostalgie de leurs moments passés ici à disserter sur l'art et le monde en général, autour d'un plat gentillet, la tête alourdie par le jaja de négoce et la fumée des clopes de leurs voisins de tablée. Menu d'un bon rapport qualité-prix, les mets sont fins et la carte des vins tout à fait remarquable. La carte change souvent, le coup de patte est là et les plats ne manquent pas d'esprit. Service véloce et cordial. Apéritif maison ou café offert à nos lecteurs sur présentation de ce guide.

6e

Plus chic

|●| ***La Table d'Aude** (plan C2, **25**) :* 8, rue de Vaugirard, 75006. ☎ 01-43-26-36-36. Ⓜ Odéon. ♿ Ouvert de 12 h à 13 h 45 et de 19 h 30 à 21 h 30. Fermé le samedi midi, le dimanche et le lundi soir. Congés annuels : en août. Le midi en semaine, formules à 12 € (entrée + plat ou plat + dessert) et à 14 € (plat + verre de vin ou café) et menus de 19 à 29 € ; le soir, menus de 20 à 40 € ; compter de 30 à 35 € à la carte sans la boisson. Une drôle de bonne table où défilent toutes les traditions gourmandes du pays des châteaux cathares et

des vins de Corbières. Ce pays d'Aude, si pauvre et si riche à la fois, la carte vous le laisse revisiter tranquille, ventre à table, des poissons de l'étang de Bages au cassoulet de Castelnaudary, des charcuteries de la montagne Noire à la poule grand-mère de l'Alaric. C'est simple et servi par un patron amoureux de son pays, qui met vite ses clients à l'aise, au point qu'on sympathise facilement entre voisins. Une spécialité à ne pas manquer : les haricots du père Falcou, cuisinés à l'ail et à l'huile d'olive, servis froids, en entrée. Vieux marc du Languedoc offert à nos lecteurs sur présentation de ce guide.

L'Épi Dupin *(plan B2, **27**)* **:** 11, rue Dupin, 75006. ☎ 01-42-22-64-56. Ⓜ Sèvres-Babylone. Ouvert de 12 h à 14 h 30 et de 19 h à 22 h 30. Fermé le week-end et le lundi midi. Réservation impérative au minimum 8 jours à l'avance pour le 1er service du soir. Congés annuels : les 3 premières semaines d'août. Formule à 22 € le midi. À la carte, compter environ 31 €. Ancien élève de *Kérever* et *Faugeron,* François Pasteau affiche la mine rayonnante de l'homme heureux. Les raisons de son bonheur : un restaurant complet midi et soir et des clients contents qui ne laissent pas une miette dans leur assiette. Un menu peaufiné par des trouvailles quotidiennes à Rungis et qui propose chaque jour un choix de 6 entrées, 6 plats et 6 desserts. Les mauvaises pioches sont très très rares, et nous n'avons eu qu'à nous féliciter de notre choix (mais la carte varie) : Tatin d'endives et chèvre caramélisé sauce à la coriandre, filet de canette, julienne de céleri et carottes au carvi... Cela donne un bon rapport qualité-prix indéniable. Un vrai bonheur gourmand du début à la fin. Service aimable et efficace.

Boucherie Roulière *(zoom, **18**)* **:** 24, rue des Canettes, 75006. ☎ 01-43-26-25-70. Ⓜ Saint-Sulpice ou Mabillon. ♿ Service de 12 h à 14 h 30 et de 19 h à 23 h 30 (minuit le week-end). Fermé le lundi. Congés annuels : en août. À la carte, compter 30 € sans la boisson. Qu'on ne s'y trompe pas : ce discret resto dans une salle en enfilade, à la déco sobre et moderne, avec ces beaux portaits noir et blanc de vaches aux murs, recèle une des bonnes (meilleures ?) adresses de la rue. La cuisine classique, aux portions franches et généreuses, originale juste ce qu'il faut, et le service attentionné ont séduit les *aficionados* de bonne viande, servie avec des sauces pleines de goût. Mais aussi les amateurs de poisson, tout aussi bon. Une bien belle adresse. *NOUVEAUTÉ.*

La Rôtisserie d'En Face *(plan C1, **28**)* **:** 2, rue Christine, 75006. ☎ 01-43-26-40-98. Ⓜ Saint-Michel ou Odéon. Service de 12 h à 14 h et de 19 h à 23 h. Fermé les samedi midi et dimanche. Menus à 18, 25 et 28 € le midi en semaine ; menu-carte à 42 €. Compter de 30 à 40 € à la carte. Jacques Cagna, éminent toqué dont le restaurant gastronomique est à deux pas, a réussi à faire de sa *Rôtisserie d'En Face* une institution de la rive gauche. Pintade en pastilla, oignons confits au miel et aubergines, poulet (label rouge) rôti à la broche purée à l'ancienne, etc., la rôtissoire tourne à plein. C'est en général enlevé, à l'exception toutefois de quelques ratés. Et puisqu'on en est aux remarques désobligeantes, le niveau sonore des conversations est élevé. Apéritif maison offert à nos lecteurs sur présentation de ce guide.

|●| ***Le Procope*** *(plan C1, **34**)* **:** 13, rue de l'Ancienne-Comédie, 75006. ☎ 01-40-46-79-00. Ⓜ Odéon. Ouvert tous les jours en service continu de 12 h à 1 h. Menu Procope de 12 h à 19 h à 24 € ; menu Philosophe à 30 €. À la carte, compter 45 €. Le plus ancien café de Paris. En 1686, un certain Francesco Procopio dei Coltelli vint d'Italie ouvrir un troquet à Paris, y introduisant un breuvage nouveau appelé à un fulgurant succès : le café. La proximité de la Comédie-Française en fit d'emblée un lieu littéraire et artistique. Au XVIIIe siècle, les philosophes s'y réunissaient, et *L'Encyclopédie* y naquit d'une conversation entre Diderot et d'Alembert. Beaumarchais y attendait le verdict de ses pièces jouées à l'Odéon. Danton, Marat et Camille Desmoulins y prirent des décisions importantes pour la Révolution. Plus tard, Musset, George Sand, Balzac, Huysmans, Verlaine et bien d'autres aimaient à s'y retrouver. Aujourd'hui, *Le Procope* garde son rôle de lieu de rencontres et dispose même d'une table présidentielle. Cuisine sans mystère, mais l'essentiel est d'être sous les lambris ! Au 1er étage, remarquez l'humour des patrons : la moquette est constellée de fleurs de lys (ce qui est un comble dans ce haut lieu de la Révolution).

|●| ***Le Petit Lutétia*** *(plan A2, **35**)* **:** 107, rue de Sèvres, 75006. ☎ 01-45-48-33-53. Ⓜ Vaneau. Ouvert tous les jours midi et soir ; dernière commande à 23 h. Menu-carte à 30 € servi midi et soir plus les suggestions du jour. La vraie brasserie parisienne, avec son cadre rétro bien patiné : salles compartimentées par des panneaux de bois sombre et verre gravé, grands miroirs, petits rideaux de dentelle aux fenêtres. La cuisine ne dépare pas, jouant dans le registre bistrotier classique. Salade de chèvre chaud, steak tartare, foie de veau au raisin, île flottante. Une valeur sûre du quartier, l'adresse idéale pour inviter la belle-famille qui monte de province.

|●| ***Le Petit Zinc*** *(plan C1, **36**)* **:** 11, rue Saint-Benoît, 75006. ☎ 01-42-86-61-00. Ⓜ Saint-Germain-des-Prés. ♿ Service tous les jours de 12 h à 15 h et de 19 h à minuit. Menus de 23 à 28 € le midi uniquement ; le soir, menu à 35 € et carte à partir de 42 €. Une adresse qui garde une image de convivialité dans le registre brasserie de luxe. Pourquoi bouder son plaisir dans un quartier qui ne donne guère de joies culinaires ?

Superbe décor 1900 et éclairage en douceur pour des tables en mezzanine ou en recoins, offrant une certaine intimité. Belle carte, avec, outre les fruits de mer, des plats à l'année et d'autres en fonction des arrivages : soupe de poisson, sole meunière, épaule d'agneau, foie de veau... En été, une terrasse extérieure. Un kir offert à nos lecteurs sur présentation de ce guide.

Fogón Saint-Julien *(plan C1, **37**) :* 45, quai des Grands-Augustins, 75006. ☎ 01-43-54-31-33. Ⓜ Saint-Michel. Ouvert du mardi au dimanche de 19 h à minuit, ainsi que les samedi midi et dimanche midi de 12 h à 14 h 30. Fermé le lundi. Congés annuels : 1 semaine en janvier et la 2e quinzaine d'août. Menu à 35 € ; assiette de charcuterie à 20 € ; à la carte, compter entre 40 et 45 €. Enfin une table espagnole débarrassée de son pesant folklore. Les produits sont fort bien choisis. Pour les paellas, avec un riz superbe, il faut faire un choix : *valenciana*, mixte ou *arroz negro* ; ou bien prendre des tapas de calamars à l'andalouse, assiette de charcuterie, agneau au miel, *tortilla*... On se permettra de conseiller l'option tapas, celles-ci étant parfaites. Si l'on ajoute à cela une courte mais intéressante carte des vins, de délicieux desserts et un service fin et discret, cela donne bien des raisons de passer à table dans ce restaurant original. Apéritif maison offert à nos lecteurs sur présentation de ce guide.

6e

La Bastide Odéon *(plan C2, **46**) :* 7, rue Corneille, 75006. ☎ 01-43-26-03-65. Ⓜ Odéon. Service de 12 h 30 à 14 h et de 19 h 30 à 22 h 30. Fermé les dimanche et lundi. Congés annuels : 3 semaines en août et 1 semaine en décembre. Compter autour de 36,50 € à la carte uniquement. Blotti face au théâtre du même nom, un bel espace sur 2 étages, aux couleurs claires rehaussées de rouge brique, dans un esprit de bastide provençale. La cuisine suit le même thème, et le chef propose, entre autres produits du soleil, un millefeuille tiède aux aubergines en entrée, une volaille rôtie au confit d'ail, des plats à la fois originaux et succulents. Pour changer d'air en restant dans la capitale. Café offert à nos lecteurs sur présentation de ce guide.

La Méditerranée *(plan C2, **39**) :* 2, pl. de l'Odéon, 75006. ☎ 01-43-26-02-30. Ⓜ Odéon ; RER B : Luxembourg. Ouvert tous les jours de 12 h à 14 h 30 et de 19 h 30 à 23 h. Formule entrée + plat ou plat + dessert à 25 € ; menu à 29 €. À la carte, prévoir 50 €. Jadis, les stars se ramassaient à la pelle dans la salle de *La Méditerranée.* Tous y avaient leur table, d'Orson Welles à Aragon en passant par Picasso, Chagall, Man Ray ou Jean-Louis Barrault. Remise à flot après un toilettage discret – il ne fallait surtout pas toucher au décor des maîtres (Vertès, Bérard et Cocteau) –, *La Méditerranée* a retrouvé son visage de figure de proue face au théâtre de l'Odéon. À la carte, tendance grand bleu (qui ravit autant les sénateurs venus en voisins que les habitués des magazines *people* !), une poignée d'entrées, plats et desserts à l'évident pouvoir de séduction : tartare de thon rouge, bouillabaisse... Quelques plats de viande pour contenter les carnivores. Pour adeptes de la vie parisienne.

|●| ***Brasserie Lipp*** *(plan B1,* ***40****)* **:** 151, bd Saint-Germain, 75006. ☎ 01-45-48-53-91. Ⓜ Saint-Germain-des-Prés. Ouvert tous les jours jusqu'à 2 h (dernière commande à 0 h 45). À la carte, compter autour de 40 €. La brasserie parisienne la plus célèbre. Presque une légende. Depuis les années 1920, les hommes célèbres n'ont cessé de fréquenter l'endroit, de Léon Blum à François Mauriac, de Georges Pompidou à François Mitterrand, qui en était un client assidu. Chez *Lipp,* pas de réservation. Il vaut mieux venir de bonne heure ou savoir attendre. Le vieux décor (grands miroirs, jolis panneaux en céramique, fresques qui s'estompent), sorti tout droit des années 1900, est classé Monument historique et « lieu de mémoire » ; excusez du peu ! Sa vue et l'atmosphère plutôt relax dissipent les dernières craintes. Les acteurs, auteurs, vedettes de la chanson font partie naturellement du paysage et ne distrairont même pas votre lecture du menu. Les plats sont ici d'une qualité constante mais sans brio, et la carte a quelque chose d'immuable de saison en saison (elle change 4 fois par an, mais n'y entrent des nouveautés que tous les 20 ans – en moyenne !). Vins chers, mais dans un coin de la carte on repérera un petit demi de bordeaux ou un coteaux-d'aix. Dommage que l'accueil soit inégal.

|●| ***L'Alcazar*** *(plan C1,* ***42****)* **:** 62, rue Mazarine, 75006. ☎ 01-53-10-19-99. Ⓜ Odéon. ♿ Ouvert tous les jours de 12 h à 15 h et de 19 h à 2 h (dernière commande à 1 h). Menus à 17 €, le midi, puis à 24 et 28 €. Menu à 39 € le soir. Compter autour de 45 € à la carte. En mezzanine, formule dîner « plat et verre de vin » à 22 €. Spécialités de fruits de mer appétissants (96 € pour deux). Brunch à 27 € le dimanche. En lieu et place de l'ancien cabaret de Jean-Marie Rivière, sir Terence Conran (le *Conran Shop,* c'est lui !) a réussi à créer une brasserie moderne toute londonienne en plein cœur de Saint-Germain. Dans un vaste espace aéré et lumineux, sous une verrière, avec vue directe sur les cuisines, on a tout le temps d'apprécier le spectacle des brigades concoctant une *world food* très à la mode, pleine de goût mais pas chiche, sans oublier les classiques bien de chez nous. Ambiance plus jeune en mezzanine où, du jeudi au dimanche, se retrouvent *clubbers* chic pour soirées animées par la crème des DJs. Musique lounge naturellement disponible sur CD ! Service très sympa.

Bars à vin

Caves Miard *(plan C2, **51**)* : 9, rue des Quatre-Vents, 75006. ☎ 01-43-54-99-30. Ⓜ Odéon. Ouvert de 10 h 30 à 22 h. Fermé les dimanche et lundi. Congés annuels : en août. Vins au verre de 3 à 6 € à accompagner du plat du jour (le midi uniquement) ou d'une assiette de charcuterie ou de fromage de 6 à 12 €. Salades, terrines. Le soir, apéritif dinatoire. Un lieu étonnant, avec ses beaux marbres et son plafond 1880 : ne cherchez pas la porte de la cave de cette ancienne crémerie, regardez les caisses de vin et la vitrine d'un autre temps, c'est là que ça se passe. Quelques tables seulement et un petit bout de comptoir pour grignoter salade du jour ou foie gras aux 4 épices. Idéal pour apprendre à connaître les vins maison. Spécialisé en vin « nature ». Importation de produits de petits artisans partisans de la charte *slow food* en Italie. Chinage de salaisons et produits artisanaux. 250 références en vin. Café offert à nos lecteurs sur présentation de ce guide.

Fish, la Boissonnerie *(plan C1, **50**)* : 69, rue de Seine, 75006. ☎ 01-43-54-34-69. Ⓜ Mabillon. Service de 12 h 30 à 14 h 30 et de 19 h à 22 h 45. Fermé le lundi. Congés annuels : 1 semaine en août et 1 semaine fin décembre. Formule à 10,50 € et menu à 21,50 € le midi ; autre menu à 32,50 € le soir. Ne soyez pas trop surpris si vous entendez que la plupart des clients de ce chouette bar à vin *speak English* : les patrons sont tout simplement anglo-saxons, ce qui ne les empêche pas de connaître nos vignobles mieux que pas mal de *Frenchies.* De la vallée du Rhône au Languedoc-Roussillon, de la Provence à la Loire, on boit ici en majesté... et en essayant de raison garder, malgré la dizaine de crus au verre cultivant des airs de revenez-y. Les assiettes ? Sudistes, ensoleillées et plébiscitées par une grosse foule.

Au Père Louis *(plan C2, **52**)* : 38, rue Monsieur-le-Prince, 75006. ☎ 01-43-26-54-14. Ⓜ Odéon ; RER B : Luxembourg. Ouvert du lundi au samedi de 9 h à minuit. Congés annuels : les 2 premières semaines d'août. Tartines de 6 à 10 €. Bouteille de côtes-du-rhône à 20 €. Après le succès du bar éponyme à Toulouse, ce bar à vin accueillant propose de superbes assiettes de charcuterie et fromage et un choix de vins épatants à déguster sur des barils. Le tout dans une atmosphère chaleureuse dans un décor de pierre et de bois. *NOUVEAUTÉ.*

Salons de thé

Pâtisserie Viennoise *(plan D2, **56**)* : 8, rue de l'École-de-Médecine, 75006. ☎ 01-43-26-60-48. Ⓜ Odéon. Ouvert de 9 h à 19 h.

6e

Fermé le week-end. Congés annuels : du 14 juillet au 31 août. Compter 12 € en moyenne pour un repas. Une institution dans le Quartier latin, créée en 1928 par un couple de Hongrois. Dans les 2 petites salles, les places sont chères. Atmosphère et style un peu province. Nombreux sont ceux et celles qui y reviennent après leurs études à la Sorbonne ou à l'institut d'anglais tout proche. Grandes salades, tourtes, quiches, tagliatelles maison... Pour les gâteaux, *Strudel, Sacher, Flanni, Kifli,* sablés aux framboises, macarons... accompagnés d'une petite sélection de thés ou d'un onctueux chocolat ou café viennois. Cartes de paiement refusées. Café offert à nos lecteurs sur présentation de ce guide.

Forêt Noire (plan C1, **55**) : 9, rue de l'Éperon, 75006. ☎ 01-44-41-00-09. Ⓜ Odéon. Ouvert du mardi au samedi de 12 h à 15 h 30, ainsi que les vendredi et samedi de 19 h à 22 h 30 ; le dimanche, brunch sur réservation (c'est tout petit !). Congés annuels : en août. Formule à midi à 16 € (plat et dessert) ; plat du jour à 13 €. Brunch à 19 €. Envie de confort douillet ? Voilà l'adresse rêvée. Le bois et les ocres vous réchauffent le cœur, l'accueil est chaleureux, et la salle donne sur une petite cour fleurie, histoire de faire pousser un soupir entre deux bouchées de *Linzertorte* ou de *Schwarzwäldertorte* (eh oui, ça a un rapport avec le nom de la maison, pour ceux qui auraient oublié leurs leçons d'allemand). Très bien, tout ça. Surtout si vous avez eu l'idée de prendre, auparavant, une assiette composée. Apéritif maison offert à nos lecteurs sur présentation de ce guide.

6e

Où boire un verre ?

Le Café de Flore *(plan B1,* ***60****) :* 172, bd Saint-Germain, 75006. ☎ 01-45-48-55-26. Ⓜ Saint-Germain-des-Prés. Ouvert tous les jours de 7 h 30 à 1 h 30. Un grand café chargé d'histoire. Né en 1890. D'abord fréquenté par les fondateurs de l'Action française, il eut par la suite une clientèle plus à gauche : Sartre, Camus, Jacques Prévert, son frère Pierre... *Le Flore* fut vendu, il y a plusieurs années, pour une somme faramineuse : on parle de 14 millions de francs (plus de 2 millions d'euros !). C'est dire si la limonade, ça marche ! Et puis, on ne changera pas les vieilles banquettes de moleskine ni les habitudes germanopratines pour autant...

Les Deux Magots *(plan C1,* ***61****) :* 6, pl. Saint-Germain-des-Prés, 75006. ☎ 01-45-48-55-25. Ⓜ Saint-Germain-des-Prés. Service continu de 7 h 30 à 1 h. Café à 4 € ; salades autour de 14 € ; verre de vin à partir de 6,30 €. Une institution à Paris. Impossible de citer ici tous ceux qui honorèrent ces lieux de leur présence.

Les Deux Magots était d'abord un magasin qui vendait de la soie chinoise et des tissus au XIXe siècle. Lorsque, en 1875, un café-liquoriste lui succéda, il garda l'enseigne. Le décor actuel date de 1914. Vers 1885, Verlaine, Rimbaud et Mallarmé aimaient s'y retrouver. En 1925, ce furent les surréalistes : Breton, Desnos, Bataille, Artaud, etc. Picasso, Saint-Exupéry, Giacometti y avaient aussi leurs habitudes. Jean Giraudoux y prenait son petit déjeuner à 10 h pile chaque matin. En 1933 fut créé le prix des Deux-Magots, qui se trompa rarement dans le choix des lauréats, puisque furent couronnés Raymond Queneau (pour sa 1re œuvre), puis Bataille, Antoine Blondin, Henri-François Rey... Vers 1950, Sartre et Simone de Beauvoir venaient y écrire 2 h sans relâche chaque jour, remplissant 3 cendriers. La qualité du service a toujours été la fierté de l'établissement, à telle enseigne que le fameux chocolat fait maison fut longtemps servi dans des pots en argent. L'été, la terrasse est prise d'assaut. Venez le matin de bonne heure, vous prendrez sur cette place un mémorable petit déjeuner pour 18 €.

6e

🍸 ***Le Sélect*** *(plan B3, **62**)* **:** 99, bd du Montparnasse, 75006. ☎ 01-45-48-38-24. Ⓜ Vavin. Wi-fi. Service de 8 h à 2 h. Cocktails à partir de 11 €. Rendez-vous des artistes (ou de ceux qui s'en donnent le look), *Le Sélect* fut, entre 1923 et 1935, l'un des bars phares de la vie artistique française. L'endroit est le repaire des habitués jusque tard dans la nuit. Vous pourrez toujours traquer la piste d'un futur peintre génial autour d'un cocktail.

🍸 ***La Closerie des Lilas*** *(plan C3, **63**)* **:** 171, bd du Montparnasse, 75006. ☎ 01-40-51-34-50. Ⓜ Vavin ; RER B : Port-Royal. ♿ Ouvert tous les jours de 11 h à 1 h. Cocktails aux alentours de 13 €. Œuf mayo autour de 7 €, steak tartare, l'un des meilleurs de Paris, à 15,50 €. Un grand classique du circuit. Ancienne guinguette et relais de diligence. Le mouvement des parnassiens fréquenta *La Closerie,* ainsi que Verlaine, Baudelaire, etc. Plus tard, les surréalistes prirent le relais. Et tant d'autres dont on retrouve les noms gravés sur les tables : Max Jacob, Modigliani, Lénine, etc. Sauf Hemingway ! Lui, il possède sa plaque de cuivre sur le comptoir du célèbre bar américain qu'il vit naître dans les années 1925 et qu'il ne quitta plus. Il y écrivit *Le Soleil se lève aussi.* Décor superbe et chaleureux. Bar en chêne clouté de cuivre. Tables massives et cirées. Sol en mosaïque. Sur les murs, de vieilles glaces et lambris. Fréquenté aujourd'hui par une clientèle assez mélangée d'intellos, bourgeois ultrachic, écrivains frimeurs, snobs et artistes. Au bar, sur les hauts tabourets de cuir rouge, il vous en coûtera quand même quelque peu ! Salon de thé jusqu'à 19 h. Si vous désirez y manger, le resto est très cher ; mieux vaut aller en brasserie, au « bateau » comme on dit. Moins cher, plus relax et plus de monde, bien sûr ! Café offert à nos lecteurs sur présentation de ce guide.

L'Urgence Bar *(plan C2, **72**) :* 45, rue Monsieur-le-Prince, 75006. ☎ 01-43-26-45-69. Ⓜ Odéon ou Cluny-La Sorbonne ; RER B : Luxembourg. Ouvert du mardi au samedi de 21 h à 4 h. Cocktail à 9 €, bière bouteille à 6,50 €. Un « Vomitif » ? Ici tous les cocktails ont des noms sortis du Vidal ! La déco fait penser à un hôpital, si ce n'était la musique et la lumière tamisée ! À un jet de bistouri de l'École de Médecine, on vous sert des fraises Tagada et des cocktails dans des biberons. Idéal pour étudiant régressif ! *NOUVEAUTÉ.*

La Taverne de Nesle *(plan C1, **64**) :* 32, rue Dauphine, 75006. ☎ 01-43-26-38-36. Ⓜ Odéon. Ouvert de 18 h à 4 h (6 h le week-end). Congés annuels : 3 semaines en août. La pinte de bière autour de 5 € avant 23 h, et des bières du monde entier autour de 8 €. Ardent défenseur de la mousse et du houblon, Gilles Lamiot, tavernier-brasseur (ses bières : L'Épi noir au sarrasin, L'Épi blanc à l'avoine, L'Épi blond à l'orge, sont remarquables), est le seul à présenter une carte de mousses d'exception dont la particularité est d'offrir un panorama complet des bières brassées dans l'Hexagone, telle la superbe Bavaisienne de la brasserie Theillier... La sélection en provenance de Belgique et d'Allemagne est aussi judicieuse. Bar au sous-sol.

The Frog and Princess *(zoom, **65**) :* 9, rue Princesse, 75006. ☎ 01-40-51-77-38. Ⓜ Mabillon. Ouvert tous les jours de 17 h 30 (12 h le week-end) à 2 h. Brunch anglais à 15 € et brunch américain à 16,50 € le week-end, de 12 h à 17 h. Comme son grand frère des Halles, le *Frog and Princess* brasse ses bières sur place. Frog Natural blonde, Dark de Triomphe, Parislystic... des bières de soif sans prétention. À la carte, une quinzaine de bières en bouteille au choix, alcools divers. Pour les fans de sport, 5 TV diffusent en permanence les meilleurs matchs de foot, rugby... Ambiance jeune et décontractée.

Bob Cool *(plan C1, **66**) :* 15, rue des Grands-Augustins, 75006. ☎ 01-46-33-33-77. Ⓜ Odéon ou Saint-Michel. Ouvert de 18 h à 2 h. Fermé le dimanche. Bonne collection de tequilas et de purs malts. Meilleur barman de France en 1988, Luc a travaillé au *Forum* et au *Lutetia* avant de s'installer dans ce bateau ivre et de naviguer pavillon haut avec Jean-Marc, le *captain.* Demandez-lui un *mint julep,* un *pain killer* ou un *mojito,* 3 classiques percutants, et vous ne serez pas déçu. Mais ce barman chaleureux a plus d'un tour dans son shaker, et le tout ne manque pas de swing. Fond musical de blues et de rock standard. Plein de petites fêtes au cours de l'année.

Cubana Café *(plan B3, **67**) :* 47, rue Vavin, 75006. ☎ 01-40-46-80-81. Ⓜ Vavin ou Montparnasse-

Bienvenüe. Ouvert tous les jours de 11 h à 3 h (minimum !). Service de 12 h à 15 h et de 19 h à minuit. Carte très variée : tapas, *bruchetta* et salades de 4 à 9 € ; plat à 12 € environ. *Happy hours* de 17 h à 19 h 30. Un resto-bar-fumoir à la fois chic et pas cher, où l'on chipote sur des classiques latinos en tête à tête avec le *caballero* de son choix ou, mieux encore, avec les Che Guevara de la *casa*. La déco est un savant méli-mélo de bagues de cigares, de photos, d'affiches et de slogans révolutionnaires égratignés à même les murs ocre. Cave à cigares où l'on trouve des cigares... cubains, mais aussi du Honduras ou du Nicaragua. Café offert à nos lecteurs sur présentation de ce guide.

Le Shannon Pub *(plan B3, **68**) :* 23, rue Bréa, 75006. ☎ 01-43-26-34-70. Ⓜ Vavin. Ouvert tous les jours de 18 h à 4 h 30. Pinte à 6 €, cocktails à 11 € ; respectivement 4 et 7 € pendant les *happy hours* de 18 h à 21 h. Forts de leur retentissant succès au *Bréguet,* Richard, Arnaud, Olivier et Babasse ont décidé de doubler la mise en récupérant un pub typiquement ringard à deux pas de Montparnasse. Tout aussi rock mais beaucoup plus smart que son aîné, quartier oblige, *Le Shannon* est devenu en peu de temps le 1er pub « urbain » de Paris. Car ici, le délire anglo-saxon n'est plus qu'un prétexte pour venir se payer une mousse dans les décors, librement inspirés de Jeunet et Caro *(Delicatessen, La Cité des enfants perdus...).* Une chose est sûre, « toutes les fêtes sont de bonnes occasions pour la faire » ! Soirée *openmix* deux fois par mois, DJ le week-end.

Au Petit Suisse *(plan C2, **70**) :* 16, rue de Vaugirard, 75006. ☎ 01-43-26-03-81. Ⓜ Odéon ; RER B : Luxembourg. Ouvert tous les jours de 7 h à minuit (service de 11 h à 23 h). Jus de fruits à 4 €, bière à 3 €. Sandwichs entre 3 et 4 € ; salades de 8 à 10 €, tartes à 5 €. Très agréable aux beaux jours, car la terrasse se trouve en face du Luxembourg. Un rade étudiant assez typé. Jadis point de convergence des gardes suisses de Marie de Médicis, s'y mélangent aujourd'hui, sur fond de jazz dans une ambiance bon enfant, des philosophes en herbe, des littérateurs en culottes courtes et des jeunes gens plutôt chic. Petite restauration (salades, charcuterie auvergnate, croques au pain de campagne, vins de propriété) à des prix plus que modestes pour le coin.

Chez Georges *(zoom, **71**) :* 11, rue des Canettes, 75006. ☎ 01-43-26-79-15. Ⓜ Saint-Germain-des-Prés. Ouvert de 12 h à 2 h. Fermé les dimanche et lundi. Congés annuels : en août et en fin d'année. Bières en bouteille de 3,50 à 5 €. Le vieux Georges nous a quittés, mais l'esprit du lieu n'a pas bougé d'un poil. Dans la journée, Jean-Pierre et l'adorable Nicole y officient et couvent leurs clients fidèles. Des générations de tabagistes et d'intellectuels fumeux ont patiné murs et plafond. Le beau comptoir date de 1928. Les Allemands ont piqué le vieux zinc, à la dernière guerre, pour fabriquer des avions neufs. Certains soirs, il peut se passer quelque chose, parfois rien... en fonction des clientèles différentes qui se confrontent, de la proportion de touristes, de l'événement... Les jeunes adorent la vieille cave voûtée. Parfois quelques acharnés des échecs s'affrontent pacifiquement. Bons petits vins pas chers à emporter et gros « sandwichs Canettes » pour les petites faims.

🍸 ***La Rhumerie*** *(plan C1,* ***73****)* **:** 166, bd Saint-Germain, 75006. ☎ 01-43-54-28-94. Ⓜ Mabillon. Ouvert tous les jours de 9 h à 2 h ; service de restauration de 11 h à 16 h 30. Fermé à Noël. Assiettes antillaises avec une boisson, le midi, de 11,70 à 12,90 € ; à la carte, compter 15 €. Une institution créée en 1932 et qui, depuis, appartient toujours à la même famille. Refait il y a quelques années dans un style néocolonial (osier vert et jaune), le décor (une vaste terrasse sous une verrière et 2 salles) incite à une certaine indolence. On peut rester ici des heures à savourer d'excellents cocktails ou goûter les 20 sortes de rhum proposées. La clientèle est hétéroclite, de tous âges et de tous styles. Quant au service, il est souriant et efficace.

🍸 ***Coolin*** *(zoom,* ***74****)* **:** 15, rue Clément, 75006. ☎ 01-44-07-00-92. Ⓜ Mabillon. ♿ Ouvert tous les jours de 10 h (13 h le dimanche) à 2 h. Alcools, pintes, du cidre à la Guinness, à partir de 6,30 €. On peut déguster son whisky seul ou avec des amuse-gueules chauds (de 3 à 6,30 €), comme la crêpe de pommes de terre farcie *Coolin. Happy hours* à 5 € du lundi au samedi de 17 h à 20 h. Concerts de jazz et de musique traditionnelle irlandaise le mardi à partir de 21 h 30. DJ les jeudi, vendredi et samedi à partir de 22 h. Un havre de convivialité dans ce marché Saint-Germain déshumanisé, tout entier voué à la fringue. Ce sentiment de chaleur est d'ailleurs renforcé par des murs ocre, des tables et bancs en bois blond et un vaste bar sombre.

🍸 ***Le Bar du Marché*** *(plan C1,* ***75****)* **:** 75, rue de Seine, 75006. ☎ 01-43-26-55-15. Ⓜ Mabillon. Ouvert tous les jours jusqu'à 2 h. Café à 2,20 €, demi à partir de 3,80 € ; moins cher au comptoir. Les serveurs, la casquette vissée sur la tête et la démarche canaille, se la jouent apache de Ménilmuche, zigzaguant avec l'aisance de vieux pros entre les tables remplies d'une clientèle bigarrée incluant touristes et titis, posant mousse, cahoua, pinuche, Viandox devant le solitaire en séance de matage à la terrasse (parfaite pour suivre l'animation du marché) ou une Américaine en corvée de cartes postales. Y'a d'la joie, un peu à l'image de l'immense affiche des Frères Jacques scotchée sur la glace.

🍸 ***Les Étages Saint-Germain*** *(plan C1,* ***76****)* **:** 5, rue de Buci,

75006. ☎ 01-46-34-26-26. Ⓜ Mabillon ou Odéon. Ouvert tous les jours de 11 h à 2 h. Tarifs de 2,10 à 7,50 €. Coktails à 7,50 €. Un lieu de vie qui éclate de couleurs et de bonne humeur, sur 2 étages. Pas d'enseigne, pas de déferlante musicale jusque sur la chaussée, les voisins n'aimeraient pas, le lieu faisant déjà suffisamment désordre, vu le quartier ! Bonnes bières, cocktails maison qui cognent un peu et, gratos, le plein de cacahuètes façon chouchous comme à la plage (500 kg écoulés à chaque livraison, dans les deux établissements !), sans oublier les olives, servies à volonté à l'heure de l'apéro (de 18 h 30 à 20 h 30).

🍸 ***La Palette*** *(plan C1,* ***77****)* **:** 43, rue de Seine, 75006. ☎ 01-43-26-68-15. Ⓜ Odéon. Ouvert de 9 h à 2 h. Fermé les dimanche et jours fériés. Congés annuels : les lundis de Pâques et de Pentecôte, et en août. Plats du jour autour de 12 €, tartes maison à 6 €. Boisson autour de 4 €. Un élitisme bon teint, composé de marchands d'art, de faux artistes, de vrais poètes et de quelques Américains qui parlent Nouvelle Figuration. Les affaires se concluent autour d'un verre de sancerre ou de brouilly en dégustant une « guillotine » (morceaux de jambon de pays sur pain Poilâne). Plafond tout stucs et moulures, grandes glaces, céramiques. Les tables sont installées dehors dès les premiers rayons de soleil. Atmosphère animée, très parisienne, dans ce qui reste une institution du quartier.

🍸 ***Café Atelier*** *(plan B3,* ***69****)* **:** 95, bd du Montparnasse, 75006. ☎ 01-45-44-98-81. Ⓜ Vavin. Ouvert tous les jours de 7 h 30 à 6 h. Possibilité de restauration : plats traditionnels de brasserie et quelques saveurs *world food.* Ce bar vous réserve 3 ambiances, mâtinées d'un fond sonore discret house, latino ou rythm'n'blues. Pour qui aime voir et être vu, mieux vaut s'attabler en terrasse (chauffée l'hiver). À ceux qui débarquent en bandes pour profiter des *happy hours* (de 19 h à 22 h) ou commenter un film après la dernière séance d'un des nombreux cinés du quartier, la salle principale offre son espace aéré à la déco assez sobre (miroirs, moulures et patines début du XXe siècle reliftés en douceur). Quant à ceux qui cherchent l'intimité, ils seront comblés par la petite salle de droite, aux murs arrondis recouverts de damiers en velours fané.

🍸 ***Le 10 Bar*** *(plan C2,* ***78****)* **:** 10, rue de l'Odéon, 75006. ☎ 01-43-26-66-83. Ⓜ Odéon. Ouvert tous les jours de 18 h à 2 h. Fermé le 24 décembre et le 31 décembre. Verre à 3,50 € ; sangria à 3,30 €. Le bon patron essayera sans doute de vous faire boire sa sangria maison. On écoute dans des sièges défoncés et sous des lambis de galion, des standards de jazz ou de rock, dans la cave couverte d'affiches jaunies d'opéra comique et de cinéma. Beaucoup de charme. *NOUVEAUTÉ.*

7e ARRONDISSEMENT

Où manger ?

Très bon marché

|●| ***Au Pied de Fouet*** *(plan C2, 2)* : 45, rue de Babylone, 75007. ☎ 01-47-05-12-27. Ⓜ Saint-François-Xavier, Vaneau ou Sèvres-Babylone. Service non-stop de 11 h à 23 h. Fermé le dimanche. Congés annuels : la semaine du 15 août. Plats du jour à 9 € maxi et entrées du jour de 3 à 5 €. À la carte, l'addition ne dépasse pas les 15 €. Repris récemment, le nouveau propriétaire a eu la bonne idée de garder ce lieu intact. Ancien relais de diligences minuscule avec un vrai zinc, des nappes à carreaux, des banquettes en moleskine... et des prix imbattables. Inchangé depuis la nuit des temps.

|●| Où manger ?

- **1** Chez Germaine
- **2** Au Pied de Fouet
- **3** Le Restaurant du Domaine de Lintillac
- **4** Au Babylone
- **5** Thoumieux
- **6** Le Poch'tron
- **7** Le Bistrot du 7e
- **8** L'Atelier Joël Robuchon
- **9** Aux Fins Gourmets
- **10** Le P'tit Troquet
- **11** Le Clos des Gourmets
- **12** L'Actuel
- **13** Maxoff
- **14** Doïna
- **15** L'Ami Jean
- **16** Le Café des Lettres
- **17** La Maison des Polytechniciens – Restaurant Le Club
- **18** Le 20
- **19** L'Oasis
- **20** Le Rouge Vif
- **21** L'Œillade
- **22** Café de l'Esplanade
- **23** Au Petit Tonneau
- **24** Apollon
- **25** Le Basilic
- **26** L'Affriolé
- **27** L'Auvergne Gourmande
- **29** Lei
- **30** Le Petit Tibério
- **31** Les Fables de la Fontaine
- **32** Restaurant Le Gorille Blanc

Où boire un verre ?

- **40** Le Café du Marché
- **41** Le Malone's
- **42** O'Brien's

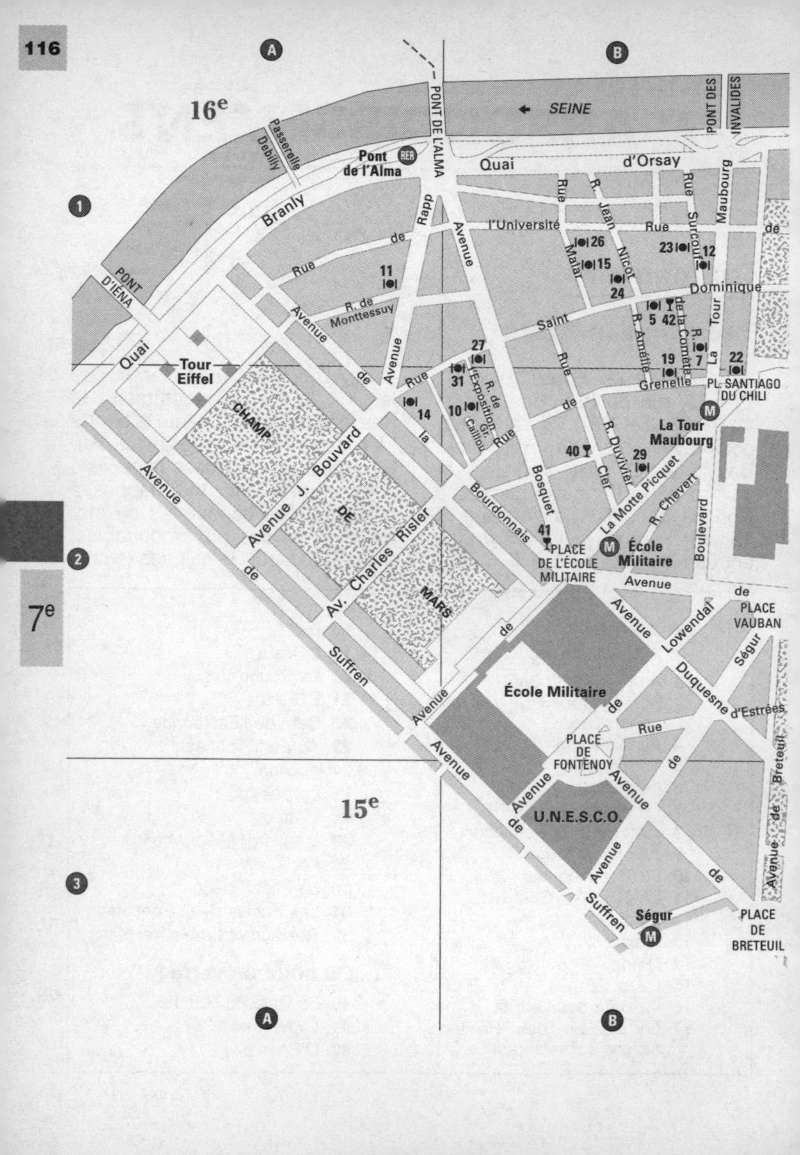

A
B
16e
SEINE
PONT DE L'ALMA
PONT DES INVALIDES
Passerelle Debilly
Pont de l'Alma
RER
Quai d'Orsay
Quai Branly
PONT D'IÉNA
Quai
Tour Eiffel
CHAMP DE MARS
Avenue J. Bouvard
Av. Charles Risler
Avenue de Suffren
Avenue de la Bourdonnais
Avenue Rapp
Avenue Bosquet
Rue de l'Université
Rue Saint Dominique
Rue de Grenelle
R. de Monttessuy
R. de l'Exposition
Gr. Caillou
Rue Malar
R. Jean Nicot
Rue Surcouf
Boulevard de La Tour Maubourg
R. Amélie
R. de la Comète
Rue Cler
R. Duvivier
La Motte Picquet
R. Chevert
PL. SANTIAGO DU CHILI
La Tour Maubourg
École Militaire
PLACE DE L'ÉCOLE MILITAIRE
Avenue de Lowendal
PLACE VAUBAN
Avenue de Ségur
Duquesne
d'Estrées
Avenue de Breteuil
École Militaire
PLACE DE FONTENOY
U.N.E.S.C.O.
Ségur
PLACE DE BRETEUIL
15e
7e
1
2
3
11
26
15
24
23
12
5
42
7
19
22
27
31
14
10
40
29
41

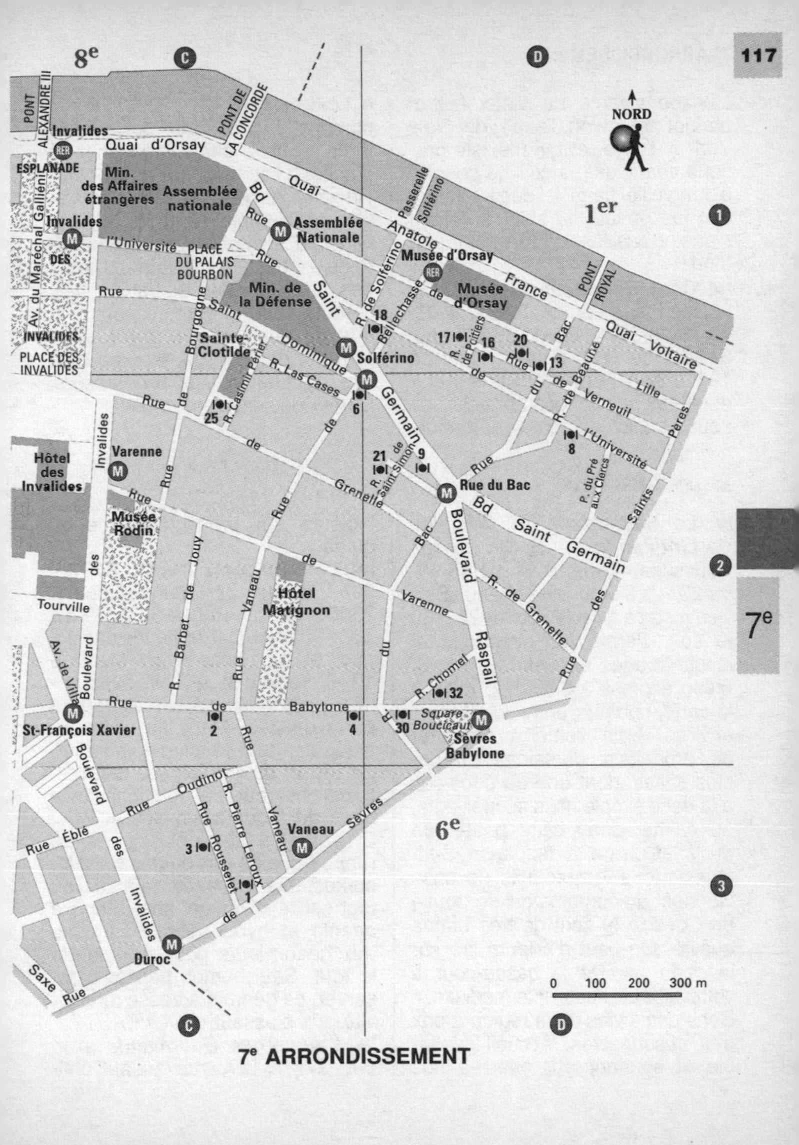

7e ARRONDISSEMENT

L'image vivante du vieux bistrot parigot tel qu'on l'aime de New York à Tokyo, et qui n'existe pratiquement plus. La cuisine se fond à merveille dans le décor. Attention les géants, la salle à l'étage n'atteint pas les 1,75 m sous plafond !

🍽 ***Chez Germaine*** *(plan C3, **1**)* **:** 30, rue Pierre-Leroux, 75007. ☎ 01-42-73-28-34. Ⓜ Duroc ou Vaneau. Service de 12 h à 14 h 30 et de 19 h à 22 h. Fermé les samedi soir et dimanche. Congés annuels : en août. Le midi, en semaine, formule à 12 € et menu à 14 €. À la carte, compter 22 €. Une petite salle toute simple d'une trentaine de places, à l'atmosphère un peu provinciale. Accueil vraiment sympathique. Clientèle d'amoureux, d'habitués, d'ouvriers en bleu de chauffe et de retraités. Dans votre assiette, des plats simples et traditionnels comme le bœuf bourguignon ou la tête de veau, par exemple. D'un rare rapport qualité-prix pour la rive gauche. Resto non-fumeurs. Cartes de paiement refusées.

Bon marché

🍽 ***Le Restaurant du Domaine de Lintillac*** *(plan C3, **3**)* **:** 20, rue Rousselet, 75007. ☎ 01-45-66-88-23. Ⓜ Duroc ou Vaneau. Service jusqu'à 14 h le midi et 22 h 30 le soir. Fermé les dimanche et lundi. Congés annuels : en août. Menu express à 8,50 € le midi ; à la carte, compter entre 17 et 23 € environ. Coin vente à emporter des produits du domaine. Trois petites salles, dont une au sous-sol, à la déco simple mais accueillante, au calme, dans cette petite rue du 7e. Cuisine à tendance Sud-Ouest ; tous les produits de base viennent du domaine qui se trouve en Corrèze et sont de très bonne qualité. On peut d'ailleurs lire sur la carte : « De la basse-cour à votre assiette, aucun intermédiaire. » Bons petits vins de la région à prix très raisonnables. Accueil serviable et souriant. Kir offert à nos lecteurs sur présentation de ce guide.

🍽 ***Le Bistrot du 7e*** *(plan B1, **7**)* **:** 56, bd de la Tour-Maubourg, 75007. ☎ 01-45-51-93-08. Ⓜ La Tour-Maubourg. Fermé les samedi midi et dimanche midi. Menu à 19 €, servi midi et soir, avec entrée, plat et dessert. Vin au verre à partir de 3 €. Dans un cadre typique de resto parisien de quartier, *Le Bistrot du 7e* a fait ses preuves. Excellente cuisine traditionnelle à base de produits simples et frais. On retrouve ici les classiques. Le rapport qualité-prix du menu est incontestable dans ce quartier où tout est relativement cher. Service attentif et hyper-rapide. Terrasse aux beaux jours pour agrémenter le tout. Seul bémol, penser à réserver, ce genre d'adresse rare est vite pris d'assaut. *NOUVEAUTÉ.*

🍽 ***L'Auvergne Gourmande*** *(plan B1, **27**)* **:** 127, rue Saint-Dominique, 75007. ☎ 01-47-05-60-79. Ⓜ École-Militaire; RER C : Pont-de-l'Alma. Service de 12 h à 15 h et de 19 h 30 à 23 h. Fermé le dimanche. Réservation conseillée. Congés annuels : en août. Plat du jour à 11,50 €, entrées et desserts à 6 €. Annexe de la *Fontaine de Mars* à prix doux. Deux grandes tables d'hôtes occupent toute la surface de cette ancienne boucherie grande comme un mouchoir de poche (salle non-fumeurs). Climat très convivial. Excellente et sympathique cuisine de bistrot à l'humeur on ne peut plus auvergnate. Tous les produits ou presque sont importés directement du terroir. Deux petites tables sur le trottoir, dès que le temps le permet, pour ceux qui recherchent plus d'intimité. Cartes de paiement refusées.

|●| ***L'Oasis*** *(plan B1-2,* ***19****)* **:** 162, rue de Grenelle, 75007. ☎ 01-45-51-61-10. Ⓜ La Tour-Maubourg. Ouvert jusqu'à 22 h 30. Fermé les samedi midi et dimanche. Compter environ 15 € le repas; couscous à partir de 11,50 €. Un petit resto de quartier qui ne paie pas de mine, mais où la gentillesse de l'accueil et la qualité de la nourriture vous mettent vite dans de bonnes dispositions. Nombreux couscous à la semoule remarquablement fine, généreusement servis. Grillades, salades, sans oubier les pâtisseries orientales à prix raisonnables.

|●| ***Au Babylone*** *(plan C2,* ***4****)* **:** 13, rue de Babylone, 75007. ☎ 01-45-48-72-13. Ⓜ Sèvres-Babylone. Ouvert le midi seulement. Fermé les dimanche et jours fériés. Congés annuels : en août. Menu à 19,50 € comprenant entrée, plat, fromage ou dessert et boisson. À peine plus cher à la carte; plats à partir de 11 €. Charme vieillot et désuet. Peintures jaunies par le temps et banquettes de moleskine. Bonne cuisine de ménage. Le genre de petite adresse où l'on aime toujours déjeuner et qui ne change pas. Cartes de paiement refusées.

Prix moyens

|●| ***Le 20*** *(plan D1,* ***18****)* **:** 20, rue de Bellechasse, 75007. ☎ 01-47-05-11-11. Ⓜ Solférino. Service de 12 h à 14 h 30 et de 19 h à 23 h; les jeudi, vendredi et samedi jusqu'à 23 h 30. Fermé les samedi midi et dimanche. Congés annuels : 15 jours en août et 10 jours à Noël. Au déjeuner, formule à 15 € comprenant entrée + plat ou plat + dessert du jour, verre de vin ou café compris. À la carte, compter environ 35 €. Dans le genre néobistrot revu à l'ancienne, l'adresse est plutôt bonne, et le décor a un certain cachet avec ses tables serrées et ses caricatures au-dessus des banquettes en moleskine rouge. Carte très classique, proposant poulet fermier, magret de canard rôti, filet de bœuf... Bref, rien de décoiffant, mais la formule du jour est d'un

bon rapport qualité-prix, et nos filets de rouget au gingembre, soigneusement présentés, étaient de surcroît finement cuisinés. Voilà ce qui empêche à cette adresse plutôt en vogue de tomber dans la banalité.

Le Poch'tron *(plan C-D2,* ***6****)* **:** 25, rue de Bellechasse, 75007. ☎ 01-45-51-27-11. Ⓜ Solférino. ♿ Service de 12 h à 14 h 30 et de 20 h à 22 h 30. Fermé le week-end. À la carte, compter environ 30 € ; des tartines chaudes pour les petits creux de 10,50 à 12 €. L'enseigne de ce bistrot n'est pas d'une colossale finesse, mais comme la chaleureuse tenancière est dotée d'un solide bagou populaire et que son chef de mari cuisine avec application, on leur pardonne aisément. Andouillette au vouvray, terrines, entrecôte grillée et sa moelle... Du traditionnel bistrotier qui fait toujours son effet.

Le P'tit Troquet *(plan B2,* ***10****)* **:** 28, rue de l'Exposition, 75007. ☎ 01-47-05-80-39. Ⓜ École-Militaire. Service de 12 h à 14 h et de 19 h à 22 h 30. Fermé le samedi midi, le dimanche toute la journée et le lundi midi. Congés annuels : du 1er au 10 janvier et du 1er au 23 août. Formule à 19 € servie le midi, menus-carte à 27 € le midi et 29,50 € le soir. Dans un décor typique de petit bistrot parisien, le chef-patron propose un seul menu, et c'est bon : lasagne de lapin fermier à l'estragon, crumble aux fruits de saison...

Maxoff *(plan D1,* ***13****)* **:** 44, rue de Verneuil, 75007. ☎ 01-42-60-60-43. Ⓜ Rue-du-Bac ou Solférino. Service de 12 h à 14 h et de 19 h à 22 h. Fermé les samedi midi et dimanche. Congés annuels : en août. Menu à 23 € servi le midi ; sinon, à la carte, compter 40 €. Seulement 6 petites tables dans cette mignonne bonbonnière, et c'est ce qui en fait tout le charme. Un russe pas comme les autres, sans fioritures ni musiciens factices et cotillons. Musique uniquement sur demande. La patronne, une dame charmante qui assure agréablement le service, est aussi efficace en cuisine : un vrai tour de force ! Les classiques de la cuisine russe revisités à la française y gagnent en légèreté, sans oublier sa carte des vodkas aromatisées (11 parfums différents !). Une bonne adresse. Apéritif maison offert à nos lecteurs sur présentation de ce guide.

L'Ami Jean *(plan B1,* ***15****)* **:** 27, rue Malar, 75007. ☎ 01-47-05-86-89. Ⓜ La Tour-Maubourg ou École-Militaire. Fermé les dimanche et lundi. Congés annuels : 3 semaines (au minimum) en août. Menu à 28 €. À la carte, compter de 35 à 40 €. Un vieux décor de province mâtiné d'une gouaille toute parisienne, un jeune chef qui prend son envol et une cuisine qui affiche haut et fort ses origines basques... voilà la recette toute simple du succès. Résultat, l'ami Stéphane, depuis son arrivée en cuisine, fait le plein de la salle... Le bouche à oreille a si vite fonctionné que la réservation est quasi impérative (le lieu faisait quand même figure d'institution dans le quartier depuis quelques décennies). Adresse conviviale, idéale pour les tablées de copains, un peu moins pour les petits dîners intimes. On retrouve sur l'ardoise tous les classiques basques : charcuterie, morue, chipirons, boudins... cuisinés au gré des humeurs du chef. Desserts bien fameux et petits vins du Sud-Ouest bien sympathiques également. Un bistrot gastro pour grands gourmands.

Le Rouge Vif *(plan D1, **20**) :* 48, rue de Verneuil, 75007. ☎ 01-42-86-81-87. Ⓜ Rue-du-Bac ; RER C : Musée-d'Orsay. Service de 12 h à 14 h et de 19 h 45 à 22 h. Fermé les samedi et dimanche. Congés annuels : en août et 2 semaines en janvier. Le midi, formule à 18 € avec entrée + plat ou plat + dessert ; le soir, compter autour de 35 € à la carte, sans la boisson. Tenu par un couple qui aime la fête, *Le Rouge Vif* a fidélisé une clientèle à son image : habitués de chez *Castel,* ils savent comment s'y prendre pour faire monter la température. Quelques lyonnaiseries, des plats en direct de la rôtissoire, une pleine louche d'idées du marché qui changent souvent, selon les humeurs du chef et les produits de saison, tous proposés sur l'ardoise. Anchois marinés, coquelet rôti... Tout est dans la norme d'une bonne cuisine bourgeoise, avec en sus une carte des vins courte mais bien réfléchie et de bonne qualité. Six vins au compteur pour les buveurs raisonnables. Les habitués ont leur rond de serviette en bois et les « anciens » en métal argenté... Apéritif maison et digestif maison ou café offerts à nos lecteurs sur présentation de ce guide.

L'Œillade *(plan D2, **21**) :* 10, rue de Saint-Simon, 75007. ☎ 01-42-22-01-60. Ⓜ Rue-du-Bac. Service de 12 h 30 à 14 h et de 19 h 30 à 22 h. Fermé les samedi midi et dimanche. Congés annuels : du 15 au 31 août. Carte à partir de 25 €. Toujours beaucoup de monde dans les 2 salles de ce restaurant où œuvre Pascal Molto. Ce chef, bon vivant, aime nourrir sa clientèle comme pour lui. Une bonne adresse, à la clientèle locale et touristique, attablée au profit d'une cuisine « popote » bien sentie. Son menu comprend donc régulièrement des plats robustes propres à satisfaire les boulimiques. Carte des vins d'un bon rapport qualité-prix. Service souriant. Apéritif maison offert à nos lecteurs sur présentation de ce guide.

Apollon *(plan B1, **24**) :* 24, rue Jean-Nicot, 75007. ☎ 01-45-55-68-47. Ⓜ La Tour-Maubourg. ♿ Service de 11 h 30 à 15 h et de 18 h 30 à 23 h. Fermé le dimanche. Formule à 15,50 € le midi, menu à 23 € le soir ; compter 30-35 € à la carte. Costas Stamkopoulos joue sa partition hellène avec la grâce d'un bon danseur de sirtaki, dans un décor terre cuite très accueillant. Copieux menu comprenant entrée, plat et boisson le midi, et menu plus étoffé le soir. À la carte, la bonne idée, c'est de se partager une *pikilia* (assortiment de hors-d'œuvre) ou une copieuse salade grecque, et faire suivre avec un *kleftiko* (épaule d'agneau à l'étouffée à la feta, ail, thym). Très bon yaourt maison au torchon. Pour les inconditionnels, Costas a ouvert juste à côté une boutique-traiteur avec coin dégustation à toute heure...

lel ***Le Café des Lettres*** *(plan D1, **16**) :* 53, rue de Verneuil, 75007. ☎ 01-42-22-52-17. Ⓜ Rue-du-Bac ; RER C : Musée-d'Orsay. Ouvert tous les jours de 12 h à 23 h (16 h le dimanche). Congés annuels : du 21 décembre au 3 janvier. Plats du jour entre 15 et 20 € ; brunch à 25 € le dimanche ; prévoir environ 30 € pour un repas complet à la carte. Passez le porche de l'hôtel particulier d'Avejan, devenu le Centre national des lettres, et entrez au *Café des Lettres* où, depuis plus de 17 ans, se pressent, outre les écrivains, les habitués de cette rue où vécut Gainsbourg (au n° 3). Les classiques de la cuisine suédoise sont cités sur la carte, mais on vient surtout ici pour la convivialité du bar, l'ambiance qui vous transporte bien loin de Saint-Germain. En été, joli jardin-terrasse très agréable pour une dînette. Chaque mois, une exposition différente de peintures. Café offert à nos lecteurs sur présentation de ce guide.

lel ***Doïna*** *(plan A2, **14**) :* 149, rue Saint-Dominique, 75007. ☎ 01-45-50-49-57. Ⓜ École-Militaire. Ouvert midi et soir. Formule (entrée et plat) à 12 €, mais il n'y a rien de roumain. À la carte, compter autour de 25 €. Au pied de la tour Eiffel, dans un chaleureux décor boisé où cohabitent assiettes folkloriques, photos sépia de Bucarest, poupées du comte Drakul et autres peaux de mouton, on peut découvrir une cuisine des Carpates qui nous tire vers la Grèce : tarama, caviar d'aubergines, *mititei* (boulettes de viande... allongées servies à la pièce, en entrée, avec des sortes de *pickles*), agneau et frites au couteau servis sur une planche. Le service peut être rude... ou inexistant. Pour les curieux.

7e

Plus chic

lel ***Lei*** *(plan B2, **29**) :* 17, av. de La Motte-Picquet, 75007. ☎ 01-47-05-07-37. Ⓜ La Tour-Maubourg ou École-Militaire. Service de 12 h 30 à 14 h 30 et de 19 h 30 à 23 h. Fermé le dimanche midi, le lundi et le mardi midi. Menus à 23 € (le midi) et 29 €. Compter environ 45 € pour un repas complet à la carte. Une nouvelle adresse italienne dans ce 7e arrondissement qui n'en manque pourtant pas. Comment se différencier ? Travailler d'abord sur le lieu, réussir la décoration avec des matériaux et des couleurs bien choisies, bien penser les espaces. Ensuite, élaborer une carte classique, avec de bons produits italiens, additionnée de suggestions du jour, quelques entrées, plats et desserts. Service parfois un peu lent, mais portions généreuses. Prix « actuels » et honnêtes quant à la situation. Clientèle locale et peut-être de passage, pour mieux revenir.

🍴 ***Thoumieux*** *(plan B1,* ***5****) :* 79, rue Saint-Dominique, 75007. ☎ 01-47-05-49-75. Ⓜ La Tour-Maubourg. Ouvert du lundi au samedi de 12 h à 15 h 30 et de 18 h 30 à 23 h, et le dimanche, en continu de 12 h à minuit. Menu brasserie à 20 €, menu corrézien à 28 €. Sinon, plats à la carte entre 12 et 48 € ! Un musée vivant, une des rares brasseries parisiennes à être restées indépendantes et familiales. Le temps a passé, mais les serveurs sont restés, comme les chefs, comme le boucher, comme la pendule ancienne. Chacun joue son rôle, au mieux. On sourit au vieux miroir ou au patron, selon son degré de familiarité ou de timidité, on se régale d'une terrine, d'un tartare ou d'une tête de veau. On trouve ça parfois un peu cher, mais mieux que *Thoumieux*, dans le genre, on cherchera encore longtemps. *NOUVEAUTÉ.*

🍴 ***Aux Fins Gourmets*** *(plan D2,* ***9****) :* 213, bd Saint-Germain, 75007. ☎ 01-42-22-06-57. Ⓜ Rue-du-Bac. Ouvert de 12 h à 14 h 15 et de 19 h 30 à 22 h. Fermé les dimanche et lundi. Congés annuels : en août et entre Noël et le Jour de l'an. À partir de 35 € pour un repas complet. L'adresse plaira autant aux habitués de la rive gauche qu'aux curieux de passage, attirés par un réel bouche-à-oreille. Ici, on est au coude à coude et on discute amicalement sur le choix des entrées, des plats, des desserts et des vins. Une cuisine de famille sans reproche pour une adresse comme on les aime.

🍴 ***Le Clos des Gourmets*** *(plan A1,* ***11****) :* 16, av. Rapp, 75007. ☎ 01-45-51-75-61. Ⓜ Alma-Marceau ; RER C : Pont-de-l'Alma. ♿ Ouvert de 12 h 15 à 14 h et de 19 h 15 à 23 h. Fermé les dimanche et lundi. Congés annuels : en août. Pour déjeuner en semaine, formules à 25 et 29 € ; le soir, menu carte à 33 €. À cinq bonnes minutes de la tour Eiffel. Au regard du décor, ce n'est pas l'adresse où vous mettriez les pieds si on ne vous l'avait soufflée ! Mais cet endroit porte bien son nom, et on vous conseille d'aller découvrir la cuisine d'Arnaud Pitrois, formé chez les plus grands, car elle vaut largement le déplacement. Comme beaucoup de jeunes chefs, Arnaud Pitrois a opté pour un unique menu-carte qui file bien les saisons, avec néanmoins quelques plats phares, comme les huîtres tièdes à la ravigote de vieux vinaigre, le fenouil confit aux épices et sorbet citron... Pour un déjeuner en semaine, la formule, avec 2 plats de la carte, est une très bonne alternative dans le quartier.

🍴 ***Le Petit Tibério*** *(plan D2,* ***30****) :* 132, rue du Bac, 75007. ☎ 01-45-48-76-25. Ⓜ Sèvres-Babylone. Service de 12 h à 14 h 30 et de

19 h à 22 h 30. Fermé le dimanche toute la journée et le mercredi soir. Compter environ 30 € à la carte pour savourer tous les parfums de l'Italie. Tout proche du *Bon Marché,* voilà une adresse discrète que nous vous recommandons chaudement et qui enchantera tous les palais. Depuis près de 20 ans que le chef est en cuisine, les plats sont rodés et respirent l'Italie, comme le service d'ailleurs, jovial et efficace. À la carte, toute la *pasta* bien sûr, des escalopes et, en dessert, pour changer du tiramisù, goûtez à la *panna cotta,* vraiment succulente. Bons vins au pichet à prix raisonnables. Et puis, ça fait plaisir d'être au coude à coude dans un quartier où l'on est peu habitué à la familiarité !

L'Affriolé *(plan B1,* ***26****) :* 17, rue Malar, 75007. ☎ 01-44-18-31-33. Ⓜ et RER C : Invalides. Ouvert du lundi au vendredi de 12 h à 14 h 30 et de 19 h 30 à 22 h 30. Congés annuels : 3 semaines en août et 2 semaines entre décembre et janvier. Formule à 18 € le midi ; menus-carte de 23 à 29 € le midi, de 33 à 40 € le soir. Après avoir fait ses preuves dans de grands restaurants, Thierry Vérola s'est installé ici. Cuisine délicieuse et plats pleins d'innovations, avec une préférence pour les poissons. Mais les menus changent tous les mois et l'ardoise aussi ! En dessert, n'hésitez pas, les gourmands seront satisfaits. Vins un peu chers, la carte est basique mais de bonne tenue. Accueil très prévenant. Apéritif maison offert à nos lecteurs sur présentation de ce guide.

L'Actuel *(plan B1,* ***12****) :* 29, rue Surcouf, 75007. ☎ 01-45-50-36-20. Ⓜ Invalides ou La Tour-Maubourg. Service jusqu'à 23 h 30. Fermé le dimanche. Formules à midi à 17 et 21 €. À la carte, compter autour de 40 €. Une nouvelle équipe pour reprendre un lieu dont le nom semble prédestiné à accueillir ceux qui débutent (en souhaitant qu'ils durent plus longtemps que leurs prédécesseurs). Lieu chaleureux, en soirée plus qu'au déjeuner, pour une cuisine du moment précise, parfumée, réalisée par un jeune chef, Jimmy Merle, qui vient du *Taillevent* et *Senderens,* et qui se lance à la conquête d'un quartier qui ne manque pas de bonnes tables. Bon courage ! *NOUVEAUTÉ.*

Restaurant Le Gorille Blanc *(plan D2,* ***32****) :* 11 bis, rue Chomel, 75007. ☎ 01-45-49-04-54. Ⓜ Sèvres-Babylone. Ouvert midi et soir sauf les samedi et dimanche. Service jusqu'à 23 h. Menu à 19 € le midi, avec entrée + plat ou plat + dessert. À la carte, compter 30 €. L'ancien patron du *Grizzli* a laissé les montagnes du 4e arrondissement pour atteindre la forêt du 7e et y installer son *Gorille Blanc.* Ça c'est une bonne idée d'explorateur cuisinier. Décor de bistrot bourgeois où chaises et banquettes sont confortables. Dans l'assiette, une cuisine traditionnelle française, penchant vers les Pyrénées. Les produits sont bons et les cuissons justes. La touche créative du chef ajoute à la qualité de la cuisine. Très bonne carte des vins de toutes les régions, à des prix sympas. Dépêchez-vous, les bonnes nouvelles vont vite ! *NOUVEAUTÉ.*

Café de l'Esplanade *(plan B1-2, **22**)* **:** 52, rue Fabert, 75007. ☎ 01-47-05-38-80. Ⓜ La Tour-Maubourg. Ouvert tous les jours de 8 h à 2 h. Plats à la carte de 19 à 36 €. Voici l'un des derniers challenges des frères Costes (encore eux !) au cœur du 7e arrondissement. Pour la déco, Jacques Garcia a donné, une fois de plus, dans le style nouveau néoclassique, qui s'impose à deux pas des Invalides : intrados des arcatures doré mat, boiseries peintes couleur bronze oxydé, faux fûts de canon, faux boulets, fausses chaînes, fausses bougies, faux sièges Empire... Pour la cuisine, pas de surprise, mêmes recettes que dans les autres Costes, mais on vient surtout pour la situation exceptionnelle et la vue imprenable sur le dôme des Invalides. Agréable terrasse, prise d'assaut aux beaux jours. Côté ambiance sonore, on déplore la compil' de musique électronique qui tourne en boucle.

Les Fables de la Fontaine *(plan B1-2, **31**)* **:** 131, rue Saint-Dominique, 75007. ☎ 01-44-18-37-55. Ⓜ École-Militaire. Service de 12 h à 14 h 30 et de 19 h à 23 h. Fermé les dimanche et lundi. Entrées autour de 10 €, plats à 20 €. Au moins, c'est clair... Christian Constant inaugure sa formule « côté mer » avec ce bistrot nouvellement confié à Sébastien Gravé et David Bottreau, anciens du *Violon d'Ingres,* la maison mère. Situé à la hauteur de la fontaine de Mars, ce restaurant, côté intérieur, offre une vingtaine de couverts, dans une déco chaleureuse aux tons chocolat ; côté extérieur, 6 tables très courues à la belle saison. Dans l'assiette, la carte change tous les jours mais on pourra retrouver les ravioles de langoustines cuites dans leur bouillon ou encore les noix de Saint-Jacques poêlées et leur purée de topinambour aux châtaignes. Vins servis au verre à partir de 3,50 €.

La Maison des Polytechniciens – Restaurant Le Club *(plan D1, **17**)* **:** 12, rue de Poitiers, 75007. ☎ 01-49-54-74-74. Ⓜ Solférino. Service de 12 h 30 à 14 h et de 19 h 30 à 21 h 30. Fermé les week-ends et jours fériés. Congés annuels : en août et entre Noël et le Jour de l'an. Un menu à 36 € ; à la carte, compter autour de 60 €. Installé dans l'ancien hôtel de Poulpry, un bel édifice du XVIIIe siècle où Watteau exerça son talent (il reste un plafond peint d'arabesques). C'est ici qu'une réunion des chefs monarchistes choisit de porter un certain prince Louis-Napoléon à la tête de l'État, sur le thème « C'est un crétin qu'on mènera ». On a vu où cela a mené ! En 1930, la maison des Polytechniciens acquiert ce lieu. Ces dernières années, son resto ronronnait quelque peu. Un jeune chef plein d'allant et d'idées, Pascal Chantelkoup, a redonné une belle jeunesse à cette vénérable institution. Sa cuisine se révèle légère et copieuse tout à la fois, fraîche et inspirée. Remarquables desserts, carte des vins au diapason, service impeccable. Apéritif maison et café offerts à nos lecteurs sur présentation de ce guide.

|●| ***Au Petit Tonneau*** *(plan B1, **23**) :* 20, rue Surcouf, 75007. ☎ 01-47-05-09-01. Ⓜ Invalides ou La Tour-Maubourg. Ouvert tous les jours de 12 h à 15 h et de 19 h à 23 h. Congés annuels : 1 semaine en août. Formule à 20 € le midi (entrée + plat ou plat + dessert). Carte autour de 40 €. Ginette, la patronne, a son franc-parler. Sur sa carte, elle indique « une cuisine de femme ». Elle fait bien, car ses plats ont ce petit plus qui les différencie d'ailleurs. Ils sont travaillés à l'ancienne. Les poissons et coquillages sont d'une fraîcheur remarquable, d'ailleurs ils ne sont proposés qu'en plats du jour, c'est un signe. En bonne Tourangelle, Ginette propose une carte qui fait la part belle aux vins de Loire (sancerre exceptionnel) et aux poissons. Et comme elle a aussi une maison en Normandie, sa cuisine s'inspire, entre autres, de cette région.

|●| ***Le Basilic*** *(plan C2, **25**) :* 2, rue Casimir-Périer, 75007. ☎ 01-44-18-94-64. Ⓜ Solférino. Ouvert tous les jours de 12 h à 14 h 30 et de 19 h 30 à 22 h 30. Prévoir entre 30 et 40 € à la carte. Le Tout-7e aime se retrouver dans cette brasserie confortable, avec sa terrasse accueillante derrière l'église Sainte-Clotilde. La carte change à chaque saison, mais pour les fidèles, quelques incontournables : le gigot d'agneau rôti au sel de Guérande, le chateaubriand rossini, les ravioles au basilic, la sole meunière font le bonheur d'une clientèle aux bonnes manières et assez conservatrice dans ses goûts. Pas vraiment routard mais reposant après une longue balade dans cet arrondissement qui recèle quelques belles surprises architecturales.

7e

Très chic

|●| ***L'Atelier Joël Robuchon*** *(plan D2, **8**) :* hôtel Pont-Royal, 7, rue de Montalembert, 75007. ☎ 01-42-22-56-56. Ⓜ Rue-du-Bac. ♿ Ouvert tous les jours de 11 h 30 à 15 h 30 et de 18 h 30 à minuit. Réservation possible pour les premiers services (à 11 h 30 et 18 h 30) ; indispensable d'arriver à l'heure : les tables sont redistribuées au bout de 15 mn ! Entre 50 et 80 € si vous vous lâchez sur les miniplats de dégustation. Oui, il faut faire la queue ou venir 10 mn avant l'ouverture. Mais Robuchon, ça se mérite et il faut le prendre comme tel. Il aime le travail bien fait – réminiscence de son passage au petit séminaire – et il s'attache au produit avant tout. Dieu que cela est vrai ! Tout est beau, tout est bon. Du gaspacho de tomates aux croûtons dorés suaves et soufflé à la chartreuse-crème glacé à la pis-

tache totalement exquis en passant par les ris de veau cloutés de laurier à la feuille de blette. Et on pourrait détailler toute la carte comme ça. Un secret : la célébrissime purée Robuchon est servie avec la côte d'agneau. Le tout accompagné d'une sélection de vins plus que judicieuse (le vin des Cévennes est très abordable). On est assis sur de confortables tabourets dans un décor sombre et l'on peut à loisir observer le ballet des cuisiniers et des serveurs qui s'activent, de l'autre côté, dans ce décor sobre, zen, quasiment théâtral.

Où boire un verre ?

🍸 ***O'Brien's*** *(plan B1, **42**) :* 77, rue Saint-Dominique, 75007. ☎ 01-45-51-75-87. Ⓜ Invalides ou La Tour-Maubourg. Ouvert tous les jours de 17 h à 2 h (4 h le week-end). Pinte à 6,70 € (5,30 € pendant les *happy hours*). Ce pub tenu par un Gaulois et sa femme irlandaise a réussi son pari. C'est bondé en permanence. Rien d'étonnant à cela, l'arrondissement manquant singulièrement de lieux tout à la fois jeunes et vivants. À la carte : Guinness, Kilkenny, Cider, blanche... à la pression, et Corona, Carlsberg, Becks en bouteille.

🍸 ***Le Café du Marché*** *(plan B2, **40**) :* 38, rue Cler, 75007. ☎ 01-47-05-51-27. Ⓜ École-Militaire. Ouvert tous les jours de 7 h à minuit (16 h le dimanche). Plats du jour à partir de 9 € le midi, 10,50 € le soir; salades à 8 € le midi, à 9,50 € le soir. Terrasse sympathique pour profiter de l'animation marchande de la rue. Cela suffit amplement pour que l'on ait envie de se poser un instant devant un verre avant d'aller faire une photo-souvenir à la tour Eiffel toute proche.

🍸 ***Le Malone's*** *(plan B2, **41**) :* 64, av. Bosquet, 75007. ☎ 01-45-51-08-99. Ⓜ École-Militaire. Ouvert de 17 h à 2 h. Fermé les dimanche et jours fériés. Congés annuels : la 2e quinzaine d'août. Alcools et cocktails de 7,50 à 8,50 €. *Happy hours* de 17 h à 20 h. Trois ou quatre soirs par semaine, cet établissement tranquille se transforme en piano-bar, et la petite salle du sous-sol peut accueillir une trentaine de personnes. Comptoir à l'américaine où l'on peut boire une coupe au calme ou grignoter sur le pouce. Sinon, cocktails et champagne à la carte.

8e ARRONDISSEMENT

Où manger ?

Très bon marché

|●| ***Foyer de la Madeleine*** *(plan D2,* ***28****)* **:** dans l'église de la Madeleine (côté *Fauchon,* derrière les fleuristes), 75008. ☎ 01-47-42-39-84. Ⓜ Madeleine. Ouvert du lundi au vendredi de 11 h 45 à 14 h. Congés annuels : de mi-juillet à fin août. Compter 7 € le menu complet et 8,90 € avec boisson et café. Carte d'adhérent obligatoire, à partir de 2 €. Savez-vous que sous l'église de la Madeleine, un foyer de bénévoles propose un repas complet pour une poignée d'euros ? Dans ce quartier, ça tient du miracle ! D'ailleurs, l'adresse est courue, et le midi on se serre les coudes dans une atmosphère à la bonne franquette. Si vous êtes nombreux, venez dès l'ouverture pour être à la même table, car les places se remplissent au fur et à mesure. Un cadre simple, une enfilade de petites salles voûtées et égayées d'expos de tableaux, pour une cuisine de type cantine (poireaux vinaigrette ou tomates feta, colin sauce dieppoise ou spaghettis bolognaise, et salade de fruits). Le service est assuré par de charmantes dames qui devisent gaiement. Et si vous en ressentez le besoin, un prêtre est à votre disposition au fond de la cafétéria ! Cartes de paiement refusées.

|●| ***Arthur*** *(plan D1,* ***20****)* **:** 15, rue de Madrid, 75008. ☎ 01-42-91-81-90. Ⓜ Europe. Ouvert de 12 h à 17 h. Sandwichs ou salades entre 3,80 et 5,50 €. Tartes à 4,75 €. Formule soupe + tarte du jour à 9 €. Chez *Arthur,* tout est bon, frais et coloré, à l'image du lieu lui-même, repaire chaleureux pour un quartier qui n'a rien d'hilarant en soi. On se rue à midi sur les sandwichs chauds, servis sur place avec salade, comme le « Pointu », savoureux mélange de rôti de bœuf, tomate, salade, cheddar et crème de roquefort, ou le « Méditerranéen », à l'émincé de poulet, tomates confites et basilic. Également des soupes et des desserts maison. Cartes de paiement refusées. Café offert à nos lecteurs sur présentation de ce guide.

|●| ***Chez Léon*** *(plan D2,* ***1****)* **:** 5, rue de l'Isly, 75008. ☎ 01-43-87-42-77. Ⓜ Saint-Lazare ou Havre-Caumartin. Service jusqu'à 22 h environ. Fermé le dimanche. Congés annuels : en août. Compter 15 € au maximum à la carte ; entrées autour

de 4 €, plats du jour à environ 12 €. Le panonceau « Relais routier » intrigue... Il faut dire qu'on est à deux pas de la gare Saint-Lazare, et non sur la nationale 7. Et pourtant, on ne rêve pas, c'est un vrai de vrai. Le menu, les petites dames en tablier blanc, le plastique posé sur les tables pour ne pas salir les nappes, les w.-c. à la turque, les réfrigérateurs années 1950, les hors-d'œuvre et les plats du jour. Cet unique « routier » parisien doit son panonceau à la Fédération des transports routiers, qui eut jadis son siège en face et dont *Léon* était l'annexe. Évidemment, vu les prix, il ne faut pas être trop exigeant...

|●| ***Vivre et Savourer*** *(plan D1,* ***32****) :* 35, rue du Rocher, 75008. ☎ 01-44-70-00-02. Ⓜ Saint-Lazare. Ouvert du lundi au vendredi de 8 h à 16 h 30. Menus sandwichs à 5,50 et 6,90 €, et menu salade à 8,60 €. Plats gratinés à 5,95 €. L'emplacement n'a rien de vraiment campagnard, l'herbe a du mal à pousser rue du Rocher, mais la famille de fermiers qui a ouvert ce snack 100 % naturel a apporté tout à la fois de l'air frais dans le quartier, des jus de fruits extra dans les verres et des légumes de saison dans l'assiette. Que des produits frais, labellisés, qu'on choisit en vitrine avant d'aller se poser, avec son plateau, sur un coin de table. Accueil souriant et naturel lui aussi. Café offert à nos lecteurs sur présentation de ce guide.

|●| ***À Toutes Vapeurs*** *(plan D2,* ***8****) :* 7, rue de l'Isly, 75008. ☎ 01-44-90-95-75. Ⓜ Havre-Caumartin ou Saint-Lazare. Service en continu de 11 h à 23 h. Fermé le dimanche. Paniers salés de 6 à 12 €, paniers dessert autour de 3,50 €. À la carte, compter entre 15 et 25 €. Pas de panique ! Vous n'aurez pas à déployer une grande nappe à carreaux dans le square voisin, les paniers-repas ne sont que d'habiles prétextes pour présenter les mets avec la manière. Il suffit de faire son marché parmi les petits plats colorés, d'y adjoindre un filet d'huile d'olive et de confier le tout aux bons soins des cuisiniers. Résultat à la hauteur des attentes gustatives : la cuisson à la vapeur n'altère pas les saveurs et laisse les produits frais s'exprimer en toute liberté. Petite terrasse dans une cour intérieure et coin-salon ou jolie salle saumonée un poil tendance pour les frileux. Café offert à nos lecteurs sur présentation de ce guide.

Bon marché

|●| ***Shin Jung*** *(plan D1,* ***3****) :* 7, rue Clapeyron, 75008. ☎ 01-45-22-21-06. Ⓜ Europe, Rome ou Place-de-Clichy. Service de 12 h à 14 h 30 et de 19 h à 22 h 30. Fermé les dimanche et jours fériés, à midi. Formules à partir de 8,40 € le midi et 14,90 € le soir ; on vous conseille celle à 20 €. Un des meilleurs restos coréens de Paris, ce que ne

Où manger ?

1 Chez Léon
2 Sens – La Compagnie des Comptoirs
3 Shin Jung
4 Flora Danica Restaurant
6 Le Boucoléon
8 À Toutes Vapeurs
9 L'Évasion
12 Chez Clément
13 Trattoria Bocconi
14 La Fermette Marbeuf
17 La Ferme des Mathurins
18 Pomze
19 Cô Ba Saigon
20 Arthur
21 L'Atelier des Chefs
23 Le Bœuf sur le Toit
24 La Brasserie Lorraine
26 L'Appart
28 Foyer de la Madeleine
30 Al Diwan
31 Olsen
32 Vivre et Savourer

Restaurants de nuit

10 La Maison de l'Aubrac
16 L'Alsace

Salons de thé

35 Café Jacquemart-André
36 Ladurée

Où boire un verre ?

40 The Cricketer Pub
41 La Cervoise
42 Le Buddha Bar
43 Le Forum
45 Le Doobie's
47 Le Jaïpur
48 Bugsy's

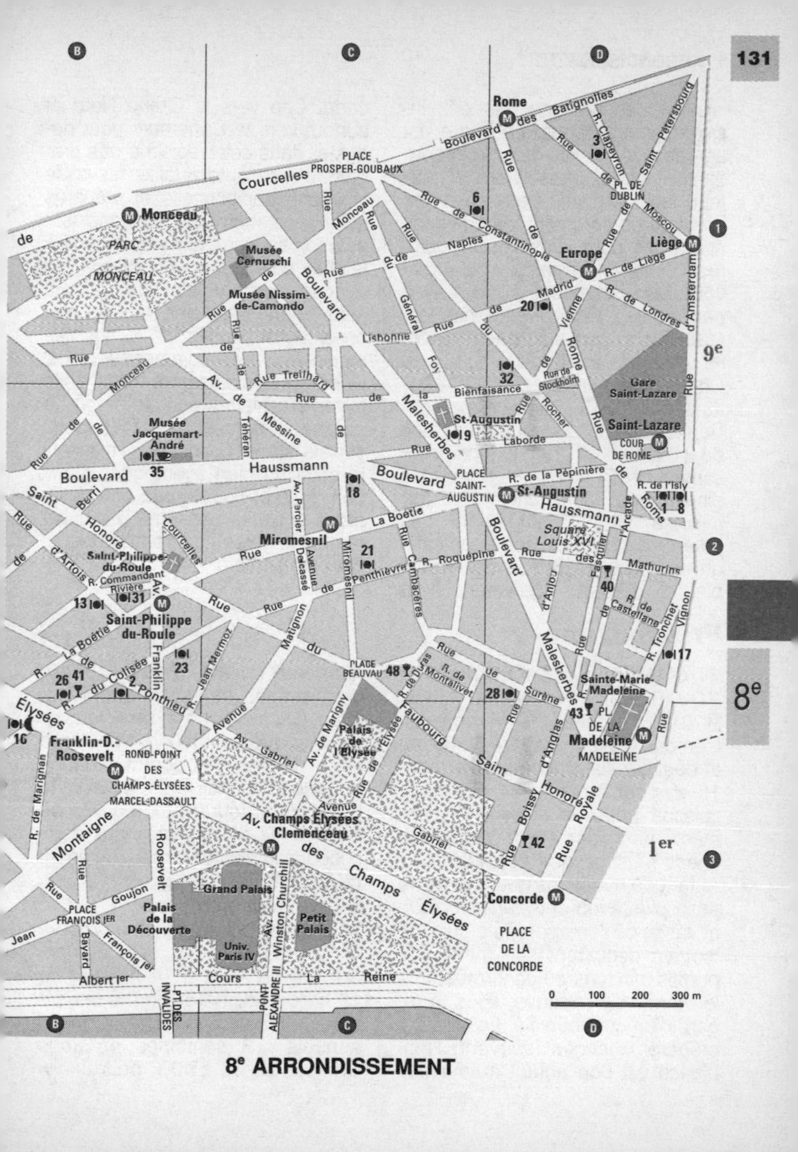

8e ARRONDISSEMENT

laissent pas présager les prix incroyablement sages. Le cadre est agréable, le service dévoué et souriant. Raviolis, poisson cru et surtout les délicieux barbecues de bœuf ou de porc sont les quelques spécialités dont vous vous régalerez. Palais sensibles, rassurez-vous, les épices sont utilisées avec parcimonie... Café offert à nos lecteurs sur présentation de ce guide.

Olsen *(plan B2, **31**)* : 6, rue du Commandant-Rivière, 75008. ☎ 01-45-61-43-10. Ⓜ Saint-Philippe-du-Roule. Ouvert du lundi au vendredi de 9 h à 19 h 30 (19 h le lundi) et le samedi de 10 h à 19 h. Fermé les dimanche et jours fériés. Une formule à 15 €, comprenant des *smørrebrøds,* un dessert et un café, ou un menu à 26 € avec entrée, plat et dessert. Également à la carte. Cap vers le Grand Nord et surtout vers le Danemark pour déguster dans cette épicerie des produits d'excellente qualité, issus de la pêche traditionnelle et préparés selon des méthodes artisanales : saumon sauvage fumé ou mariné à la chair pâle et fondante (rien à voir avec le saumon d'élevage), tarama sans colorant artificiel, harengs marinés accommodés de différentes manières... À consommer sur place, juché sur des tabourets hauts, sous forme d'assiettes complètes ou de *smørrebrøds* (ces sandwichs ronds et plats que les Scandinaves mangent le midi) ou bien à emporter. C'est bon, frais et fin. Gardez une petite place pour les desserts, particulièrement le gâteau au fromage blanc. Service aimable.

Prix moyens

8e

L'Atelier des Chefs *(plan C2, **21**)* : 10, rue de Penthièvre, 75008. ☎ 01-53-30-05-82. Ⓜ Miromesnil. L'en-cas (1 plat), préparé en 30 mn et dégusté sur place au déjeuner : 15 € ; pour 2 plats : 34 €. Quelle cuisson pour ce poisson ? Comment découper ces petits oignons ? Est-ce que ce sera bon ? Autant de questions que l'on ne se pose plus avec cet atelier ludique et vaste, où l'on apprend à cuisiner tout en dégustant ses mets. Apprentis mirlitons ou confirmés, tout le monde s'y retrouve, sous le regard d'un chef qualifié. Les plats à préparer changent souvent, l'ambiance est bon enfant autour des fourneaux rutilants. À la fin de l'apprentissage, les nouveaux Robuchon, Ducasse ou Veyrat – vous ! – se retrouvent autour d'une large table d'hôtes, en commentant le goût de la chantilly faite maison, le fumet de la tourte aux morilles ou l'amertume du moelleux aux deux chocolats. Réserver à l'avance. *NOUVEAUTÉ.*

Le Boucoléon *(plan C1, **6**)* : 10, rue de Constantinople, 75008. ☎ 01-42-93-73-33. Ⓜ Europe. Service de 12 h à 14 h 30 et de 19 h 30 à 22 h 15. Fermé les samedi midi et dimanche. Congés annuels : 3 semaines en août. Compter de 35 à 40 € pour un repas complet. Cet établissement à l'étrange nom de palais stambouliote propose une cuisine du Sud-Ouest revisitée. Le cadre clair, à la décoration sobre et contemporaine, évoque discrètement rugby, pelote basque et corrida. Et cela convient parfaitement aux plats simples mais goûteux (Parmentier de boudin noir, araignée de porc rôtie à la bière purée miette) qu'accompagne un large choix de vins au verre (4 à 5 €), dont le capiteux irouléguy et le royal jurançon. Entrées et desserts sont simples mais bienvenus, présentés avec sobriété. Le service est attentionné, et la clientèle se presse à la quinzaine de tables souvent toutes occupées... Juste en face, au *P'tit Bouco,* salades, tartines, plat du jour, tapas et vins de propriétaire. Café offert à nos lecteurs sur présentation de ce guide.

|●| ***Pomze*** *(plan C2,* ***18****)* **:** 109, bd Haussmann, 75008. ☎ 01-42-65-65-83. Ⓜ Saint-Augustin. Wi-fi. Service de 12 h à 14 h 30 et de 19 h à 22 h 30. Fermé le dimanche. Menu-carte à 32 € ; plats à partir de 18 € ; salon de thé à toute heure, hors horaires de service du restaurant. Inconditionnels de la pomme, poussez la porte ! Ici, tout tourne autour d'un fruit moins défendu que recommandé, sous toutes ses variétés et toutes ses formes... Le menu-carte propose un choix de 4 entrées, plats et desserts. Le tout est créatif, sans verser dans l'audace malvenue ; les associations et les saveurs sont raffinées et savamment dosées. Ravioles de volaille au cidre, pastilla de foie gras chaud aux pommes poêlées... Les desserts ne sont pas en reste. Côté gosier, une carte de 30 cidres de producteurs, en bouteille ou au verre. Claustros, évitez le sous-sol, intimiste certes, mais sans ouverture. Un cadre agréable et lumineux, une équipe sympathique aux commandes. Et pour prolonger le plaisir, un coin-épicerie (cidre, chutneys, calvados...). Apéritif maison offert à nos lecteurs sur présentation de ce guide.

|●| ***Chez Clément*** *(plan A2,* ***12****)* **:** 123, av. des Champs-Élysées, 75008. ☎ 01-40-73-87-00. Ⓜ Charles-de-Gaulle-Étoile. Service en continu tous les jours jusqu'à 1 h. Formule rôtisserie (entrée + plat ou plat + dessert) à 15,90 € servie midi et soir. Carte autour de 27 €. Dans un décor de demeure de charme, l'atmosphère y est conviviale avec différentes ambiances sur plusieurs niveaux. Aux beaux jours, la grande terrasse est prise d'assaut ! Une autre adresse, dans le même arrondissement, au 19, rue Marbeuf. ☎ 01-53-23-90-00. Ⓜ Franklin-D.-Roosevelt.

|●| ***La Fermette Marbeuf*** *(plan A3,* ***14****)* **:** 5, rue Marbeuf, 75008. ☎ 01-53-23-08-00. Ⓜ Alma-Marceau. Ouvert de 12 h à 15 h et de 19 h à 23 h 30. Formule entrée + plat ou plat + dessert à 25 € le midi en semaine, et à 30 € le soir, boisson comprise ; à la carte, compter autour de 45 € hors boisson. La salle à manger est un chef-d'œuvre de

l'Art nouveau, redécouvert par hasard en 1978 pendant des travaux et inscrit à l'inventaire des Monuments historiques. Un restaurant-musée où l'on se doit de dîner une fois dans sa vie, car indissociable du patrimoine parisien. Plats incontournables : feuilleté d'escargots au beurre d'ail, tournedos Rossini ou simple steak tartare prennent une autre dimension dans ce lieu magique. Apéritif maison offert à nos lecteurs sur présentation de ce guide.

L'Appart *(plan B2-3, **26**) :* 9-11, rue du Colisée, 75008. ☎ 01-53-75-42-00. Ⓜ Franklin-D.-Roosevelt. Parking en face du restaurant. Ouvert tous les jours de 12 h à 15 h et de 18 h à 23 h 30. Bar ouvert jusqu'à 2 h. Le dimanche, brunch dès 12 h 30 avec atelier pâtisserie pour les enfants. Menus entre 25 et 30 €. À la carte, compter 45 €. Cette adresse, qui a su préserver son identité germanopratine grâce au renouveau de son club de jazz, joue la carte branchée : foie gras frais de canard aux figues, agneau et sa purée de potiron à l'huile de noisette... Côté déco, on mange à *L'Appart* comme chez soi, dans une salle conviviale, tout en profondeur, entre la bibliothèque et la cheminée. Apéritif maison offert à nos lecteurs sur présentation de ce guide.

8e

Le Bœuf sur le Toit *(plan B2, **23**) :* 34, rue du Colisée, 75008. ☎ 01-53-93-65-55. Ⓜ Franklin-D.-Roosevelt ou Saint-Philippe-du-Roule. Ouvert tous les jours de 12 h à 15 h et de 19 h à 1 h (minuit en juillet-août). Formules autour de 23 € à midi et de 30 € le soir. Assez cher à la carte. On est loin du temps où Cocteau, Picasso, Poulenc, Milhaud et les autres s'y retrouvaient... Reconstituée (à quelques rues de la 1re enseigne, comme pour *L'Olympia*) dans les années 1940, cette brasserie reste un bel hommage aux années de l'entre-deux-guerres. Les gravures, dessins et autres sculptures accrochés aux murs sont autant de témoignages poignants des années folles. Carte de brasserie améliorée et bonnes spécialités de fruits de mer.

Cô Ba Saigon *(plan B2, **19**) :* 181, rue du Faubourg-Saint-Honoré, 75008. ☎ 01-45-63-70-37. Ⓜ Charles-de-Gaulle-Étoile. ♿ Service de 12 h à 14 h 30 et de 19 h à 22 h. Fermé le samedi midi et le dimanche. Congés annuels : 3 semaines en août. Menu à 17,40 € le midi. À la carte, compter autour de 26 €. Cô Ba? C'est elle qui servit de modèle pour le timbre de ce qui s'appelait à l'époque l'Indochine. Une reproduction figure d'ailleurs sur les menus, aux côtés de quelques classiques vietnamiens franchement soignés, comme la salade de calamars émincés ou la brochette de travers de porc. En prime, une jolie petite salle rougeoyante, parsemée de belles photos, un accueil adorable et des prix sages comme tout, dans un quartier qui n'en a pas spécialement l'habitude. Apéritif maison ou café offert à nos lecteurs sur présentation de ce guide.

Plus chic

|●| ***La Ferme des Mathurins*** *(plan D2,* ***17****)* **:** 17, rue Vignon, 75008. ☎ 01-42-66-46-39. Ⓜ Madeleine. ♿ Ouvert midi et soir jusqu'à 22 h. Fermé les samedi, dimanche et jours fériés. Congés annuels : en août et 10 jours à Noël. Menus à 29 et 39 €. Compter autour de 45 € à la carte. Simenon y avait ses habitudes, une plaque de cuivre le rappelle, et c'était dans les années 1930 ; c'est dire que la maison est au-delà des modes éphémères. Cuisine du Morvan. Ici, on est au royaume de la persillade, du jambon à la crème, de l'andouillette cuisinée à la moutarde, du saucisson au vin et de succulentes pièces de charolais. Dans les bourgognes, essayez l'irancy. Patron au fourneau et madame en salle. Accueil sans chichis, la plupart des clients sont des habitués de longue date.

|●| ***Trattoria Bocconi*** *(plan B2,* ***13****)* **:** 10, rue d'Artois, 75008. ☎ 01-53-76-44-44. Ⓜ Saint-Philippe-du-Roule. Service de 12 h à 14 h 30 et de 20 h à 23 h 30. Fermé les samedi midi et dimanche. À la carte, compter entre 35 et 40 €. La décoration y est élégante, bien qu'on y soit un peu serré ; le service, souriant, est plutôt efficace. Les plats, eux, sont italianissimes, avec, par exemple, les raviolis à la *ricotta* ou l'espadon parfaitement grillé, et la simple mais sublime *panna cotta* aux fraises ou le classique tiramisù. Un excellent italien, donc, à la cuisine dans l'air du temps.

|●| ***La Brasserie Lorraine*** *(plan A1,* ***24****)* **:** 2-4, pl. des Ternes, 75008. ☎ 01-56-21-22-00. Ⓜ Ternes. Service continu de 7 h à 1 h. À la carte uniquement : compter de 55 à 65 €. Formule dîner-spectacle à partir de 52 €. Grand classique de la brasserie parisienne, pilier de la place des Ternes, le bel établissement des frères Blanc continue sur sa lancée sans grand bouleversement. Dans cette vaste salle rétro (récemment rénovée) aux banquettes rouges et nappes blanches, ou sur l'agréable terrasse en été, on déguste une honnête choucroute et des plateaux variés de fruits de mer, ainsi que quelques spécialités lorraines bien exécutées.

|●| ***Sens-La Compagnie des Comptoirs*** *(plan B2,* ***2****)* **:** 23, rue de Ponthieu, 75008. ☎ 01-42-25-95-00. Ⓜ Franklin-D.-Roosevelt ou Saint-Philippe-du-Roule. Service jusqu'à 23 h. Fermé le dimanche. Plat du jour le midi (avec vin ou café) à 18 €. Menus à 22 € à midi et à 28 € le soir. Menu-carte à 38,50 €. Les frères Pourcel, chefs incontestablement jumeaux au talent reconnu aussi bien dans le monde de la cuisine que dans celui des affaires, adorent partir dans tous les « sens », au gré de leur fantaisie et des rencontres. Nul besoin d'aller forcément à Montpellier, à Londres ou à l'île Maurice pour découvrir leur cuisine dite des Comptoirs : Paris accueille, à deux pas de l'Élysée, leur nouvel es-

pace, minimaliste côté déco mais ouvert à tous les goûts et tous les portefeuilles, à découvrir au fil des heures et des saisons. Comme leur cuisine, sans complexes frontaliers, imaginant pour vous des formules de brasserie moderne, sur fond de saveurs originales aux influences « coloniales », même si on n'ose plus dire ce mot dans les livres d'école. Une cuisine qui éclate en bouche, sans jamais lasser, l'œil se régalant autant que le palais. Carte des vins maligne, et service efficace.

Al Diwan *(plan A3,* ***30****)* **:** 30, av. George-V, 75008. ☎ 01-47-20-84-98. Ⓜ George-V ou Alma-Marceau. Au rez-de-chaussée c'est la brasserie, avec un menu à 19,50 €, des formules « assiette bistrot » (9 entrées) à 14 € ou « assiette bistrot plus » (3 entrées, 2 grillades) à 16 €. Brunch le dimanche, de 12 h à 16 h 30, à 40 €. Côté resto, au 1er étage, uniquement à la carte, compter de 61 à 67 €. Ici, la carte est somptueuse et il serait dommage de se contenter des *mezze* habituels. Il faut se laisser conduire et séduire par le garçon, dont les conseils avisés feront gonfler une addition évidemment salée. Ce restaurant du quartier de l'Étoile est aussi un rendez-vous de la jeunesse dorée beyrouthaine qui recrée l'ambiance de la rue Hamra, les Champs-Élysées de Beyrouth. Vers 23 h, il faut absolument quitter la table du festin et s'installer dans le *diwan* avec des musiciens au son desquels les danseurs se bousculent dans cet espace étroit...

8e

Flora Danica Restaurant *(plan A2,* ***4****)* **:** 142, av. des Champs-Élysées, 75008. ☎ 01-44-13-86-26. Ⓜ George-V. ♿ Ouvert tous les jours de 12 h 15 à 14 h 30 et de 19 h 15 à 23 h. Menu à 33 € le midi (sauf dimanche). Buffet scandinave les dimanche et jours fériés à 35 €. À la carte, compter autour de 50 €. C'est la véritable ambassade du pays d'Andersen, dans tous les sens du terme. Devant, terrasse sur les Champs, très appréciée des Scandinaves. Oublions d'emblée le resto *Copenhague,* très chic et très cher. Au fond du rez-de-chaussée, là où se trouve le *Flora Danica,* petit jardin en mezzanine et salle en partie sous tente, dans une déco design et épurée. Spécialités danoises froides : hareng, flétan, saumon ou renne fumé au raifort. Assiettes de poissons fumés en deux tailles et tarama, mais les portions sont un peu chiches. Excellents desserts, comme le *rød grød* aux fruits rouges. Pour accompagner ces délices, boire une *Cérès,* la bière royale, et couronner le tout avec un petit verre de vodka Danzka ou d'aquavit Aalborg pour se réchauffer. Attention, l'addition grimpe assez rapidement.

L'Évasion *(plan C2,* ***9****)* **:** 7, pl. Saint-Augustin, 75008. ☎ 01-45-22-66-20. Ⓜ Saint-Augustin. Service de 12 h à 14 h 30 et de 19 h à 22 h 30. Fermé le dimanche. Menu à 30 €, uniquement le soir. À la carte, prévoir environ 50 € (avec un verre de vin). Un vrai bar à vin, avec un look sympa d'élégant néo-bistrot. Confortables banquettes de velours. Accueil affable en prime. Le traditionnel tableau noir au mur est réservé aux vins du mois ou de la semaine, car ici une rigoureuse sélection a permis d'en choisir quelques centaines parmi les meilleurs au meilleur prix... Nombreux vins au verre : notre corbières à 6,50 €, particulièrement bien choisi, ruisselait de fraîcheur. Les bouteilles débutent à 22 €. Pour accompagner les vins, des plats du terroir confectionnés avec de bons produits et une touche personnelle affirmée. Goûts et assaisonnements fins comme tout, épices bien dosés, belle présentation. Certes, ce n'est pas à l'évidence une adresse bon marché, mais elle est au diapason de la sociologie du quartier et des nombreux hommes d'affaires à la mine réjouie qui s'y pressent, majoritairement le midi (à propos, penser à réserver midi... et soir). Atmosphère cependant pas pesante et service diligent. Bu et approuvé !

Restaurants de nuit

I●I ☾ ***La Maison de l'Aubrac*** *(plan B3, **10**)* **:** 37, rue Marbeuf, 75008. ☎ 01-43-59-05-14. Ⓜ Franklin-D.-Roosevelt. ♿ Ouvert tous les jours, 24 h/24. À la carte uniquement : compter autour de 40 €. L'atout principal de ce restaurant, situé à une enjambée des Champs-Élysées, tient d'abord dans son ouverture permanente. Également appréciable, la bonne tenue des produits en provenance directe de l'Aveyron natal des propriétaires (qui sont eux-mêmes éleveurs à Laguiole). La viande de bœuf (entrecôte, faux-filet...), par exemple, arrive en direct de l'Aubrac. Spécialités de joues de bœuf, pot-au-feu. Vers 3 h, cette maison s'emplit peu à peu des travailleurs de la nuit et des affamés du petit matin, faisant tous un sort à l'aligot, particulièrement recommandé. Sélection de 1 200 vins.

I●I ☾ ***L'Alsace*** *(plan B3, **16**)* **:** 39, av. des Champs-Élysées, 75008. ☎ 01-53-93-97-00. Ⓜ Franklin-D.-Roosevelt. Ouvert tous les jours, 24 h/24. Menus à 24 et 30 € ; à la carte, compter autour de 45 €. Belle déco à partir de glaces biseautées, trompe-l'œil, marqueteries. Atmosphère chaleureuse. Dans votre assiette, vous retrouverez toutes les saveurs d'un riche patrimoine culinaire : choucroute cuite à la vapeur dans les règles de l'art, accompagnée des traditionnels lard fumé, montbéliard, petit salé aux subtils fumets. Et puis bien d'autres viandes, poissons, fruits de mer, notamment le tartare de bœuf et la sole meunière. Beaux desserts. Dégustez un pinot noir bien frais, les yeux fermés, vous vous prenez déjà pour une cigogne... Enfin, puisqu'on en parle, l'office de tourisme d'Alsace est juste à côté. Apéritif maison offert à nos lecteurs sur présentation de ce guide.

Salons de thé

*Café Jacquemart-André (plan B2, **35**) :* 158, bd Haussmann, 75008. ☎ 01-45-62-04-44. Ⓜ Miromesnil ou Saint-Philippe-du-Roule. Ouvert tous les jours de 11 h 45 à 17 h 30. Plats du jour à 13 €, formule déjeuner à 15,20 € ; à la carte, compter 20 €. Brunch à 25 €. Installé dans la salle à manger d'apparat des anciens maîtres de maison, qui vaut à elle seule le détour : plafond de Tiepolo, tapisseries, vasques de lumière en bronze doré et vue sur cour très agréable. Les habitués du quartier ne s'y trompent pas et s'y donnent souvent rendez-vous pour un brunch ou un repas léger. On se damnerait aussi pour les tartes exquises. Les grands classiques se la disputent à d'audacieux paris gourmands.

***Ladurée** (plan B2-3, **36**) :* 75, av. des Champs-Élysées, 75008. ☎ 01-40-75-08-75. Ⓜ Franklin-D.-Roosevelt. Ouvert de 7 h 30 à minuit et demi ; service de 12 h à 15 h 30 et de 19 h 30 à minuit. Petit dej' servi jusqu'à 12 h, *tea time* de 15 h à 19 h 30. Salades autour de 20 €. Pâtisseries à environ 5-6 € sur place. Carte autour de 30 € et compter environ 10 € pour une collation. Une enseigne qui joue sur la durée, comme son nom l'indique : la maison fut fondée en 1862, rue Royale, en associant le café et la pâtisserie pour permettre aux femmes de fréquenter seules des lieux publics l'après-midi (les cafés traditionnels ne leur étaient pas accessibles). Aménagée en 1997, la succursale des Champs vaut surtout pour sa terrasse couverte et l'époustouflante reconstitution de salons Second Empire. Allez jeter un coup d'œil à la bibliothèque feutrée, aux élégants salons Castiglione, avec fresques et dorures. Les Parisiens se pressent aux comptoirs des douceurs pour faire provision de petits fours ou de pâtisseries. Ne manquez pas de commander l'incomparable macaron (16 variétés différentes), fierté de la maison. Même maison au 16, rue Royale, dans le 8e, et 64, bd Haussmann, dans le 9e.

Où boire un verre ?

***The Cricketer Pub** (plan D2, **40**) :* 41, rue des Mathurins, 75008. ☎ 01-40-07-01-45. Ⓜ Madeleine. Ouvert tous les jours de 10 h à 2 h. Pinte à 6 €. Les baies vitrées largement ouvertes sur l'extérieur permettent aux passants de voir quelle sorte de clientèle le fréquente, tout en offrant aux buveurs une belle vue d'angle, le pub se situant au carrefour de deux rues. La clientèle est majoritairement anglo-saxonne (*traders*, banquiers, cadres des compagnies anglaises...). *The Cricketer* offre un soir par semaine une « Quizz night » (le mardi, sorte de *Trivial Pursuit* en équipe pour gagner une bouteille de champagne et autres lots) qui a beaucoup de succès.

🍸 ***Le Buddha Bar*** *(plan D3, **42**)* **:** 8, rue Boissy-d'Anglas, 75008. ☎ 01-53-05-90-00. Ⓜ Concorde. Ouvert du lundi au vendredi de 12 h à 15 h puis à partir de 16 h ; les samedi et dimanche à partir de 17 h. Fermé les samedi et dimanche midi, ainsi que tous les midis pendant 2 semaines autour du 15 août. Menu le midi à 32 € ; autres menus à 60 et 75 € (hors boisson). Cocktails à partir de 11 €. Voilà un bar qui ne manque pas d'allure avec son escalier monumental, ses salons dînatoires, son bar-mezzanine, son bouddha géant et ses volutes d'encens propres à élever les esprits ! Inutile de rêver cependant, méditation ou pas, il faudra se résoudre à payer l'addition salée d'un dîner sino-américain tendance aigre-doux... Mais à quoi bon chinoiser ? *Buddha* n'est pas ingrat. Rien que pour vos yeux, il fera miroiter les plus jolies filles du monde, les plus mâles des garçons, les plus brillantes des stars et les plus charmants atours. De quoi éveiller en vous la plus zen des vocations... Tenue « branchic » bon genre de rigueur.

🍸 ***Le Forum*** *(plan D2-3, **43**)* **:** 4, bd Malesherbes, 75008. ☎ 01-42-65-37-86. Ⓜ Madeleine. ♿ Ouvert du lundi au vendredi de 12 h à 2 h, le samedi et en août de 17 h 30 à 2 h. Le midi, restauration légère de 12 h à 14 h 30. Fermé le dimanche. Congés annuels : 1 semaine autour du 15 août. Cocktails à partir de 12 €. Tartines de 6 à 10 € toute la journée. Voici un pub de luxe dédié aux amateurs de whisky (et il y en a !). Se définissant comme étant le plus anglais des bars américains, *Le Forum* dispose d'une carte bien fournie (une centaine de références) en liquide ambré écossais, canadien et même japonais et néo-zélandais. Pas loin de 220 cocktails vous sont proposés. Avec son décor d'origine (1930), ses boiseries en acajou et ses fauteuils en cuir, l'endroit est chic et raffiné. Cave à cigares aussi et conseils éclairés !

🍸 ***Le Doobie's*** *(plan B3, **45**)* **:** 2, rue Robert-Estienne, 75008. ☎ 01-53-76-10-76. Ⓜ Franklin-D.-Roosevelt. ♿ Ouvert de 19 h 30 à 4 h (dernier service à minuit et demi) et le dimanche à partir de 12 h. Fermé les dimanche soir et lundi. Compter 28 € pour un repas, sans le vin ; le dimanche midi, *open buffet* sucré-salé à 27 €. Cocktails à 14 €. Difficile d'oublier qu'on arrive dans un lieu fashion du 8e arrondissement ! Pas question d'entrer ici comme dans un moulin : vous sonnez à la porte et on ouvre en vous dévisageant, vous êtes prévenu. Cela dit, l'endroit est intime et finalement pas désagréable. DJ du mercredi au samedi.

🍸 ***Bugsy's*** *(plan C2,* ***48****)* **:** 15, rue de Montalivet, 75008. ☎ 01-42-68-18-44. Ⓜ Madeleine ou Concorde. Service de 12 h à 15 h et de 19 h à 23 h. Bar ouvert tous les jours jusqu'à 1 h. Demi à 3,90 €, pinte à 6,50 €, cocktails à 8 €. *Happy hours* le vendredi de 18 h à 21 h. Replongez-vous dans l'univers d'Al Capone et le Chicago des années 1920. Le bar est immense, bières pression et cocktails coulent à flots. Des photos noir et blanc de gangsters et d'acteurs tapissent les murs. Il ne manque plus qu'Elliot Ness. Mais la musique est plutôt Top 50.

🍸 ***La Cervoise*** *(plan B2-3,* ***41****)* **:** 11 bis, rue du Colisée, 75008. ☎ 01-43-59-81-05. Ⓜ Saint-Philippe-du-Roule ou Franklin-D.-Roosevelt. Ouvert toute la nuit. Plateau-dégustation de 8 bières à 13 €; pains Poilâne garnis, salades, croques et assiettes de charcuterie à 7,30 €. Bar tout en longueur, cuivres, boiseries, miroirs biseautés. Cocktails et vins de proprios, mais surtout, large palette de produits houblonnés : au fût, blondes ambrées, brunes capiteuses et même rosées originales. En bouteilles, trappistes belges, *ales* et *stouts* anglaises, tchèques charpentées, allemandes costaudes, et en vedette, la *Fin du monde,* une solide canadienne qui titre à 9°. Brel, Brassens et Ferré en illustration musicale.

🍸 ***Le Jaïpur*** *(plan A2,* ***47****)* **:** 25, rue Vernet, 75008. ☎ 01-44-31-98-00. Ⓜ Charles-de-Gaulle-Étoile. Ouvert tous les jours de 12 h à 15 h et de 18 h à minuit. Compter 14 € le cocktail. Quasi confidentiel, niché dans le sous-sol de l'élégant *Hôtel Vernet,* un bar de poche décoré par un Cancio Martins *(Buddha Bar, Mandala Ray)* sous influence du Rajasthan et de la route des Indes. Bois sombres, fauteuils profonds, grandes glaces et guéridons s'étirent dans une pénombre étudiée où se découpe un coin bar sur fond de pachydermes dorés. Autant dire qu'on est moins dans le trip éléphants roses, Pataugas et Katmandou que dans le fantasme des Indes coloniales. Et même si Kipling n'est pas au rendez-vous, les cocktails font très club anglais (Majong mixant dry martini et soda, Singapore Sling et inoxydables Pimm's n° 1).

9e ARRONDISSEMENT

Où manger?

Très bon marché

Au P'tit Creux du Faubourg *(plan C2, **2**)* **:** 66, rue du Faubourg-Montmartre, 75009. ☎ 01-48-78-20-57. Ⓜ Notre-Dame-de-Lorette ou Cadet. Ouvert de 8 h à 20 h. Service de 11 h à 16 h. Fermé le dimanche. Congés annuels : de mi-juillet à mi-août. Plat du jour à 9 € et menus à 10 et 12,50 €. Ce gentil caboulot joue la carte du menu à prix corseté. Les habitués, après avoir choisi leur entrée en matière (genre céleri rémoulade ou filets de hareng), poursuivent, selon qu'ils soient viande ou poisson, avec sauté de veau-coquillettes ou filet de rascasse au basilic. Tout se termine, bien entendu, par un dessert du genre crème caramel. C'est franc et sans prétention. Apéritif maison offert à nos lecteurs sur présentation de ce guide.

La Terrasse du Printemps *(plan A3, **4**)* **:** 64, bd Haussmann, 75009. ☎ 01-42-82-62-76. Ⓜ Havre-Caumartin, Saint-Lazare ou Opéra. Service de 11 h 15 à 15 h 30 et le jeudi soir jusqu'à 21 h 30. Bar et salon de thé jusqu'à 19 h. Fermé le dimanche. Compter 8 € pour une assiette froide, entre 9 et 10 € pour une chaude. Quiche du jour autour de 6 €. En fait, c'est un self-service ! Mais il se trouve au 9e étage du *Printemps de la Maison* et possède une gigantesque terrasse qui offre une vue magnifique sur tout Paris. C'est plus un bon plan « vue panoramique » qu'on vous offre en passant. D'ailleurs, beaucoup de Parisiens ignorent que l'on peut s'y prélasser des heures aux beaux jours sans qu'elle ne soit envahie. Et tant que vous êtes en train de faire les magasins, les plus curieux iront jeter un œil au magnifique dôme début XXe siècle, au café *Flo,* situé au 6e étage du *Printemps de la Mode.* Apéritif maison offert à nos lecteurs sur présentation de ce guide.

Bon marché

Paninoteca da Carmine *(plan C1, **10**)* **:** 61, rue des Martyrs, 75009. ☎ 01-48-78-28-01. Ⓜ Pigalle. Fermé les dimanche et lundi.

Où manger ?

1 Rose Bakery
2 Au P'tit Creux du Faubourg
3 La Clairière
4 La Terrasse du Printemps
5 Chartier
6 Le 48 Condorcet
7 Fujiyaki
8 Lou Cantou
10 Paninoteca da Carmine
14 Le Paprika
15 Le Nouveau Paris-Dakar
18 Bistrot Valparaiso
20 La Taverne Kronembourg
21 Velly
22 Restaurant Pétrelle
23 La Petite Sirène de Copenhague
24 Gandhi Ji's
25 J'Go restaurant
26 I Golosi
27 Au Petit Riche
29 Charlot, Roi des Coquillages
30 Le Bistrot
31 Heratchian Frères
32 Les Copains
33 La Table d'Anvers
37 Le Lutin
38 Chez Georgette

Bars à vin

40 La Muse du Chai
41 Le Dit-Vin

Restaurants de nuit

42 À la Cloche d'Or
43 Le Grand Café

Salons de thé

46 Aux Pipalottes Gourmandes
47 La Jolie Vie
48 Les Cakes de Bertrand

Où boire un verre ?

51 Rog et Soirs
52 Au Général La Fayette
53 L'Académie de Billard
56 Chez Sylvain

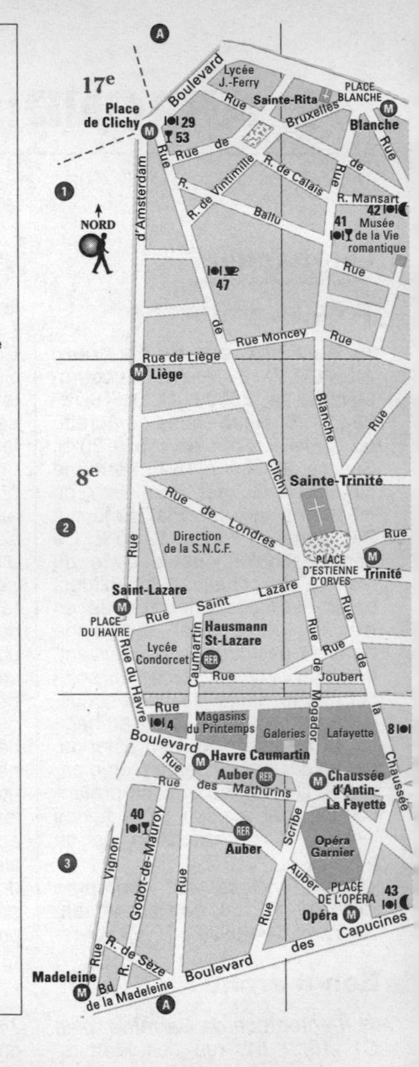

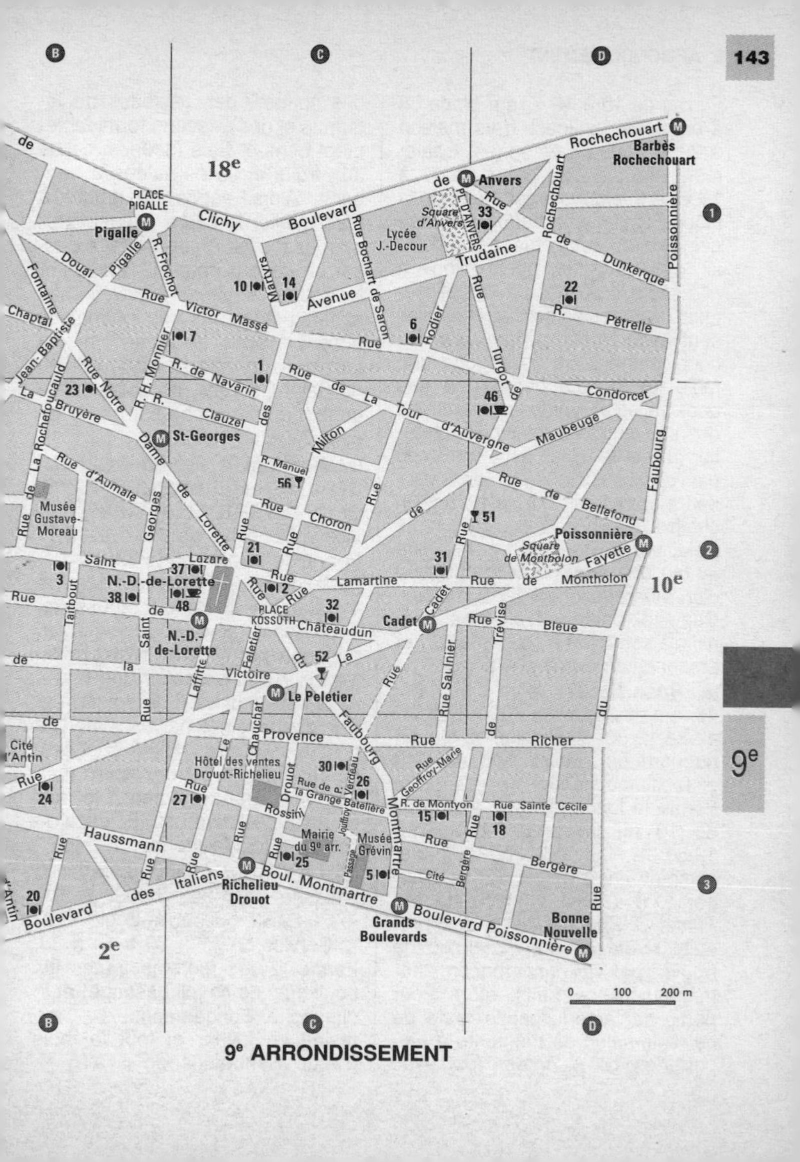

9e ARRONDISSEMENT

Pizzas de 10 à 16 €, sur place ou à emporter ; antipasti frais maison à 22 € pour 2 personnes. Également des plats de pâtes de 12 à 16 €. À quelques enjambées de la place Pigalle, une *trattoria* animée qui déborde sur la rue. La vedette ici, c'est la pizza, qui explique à elle seule le succès de l'établissement. Parsemées de roquette, elles sont assurément généreuses. Du coup, pas évident de dégoter une table en formica dans l'une des deux salles bruyantes qui raniment des souvenirs de cantoche. Quartier oblige, le repas est interrompu par des musiciens ou des vendeurs ambulants qui se fraient un chemin parmi les tables. Et comme c'est bonne franquette, on paie au bar une addition accompagnée d'un *amaretto,* offert par la maison. Cartes de paiement refusées. Apéritif maison offert à nos lecteurs sur présentation de ce guide.

|●| ***Rose Bakery*** *(plan C1-2, **1**) :* 46, rue des Martyrs, 75009. ☎ 01-42-82-12-80. Ⓜ Pigalle. ♿ Ouvert du mardi au samedi de 9 h à 19 h et le dimanche de 10 h à 17 h. Fermé le lundi. Congés annuels : du 10 au 25 août. Formule à 12,50 € le midi. À la carte, compter entre 15 et 20 €. Pour partie, il a pris la place de feu *Marks & Spencer* avec des produits *made in England* qu'on ne trouve pas ailleurs (bacon, fromages, jus de fruits, etc.). Pour partie seulement, car le reste de ce resto-salon de thé-vente à emporter est 100 % *organic food* avec des soupes, des assiettes de légumes et des desserts formidablement bons et frais (*scones,* cakes aux fruits et tartes salées à tomber !). Alors, est-ce de nature à faire oublier le cadre indigent (remarquez, c'est un art de faire passer un hangar pour un lieu *arty* !), le sourire souvent aux abonnés absents et les prix très londoniens aussi ? À vous de juger. En tout cas, dans le coin très bobo-SoHo de Saint-Georges, on adore. Et le brunch du dimanche est pris d'assaut. *NOUVEAUTÉ.*

|●| ***Heratchian Frères*** *(plan C2, **31**) :* 6, rue Lamartine, 75009. ☎ 01-48-78-43-19. Ⓜ Cadet. Service en continu de 11 h à 18 h. Fermé le dimanche. Plateau dégustation à 9 €, style hors-d'œuvre + calamars farcis ou moussaka. Appétissant rayon épicerie-traiteur, prolongé par un coin restauration rapide. Avant de poser une fesse, allez faire provision de soleil : caviar d'aubergine, halvas syrien et grec à la coupe, poires séchées, cornes de gazelle, *courabies* maison... Un grand moment : le miel de thym de Kalymnos. Et *ouzo* ou *raki* pour tout le monde.

|●| ***Le Bistrot*** *(plan C3, **30**) :* 7, passage Verdeau, 75009. ☎ 01-47-70-29-82. Ⓜ Grands-Boulevards. ♿ Service de 11 h 30 à 14 h 30. Fermé le soir (comme toutes les boutiques de ce joli passage) et le dimanche. Congés annuels : 1 semaine en février et tout le mois d'août. Sandwichs de 3 à 5 €.

Croque auvergnat à 7 €. Formule bar à midi à 13 €, autour d'un plat et d'un verre. Menu à 14 €. Un vrai bon bistrot d'autrefois, avec des gueules d'atmosphère, un patron qui mange sa bavette, sans mot dire, à 10 h du mat', et des clients de la galerie qui avalent, sur le pouce, un sandwich au jambon d'Auvergne avec un verre de gamay. Terrasse dans le passage, où il faut se battre pour trouver de la place à midi. Cartes de paiement refusées. Café offert à nos lecteurs sur présentation de ce guide.

|●| ***Chartier*** *(plan C3, **5**)* **:** 7, rue du Faubourg-Montmartre, 75009. ☎ 01-47-70-86-29. Ⓜ Grands-Boulevards. ♿ Ouvert tous les jours de 11 h 30 à 15 h et de 18 h à 22 h. Pas de réservation. Compter moins de 15 € pour un repas à la carte ; entrées à partir de 1,70 €, plats à partir de 8 €, desserts à partir de 2,10 €. Poussez la grosse porte à tambour pour découvrir cet immense bouillon du XIXe siècle avec son décor intact, inscrit à l'inventaire des Monuments historiques. Hauts plafonds, mezzanines, chromes et cuivres. Bourré d'habitués, de petits vieux du quartier, d'étudiants et de touristes qui y mangent une honnête cuisine familiale. Mais qu'importe, l'essentiel, ici, c'est d'y être allé au moins une fois et d'avoir supporté le bruit assourdissant des 325 places, 16 serveurs et 1 200 couverts par jour !

|●| ***Fujiyaki*** *(plan C1, **7**)* **:** 20, rue Henri-Monnier, 75009. ☎ 01-42-81-54-25. Ⓜ Pigalle. Fermé le dimanche midi. Congés annuels : 2 semaines autour du 15 août. Formules de 8 à 12 € au déjeuner et de 13 à 20 € le soir. Compter 23 € à la carte. Ce petit resto nippon est à mi-chemin entre les théâtres de Saint-Georges et les concerts de Pigalle. On pourrait même passer devant et le louper, vu sa devanture discrète et étroite. Ce serait dommage car, sans révolutionner l'art du sushi, il propose plusieurs formules à petits prix, avec du poisson bien frais, travaillé par un chef formé chez un ancien grand japonais de la capitale. Certes, c'est plus la gentillesse de l'accueil et la bonne tenue des menus que l'originalité des préparations qui priment ici, mais les amateurs de cru et de cuit (avec les yakitoris, ces brochettes cuites au feu de bois) s'y retrouveront, compte tenu de la clémence des additions.

|●| ***Le 48 Condorcet*** *(plan C1, **6**)* **:** 48, rue Condorcet, 75009. ☎ 01-45-26-98-19. Ⓜ Anvers. Ouvert du lundi au samedi, le soir uniquement ; service de 19 h à minuit. Congés annuels : en août et entre Noël et le Jour de l'an. Formule entrée + plat + dessert à 24 €. Une belle petite adresse toute simple, comme chez un ami. Pascal, le patron, n'aime ni la publicité ni recevoir n'importe qui dans sa toute petite salle de restaurant. C'est sans doute pour cela que n'y

viennent que les connaisseurs, les habitués ou ses copains. Ce qui est souvent la même chose. Car, courant de l'une des 6 tables à la cuisine pour retourner un petit confit ou un poulet fumé sur choucroute, il trouve toujours le temps de s'enquérir de vous ou de glisser un mot doux. Apéritif maison offert à nos lecteurs sur présentation de ce guide.

|●| ***Lou Cantou*** *(plan B3,* ***8****)* **:** 35, cité d'Antin, 75009. ☎ 01-48-74-75-15. Ⓜ Chaussée-d'Antin. Accessible par le 61, rue de Provence. Ouvert uniquement pour le déjeuner, de 11 h 30 à 15 h. Fermé les dimanche et jours fériés. Congés annuels : 1 semaine en août. Menu unique le midi à 12,50 €, avec 5 plats différents chaque jour. Pour les groupes (plus de 15 personnes) ayant réservé le soir, menu autour de 20 €, à décider avec le chef. Un resto qui tourne depuis 1920, une déco toute simple, des employés et des secrétaires au coude à coude... On comprend que la nouvelle direction n'ait pas changé la recette !

La formule propose toujours les canons du bouillon traditionnel : salade de betteraves, endives au jambon, île flottante, etc. Une cuisine simple mais tout à fait honorable, qui a fait du lieu la cantine du quartier.

|●| ***Le Lutin*** *(plan C2,* ***37****)* **:** 3, rue Bourdaloue, 75009. ☎ 01-48-78-70-94. Ⓜ Notre-Dame-de-Lorette. Ouvert midi et soir jusqu'à 23 h. Fermé le dimanche. Congés annuels : en août. Couscous de 11,50 à 15 €; tajines à 14,50 €. On vient ici avant tout pour la gentillesse de Moustapha et sa cuisine marocaine hors pair, à des prix très honnêtes. Couscous de légende aux viandes extraordinaires, délicieuses boulettes maison, méchoui (l'agneau est ici un vrai péché), bons légumes parfumés, mon tout servi avec générosité. À corser avec la harissa faite maison. Dommage, à la fin du repas, plus de place pour les pâtisseries (la prochaine fois, on commencera par là !). Café ou thé à la menthe offert à nos lecteurs sur présentation de ce guide.

Prix moyens

|●| ***La Taverne Kronembourg*** *(plan B3,* ***20****)* **:** 24, bd des Italiens, 75009. ☎ 01-55-33-10-00. Ⓜ Opéra ou Richelieu-Drouot. Ouvert tous les jours de 11 h 30 à minuit (1 h les vendredi et samedi). Le midi, suggestion du jour à 18 €. Sinon, menus à 23,50 € (plat + entrée ou dessert) et 26,50 €. Compter entre 30 et 35 € à la carte. Sur les Grands Boulevards et à deux pas de l'Opéra, une belle brasserie alsacienne traditionnelle. Sur 6 cartes, plats authentiquement alsaciens, ainsi qu'un vaste choix de coquillages et fruits de mer. Ambiance musicale le soir à partir de 19 h.

|●| ***Chez Georgette*** *(plan B2,* ***38****)* **:** 29, rue Saint-Georges, 75009. ☎ 01-42-80-39-13. Ⓜ Notre-Dame-de-Lorette. Ouvert du mardi au vendredi de 12 h à 14 h 45 et de 19 h 30 à 23 h. Congés annuels : 3 semaines en août. Pour un repas complet, compter 32 €. Georgette, toujours souriante et serviable, est partout : à l'accueil, au service, derrière les fourneaux. En plus, elle sait cuire la viande, et ses plats, des entrées aux desserts, rappellent ceux de chez mamie mais avec un petit truc en plus (goûtez son riz au lait à l'orange !). Ça reste simple, bon et efficace. Le cadre, quant à lui, donne plutôt dans le style *sixties* revendiqué (formica, etc.). Un restaurant où tout le monde se sent à l'aise en passant une bonne soirée.

|●| ***La Clairière*** *(plan B2,* ***3****)* **:** 43, rue Saint-Lazare, 75009. ☎ 01-48-74-32-94. Ⓜ Trinité. Ouvert de 7 h à 20 h ; restauration de 12 h à 15 h 30. Fermé les samedi soir, dimanche et jours fériés. Congés annuels : en août. Plats à 14 € ; formule à 12 € ; pour un repas complet à la carte, compter environ 30 € sans la boisson. La bonne pioche du quartier le midi : une cuisine ménagère bien troussée par un cuisinier qui n'a pas les deux pieds dans le même sabot. Jambonneau-pommes de terre, museau vinaigrette, andouillette... L'ardoise bien remplie est astucieusement démultipliée dans la salle, ce qui permet à tous de pouvoir en prendre connaissance. Autre motif de contentement, la carte des vins de propriétaires (disponibles au verre et à la vente). Clientèle de collègues de bureau et de cadres qui ont parfois du mal à se caser autour des tables minuscules. Service expéditif mais efficace.

|●| ***Bistrot Valparaiso*** *(plan D3,* ***18****)* **:** 15, rue Sainte-Cécile, 75009. ☎ 01-48-01-02-75. Ⓜ Grands-Boulevards ou Bonne-Nouvelle. ♿ Service de 12 h à 15 h et de 19 h à 23 h 30. Fermé le dimanche. Congés annuels : en août. Formule à 13,50 € (le midi) ; carte autour de 25 €. Ce vieux bistrot manque un peu de chaleur, mais la patronne, qui vient du Chili, en a à revendre. L'atmosphère est réchauffée par des expos temporaires qui colorent les murs et quelques tables rondes pour des soirées conviviales. Dans l'assiette, de délicieux plats de bonne femme d'Amérique latine *(ceviche, pastel de choclo, empanadas...)* à des prix honnêtes et de superbes grillades de viande argentine. Accueil simple et souriant.

|●| ***Velly*** *(plan C2,* ***21****)* **:** 52, rue Lamartine, 75009. ☎ 01-48-78-60-05. Ⓜ Cadet. Ouvert de 12 h à 14 h et de 19 h 30 à 23 h (dernière commande à 22 h 45). Fermé le week-end. Congés annuels : 3 semaines en août. Menus à 23 €, le midi, et 31 € (avec entrée, plat et dessert). Vins de propriété à partir de 22 €, servis aussi au verre. Mouchoir de poche étagé sur 2 niveaux, décor bistrotier qui vient

d'être refait, avec cuisine apparente. Carte bien balancée, renouvelée en permanence selon les arrivages et les opportunités du marché, saveurs traditionnelles mais aussi clins d'œil canailles vers quelques échappées gustatives audacieuses. Service aux petits oignons, attentif et confident. Souvent plein, réservez donc à temps.

Gandhi Ji's *(plan B3,* ***24****)* **:** 12, rue La Fayette, 75009. ☎ 01-45-23-21-52. Ⓜ Chaussée-d'Antin-La Fayette. Fermé le 1er mai et le 25 décembre. Formules à midi à 11,50 et 15 €. Le soir, menus à 19 et 30 €. Salle tout en longueur, éclairage intimiste. Aquarelles de paysages d'Inde du Nord et portrait de Gandhi. Cuisine du Gujurat, légère, subtilement parfumée et épicée selon votre degré de tolérance au feu des condiments. Spécialité de *tandoori.* Un vrai régal pour les papilles : les saveurs de cumin, de coriandre, de safran déferlent en cascades... N'hésitez pas à accompagner vos mets de *naan* cuits minute, de riz basmati ou de *raïta* frais pour équilibrer la palette des sensations. C'est souvent plein à midi, préférez donc le soir pour apprécier l'accueil tout en amabilité du patron et de son personnel. L'un des meilleurs indiens qu'on connaisse. Digestif maison offert à nos lecteurs sur présentation de ce guide.

Le Paprika *(plan C1,* ***14****)* **:** 28, av. Trudaine, 75009. ☎ 01-44-63-02-91. Ⓜ Anvers ou Pigalle. ♿ Ouvert tous les jours de 9 h 30 à 23 h 30 (service en continu). Congés annuels : le 25 décembre et le 1er janvier. Le midi en semaine, formule plat + entrée ou dessert à 13,50 € ou menu complet à 17 €; sinon, menu à 30 €. À la carte, prévoir autour de 40 €. Brunchs à 10 et 15 €, ou 20 € pour un hongrois (de 10 h à 18 h). Suggestion du jour entre 10 et 16 €. Le restaurant hongrois de Paris le plus réputé, où il est très agréable de dîner au son des mélodies slaves et tziganes. On y retrouve tous les grands classiques de la cuisine magyare et d'Europe de l'Est, comme la soupe d'agneau au vinaigre, le goulasch de veau, le chou farci, les viandes assaisonnées au paprika. Sans pour autant négliger la *libamaj,* foie gras poêlé revenu aux oignons confits et griottes, différentes sortes de crêpes et les fameux *Strudel.* Bonne carte des vins, où figurent l'inévitable *tokaj aszù* et des vins blancs charpentés. Digestif maison offert à nos lecteurs sur présentation de ce guide.

Les Copains *(plan C2,* ***32****)* **:** 8, rue de Châteaudun, 75009. ☎ 01-48-78-53-08. Ⓜ Cadet. Fermé les dimanche et lundi. Formule midi à 14,90 €, menu à 27,50 € (avec certains suppléments); à la carte, compter 35 €. Ça ne paie pas de mine, mais vous entrez dans une ancienne... maison close! Voyez la grande fresque au fond de la salle, dernier signe de ce lointain souvenir. Depuis, les temps ont changé, et le lieu, lumineux et chaleureux, nous régale d'une cuisine originale et créative. Accueil plaisant, tables conçues sur d'anciens porte-bouteilles à champagne, où l'on vous servira des plats colorés façon cuisine nouvelle. Belle place aux vins ; on lit d'ailleurs sur une ardoise qu'« ici, l'eau sert uniquement à cuire les patates... ». Bien penser à réserver à l'avance.

I●I ***La Table d'Anvers*** *(plan D1, **33**) :* 2, pl. d'Anvers, 75009. ☎ 01-48-78-35-21. Ⓜ Anvers. ♿ Service de 12 h à 14 h et de 19 h 30 à 23 h. Fermé les samedi midi et dimanche. Congés annuels : 1 semaine après le 15 août et 1 semaine entre Noël et le Jour de l'an. Formules le midi à 15 € (plat + verre de vin) et 22 € ; formules du soir à 25 € (entrée + plat ou plat + dessert) et 33 €. Compter 40 € pour un repas complet. Néo-auberge avec dominante de couleurs pastel. La carte est résolument contemporaine ; elle ne déroge pas pour autant à la tradition française, l'omelette Curnonsky en moins, le pot-au-feu en plus. Entrées plus originales à lire qu'à manger, exception faite du carpaccio de pied de porc. Plats de viande et poisson plus réussis. Bons desserts. Longue carte de vins, mais chère. Conseillé surtout à l'heure du déjeuner. Demander les tables côté square, plus aérées et lumineuses, ainsi que la terrasse dès que les premiers rayons de soleil font leur apparition. Techno hypnotique en fond sonore. Service assuré par de charmantes hôtesses. N'accepte pas les chèques.

I●I ***J'Go restaurant*** *(plan C3, **25**) :* 4, rue Drouot, 75009. ☎ 01-40-22-09-09. Ⓜ Richelieu-Drouot. ♿ Ouvert de 11 h 45 à 15 h et de 19 h à minuit et demi. Fermé le dimanche. Congés annuels : les 2e et 3e semaines d'août. Formules bistrot à 15 et 19 € (entrée + plat) et formule J'Go à 28 €. À la carte, compter 23 €. Deux grandes salles modernes, boisées, décorées de belles affiches de feria et d'un buste de taureau. Pas de doute, on est bien dans le Sud-Ouest. Ça se sent dans l'assiette et jusque dans la paluche du patron, originaire de Vic-Fezensac, ou de son associé, le célèbre rugbyman Fabien Galthié. Les spécialités : de belles pièces de viande rôties et fondantes, qu'on choisit 30 mn avant de passer à table ; gigot à la broche et ses haricots tarbais, agneau du Quercy ou le Lou Pastifret, un friton maison servi avec sa salade. La carte décline, selon les saisons, son lot de produits frais et de desserts maison. Agréable petite sélection de vins gascons (colombelle, tariquet...). Essai transformé !

I●I ***Le Nouveau Paris-Dakar*** *(plan C3, **15**) :* 11, rue de Montyon, 75009. ☎ 01-42-46-12-30. Ⓜ Grands-Boulevards. Service de 12 h à 15 h et de 19 h à 1 h. Fermé le vendredi midi et le dimanche. Formule à 9,90 €, au déjeuner, et menus à 24 et 32 €. Plats entre 12,50 et 15 €. « Si ça ne vous plaît pas, on vous rembourse ! » Du credo de

Mamadou on ne fera rien, puisque c'est goûteux et copieux. Quelques mois de relâche et un déménagement (du 10e) plus tard, revoilà la fine équipe à pied d'œuvre. Poissons, gambas, volailles, viandes plus ou moins relevés, il y a de tout, et les produits sont manifestement de bonne qualité. Une boisson africaine pour accompagner le tout (hmm le bissap... mais il y en a d'autres), pourquoi pas ? Tous les soirs, un joueur de kora (guitare traditionnelle) passe... Sinon on a droit aux clips sur grande télé ! Apéritif maison offert à nos lecteurs sur présentation de ce guide. *NOUVEAUTÉ.*

Plus chic

|●| ***La Petite Sirène de Copenhague*** *(plan B2,* ***23****)* **:** 47, rue Notre-Dame-de-Lorette, 75009. ☎ 01-45-26-66-66. Ⓜ Saint-Georges. Ouvert du mardi au samedi de 12 h à 14 h 30 et de 19 h 30 à 23 h. Fermé les samedi midi, dimanche et lundi. Congés annuels : 3 semaines en août, ainsi qu'entre Noël et le Jour de l'an. Menus-ardoise à 28 € le midi et 32 € le soir avec fromage. À la carte, compter autour de 47 €. Un décor de bistrot agréable, chic, lumineux, et une ambiance légèrement tendance. Cette nouvelle cuisine de la Baltique vaut vraiment le détour. En vedette, bien sûr, le saumon, fumé à froid, parfumé au genièvre et au curry (les épices étaient connues des Danois depuis le XVIIe siècle), ou le hareng, parfumé aux épices. Pour le vin, laissez-vous guider. *Skol !*

|●| ***I Golosi*** *(plan C3,* ***26****)* **:** 6, rue de la Grange-Batelière, 75009. ☎ 01-48-24-18-63. Ⓜ Richelieu-Drouot ou Grands-Boulevards. ♿ Service jusqu'à 23 h 45. Fermé les samedi soir et dimanche. Congés annuels : 15 jours en août. Pas de menu, compter de 25 à 35 € à la carte. Marco, entouré d'une équipe transalpine, fait chanter l'Italie avec son bel accent, au travers d'une succession de plats typés et séduisants. Pour les accompagner, superbe carte des vins. Et décor pur design vénitien qui convient à la clientèle chic du quartier. Idéal si vous trouvez une table pour grignoter côté épicerie, à midi, afin de mieux profiter de l'ambiance du passage Verdeau.

|●| ***Restaurant Pétrelle*** *(plan D1,* ***22****)* **:** 34, rue Pétrelle, 75009. ☎ 01-42-82-11-02. Ⓜ Anvers ou Poissonnière. Service de 20 h à 21 h 30. Fermé les dimanche et lundi. Réservation obligatoire. Congés annuels : en août et 1 semaine à Noël. Menu fixe à 27 € sans la boisson. À la carte, compter de 50 à 65 €. Engouffrez-vous dans la chaleureuse salle à manger, parsemée d'une dizaine de tables de 6 personnes maxi. En cuisine, le patron ne prépare que des plats frais, du marché et du moment. Ici, le respect du client n'est pas un vain mot. Belle carte des vins. Au n° 28, *Les Vivres* est une boutique

de dégustation ouverte tous les jours de 11 h à 19 h, avec formule table d'hôtes (le vendredi uniquement, autour de 15 €). Sur place, vente de produits sélectionnés ou préparés par le chef. Là encore, on ne parle que de qualité !

Charlot, Roi des Coquillages *(plan A1,* ***29****)* **:** 12, pl. de Clichy, 75009. ☎ 01-53-20-48-00. Ⓜ Place-de-Clichy. Ouvert de 12 h à 15 h et de 19 h à minuit (1 h les jeudi, vendredi et samedi). Deux menus à 19,50 € (entrée + plat ou plat + dessert) et 25 € (entrée + plat + dessert), servis midi et soir sauf les jours fériés ; à la carte, compter autour de 60 €. C'est en 1948 que Charles Lombardo, surnommé Charlot, s'installe au cœur du quartier canaille. Son palais se dresse dans un cadre Art déco, avec miroirs et céramiques aux murs. Bouillabaisse, plateaux d'huîtres et de fruits de mer ; et tout ce qui fleure bon le Sud de la France. Accueil et service aux petits soins.

Au Petit Riche *(plan C3,* ***27****)* **:** 25, rue Le Peletier, 75009. ☎ 01-47-70-68-68. Ⓜ Richelieu-Drouot. Service de 12 h à 14 h 15 et de 19 h à 0 h 15. Fermé le dimanche, plus le samedi du 15 juillet au 31 août. Menus de 22,50 à 29,50 € sans boisson. Carte autour de 35 €. Fondé en 1854, ce *Petit Riche* a conservé toute son ambiance parisienne d'antan, avec son enfilade de salons Belle Époque, ses miroirs gravés, ses nappes blanches bien mises et ses banquettes de velours rouge. Un restaurant d'atmosphère, que fréquentent les assidus des théâtres des alentours et les hommes d'affaires. Également des salons privés au 1er étage. À table, une cuisine principalement axée sur le Val de Loire, qui respecte et remet à l'honneur les recettes d'autrefois. Et une superbe carte des vins de Loire. Apéritif maison offert à nos lecteurs sur présentation de ce guide.

9e

Bars à vin

La Muse du Chai *(plan A3,* ***40****)* **:** 29, rue Godot-de-Mauroy, 75009. ☎ 01-47-42-60-24. Ⓜ Havre-Caumartin ou Madeleine. Ouvert du lundi au vendredi de 9 h à 23 h (20 h le vendredi). Congés annuels : en mai et en août. Les 14 cl de vin à partir de 3,50 € ; assiette autour de 8,50 €. Un bistrot rigolo dans l'austérité de ce quartier d'affaires. Deux-trois ardoises, des vieilles bouteilles et quelques graffitis aux murs donnent un cachet convivial à cette petite adresse. Le sourire de la patronne, le vin qui coule à flots et les commerçants du quartier qui se relaient achèvent de nous ravir pour des après-midi plus arrosés que studieux.

Le Dit-Vin *(plan B1,* ***41****)* **:** 68, rue Blanche, 75009. ☎ 01-45-

26-27-37. Ⓜ Blanche. Ouvert du lundi au vendredi de 10 h à 21 h 30 et le samedi soir pendant l'été (le soir, uniquement apéritif dînatoire). Congés annuels : en août. Salade des vendanges à 9,50 €. Tourte au roquefort à 9 €. Assiette de charcuterie à 11,50 €. Vin au verre style bourgogne-vézelay à partir de 3 €. Une jolie vitrine, une atmosphère agréable et rassurante, des petites tables sur lesquelles traîne *Libé* ou un programme de théâtre. On peut choisir sa bouteille dans le coin-boutique pour l'emporter à sa table, avec une légère majoration. Bonne petite restauration, à midi uniquement. Le soir, place au « dit-vin » : on déguste, on commente, on en redemande... Terrasse en été. Réservation conseillée.

Restaurants de nuit

|●| ☾ ***À la Cloche d'Or*** *(plan B1, **42**) :* 3, rue Mansart, 75009. ☎ 01-48-74-48-88. Ⓜ Pigalle ou Blanche. Ouvert le midi et de 19 h à 4 h (1 h le lundi). Fermé les samedi midi et dimanche. Congés annuels : en août. Le midi, formules de 16 à 29 € ; le soir, plat + entrée ou dessert à 25 € ou entrée + plat + dessert à 29 €. Une vieille adresse de la nuit parisienne. Créée en 1928 par le papa de Jeanne Moreau, le Tout-Paris s'y est croisé. Aujourd'hui, la carte est très traditionnelle. Cela dit, la formule déjeuner offre un excellent rapport qualité-prix et le service nocturne attire les noctambules affamés, nombreux dans le quartier, et dont vous faites partie, non ?

|●| ☾ ***Le Grand Café*** *(plan B3, **43**) :* 4, bd des Capucines, 75009. ☎ 01-43-12-19-00. Ⓜ Opéra. ♿ Ouvert toute l'année, tous les jours, 24 h/24. Menus le midi à partir de 18 € ; plat du jour à 20 € ; petit dej' ou collation-goûter à 10 € ; à la carte, compter autour de 45 € sans la boisson. Déco rouge et or revue par le célèbre Jacques Garcia. Serveurs affairés mais attentifs et prévenants. Les coquillages se glissent partout dans le décor comme pour annoncer l'invité de marque : le plateau de fruits de mer. Le fin du fin : deux tasses de café ; un *espresso* italien bien corsé dans la première et un café de dégustation, généralement plus doux, dans la seconde. La clientèle, doit-on le préciser, est éminemment noctambule.

9e

Salons de thé

|●| ☕ ***Aux Pipalottes Gourmandes*** *(plan D2, **46**) :* 49, rue de Rochechouart, 75009. ☎ 01-44-53-04-53. Ⓜ Anvers ou Cadet. Ouvert tous les jours de 10 h à 22 h. Déjeuner de 12 h à 18 h. Congés annuels :

du 18 juillet au 16 août. Plat du marché à 7,20 €. Assiettes gourmandes autour de 10,90 €. Formules en semaine à 7,60 et 9,80 €; 2 autres formules à 14,90 et 18,90 €. Brunch le dimanche de 10 h à 18 h à 25 €. Une boutique-traiteur riche en atmosphère où l'on peut déguster sur place lasagnes, moussaka et autres douceurs, en prenant son temps et même une boisson. Salon de thé l'après-midi avec de bonnes tartes, et un riz au lait à la cannelle. Toute une gamme d'épicerie fine présentée dans des meubles en pin.

Ⓘ ☕ ***Les Cakes de Bertrand*** *(plan C2,* ***48****) :* 7, rue Bourdaloue, 75009. ☎ 01-40-16-16-28. Ⓜ Notre-Dame-de-Lorette. Ouvert du mardi au vendredi de 12 h à 15 h (19 h de mi-octobre à mi-avril), le samedi de 9 h à 19 h et le dimanche de 12 h à 18 h. Fermé les jours fériés. Congés annuels : en août. Formules déjeuner à 13 et 16 €, et l'après-midi formule « heure du thé » à 10 € (boisson chaude + pâtisserie). Brunch le week-end à 19 €, sur réservation. Ce petit salon de thé au charmant décor Napoléon III s'est spécialisé dans les cakes, salés et sucrés : olives-lardons-noisettes, feta et romarin, chocolat-amandes, fleur d'oranger, thé vert... À midi, formules d'un bon rapport qualité-prix (une assiette rassasiera facilement 2 enfants). Fait aussi vente à emporter.

Ⓘ ☕ ***La Jolie Vie*** *(plan A1,* ***47****) :* 56 bis, rue de Clichy, 75009. ☎ 01-53-20-04-04. Ⓜ Liège ou Place-de-Clichy. Ouvert de 10 h à 19 h. Fermé le dimanche. Congés annuels : en août. Tartes salées à 8,30 €. Petits plats de 9 à 12 €. Formules déjeuner à 12 et 15 € en semaine et à 16 € le samedi. Avant, on venait là pour des soins de beauté, aujourd'hui, on s'occupe du corps, mais d'une toute autre manière. L'après-midi, le lieu fait salon de thé et on peut s'offrir une tarte ou un clafoutis dans la salle non-fumeurs, près de la piscine de poche. Et si les lampes et les éléments du décor vous plaisent, vous pouvez les acheter. Un verre de vin ou un café offert à nos lecteurs sur présentation de ce guide.

Où boire un verre?

🍸 ***Chez Sylvain*** *(plan C2,* ***56****) :* 1, rue Manuel, 75009. ☎ 01-45-26-57-26. Ⓜ Notre-Dame-de-Lorette. Ouvert tous les jours jusqu'à 2 h. Fermé le dimanche soir en hiver. Congés annuels : 15 jours en septembre. Demi à 2,50 €. LE bar atypique du bas de Montmartre, peut-être l'un des seuls lieux authentiques d'un quartier qui perd peu à peu son âme. Bistrot de quartier où Mme Huguette, la voisine concierge, vient prendre l'apéro, le bar de Sylvain passe la surmultipliée quand le patron le décide, sort ses boas de Grande Zora et se lance entre comptoir et vitrine dans un de ses délires qui ravissent ses clients. Trente ans de nuit, un goût certain pour le transformisme, la plume et le strass, et voilà Sylvain en Nana Mouskouri, en Line Renaud ou en Annie Cordy. Attention, c'est pas délire tous les soirs, il faut que « la salle soit bonne ». Cartes de paiement refusées.

🍸 ***Au Général La Fayette*** *(plan C2, **52**) :* 52, rue La Fayette, 75009. ☎ 01-47-70-59-08. Ⓜ Cadet ou Le Peletier. Ouvert tous les jours de 9 h à 3 h 30 ; service continu de 11 h à 3 h. À la carte, compter 30 € pour un repas complet (boissons comprises). Le soir et le week-end, menu à 29 € (boissons comprises). Cette brasserie, créée en 1896, est une institution dans ce cœur des affaires du Paris haussmannien ; on y a, par exemple, percé l'un des 2 premiers fûts de Guinness de la capitale après guerre (l'autre était celui du *Harry's*) ; cela devrait suffire à classer l'établissement ! Sa rénovation a laissé intacts dorures et lambris. Ici, l'écrivain solitaire voisine avec les comédiens des salles des boulevards, le Tout-Drouot côtoie les membres du Grand Orient de la rue Cadet dans une ambiance de grande brasserie chic. On y déguste, à toute heure, des mâchons ou tripoux, accompagnés de vins de propriété.

9e

🍸 ***L'Académie de Billard*** *(plan A1, **53**) :* 84, rue de Clichy, 75009. ☎ 01-48-78-32-85. Ⓜ Place-de-Clichy. ♿ Ouvert tous les jours de 11 h à 6 h, et à partir de 16 h pour les jeux. Café à 1,60 € ; bière bouteille à partir de 4 €. Compter de 5 à 12 € l'heure de billard, selon le type et le moment de la journée. C'est l'un des derniers cercles de Paris, c'est-à-dire que les jeux d'argent y sont autorisés (à l'exception des machines à sous), alors pourquoi ne pas aller faire un tour dans la salle du fond ? Dans les premières salles s'alignent les billards, français, américains, *pools* et autres *snookers,* 16 au total, dans une atmosphère discrètement entre-deux-guerres qui séduit des populations très hétéroclites. Tenue correcte fortement recommandée et pièce d'identité obligatoire. Accès interdit aux mineurs.

🍸 ***Rog et Soirs*** *(plan D2, **51**) :* 36, rue de Rochechouart, 75009. ☎ 01-48-78-42-55. Ⓜ Cadet. Ouvert de 18 h à 3 h, voire bien plus tard ; mais il arrive (souvent) qu'il ferme sans crier gare (il est comme ça, Roger, il n'est pas là pour s'emmerder...). Fermé les dimanche et lundi. Demi à 2,30 €, 2,70 € après 22 h. Côté restauration, compter 20 € pour un plat. C'est un bar du soir, monté par un vieux briscard de la nuit parisienne, venu de Savoie, qui sert toute la nuit des fondues savoyardes et un ou deux plats du style chou farci ou boudin aux pommes. Mais on y vient aussi pour s'enfiler quelques bières dans une ambiance jeune, décontractée et sans frime. Tout au long de la nuit, la foule se succède au gré de la fermeture des théâtres, cinés, bars et restos du quartier... et on a toujours du mal à en partir.

10e ARRONDISSEMENT

Où manger ?

Très bon marché

I●I ***La Piadina*** *(plan C3, **1**)* **:** 37, rue Yves-Toudic, 75010. ☎ 01-42-01-87-78. Ⓜ Jacques-Bonsergent. Ouvert le midi seulement. Fermé le week-end. Pas un restaurant, mais une petite halte gourmande italienne, tout en longueur, à la déco sobre et chic (murs extérieurs noirs, tables en bois clair à l'intérieur et en terrasse). Coppa, parme, salades de pâtes froides, ratatouille de légumes froide et vinaigrée, cœurs d'artichauts, *ciabbata,* verres de vin (bardolino ou chianti). On compose son assiette d'entrées (par exemple : 4 ingrédients, 6,40 €) ; il y a aussi des raviolis chauds, des soupes, un tiramisù en dessert, sans oublier la *piadina,* sorte de galette de pain, spécialité de la maison. Et on mange dans des assiettes en carton. Amusant, non ?

I●I ***Le Phénix*** *(plan A3, **48**)* **:** 4, rue du Faubourg-Poissonnière, 75010. ☎ 01-47-70-35-40. Ⓜ Bonne-Nouvelle. ♿ Ouvert du lundi au vendredi de 11 h 30 à 15 h et de 18 h 30 à 23 h 30, le samedi de 18 h 30 à 23 h 30. Fermé les dimanche et jours fériés. Formule du jour à 12 € le midi. Compter de 20 à 25 € pour un repas à la carte. Zinc en bois et faux marbre vert, miroirs rétros aux murs et sulfateuses (pour la vigne, pas pour les clients !) en suspension pour la déco... Le menu s'affiche sur des ardoises ou au blanc d'Espagne. Pot-au-feu, pieds de porc, crumble servi tiède avec crème fraîche (c'est meilleur !) : c'est simple et sans chichis. Salades, assiettes de fromage ou de charcuterie. Vins au verre, en pichet, en bouteille, en tonneau (mais non, quand même pas...). Les prix sont raisonnables et le service est plaisant. Apéritif maison offert à nos lecteurs sur présentation de ce guide.

I●I ***Dishny*** *(plan B1, **20**)* **:** 25, rue Cail, 75010. ☎ 01-42-05-44-04. Ⓜ La Chapelle ou Gare-du-Nord. ♿ Ouvert tous les jours de 12 h à minuit ; service jusqu'à 23 h 30. Menus à 7 et 9 € le midi, 9 et 16 € le soir ; prix moyen d'un repas à la carte : 10 € sans la boisson. Au cœur du quartier business indo-ceylanais, difficile de ne pas remarquer ce resto à la devanture d'un rose clinquant. Du matin au soir, toute la communauté tamoule y défile. Les travailleurs viennent y

Où manger ?

1 La Piadina
2 Poêle Deux Carottes
3 La Vingt-Cinquième Image
4 Le Dellys
5 Le Chaland
6 Yasmin
7 Les Voisins
8 Barak
9 Pooja
10 Ajmeer
11 Restaurant de Bourgogne – Chez Maurice
12 La Tête dans le Fromage
13 Fils du Soleil
14 Le Balbuzard Café
15 Le Bistrot des Oies
16 L'Enchotte
19 Le Rallye
20 Dishny
21 Le Cambodge
22 Chez Casimir
25 La Marine
26 Aux Deux Canards – Chez Catherine
27 Au Vieux Bistrot
28 Le Sporting
29 Le Réveil du Xe
30 Le Petit Café
32 Arthur
33 Café Panique
35 Le Parmentier
36 Delaville Café
37 La Chandelle Verte
38 Le Takouli
39 Tesoro d'Italia
41 La Madonnina
42 SAS Le Chansonnier
43 Chez Michel
45 Flo
46 Terminus Nord
47 Julien
48 Le Phénix
49 Le Grenier Voyageur

Bars à vin

53 Le Verre Volé
54 La Vigne Saint-Laurent
55 Le Coin de Verre

Salons de thé

56 Antoine et Lili – La Cantine
57 Le Jardin des Voluptés
58 Couleurs Canal

Où boire un verre ?

36 Delaville Café
60 La Patache
61 L'Atmosphère
63 Le Point Éphémère
64 Chez Adel
65 L'Apostrophe
66 Chez Prune
71 Le Jemmapes
72 L'Île Enchantée

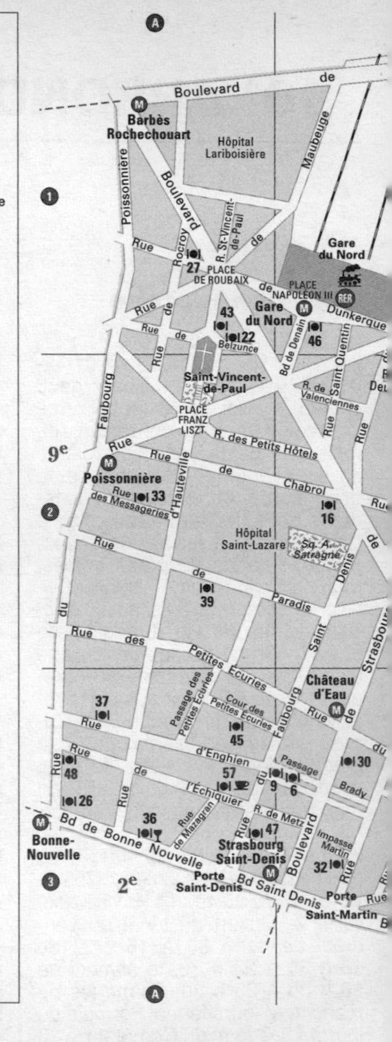

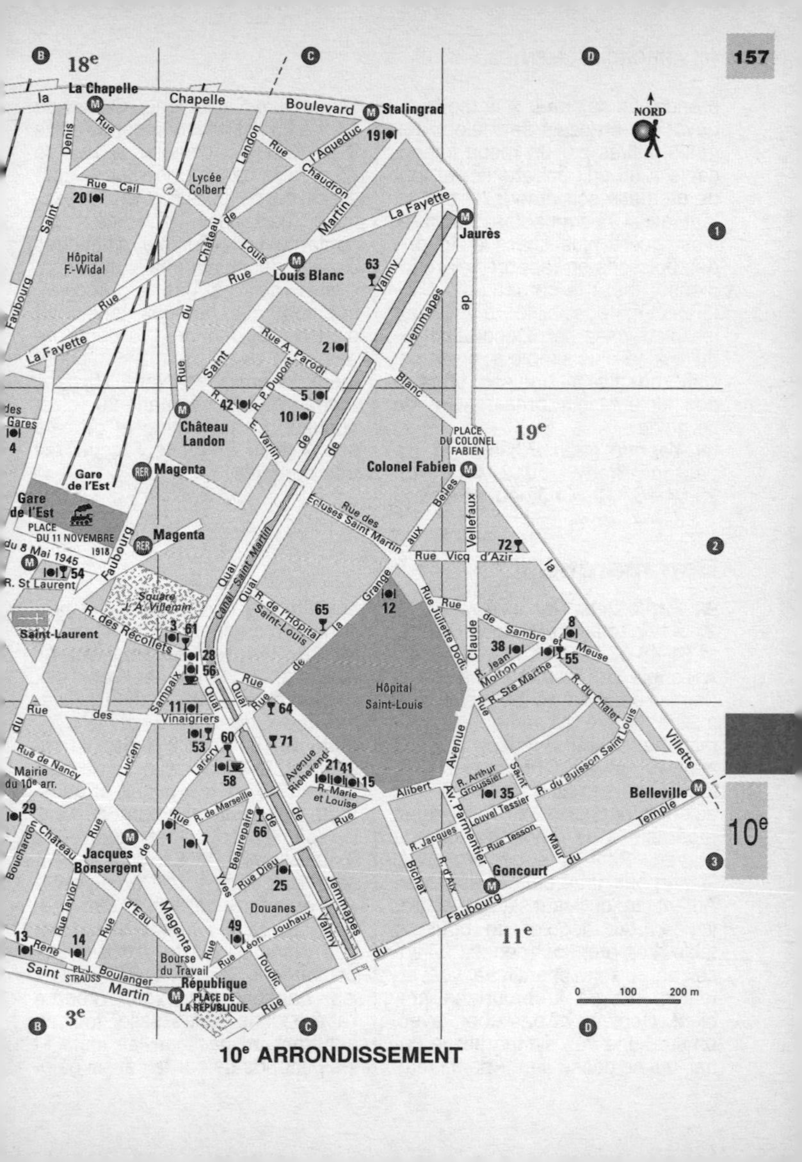

10e ARRONDISSEMENT

prendre un déjeuner à la mode du pays ; les Français se mêlent aux natifs, attirés par un menu impeccable à un prix imbattable, et font de même le soir autour de menus tout aussi raisonnables. La carte n'est guère plus chère et le prix des boissons en rapport : bière indienne, thé à la cardamome... Intéressant, possibilité d'emporter les plats chez soi. Décoration réduite à sa plus simple expression. Café ou digestif maison offert à nos lecteurs sur présentation de ce guide.

Yasmin *(plan B3,* ***6****) :* 71-73, passage Brady, 75010. ☎ 01-45-23-04-25. Ⓜ Château-d'Eau ou Strasbourg-Saint-Denis. Ouvert de 11 h à 23 h. Plusieurs menus entre 9 et 13,50 € ; compter autour de 15 € à la carte. Une des valeurs sûres de ce passage Brady exotique mais aussi touristique, qui contente une clientèle d'habitués depuis de nombreuses années... Certes, ce n'est pas le grand raffinement des grandes tables indiennes, évidemment le décor ne paie pas de mine, mais franchement le choix est varié (*byriani, tandoori,* plats végétariens) ; c'est copieux, bien parfumé et ça cale son homme. En prime, l'accueil est très agréable.

Bon marché

Poêle Deux Carottes *(plan C1, 2) :* 177, quai de Valmy, 75010. ☎ 01-46-07-69-40. Ⓜ Louis-Blanc. À l'angle de la rue Louis-Blanc. Service de 12 h à 15 h et de 19 h 30 à 23 h. Fermé les samedi midi, dimanche et jours fériés. Congés annuels : en août. Formule à 15 € le midi en semaine. Plats du jour aux alentours de 12 €. Facilement repérable à sa devanture orange et vert. Petit café de proximité, idéal pour une pause déjeuner. Autant dire qu'il faut s'armer de patience pour dégoter un bout de table. Les proprios (pensez à l'enseigne...) sont attentifs à vos attentes, malgré le brouhaha ambiant. Copieux et pas cher, avec, en sus, une vue sympa sur le canal, qui ne gâche rien. Apéritif maison offert à nos lecteurs sur présentation de ce guide.

La Vingt-Cinquième Image *(plan C2,* ***3****) :* 9, rue des Récollets, 75010. ☎ 01-40-35-80-88. Ⓜ Gare-de-l'Est. Ouvert du lundi au vendredi de 10 h à 15 h et de 17 h 30 à minuit et demi, et le samedi en continu de 11 h à minuit et demi. Plats autour de 11 € le midi, 14 € le soir ; tartes salées autour de 9,40 € le midi, 12 € le soir ; et desserts autour de 5 €. Un lieu qui a su s'adapter à notre temps en gardant ses couleurs de la Belle Époque, dans ce qui fut d'abord une boulangerie à l'ancienne. Suivez les habitués qui vont prendre l'apéro dans l'autre salle, tout en admirant au passage les murs et les plafonds (le bar fait aussi galerie). Vous vous retrouvez tout naturellement avalant une tarte salée tout en jetant un œil sur les plats du jour qui passent, et vous vous dites que vous devriez bien revenir en bonne compagnie. Apéritif maison offert à nos lecteurs sur présentation de ce guide.

I●I ***Le Dellys*** *(plan B2,* ***4****)* **:** 5, rue des Deux-Gares, 75010. ☎ 01-40-34-90-74. Ⓜ Gare-du-Nord ou Gare-de-l'Est. Ouvert de 7 h à 2 h. Service de 11 h 30 à 15 h 30 et de 18 h 30 à 23 h 30. Fermé le dimanche. Congés annuels : en août. Formules à 10,50 €, le midi, et 14,50 €. Dans ce sympathique couscous, repaire accueillant et militant défenseur de la cause berbère (« Hommage à Matoub Lounès », nous rappelle justement une affiche), le raï est à l'honneur. Le brick au fromage est plutôt bon, le verre de cahors se laisse boire. L'atmosphère, chaleureuse, est en prime. Certains soirs, il y a des concerts. Apéritif maison offert à nos lecteurs sur présentation de ce guide.

I●I ***Les Voisins*** *(plan C3,* ***7****)* **:** 27, rue Yves-Toudic, 75010. ☎ 01-42-49-36-58. Ⓜ Jacques-Bonsergent ou République. Ouvert de 12 h à 2 h (dernier service à 23 h). À la carte, compter autour de 22 €. Tapas autour de 6 €, verre de vin autour de 4 €. Pourquoi *Les Voisins*? Parce que lors de l'ouverture, les proprios ont demandé à un photographe du quartier de tirer la bobine des autochtones en clichés noir et blanc, afin d'habiller les murs du bar. Depuis, ça ne désemplit pas. Des voisines, mais aussi des intellos de tout poil, des artistes, des bourgeois bohèmes, des discrètes, des nonchalants, et pour la bande-son, une musique ensoleillée. En clair, toute la petite comédie humaine de Valmy se la coulant douce en piochant du tapas popu *(patatas bravas, tortilla)* et des petits plats comme *a la casa* (filet de porc mariné, crustacés...). Les vins ibériques claquent sous le palais comme un talon de danseuse de flamenco, et l'été, les tournées de sangria transforment le trottoir en terrasse *movida.*

I●I ***Pooja*** *(plan A-B3,* ***9****)* **:** 91, passage Brady, 75010. ☎ 01-48-24-00-83. Ⓜ Château-d'Eau. Ouvert tous les jours de 12 h à 15 h et de 18 h 30 à 23 h. Menus de 7,50 € (le midi) à 26 €. Le passage Brady est un voyage en Inde à lui tout seul. Boutiques d'épices, barbiers et longue brochette de restaurants nous plongent dans un dépaysement total. Difficile ici de choisir, mais on aime bien le *Pooja* pour sa terrasse et sa salle chaleureuse du 1er étage. Le patron, originaire de l'Uttar Pradesh, a fait ses classes au *Sheraton* de Delhi. Il propose tous les classiques de la cuisine indienne, comme les *samoussas, raïta, byrianis* et currys. Une cuisine pleine de parfums et d'épices. Apéritif maison offert à nos lecteurs sur présentation de ce guide.

I●I ***Ajmeer*** *(plan C2,* ***10****)* **:** 159, quai de Valmy, 75010. ☎ 01-42-05-67-05. Ⓜ Louis-Blanc ou Château-Landon. Service jusqu'à minuit. Fermé le lundi. Menus à 8 € le midi, 13 € le soir; à la carte, compter autour de 15 €. Si ce n'était le canal Saint-Martin, ou le papy promenant son chien le long du quai, on pourrait effectivement se croire en Inde, avec ses tentures de là-bas et ses panneaux en bois sculpté. Pour un prix raisonnable, on peut y manger une nourriture sans chichis ni raffinement mais tout à fait correcte et copieuse. Bon *byriani* végétarien. Service discret et souriant.

I●I ***Barak*** *(plan D2,* ***8****)* **:** 29, rue de Sambre-et-Meuse, 75010. ☎ 01-42-40-49-15. Ⓜ Belleville ou Colonel-Fabien. Service de 12 h à 14 h 30 et de 19 h 30 à 23 h 30. Fermé les samedi midi et dimanche. Congés annuels : en août. Menu à 10 € le midi. *Pikilia* (assortiment de hors-d'œuvre) à 10 €, « Carnaval d'Antioche » (grillades) à 12 €. Les prix de la carte savent rester raisonnables dans cette taverne gréco-turque aux voûtes et murs de pierre ornés d'objets et de tableaux du cru, ainsi que de photos de clients réjouis. La recette idéale pour s'offrir un voyage au soleil : *arak* ou *raki* en apéritif, excellente assiette de *mezzes,* puis moussaka, daurade grillée au *raki,* ou délicieux *ali nazik* (agneau, aubergines et yaourt aillé), et pour finir en douceur, sucré *baklava* ou suave *sütlac.* Le patron nous rappelle avec philosophie et bon sens que la cuisine rapproche les hommes, et qu'ici, avant d'être grecque ou turque, elle est... méditerranéenne ! Café offert à nos lecteurs sur présentation de ce guide.

I●I ***Au Vieux Bistrot*** *(plan A1,* ***27****)* **:** 30, rue de Dunkerque, 75010. ☎ 01-48-78-48-01. Ⓜ Barbès-Rochechouart ou Gare-du-Nord. Ouvert de 7 h à 23 h. Fermé les samedi soir et dimanche. Menus à 10 et 12 € servis midi et soir; à la carte, on s'en sort pour moins de 15 €. Assez étonnant, vers Barbès, une petite adresse franchouillarde assez agréable le midi, un peu tristounette le soir. Quoi qu'il en soit, le service reste souriant et la cuisine familiale bien bonne : sardines, œuf mayo, museau vinaigrette, andouillette et délicieux confit de poule avec pommes de terre et champignons. Prix doux pour la qualité.

I●I ***Restaurant de Bourgogne – Chez Maurice*** *(plan C3,* ***11****)* **:** 26, rue des Vinaigriers, 75010. ☎ 01-46-07-07-91. Ⓜ Jacques-Bonsergent ou Gare-de-l'Est. Ouvert de 12 h à 14 h 15 et de 19 h à 23 h. Fermé les samedi midi et dimanche. Pas de carte, menus entre 8,50 et 15 €. À deux pas de l'*Hôtel du Nord* et du romantique canal Saint-Martin. Petit resto de quartier qui n'a pas changé d'un pouce depuis de nombreuses années. Un côté provincial patiné. Clientèle populaire. Rendez-vous des photographes amoureux de Paris et du noir et blanc. Maurice, le patron (un bon copain à nous), après 40 ans de bons et loyaux services envers le quartier, prend doucement sa retraite. Mais sa fille Céline reprend le flambeau. Spécialités de la maison : bœuf bourguignon, bavette à l'échalote, manchons de canard confit, blanquette de veau à l'ancienne, carpaccio de saumon... Avec ça, un côtes-du-rhône (3 € le quart de litre) ou un petit cheverny, et le tour est joué ! Attention, réservation conseillée le samedi soir.

|●| ***Le Chaland*** *(plan C2,* ***5****)* **:** 163, quai de Valmy, 75010. ☎ 01-40-05-18-68. Ⓜ Gare-de-l'Est ou Louis-Blanc. Ouvert de 9 h à 1 h du mat'. Fermé le lundi. Service de 12 h à 14 h 30 (15 h 30 les samedi et dimanche) et de 19 h 30 à 22 h 30. Congés annuels : les 3 premières semaines de novembre. Formule déjeuner à 11,50 € ; compter de 15 à 20 € pour un repas à la carte. Vins au verre autour de 3 €. Brunch à 17 €. Idéalement situé, à une enjambée du canal Saint-Martin, voilà un petit bistrot de quartier dans lequel on est content de faire escale. Belle façade rouge pimpante et déco moderne inspirée, comptoir en bois blond, grands miroirs et quelques objets chinés. La salle est lumineuse et accueille une clientèle venue déguster un bon plat du jour ou les spécialités affichées sur l'ardoise. Les moins gourmands se contenteront d'une tarte salée avec salade, d'une grande assiette de charcuterie et de fromage, le tout accompagné d'un verre de vin de propriété, sélectionné en connaisseur par le maître des lieux. Le dimanche, les quais sont fermés à la circulation, on peut ainsi s'offrir avec délice un brunch à prix honnête en profitant de la terrasse ensoleillée. Kir offert à nos lecteurs sur présentation de ce guide.

|●| ***Le Grenier Voyageur*** *(plan C3,* ***49****)* **:** 3, rue Yves-Toudic, 75010. ☎ 01-42-02-25-50. Ⓜ République. Ouvert du lundi au vendredi de 9 h à 2 h et le week-end de 17 h à 2 h. Service de 12 h à 15 h (en semaine uniquement) et de 19 h 30 à 23 h 30. Congés annuels : 1 semaine à Noël. Formule du midi en semaine à 8,80 €, menu à 12 €. À la carte, compter 15 €. Grosses salades entre 5,30 et 9 €. Dans ce café-bistrot-resto, on discute, c'est jeune, convivial, pas trop cher, et on déguste des plats aux saveurs d'ailleurs : steak d'autruche, daurade au basilic, poulet à l'estragon, accompagnés de courgettes et riz basmati... pas des plus exotiques, mais bon quand même et copieux. Carte des vins plus originale (chiliens, australiens, américains). Une adresse un peu isolée mais souvent complète au déjeuner. Apéritif maison offert à nos lecteurs sur présentation de ce guide.

|●| ***Fils du Soleil*** *(plan B3,* ***13****)* **:** 5, rue René-Boulanger, 75010. ☎ 01-44-52-01-21. Ⓜ République ou Strasbourg-Saint-Denis. Ouvert de 12 h à 14 h et de 19 h à 23 h 15. Fermé les samedi midi, dimanche et lundi. Congés annuels : les 3 premières semaines d'août. Menu à 10,50 € le midi. À la carte,

compter aux alentours de 23 €. Ancien mexicain, aujourd'hui plutôt colombien, comme l'accueillante patronne, cette adresse tient ses promesses de cuisine ensoleillée. Les plats (le traditionnel chili ou le risotto colombien, goûteux à souhait) et les desserts (délicieuse confiture de lait aux figues au sirop), dépaysants, sont prétexte à conversation. La tequila, elle aussi, fait se délier les langues... Café ou digestif maison offert à nos lecteurs sur présentation de ce guide.

Le Bistrot des Oies *(plan C3, **15**)* **:** 2, rue Marie-et-Louise et 33, rue Bichat, 75010. ☎ 01-42-08-34-86. Ⓜ Goncourt ou Jacques-Bonsergent. ♿ Ouvert de 12 h à 14 h 30 et de 19 h 30 à 23 h. Fermé le week-end. Congés annuels : en août. Plat du jour à 10 €. Menus à 11 et 14,50 € le midi, et à 18 € le soir. Dans une succession de salles en recoins, aux murs sombres décorés d'objets domestiques ou culinaires, on mange une honnête cuisine qui sent son marché. Les champignons n'y sont pas rares, ce qui ne gâte rien, le vrai routard étant, c'est bien connu, mycophile et... mycophage. Sélection de vins de propriétés qui change tous les mois. Service un peu rude le midi : il y a du monde. C'est bon signe. Terrasse ensoleillée... aux beaux jours.

Le Balbuzard Café *(plan B3, **14**)* **:** 54, rue René-Boulanger, 75010. ☎ 01-42-08-60-20. Ⓜ République ou Strasbourg-Saint-Denis. Ouvert de 11 h 30 à 15 h et de 19 h à minuit. Fermé le dimanche. Menus à 10,50 € le midi et à 19 € le soir. À la carte, compter autour de 20 €. Dans une salle à l'ambiance jeune, enfumée et diablement animée, où trône une machine à café à l'ancienne, où, à l'étage, nous toise (en peinture) le balbuzard de l'île de Beauté, on sert avec vivacité une nourriture chaleureuse et réussie (charcuterie corse-pommes sautées, cassoulet à la mode corse, filets de rouget à l'ajaccienne, bons desserts...). On est serré, on est plutôt bien. Animation musicale le week-end.

La Tête dans le Fromage *(plan C2, **12**)* **:** 22, rue de la Grange-aux-Belles, 75010. ☎ 01-42-06-94-21. Ⓜ Colonel-Fabien. Service jusqu'à 23 h en semaine, minuit le week-end. Assiettes de charcuterie et de fromage autour de 8 €; fondues à 12 € et raclettes à 15 € par personne. À voir la façade de ce resto insolite et la petite salle aux tons bleus très design, ornée de lampes en céramique blanche et de banquettes en skaï rouge, on aurait plutôt « la tête dans les nuages »... Atmosphère intime et chaleureuse, idéale pour un gueuleton entre amis ou un tête-à-tête aux accents du terroir. Au programme, de belles assiettes servies copieusement et avec le sourire, ou les incontournables raclettes et fondues, un must en hiver! *NOUVEAUTÉ.*

Prix moyens

|●| ***Le Sporting*** *(plan C2, **28**)* : 3, rue des Récollets, 75010. ☎ 01-46-07-02-00. Ⓜ Magenta ou Jacques-Bonsergent. Parking payant. Service de 12 h à 15 h (16 h le week-end) et de 19 h à 23 h 30. Formule à 13,50 € le midi en semaine ; sinon, compter autour de 25 € avec la boisson. Si le canal Saint-Martin draine son lot de bars branchouilles et de gueules d'atmosphère, il n'est finalement pas si riche en bistrots de proximité. Ce nouveau venu cultive un feeling agréable avec ses murs bruns, ses photos noir et blanc, son bar années 1930 et sa musique jazzy. Largement vitré, il profite dans la journée d'une belle lumière naturelle, qui lui sied bien. Une clientèle jeune et plutôt sympa y a vite trouvé ses marques, séduite autant par une cuisine un poil modeuse, mais vive et juste, que par ses vins au verre ou sa formule déjeuner.

|●| ***Le Takouli*** *(plan D2, **38**)* : 23, rue Jean-Moinon, 75010. ☎ 01-42-45-35-83. Ⓜ Colonel-Fabien ou Belleville. Fermé les dimanche et lundi. Plats de 11 à 14 €. Au cœur d'un des derniers quartiers prolos et immigrés de Paris, dans un ancien atelier de confection, trois petites salles en enfilade de styles très différents. On aime bien celle toute bleue à l'atmosphère orientale, avec poufs et tables basses. Accueil particulièrement affable, et le lieu dégage de fort sympathiques vibrations. En outre, découvrez une cuisine de l'Orient bien troussée, parfumée et à prix modérés. Spécialités de tajines et couscous, pastilla et lentilles à la marocaine. Semoule au grain fin, bons légumes et viande tendre. Vins à prix également fort abordables. Aux beaux jours, quelques tables sur l'étroit trottoir d'une rue, où, ô miracle, courent encore des enfants...

|●| ***L'Enchotte*** *(plan B2, **16**)* : 11, rue de Chabrol, 75010. ☎ 01-48-00-05-25. Ⓜ Gare-de-l'Est. Fermé les samedi midi, dimanche et jours fériés. Congés annuels : du 20 juillet au 20 août. Le midi, menu complet pour 15 €. Menu-carte uniquement le samedi soir, compter entre 17 et 25 €. Dans ce bistrot-bar à vin au décor de marché aux puces, bric-à-brac de tôles émaillées publicitaires, de vieux postes de radio, ancien monte-charge désaffecté, récipient à vin bourguignon (l'enchotte : 15 litres !), on mange une cuisine savoureuse, aux portions copieuses, dont les sauces sont vineuses à souhait. La carte des vins, bien sûr, est à la hauteur : essayez ceux du Sud-Ouest (ceux qui montent...). Bonne musique.

|●| ***Delaville Café*** *(plan A3, **36**)* : 34, bd de Bonne-Nouvelle, 75010. ☎ 01-48-24-48-09. Ⓜ Bonne-Nouvelle ou Strasbourg-Saint-Denis. Ouvert de 11 h à 2 h. Compter environ 25 € à la carte. Brunch dominical (12 h-17 h) à 22 €. Proche du *Rex*, le *Delaville Café* est une référence dans le quartier. Une maison de plaisirs aux allures de loft

déglingué : l'ambiance post-bohème n'ayant pas été entravée, la nonchalance est toujours de mise, et à chacun de choisir son lieu de prédilection parmi les diverses salles. Mosaïques, colonnes en marbre dans la salle de restaurant au décor envoûtant où l'on peut dîner enfoncé dans les canapés en osier. Carte bien balancée, qui met en avant une cuisine oscillant entre parisianisme et terroir. Le chef arrive largement à convaincre avec son hamburger (si !), son tartare de bœuf au parmesan ou sa salade gambas-papaye. En fait, quelle que soit l'heure, on trouve toujours une dose de plaisir dans ce lieu décalé (voir, plus loin, la rubrique « Où boire un verre ? »). En été, la terrasse s'ouvre sur le boulevard.

Le Rallye *(plan C1, **19**) :* 267, rue du Faubourg-Saint-Martin, 75010. ☎ 01-46-07-22-83. Ⓜ Stalingrad. Ouvert de 6 h 30 à 20 h 30 ; restauration de 11 h à 15 h. Fermé le dimanche. Congés annuels : en août et entre Noël et le Jour de l'an. Formule le midi à 15 € ; sinon, compter autour de 22 €. Une exploitation dans le Cantal, un bistrot près du canal, à Paris. Un lieu où l'on ne s'arrête pas pour le cadre (un vrai café-tabac-PMU de quartier popu, c'est dire !), mais où l'on vient pour casser la croûte. Et, surprise, la charcuterie de pays, le confit de canard, les fromages d'Auvergne y sont goûteux et les beaujolais gouleyants à souhait. Cantal, saint-nectaire et fourme d'Ambert : le tiercé gagnant... Truffade les mardi et vendredi, morue à l'auvergnate le vendredi.

Le Cambodge *(plan C3, **21**) :* 10, av. Richerand, 75010. ☎ 01-44-84-37-70. Ⓜ République ou Goncourt. Service de 12 h à 14 h 30 et de 20 h à 23 h 30. Fermé le dimanche. Congés annuels : de début août à mi-septembre et du 20 décembre au 3 janvier. À la carte, prix moyen d'un repas : 18 € sans la boisson. Ce restaurant niché à deux pas du canal nous a laissé un souvenir mémorable. Une sympathique famille cuisine des petits plats khmers toujours parfumés et savoureux. Soupe « Phnom Penh », *natin* (velouté de porc chaud au saté et lait de coco accompagné de croustillantes chips aux crevettes), *bo bun*... Assurément, la *mamma* n'a pas perdu la main, et sa fille, qui l'assiste, a apparemment hérité de son savoir-faire. Très prisé dans le quartier, donc s'armer de patience pour dégoter une table.

Chez Casimir *(plan A1, **22**) :* 6, rue de Belzunce, 75010. ☎ 01-48-78-28-80. Ⓜ Poissonnière ou Gare-du-Nord. ♿ Parking payant. Service de 12 h à 14 h et de 19 h à 23 h. Fermé les samedi midi et dimanche. Congés annuels : 3 semaines en août. Plats autour de 14 €. Pour un repas complet à la carte, compter 30 €. Dans un cadre tout simple – des tables bistrot à épais plateau de bois – une cuisine franche, entièrement préparée maison, avec de bons produits du marché et des prix fort raisonnables font de l'endroit un resto du bout de la rue comme on les aime. Quelques plats choisis, avec aussi bien le filet de rascasse poêlé et ses petits légumes que la fondante joue de bœuf braisée et ses carottes. Côté desserts, eux aussi maison, le pain perdu aux poires a des échappées d'enfance. Et puis, que vous preniez un repas complet ou simplement une entrée et un dessert de petite faim, personne ne vous fera la tête.

Tesoro d'Italia *(plan A2, **39**)* : 49, rue de Paradis, 75010. ☎ 01-53-34-00-64. Ⓜ Poissonnière. Service de 12 h à 15 h et de 19 h 30 à 23 h. Fermé le dimanche. À la carte, prévoir environ 22 € sans le vin. Deux plats du jour. Le soir, deux formules à 20,50 et 24,75 €. Entrez. Vous voilà chez un Sri Lankais, roi de la *pasta* ! Il n'y a que dans le 10e que l'on peut trouver ça... et pourtant (ne souriez pas !), M. Bala vous surprendra. Huit années de pratique dans un restaurant italien, un an à se perfectionner, et il vous fera redécouvrir les pâtes : *penne, rigatoni, fusilli* ou *linguine alla puttanesca* (tomate, anchois, olive, thon), *checca* (mozzarella, huile d'olive), ou *al pesto,* etc. Salades, escalopes, raviolis et lasagnes se bousculent aussi sur la carte. Délicieux et copieux, on aime cette adresse, toujours pleine, au service souriant, qui finalement porte bien son nom.

La Marine *(plan C3, **25**)* : 55 bis, quai de Valmy, 75010. ☎ 01-42-39-69-81. Ⓜ Jacques-Bonsergent ou République. Ouvert de 8 h 30 à 2 h ; restauration de 12 h à 15 h et de 20 h à 23 h 45. Ouvert le dimanche de 9 h à 20 h. Formule à 12 € le midi ; le soir, compter autour de 32 €. Une vraie gueule d'atmosphère, ce restaurant, sorte de *Flore* de l'Est parisien avec la gouaille en plus, tenu par 3 frangins. Souvent bondé. Les tables et les chaises sont prises d'assaut, et les moulures emplafonnées enfumées. Cuisine de bistrot plutôt sympa : millefeuille de rouget, parmentier d'agneau... Une petite sélection de bons vins au pichet et quelques desserts maison pour accompagner le tout. Accueil agréable et service efficace. Café offert à nos lecteurs sur présentation de ce guide.

Le Réveil du Xe *(plan B3, **29**)* : 35, rue du Château-d'Eau, 75010. ☎ 01-42-41-77-59. Ⓜ Château-d'Eau ou République. Ouvert de 7 h 15 à 21 h ; service le midi de 12 h à 15 h, plus le jeudi soir de 19 h à 21 h 30. Fermé les dimanche, jours fériés et samedi en août. Plats du jour le midi de 9 à 13 € environ. À la carte, repas de 18 à 20 €. Le soir (sauf le jeudi), uniquement des casse-croûte. Sympathique bistrot tenu par de vrais amoureux du bon vin. En outre, les patrons prodiguent un charmant accueil et savent concocter de savoureux petits plats du terroir : tripoux, *pounti,* joue de bœuf à l'auvergnate pommes vapeur, aligot saucisse (le 1er jeudi de chaque mois), succulentes charcuteries et onctueux fromages d'Auvergne.

Bravo pour la belle sélection de vins à tout petits prix ! Une adresse simple et authentique. Apéritif maison ou café offert à nos lecteurs sur présentation de ce guide.

|●| ***Le Petit Café*** *(plan B3, **30**) :* 14, bd de Strasbourg, 75010. ☎ 01-42-01-81-61. Ⓜ Château-d'Eau. Service jusqu'à minuit. Fermé les samedi midi, dimanche et lundi. Congés annuels : en août. Menu à 10,50 € le midi (entrée, plat, dessert ou café) ; le soir, carte uniquement : compter autour de 25 €. Petite sélection de vins basques au verre, autour de 2,50 €. Le bistrot attenant au théâtre Antoine, dont il est une annexe, porte le nom d'une pièce écrite par Tristan Bernard. Sur les murs, des affiches de pièces d'antan et des photos de comédiens. Le chef, originaire de Bayonne, mitonne une cuisine à tendance régionaliste : *chipirons amatxis, marmitako* (ragoût de thon), *axoa* d'Espelette (veau haché cuit en cocotte)... Carte inégale. En tout cas, le menu du midi est vraiment extra (et les tripes mémorables !). On apprécie le cadre chaleureux et l'atmosphère conviviale. À partir du jeudi soir, *Le Petit Café* se transforme en QG des rugbymen du grand Sud-Ouest qui jouent dans les clubs parisiens, et les retrouvailles sont animées !

|●| ***Arthur*** *(plan B3, **32**) :* 25, rue du Faubourg-Saint-Martin, 75010. ☎ 01-42-08-34-33. Ⓜ Strasbourg-Saint-Denis. Service de 12 h à 14 h 30 et de 19 h à 23 h 30. Fermé les dimanche et lundi. Congés annuels : en août. Formules plat + verre de vin ou 1/2 l d'eau minérale + café à 15 € le midi en semaine ou entrée + plat ou plat + dessert à 22 € ; compter autour de 27 € pour un repas à la carte sans la boisson. À deux pas des théâtres des Boulevards, le type même de l'adresse honnête. Cadre douillet – murs marron glacé, affiches et portraits de théâtre, petites lampes sur les tables et bar ventru. Cuisine classique mâtinée d'un zeste de créativité et toujours bien exécutée (filet de bœuf en portefeuille, cabillaud rôti à la sauce vierge...). Même le vin en pichet est agréable. En prime, vers 23 h, les comédiens viennent assurer l'ambiance au sortir de scène. Le patron, lui, pourra vous narrer moult anecdotes sur le monde du spectacle. Pierrot le Fou – le vrai – venait boire ici, et Albert Camus, l'auteur de *La Peste,* et Francis Huster, son interprète, sont venus y manger à... 40 ans d'intervalle.

|●| ***Café Panique*** *(plan A2, **33**) :* 12, rue des Messageries, 75010. ☎ 01-47-70-06-84. Ⓜ Poissonnière. Ouvert de 12 h à 14 h 30 et de 19 h 30 à 22 h. Fermé les week-ends et jours fériés. Congés annuels : en août. Formule le midi à 19 € ; menu le soir à 29 €. À la carte, compter 31 €. Le cadre est sobre et reposant, avec ses murs décorés d'œuvres contemporaines régulièrement renouvelées. Le soir, pas d'état d'âme, un menu unique

avec entrée, plat et dessert. Le midi, cette formule se décline dans une version allégée (plat, verre de vin et café). Il n'y a qu'à se laisser guider par l'inspiration pour faire son choix : on ne se trompe jamais, c'est délicieux. Qu'il s'agisse de la queue de lotte rôtie aux artichauts, de la poitrine de veau caramélisée à l'aigre-doux ou de la mousse de pamplemousse au cacao, on est séduit par une cuisine fraîche et subtile. Quant au vin, la patronne fera pour vous un choix judicieux. En somme, une adresse pour gens de goût(s). Apéritif maison offert à nos lecteurs sur présentation de ce guide.

Le Parmentier *(plan D3,* ***35****) :* 12, rue Arthur-Groussier, 75010. ☎ 01-42-40-74-75. Ⓜ Goncourt. Ouvert midi et soir jusqu'à 23 h. Fermé les samedi et dimanche. Congés annuels : en août. Une formule le midi à 15 € ; un menu-carte à 22 €. Une petite adresse discrète, à deux pas du quartier Sainte-Marthe, qui a le vent en poupe. La façade bleu azur et mosaïque multicolore, la petite salle aux murs jaunes patinés, le service souriant et attentif, et la cuisine fraîche et gourmande font de ce resto une étape agréable. Sur l'ardoise, les menus proposent, au gré du marché : soupe au potiron et aux châtaignes, sardines marinées, hachis Parmentier maison (évidemment...), saumon poché à l'huile d'olive de Maussane et crêpe à l'orange pour finir.

La Chandelle Verte *(plan A3,* ***37****) :* 40, rue d'Enghien, 75010. ☎ 01-47-70-25-44. Ⓜ Bonne-Nouvelle. Ouvert du lundi au vendredi de 12 h à 14 h 30 ; les autres jours, ouvert uniquement à partir de 10 personnes (sur réservation). Congés annuels : en août. Menu à 15 € le midi ; menu-carte à 21 €. Ici, on annonce la couleur : la cuisine artisanale varie selon les saisons, les arrivages et l'inspiration du jour, et ça en vaut... la chandelle. Grande sélection de salades (au mélange d'épices parfois étonnant mais toujours savoureux) et de plats régionaux. Vins servis au verre ou en carafe. Atmosphère familiale dans cette grande salle claire aux murs décorés d'affiches, où résonne le carillon de deux vieilles horloges. Bref, un endroit où l'on se sent bien. Carte postale à l'effigie du Père Ubu offerte à nos lecteurs sur présentation de ce guide.

La Madonnina *(plan C3,* ***41****) :* 10, rue Marie-et-Louise, 75010. ☎ 01-42-01-25-26. Ⓜ Jacques-Bonsergent ou Goncourt. Ouvert de 12 h 15 à 14 h 30 et de 20 h à 23 h 30. Fermé le dimanche. Formule le midi à 11 €. À la carte, compter entre 25 et 30 € sans le vin. Que de l'authentique, du frais et du fait maison, à la formule simple : 4 entrées, 5 plats et 3 desserts au choix. Sur l'ardoise, tout est inscrit en italien, n'hésitez donc pas à demander quelques explications à Giovanni ou à son élégante femme, la fameuse Madonnina... *Carpaccio di bue* (carpaccio de bœuf), *linguine alle vongole, al gorgonzola, scamorza* (mozzarella fumée) grillée, ou une *panna cotta* au caramel pour dessert. Bons vins italiens, mais un peu chers. Miniterrasse sur rue calme en été. Déco aux beaux murs jaunes patinés, carrelage en mosaïque. *Che bella vita!* Mieux vaut réserver. Verre de limoncello offert à nos lecteurs sur présentation de ce guide.

|●| ***SAS Le Chansonnier*** *(plan C2, **42**)* **:** 14, rue Eugène-Varlin, 75010. ☎ 01-42-09-40-58. Ⓜ Château-Landon. Service de 12 h à 15 h et de 19 h à 23 h. Fermé les samedi midi et dimanche. Congés annuels : la semaine du 15 août. Formule à 10,50 € le midi ; menus à 22 et 23,50 €. « Buvons, buvons à l'indépendance du monde ! » C'est au coin de la rue Pierre-Dupont, chansonnier auteur de ces mémorables paroles, et de la rue Eugène-Varlin (chapeau bas : la Commune n'est pas morte !) que Jean-Claude Lamouroux nous fait partager un vrai moment de bonheur. L'atmosphère chaleureuse, dans un cadre préservé, le service efficace, les plats traditionnels, du poulet fermier rôti à la joue de porc confite en passant par le poisson entier rôti aux senteurs de Provence, tous plus réussis les uns que les autres, les pichets de vins sélectionnés par le patron, tout inciterait à monter sur la table, verre en main... Bon, on se calme ! Mais c'est vraiment bien. Apéritif maison offert à nos lecteurs sur présentation de ce guide.

Plus chic

|●| ***Chez Michel*** *(plan A1, **43**)* **:** 10, rue de Belzunce, 75010. ☎ 01-44-53-06-20. Ⓜ Gare-du-Nord. ♿ Ouvert de 12 h à 14 h et de 19 h à minuit. Fermé le lundi midi et le week-end. Congés annuels : le 15 août. Menu-carte à 30 €. Ce resto aux allures de fermette détonne au milieu des mangeoires des environs. Originaire de Bretagne, le patron ne renie pas son terroir et vous régale d'une cuisine de qualité, faite avec des produits éclatants de vérité. Craquelins de Saint-Malo fourrés de chèvre et galette au beurre demi-sel ou filets de hareng fraîchement mariné, émincé de roseval mettent en joie, au point que l'on desserre la ceinture d'un cran pour faire de la place au *kig ha farz* de joues de cochon et lard paysan, ou encore au moelleux de homard breton légèrement gratiné au parmesan. En dessert, paris-brest ou *kouign aman* du pays servi tiède valent leur pesant de sucre. *Breiz atao!*

|●| ***Flo*** *(plan A3, **45**)* **:** 7, cour des Petites-Écuries, 75010. ☎ 01-47-70-13-59. Ⓜ Château-d'Eau. ♿ Ouvert de 12 h à 15 h et de 19 h à 1 h. Menus de 24,50 à 33,50 € ; plat du jour à 15 €. À la carte, compter autour de 45 €. Un grand classique de la nuit pour la choucroute. La vieille brasserie de l'Allemand Flœderer, qui date de 1886, n'a pas pris une ride... Les acteurs

des théâtres des Boulevards tout proches se faisaient livrer des plats dans leur loge, notamment Sarah Bernhardt, quand elle jouait à *la Renaissance*. Superbe déco 1900, vitraux séparant les pièces, plafonds richement décorés, banquettes de cuir, limonaire, porte-chapeaux en cuivre... Plateaux de fruits de mer, formidable choucroute paysanne, andouillette grillée AAAAA, escalope de foie gras chaud aux cerises... Clientèle jeune, moins jeune, toujours gaie. Apéritif maison offert à nos lecteurs sur présentation de ce guide.

|●| ***Terminus Nord*** *(plan B1, **46**) :* 23, rue de Dunkerque, 75010. ☎ 01-42-85-05-15. Ⓜ Gare-du-Nord. ♿ Ouvert de 8 h à 1 h (restaurant de 11 h à 1 h). Formules à 24,50 € le midi et, à partir de 22 h 30, à 34,50 € ; plats du jour de 12 à 15 € ; compter autour de 30 € à la carte. Face à la gare du Nord, une des plus belles brasseries parisiennes, au style Art déco 1925 (voir, entre autres, le beau carrelage à fleurs). Atmosphère animée, excellents plats de brasserie, service professionnel. Spécialités : fruits de mer, choucroute, foie gras chaud aux pommes, grillades et steak grillé maître d'hôtel, bouillabaisse. Apéritif maison offert à nos lecteurs sur présentation de ce guide.

|●| ***Julien*** *(plan A3, **47**) :* 16, rue du Faubourg-Saint-Denis, 75010. ☎ 01-47-70-12-06. Ⓜ Strasbourg-Saint-Denis. ♿ Service de 12 h à 15 h et de 19 h à 1 h. Menu à 24,50 € le midi (sauf le dimanche) et le soir après 22 h ; autre menu à 34,50 € le soir. À la carte, prévoir autour de 40 à 45 €. Encore un détournement, réussi par le talentueux Jean-Paul Bucher, de l'un des plus vieux bouillons parisiens (1903). Toujours les mêmes ingrédients qui fonctionnent admirablement : un éblouissant décor Art nouveau aux stucs baroques et aux boiseries chantournées, un service aussi véloce qu'efficace et des plats d'honnête facture. Beaucoup de touristes étrangers en goguette.

|●| ***Aux Deux Canards – Chez Catherine*** *(plan A3, **26**) :* 8, rue du Faubourg-Poissonnière, 75010. ☎ 01-47-70-03-23. Ⓜ Bonne-Nouvelle. Dans la rue qui fait face au *Rex*. Service de 12 h à 14 h 15 et de 19 h 30 à 22 h 15. Fermé le samedi midi, le dimanche et le lundi midi. Congés annuels : 1 semaine fin juillet, 3 semaines en août et la 1re semaine de janvier. Formule le midi à 17 € (entrée + plat ou plat + dessert). Compter de 25 à 30 € pour un repas complet, sans la boisson. De Catherine, la fondatrice (née en 1901), il reste... le nom, cette ambiance d'auberge de campagne (les cuivres brillent et le Paris montmartrois n'est pas loin) et deux spécialités : le canard, bien sûr, du foie au magret en passant par les manchons, apprêté aux myrtilles, au café (si, si !), ou à l'orange, et, justement, l'orange et ses zestes confits. Le patron se fera d'ailleurs un plaisir de vous conter (et de vous les compter) les

secrets de sa gourmande aïeule... Belle carte des vins, à tous les prix. Réservation conseillée, et encore, pour entrer il vous faudra montrer patte blanche : la porte ne s'ouvre que sur ordre du patron !

Bars à vin

🍽 🍷 ***Le Coin de Verre** (plan D2, **55**) :* 38, rue de Sambre-et-Meuse, 75010. ☎ 01-42-45-31-82. Ⓜ Belleville ou Colonel-Fabien. Ouvert de 20 h à 1 h. Fermé le dimanche. Réservation indispensable. Plats et assiettes à 10 € ; compter 16 € environ pour un repas complet ; bouteilles autour de 13 €. Il faut sonner pour qu'on vous ouvre : on n'entre pas ici dans un bar à vin quelconque, mais dans un refuge contre la grisaille parisienne. Michel et Hugues ont le tutoiement chaleureux des vieilles amitiés et prennent le temps de s'asseoir pour discuter un brin. On parle vin, bien sûr, et avec amour. Dès les premiers frimas, on se serre les coudes autour d'un bon feu. Bordeaux, bourgognes, vins de Loire et côtes-du-rhône : idéal avec une assiette de cochonnaille ou de fromage (avec une tomme de Savoie fabuleuse). À l'occasion, ou sur commande : blanquette, petit salé ou potée aux choux, etc. Cartes de paiement refusées.

🍽 🍷 ***La Vigne Saint-Laurent** (plan B2, **54**) :* 2, rue Saint-Laurent, 75010. ☎ 01-42-05-98-20. Ⓜ Gare-de-l'Est. Ouvert de 12 h à 14 h 30 et de 19 h à 22 h 30. Fermé le week-end. Congés annuels : 3 semaines en août, ainsi qu'entre Noël et le Jour de l'an. Assiettes de charcuterie ou de fromage à 9,50 € ; également un menu-assiette à 13,50 € avec un verre de vin, servi midi et soir. À la carte, compter autour de 22 €. La plupart des bouteilles affichent moins de 20 €. Si vous avez un train à prendre ou un cousin en partance gare de l'Est, prenez 2 mn pour marcher jusqu'à ce petit bistrot à vin bien sympathique, tenu par un charmant duo de moustachus. Les grelots de Savoie se disputent la vedette avec la rosette et les saint-marcellin affinés à la lyonnaise. Sans oublier les plats du jour (une région de France représentée chaque jour) cuisinés avec soin, le tout arrosé d'un saint-nicolas-de-bourgueil ou d'un madiran d'un bon millésime, gouleyant à souhait. Un petit dessert maison peut-être ? En digestif, on peut se laisser tenter par la mirabelle de Lorraine ou le marc de Savoie.

🍽 🍷 ***Le Verre Volé** (plan C3, **53**) :* 67, rue de Lancry, 75010. ☎ 01-48-03-17-34. Ⓜ Jacques-Bonsergent. Service de 10 h 30 à 23 h (22 h le dimanche). Fermé le lundi midi. Congés annuels : la semaine du 15 août. Assiettes à 10 €. Quatre tables au milieu d'une « cave à vin » où vous ne risquez pas de vous faire mal au dos pour avoir descendu, courbé et courbatu, les escaliers. Caillette mémorable et charcuteries de l'Ardèche sont avalées ici sur le pouce, au milieu des tonneaux et des bouteilles, avec un ou plusieurs verres de vins sélectionnés intelligemment par le propriétaire des lieux. Bonne ambiance musicale électro-jazz évitant tout recueillement attendri devant son verre. Livraison possible dans le quartier.

Salons de thé

Antoine et Lili – La Cantine *(plan C2, **56**)* **:** 95, quai de Valmy, 75010. ☎ 01-40-37-34-86. Ⓜ Jacques-Bonsergent. Ouvert du mercredi au samedi de 11 h à 22 h (20 h l'hiver) et les dimanche, lundi et mardi de 11 h à 19 h. Congés annuels : du 24 décembre au 4 janvier. Sandwichs, salades, pâtisseries entre 5 et 15 €. Sûr que si l'on tournait aujourd'hui un remake d'*Hôtel du Nord* dans le quartier, on prendrait ces lieux pour décor, avec les amoureux en terrasse, partageant leurs tourtes et sirotant une limonade à la rose, après avoir été chercher un objet pour célébrer leur amour dans l'une des deux boutiques voisines de cette néocantine. Eh oui, ça se passe comme ça, aujourd'hui, quai de Valmy. Allez y faire un tour si vous ne nous croyez pas (évitez les jours de pluie, évidemment !).

Le Jardin des Voluptés *(plan A3, **57**)* **:** 10, rue de l'Échiquier, 75010. ☎ 01-48-24-38-68. Ⓜ Strasbourg-Saint-Denis ou Bonne-Nouvelle. ♿ Ouvert du mardi au dimanche de 10 h à 20 h (22 h 30 le vendredi). Fermé le lundi. Réservation recommandée. Congés annuels : du 1er au 22 août. Menu (végétarien ou non) à 12,50 € le midi. Compter autour de 20 € à la carte. Large choix de thés. Ici, on ne parle pas de « salon » de thé mais de « maison » du thé. On vous expliquera tout sur le sujet, de son origine à sa dégustation, accompagné du menu de son choix. Vous trouverez même des cocktails de thés et de plantes ! Également des thés glacés non sucrés et un chocolat chaud au lait de quinoa. Adossée au centre de culture chinoise, l'adresse est à bonne école, le cadre agréable, paisible, et les gérants fort serviables. Un thé du jour offert à nos lecteurs sur présentation de ce guide.

Couleurs Canal *(plan C3, **58**)* **:** 56, rue de Lancry, 75010. ☎ 01-42-40-60-52. Ⓜ Jacques-Bonsergent. Ouvert le midi seulement (service de 12 h à 15 h 30). Fermé le week-end. Congés annuels : du 14 juillet au 15 août. Formules à 5,50 € autour d'une tartine chaude (style brouillade de poivrons) servie avec une vraie salade et à 6,50 € autour d'une tarte du jour. Potages en hiver. Un mini-salon de thé avec de petites tables pour grignoter tranquille. Gentil, propre, discret, pas trop cher. Une adresse chaleureuse, dans un décor maison revu et corrigé par un artiste qui n'est autre que le mari de la patronne, d'où les expos au mur. Café offert à nos lecteurs sur présentation de ce guide.

Où boire un verre ?

🍸 ***Delaville Café*** *(plan A3,* ***36****)* **:** 34, bd de Bonne-Nouvelle, 75010. ☎ 01-48-24-48-09. Ⓜ Bonne-Nouvelle ou Strasbourg-Saint-Denis. Ouvert de 10 h à 2 h. Déjà cité plus haut dans notre rubrique « Où manger ? », le *Delaville Café* est aussi et avant tout un lieu chaleureux où il fait bon passer un moment, en journée comme le soir. Carte des cocktails bien fournie pour varier des tournées de mousse, à descendre jusqu'au creux de la nuit. Au fond, le nouveau lounge est un zeste décalé mais toujours branché avec ses tabourets en skaï rouge. Le soir, excellente programmation musicale.

🍸 ***La Patache*** *(plan C3,* ***60****)* **:** 60, rue de Lancry, 75010. ☎ 01-42-08-14-35. Ⓜ Jacques-Bonsergent. Ouvert (presque) tous les jours de 18 h à 2 h. Fermé généralement le dimanche. Demi à 2 € au bar. Un vieux bougnat début XXe siècle, jauni par le temps et la nicotine. Le vieux poêle fonctionne encore au charbon, le prix des consos est plus que démocratique, les murs racontent des histoires du temps jadis, et la clientèle titi parisien se fond dans le décor. À défaut de cinéma, *La Patache* fait dans le théâtre de bar : scènes de la vie courante improvisées spontanément par quelques comédiens, à la surprise des non-initiés ! Des moments uniques à saisir le jeudi et le week-end. Pour votre gouverne, le patron ne fait pas de l'amabilité un précepte de base !

🍸 ***L'Atmosphère*** *(plan C2,* ***61****)* **:** 49, rue Lucien-Sampaix, 75010. ☎ 01-40-38-09-21. Ⓜ Gare-de-l'Est. Wi-fi. Ouvert le lundi de 17 h à minuit, du mardi au samedi de 9 h à 1 h 45 (service jusqu'à 23 h) et le dimanche de 9 h 30 à minuit. Concerts (en général) les vendredi soir, samedi soir et dimanche en fin d'après-midi. Il ne fait pas froid, même en hiver, les soirs où l'on peut écouter de la musique dans ce tout petit café qui ne manque pas, alors... d'atmosphère, agrandi de 20 m² (20 places assises de plus). Si le bar est difficile à atteindre, les consommations, elles, ont su rester abordables (0,50 € en plus les soirs de concert). Confit de canard, salades et charcuteries accompagnent bières et autres verres de touraine. Si la chaleur fait quelquefois défaut à l'accueil, il y a du plaisir, aux beaux jours, à lézarder au soleil, sur la petite terrasse, au bord du canal Saint-Martin. Cartes de paiement refusées. Kir maison offert à nos lecteurs sur présentation de ce guide.

🍸 ***Le Jemmapes*** *(plan C3,* ***71****)* **:** 82, quai de Jemmapes, 75010. ☎ 01-40-40-02-35. Ⓜ Jacques-

Bonsergent. Ouvert tous les jours de 11 h à 15 h et de 19 h à 23 h. Formule déjeuner à 10 €. Bières à 2,50 €. En été, se donner rendez-vous au *Jemmapes,* ça signifie en fait se donner rendez-vous devant le *Jemmapes.* Les pieds dans l'eau du canal, le nez au soleil et la main autour d'un verre en plastique commandé au bar : la ville devient presque vivable ! À la nuit tombée, il est vivement conseillé de se rapatrier à l'intérieur, où la salle nous rappelle un peu l'univers de Caro et Jeunet. Lumières tamisées, murs en vieille pierre, faux marbre du XIXe siècle, déco plutôt bordélique et tables collées les unes aux autres créent une ambiance animée bien sympa. Petits plats honnêtes pour caler sa faim. Cartes de paiement refusées. Café offert à nos lecteurs sur présentation de ce guide.

🍸 ***L'Île Enchantée*** *(plan D2,* ***72****) :* 65, bd de la Villette, 75010. ☎ 01-42-01-67-99. Ⓜ Colonel-Fabien. Ouvert tous les jours de 8 h (17 h le samedi et 12 h le dimanche) à 2 h. Bières à 3 €. *Mojito* à 6 €. En quelques années, ce bar, perdu à la frontière de Belleville, est devenu la coqueluche de la faune bobo branchée du quartier. Il faut dire qu'il a des atouts : en bas, la grande salle avec son plafond haut perché et ses prix bas, sa déco discrète, ses belles baies vitrées 1900 et son personnel hyper-efficace en font une base précieuse pour apéros réussis. Programme musical électro les mercredi et samedi.

🍸 ***Le Point Éphémère*** *(plan C1,* ***63****) :* 200, quai de Valmy, 75010. ☎ 01-40-34-02-48. Ⓜ Jaurès. Ouvert de 20 h à 23 h 15. Fermé le dimanche. Demi à 4 €. Même sur le canal Saint-Martin, il est difficile de faire plus « boboïssime » que ce bar-restaurant-expo-concert installé dans un ancien dépôt de ciment et gravier. D'où son dépouillement industriel façon Palais de Tokyo et le fait qu'on boive sur des bobines de câbles ! *NOUVEAUTÉ.*

🍸 ***Chez Adel*** *(plan C2-3,* ***64****) :* 10, rue de la Grange-aux-Belles, 75010. ☎ 01-42-08-24-61. Ⓜ Jacques-Bonsergent ou Colonel-Fabien. ♿ Ouvert du mardi au vendredi de 12 h à 14 h et de 17 h à 2 h et le week-end de 12 h à 2 h. Fermé le lundi. Sangria et Mythos (bière grecque) à 2 €, demi et rhum gingembre à 2,50 € ; plats du jour autour de 7 €. Dans un 10e arrondissement qui n'en finit pas de bouger, voilà un rade alternatif tout ce qu'il y a de plus sympa, où l'on vient casser une croûte autour d'un œuf mayo, d'un rosbif-purée ou d'une salade vosgienne, dans une ambiance de resto de quartier version Paname d'aujourd'hui. Le soir, on y boit un pot en écoutant de la zique live (concerts du mardi au samedi à partir de 20 h) dans une ambiance définitivement conviviale, ou en assistant à la représentation d'une pièce de théâtre de bar le dimanche à 20 h. Spécialités syriennes le week-end. Digestif maison offert à nos lecteurs sur présentation de ce guide.

🍷 ***L'Apostrophe*** *(plan C2, **65**)* : 23, rue de la Grange-aux-Belles, 75010. ☎ 01-42-08-26-07. Ⓜ Colonel-Fabien. Ouvert de 7 h (15 h le samedi) à 2 h; service en semaine de 12 h à 16 h. Fermé le dimanche. Demi à 2,50 €; couscous de 8 à 15 €. Petite restauration le soir. Jazz, guinguette, funk... M. Rahmani, le jovial patron de ce bar, aime tout ce qui bouge. Embringué dans les courants alternatifs du canal Saint-Martin, le voilà qui fait écho à *Chez Adel,* son plus proche voisin, en boostant son drôle de bistrot (murs roses, mosaïque au sol...) au rythme de Radio Nova. Théâtre le jeudi, concerts les vendredi et samedi à 22 h. Ambiance un peu chaude certains soirs... Tenue jean-baskets de rigueur.

🍷 ***Chez Prune*** *(plan C3, **66**)* : 36, rue Beaurepaire, 75010. ☎ 01-42-41-30-47. Ⓜ Jacques-Bonsergent. Ouvert tous les jours jusqu'à 2 h. Le midi, plusieurs plats du jour de 10 à 11,20 €; le soir, des assiettes froides (charcuterie, fromage, etc.) entre 8 et 9 €; alcools de 2,30 à 6,50 € en salle. Le dernier café branché Paname du canal Saint-Martin. Situé pile poil entre *La Patache* et *La Marine.* Un ancien bar-tabac retapé vite fait bien fait, ouvert dans l'urgence d'un Mondial 1998 qui s'annonçait déshydratant... Que l'on choisisse une vieille prune ou un petit ballon de rouge, *Chez Prune,* toujours, on en a pour son argent pour goûter l'assiette de charcuterie ou le panier de légumes.

11e ARRONDISSEMENT

DU CÔTÉ DE BASTILLE

Où manger ?

Très bon marché

|●| ***La Cour du Faubourg*** *(plan B3, **1**)* **:** 29, rue du Faubourg-Saint-Antoine, 75011. ☎ 01-53-17-13-50. Ⓜ Bastille. ♿ Ouvert du lundi au vendredi de 12 h à 14 h 30. Resto non-fumeurs. Plats du jour à 6,90 €. Menu du jour à 8,50 € et menu suggestion à 10,50 €. Au rez-de-chaussée d'un immeuble privé, le *Centre d'aide par le travail* vous accueille dans sa cantine, littéralement. De longues tablées, des plats simples comme à la maison (genre poulet grillé ou filet de colin) et un service souriant et présent. Miniterrasse dans la cour (chauffée en hiver), classée Monument historique (ateliers Eiffel 1911). Café offert à nos lecteurs sur présentation de ce guide.

|●| ***Le Dallery*** *(plan B3, **2**)* **:** 6, passage Charles-Dallery, 75011. ☎ 01-47-00-11-72. Ⓜ Ledru-Rollin. Ouvert tous les jours sauf le dimanche, de 8 h à 22 h. Plat + dessert + café à 8,50 € ; entrée + plat + dessert et boisson à 10 €. Bon, d'accord, cette grande pièce jonchée de tables bistrot et présidée par son zinc ne présente aucun charme particulier. Et pourtant, difficile de trouver meilleur rapport qualité-prix aussi proche de la Bastille. La viande est tendre à souhait, les légumes croquants (même s'ils ne sont pas du marché), la cuisine d'une simplicité à toute épreuve et le patron conciliant sur le menu. L'accueil sympathique ne gâte rien. Couscous le vendredi. Cartes de paiement refusées.

|●| ***Le Bar à Soupes*** *(plan B3, **6**)* **:** 33, rue de Charonne, 75011. ☎ 01-43-57-53-79. Ⓜ Bastille ou Ledru-Rollin. ♿ Ouvert de 12 h à 15 h et de 18 h 30 à 23 h. Fermé les dimanche et jours fériés. Congés annuels : de fin juillet à fin août. Soupes à partir de 4 € à emporter et 4,80 € sur place ; le midi, menu avec soupe, fromage, ou charcuterie ou un dessert et une boisson (verre de vin ou café) à 9,50 €. Dans un décor minimaliste, on déguste de délicieuses soupes de légumes chaudes ou froides servies dans des bols design. Six soupes

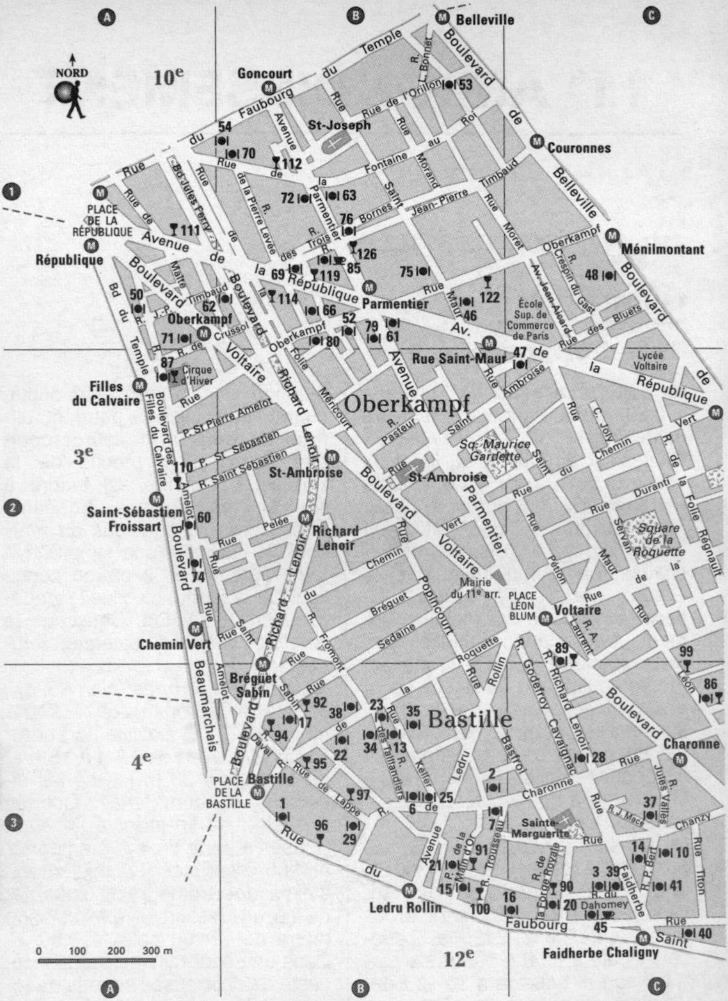

NORD

10e
3e
4e
12e

Oberkampf
Bastille

Belleville
Goncourt
Couronnes
Ménilmontant
République
PLACE DE LA RÉPUBLIQUE
Parmentier
Oberkampf
Rue Saint-Maur
Filles du Calvaire
St-Ambroise
Saint-Sébastien Froissart
Richard Lenoir
Voltaire
PLACE LÉON BLUM
Chemin Vert
Bréguet Sabin
Charonne
PLACE DE LA BASTILLE
Bastille
Ledru Rollin
Faidherbe Chaligny

St-Joseph
Cirque d'Hiver
École Sup. de Commerce de Paris
Lycée Voltaire
Sq. Maurice Gardette
Mairie du 11e arr.
Square de la Roquette
Sainte-Marguerite

0 100 200 300 m

11e

BASTILLE

Où manger ?

1 La Cour du Faubourg
2 Le Dallery
3 Au Vieux Chêne
4 La Ravigote
6 Le Bar à Soupes
7 Paris-Hanoï
10 L'Écailler du Bistrot
13 Café Moderne
14 Le Temps au Temps
15 L'Ami Pierre
16 Le Brespail
17 Le Sérail
19 Le Sot-L'y-Laisse
20 À la Banane Ivoirienne
21 Le Meneske
22 Le Café Divan
23 Au P'tit Cahoua
25 Pause Café
28 Waly Fay
29 Chez Paul
34 Wok Cooking
35 La Plancha
37 Pure Café
38 Blue Elephant
39 Mansouria
40 Les Amognes
41 Bistrot Paul-Bert
42 Cefalù
44 Chez Ramulaud

Bars à vin

86 Bistrot à vins Mélac
89 Les Domaines qui montent

Salon de thé

45 La Bague de Kenza

Où boire un verre ?

90 Le Réservoir
91 Le Fanfaron
92 Café de l'Industrie
94 Le Lèche-Vin
95 Havanita Café
96 Sanz Sans
97 Le Bar Sans Nom
99 Le Buveur de Lune
100 Bottle Shop

OBERKAMPF

Où manger ?

46 L'Alicheur
47 La Passerelle
48 Aux Jeux de Pom
50 Au Trou Normand
52 Le Caravansérail
53 Restaurant Reuan Thaï
54 Sizin
60 La Vache Acrobate
61 Au Village
62 Engizek
63 Kazaphani
66 Les Oudayas
69 Astier
70 Les Fernandises
71 Le Tagine
72 Chez Raymonde
74 Les Jumeaux
75 Blue Billard-Blue Bayou
76 L'Homme Bleu
79 Le Marsangy
80 Le Villaret

Bar à vin

87 Le Clown Bar

Salon de thé

85 Thé Troc

Où boire un verre ?

110 Pop In
111 Cocoa Café
112 La Caravane
114 Le Troisième Bureau
119 Les 3 Têtards
122 Barracao
126 L'Autre Café

11e ARRONDISSEMENT

différentes chaque jour sur une cinquantaine de recettes, comme celle de potiron au lait de coco, de courgettes au fromage fondu, ou d'autres plus estivales et servies froides... À consommer sur place ou à emporter. Dommage, les portions pourraient être plus généreuses.

Paris-Hanoï *(plan B3, **7**)* : 74, rue de Charonne, 75011. ☎ 01-47-00-47-59. Ⓜ Charonne. Service de 12 h à 14 h 30 et de 19 h à 22 h 30 ; le dimanche, le soir uniquement. Congés annuels : en août. Vente à emporter, idéal quand on travaille dans le quartier. Compter environ 12 € pour un repas complet ; plats autour de 6,60 €. Derrière sa façade jaune se cache un vietnamien de poche cool et décontracté, qui vous transporte directement du faubourg de la Bastoche au quartier Hoa Kiem. Offrez-vous sans hésitation l'une des bonnes soupes maison, ou encore des nouilles sautées aux crevettes. C'est bon, simple et vraiment pas cher. Un lieu qui tient vraiment la route. Malgré le manque d'aération – et l'odeur qui en découle –, on s'y presse midi et soir. Apéritif maison offert à nos lecteurs sur présentation de ce guide.

Bon marché

La Ravigote *(plan C3, **4**)* : 41, rue de Montreuil, 75011. ☎ 01-43-72-96-22. Ⓜ Faidherbe-Chaligny. Service de 12 h à 14 h 30 et de 19 h à 22 h 30. Fermé les samedi soir et dimanche. Congés annuels : en août. Menu unique à 13 € le midi et 18 € le soir ; vins à partir de 18 €. Une vingtaine de tables dans un petit resto de quartier et d'habitués, avec son incontournable menu à l'ardoise. Pas de chichis : laissez-vous tenter par une tête de veau ravigote, un bœuf en daube ou des noix de joue de porc. La déco est simple : celle d'un bistrot parisien. Certes, le service n'est pas des plus enjoué, mais les connaisseurs savent que cela aussi fait partie du « typique parisien » ; et puis les dons de Pierre, le patron, en cuisine, emporteront vite vos dernières réticences. Apéritif maison offert à nos lecteurs sur présentation de ce guide.

Le Café Divan *(plan B3, **22**)* : 60, rue de la Roquette, 75011. ☎ 01-48-05-72-36. Ⓜ Bastille. Ouvert tous les jours de 8 h à 2 h ; service continu de 12 h à minuit. Plats autour de 12 € ; tartines Poilâne à partir de 5,60 € ; cocktails à 8 € et demis à partir de 2,50 €. Salade autour de 8 €. Brunch à 17 € les samedi, dimanche et jours fériés de 11 h à 16 h. Un long bar en cuivre qui serpente, quelques objets hétéroclites, une grande horloge façon Harold Lloyd en entrant et de lourdes tentures de velours rouge... Une formule éprouvée pour les bars à la mode de Bastille, et si ça marche, c'est aussi qu'on y est bien, autour d'un plat chaud ou d'un cocktail, bercé par le brouhaha des assiettes et des conversations.

|●| ***Café Moderne*** *(plan B3, **13**) :* 19, rue Keller, 75011. ☎ 01-47-00-53-62. Ⓜ Bastille ou Ledru-Rollin. Service de 12 h à 14 h et de 19 h à minuit. Fermé les dimanche midi et lundi. Congés annuels : en août. Compter environ 20 € à la carte ; vins à partir de 13 €, dont quelques algériens et marocains. Une grande salle, à l'ambiance un peu surprenante au premier abord, mais où la carte varie avec brio du français classique au maghrébin pur souche. Une excellente adresse où se succèdent familles en goguette, titis connaisseurs et quelques rares touristes bien informés. Les plats sont on ne peut plus copieux, le méchoui et le couscous royal magnifiques, la *pastilla* croquante et l'accueil aussi souriant que prévenant. Nombreuses tables rondes, idéales à partir de 5 personnes. Apéritif maison offert à nos lecteurs sur présentation de ce guide.

|●| ***Pause Café*** *(plan B3, **25**) :* 41, rue de Charonne, 75011. ☎ 01-48-06-80-33. Ⓜ Bastille ou Ledru-Rollin. Ouvert midi et soir jusqu'à 2 h (service jusqu'à minuit). Fermé le dimanche soir. Congés annuels : à Noël. Pas de menu, compter aux alentours de 15 €. Plat du jour autour de 12 €. Le *Pause Café* a été immortalisé dans le film *Chacun cherche son chat* qui caricaturait la vie du quartier. Depuis, il s'est bien « boboïsé » et ça se ressent jusque dans la clientèle, où il n'est pas rare de croiser quelques acteurs à la mode ou de jeunes chefs d'entreprise en rendez-vous. Malgré tout, on apprécie beaucoup la grande terrasse, chauffée et abritée, l'accueil souriant et les assiettes bien garnies d'une cuisine très correcte sans être vraiment originale. Plats du jour à l'ardoise : autour d'un filet de poisson, un magret de canard au miel, un carpaccio, un steak tartare ou une part de tarte salée ou sucrée. À l'intérieur, grande salle mode, aux beaux volumes, mais assez bruyante. Attention au prix du vin et au monde le soir et le midi en semaine à partir de 13 h.

Prix moyens

|●| ***Le Temps au Temps*** *(plan C3, **14**) :* 13, rue Paul-Bert, 75011. ☎ 01-43-79-63-40. Ⓜ Faidherbe-Chaligny. Service de 12 h à 14 h et de 20 h à 22 h 30. Fermé les dimanche et lundi. Réservation très conseillée. Congés annuels : du 23 décembre au 5 janvier et au mois d'août. Formule à 12 € à midi ; menu le soir à 26 €. Un petit resto d'une dizaine de tables à peine, sobrement décoré, où, sous des aspects modestes, se cache une perle de cuisinier. À l'œuvre dans le fond de la salle et toujours attentif aux réactions des convives,

il s'applique à nous en mettre plein la vue avec un menu restreint – gage de qualité – offrant un excellent rapport qualité-prix. Des produits frais choisis en fonction des saisons et travaillés avec maestria. Quelques plats sont d'ailleurs inspirés de la cuisine du grand chef catalan, Ferran Adria, qui s'est illustré en modifiant la texture des aliments pour mieux exhausser la saveur. On déguste ainsi avec délices des plats insolites, toujours goûteux et suffisamment copieux. Les desserts ne sont pas en reste, avec des recettes de haute volée. Madame est en salle pour contenter son monde et propose des vins au verre à partir de 2,50 €. Une adresse rare !

L'Ami Pierre *(plan B3, **15**)* **:** 5, rue de la Main-d'Or, 75011. ☎ 01-47-00-17-35. Ⓜ Ledru-Rollin. Ouvert jusqu'à 2 h (service jusqu'à minuit). Fermé les dimanche et lundi. Congés annuels : du 19 juillet au 19 août. Pas de menu ; repas autour de 15 €, boisson en sus. Marie-Jo, fidèle au poste, nourrit gentiment son petit monde, surtout des habitués ou des copains dessinateurs de presse, avec un roboratif plat du jour ou ses incontournables magrets, confits de canard et autres andouillettes. Une cuisine simple et sans chichis mais délicieuse, à l'image du lieu. Pas de carte, tout est inscrit sur l'ardoise, et la serveuse vient vous énumérer les choix du jour. Vins au compteur (on ne paie que ce qu'on a bu). Le service rapide est idéal aussi à l'heure du déjeuner. Digestif maison offert à nos lecteurs sur présentation de ce guide.

Le Brespail *(plan B-C3, **16**)* **:** 159, rue du Faubourg-Saint-Antoine, 75011. ☎ 01-43-41-99-13. Ⓜ Ledru-Rollin. Ouvert du mardi au samedi de 20 h à 22 h 30. Congés annuels : du 20 décembre au 20 janvier. Formules à 12 ou 15 €, le midi, une autre à 23 €. À la carte, compter autour de 30 € pour un repas complet sans boisson. Dans un petit passage, une belle petite adresse légèrement chic sans être surfaite. Une dizaine de tables se disputent les quelques mètres carrés pour offrir aux convives une douce musique de fond, le calme de la salle et le discret raffinement de la cuisine traditionnelle (magret fourré au foie gras, cassoulet, foie gras poêlé). Le chef, derrière sa petite cuisine américaine, surveille d'ailleurs la satisfaction des clients. Du familial chic, peu fréquent, qui s'agrémente de quelques tables en terrasse en été, où l'on se sent comme en famille un jour de fête. Apéritif maison (du 1er septembre au 31 mai) offert à nos lecteurs sur présentation de ce guide.

Le Sérail *(plan B3, **17**)* **:** 9, rue Saint-Sabin, 75011. ☎ 01-47-00-25-47. Ⓜ Bastille. Dernier service à 22 h. Fermé les samedi midi et dimanche midi. Menus à 12 et 15 € à midi, 23 et 28 € le soir. Un chouia plus cher à la carte. À la façon des *riad,* ces belles demeures traditionnelles *marrakchies* ou *fassies,* un bassin emplit de fraîcheur et de bien-être la salle plongée dans la pénombre. La magie opère : les lampes ajourées rapportées du souk, les murs couleur terre cuite, la lueur des bougies, que rien, et surtout pas la qualité de la cuisine, ne fait vaciller. On se croirait presque au Maroc... Tajines (notamment aux figues et aux noix), couscous, pastilla de poisson. Des plats goûteux, fins, bien présentés, servis par un personnel aux petits soins. On peut prolonger l'illusion en fumant une chicha ou ne venir que pour ça à partir de 23 h. Autre rendez-vous : le samedi à 22 h pour la danse du ventre.

Le Sot-L'y-Laisse *(plan D3, **19**)* **:** 70, rue Alexandre-Dumas, 75011. ☎ 01-40-09-79-20. Ⓜ Alexandre-Dumas. Service de 12 h à 14 h et de 20 h à 22 h. Fermé les dimanche et lundi. Congés annuels : en août et entre Noël et le Jour de l'an. Le midi, une formule entrée + plat ou plat + dessert à 13 €, une autre formule à 17 € ; compter autour de 30 € à la carte le soir. Si vous ne le saviez pas, le sot-l'y-laisse désigne le petit morceau de chair particulièrement savoureux qui se cache au-dessus du croupion des volailles. Voilà pour le tableau (d'écolier). Côté ardoise, les propositions du jour : soupe d'artichaut à la mousseline de tourteaux, cailles farcies au chèvre, ou encore gambas poêlées et leur gâteau d'aubergine (et le menu change quotidiennement !). De quoi faire un bon repas dans un cadre jeune, décontracté et chaleureux, servi avec gentillesse, et bercé par le seul ronron des couverts des habitués. La formule est tout de même bien intéressante le midi. Ne pas bouder les desserts, savoureux.

À la Banane Ivoirienne *(plan C3, **20**)* **:** 10, rue de la Forge-Royale, 75011. ☎ 01-43-70-49-90. Ⓜ Faidherbe-Chaligny. Ouvert le soir uniquement, à partir de 19 h. Fermé les dimanche et lundi. Congés annuels : en août. Menu à 17 € ; compter autour de 20 € à la carte, sans la boisson. *Maffé, attieke, foutou* banane, et la *Flag,* la bière nationale ivoirienne, sont au rendez-vous. Petites tables en teck, fausse paillote, faux palmiers et fond musical de zouglou, mapouka – tandis que RFI tourne en boucle en cuisine –... tout est fait pour recréer l'ambiance des quartiers de Cocody, la température en moins. Idéal pour se remémorer les souvenirs d'une Afrique lointaine... Spectacle au sous-sol le vendredi soir. Tous les mardis, si 5 convives viennent ensemble, les entrée et dessert sont offerts pour la 5e personne.

Le Meneske *(plan B3, **21**)* **:** 7, passage de la Main-d'Or, 75011. ☎ 01-40-21-84-81. Ⓜ Ledru-Rollin. Service de 11 h 30 à 19 h 30. Fermé le dimanche. Menus à 11 € le midi et 18 € le soir ; vins à partir de 10 €. Outre les *mezze* classiques et les boulettes de viande, on déguste de bons *patlican* (les plats au yaourt et à l'ail) ou des plats cuits à l'étouffée. C'est une bonne petite adresse turque d'origine kurde. Le midi, le calme, malgré les nombreux convives, est propice aux déjeuners de travail. La qualité de la nourriture, les prix très doux et la gentillesse de l'accueil font le reste. Apéritif maison offert à nos lecteurs sur présentation de ce guide.

Au P'tit Cahoua *(plan B3,* ***23****)* **:** 24, rue des Taillandiers, 75011. ☎ 01-47-00-20-42. Ⓜ Bastille ou Voltaire. ♿ Ouvert tous les jours de 12 h à 14 h 30 et de 19 h 30 à 23 h (23 h 30 le week-end). En semaine, formule déjeuner à 9 €. À la carte, compter environ 23 €. Le Maroc se retrouve aussi bien dans le décor que dans l'assiette. Pour l'œil, tables de faïences brisées, fer forgé, poteries, tapis berbères aux murs comme au plafond (bonne idée pour l'insonorisation !). Pour l'oreille, mélopées et rythmes arabisants (Khaled, Cheb Mami, Taha et consorts). Pour le palais, une carte où les couscous et tajines font la loi, mais aussi les *kemias* (assortiment d'entrées ou de plats) ou encore la *pastilla*. Accueil décontracté et chaleureux. Même enseigne au 39, bd Saint-Marcel, dans le 13e. ☎ 01-47-07-24-42. Ⓜ Gobelins ou Saint-Marcel. Apéritif maison offert à nos lecteurs sur présentation de ce guide.

L'Écailler du Bistrot *(plan C3,* ***10****)* **:** 22, rue Paul-Bert, 75011. ☎ 01-43-72-76-77. Ⓜ Charonne. ♿ Service de 12 h à 14 h 30 et de 19 h 30 à 23 h. Fermé les dimanche et lundi. Congés annuels : 3 semaines en août. Plateau de fruits de mer à 34 € et quelques plats de poisson autour de 20 €. Formule à 16 € le midi. Pour les fruits de mer, c'est le top. Fraîcheur et qualité garanties. Pas étonnant, on est ici dans une famille d'ostréiculteurs. Arrangé façon bistrot de la mer, petit comme la cabine d'un chalut, les embruns iodés viennent jusque dans l'assiette. Plateau vraiment généreux. Sans faire un repas complet, on peut aussi se contenter d'une halte gourmande : 6 belles bretonnes (il s'agit d'huîtres), ça ne peut pas faire de mal ! Vente à emporter du mardi au samedi, midi et soir.

Bistrot Paul-Bert *(plan C3,* ***41****)* **:** 18, rue Paul-Bert, 75011. ☎ 01-43-72-24-01. Ⓜ Faidherbe-Chaligny. Service de 12 h à 14 h 30 et de 19 h 30 à 23 h (23 h 30 les vendredi et samedi). Fermé les dimanche et lundi. Congés annuels : 3 semaines en août. Premier menu à 16 € le midi, autre menu à 30 €. Un vrai et beau troquet, baignant dans son jus (de raisin), sa patine, ses tronches de vie. À côté de la carte des vins qui vaut largement le détour (la crème du vignoble répond « présent »), les assiettes font elles aussi preuve des meilleures intentions. Dans le genre terroir revisité, il n'y a pratiquement rien à dire de la salade de foie de volaille au cassis, du tartare de thon au pourpier ou de la méga-entrecôte. En plus, la maison fait ses propres glaces : ne sautez pas le dessert !

Pure Café *(plan C3,* ***37****)* **:** 14, rue Jean-Macé, 75011. ☎ 01-43-

71-47-22. Ⓜ Charonne. Ouvert tous les jours de 12 h à 15 h et de 20 h à 23 h 30. Formules déjeuner à 11 et 14,50 € (sauf les week-ends et jours fériés). De loin, on dirait un pur millésime 1900, un de ceux qui pourraient être classés Monuments historiques. De près, en revanche, la façade livre un gros clin d'œil : « Maison fondée en 2002 ». Voilà comment le *Pure Café* rallie à la fois les amateurs de vieilles gloires comme les fanas d'une cuisine actuelle, les premiers tirant la langue face à la beauté du zinc en fer à cheval, les seconds plébiscitant les assiettes à mi-chemin du tradi et du *world.* Pour ne rien gâcher, quelques bons vins et une terrasse aguichante. Café offert à nos lecteurs sur présentation de ce guide.

|●| ***Wok Cooking*** *(plan B3,* ***34****) :* 23-25, rue des Taillandiers, 75011. ☎ 01-55-28-88-77. Ⓜ Bastille ou Ledru-Rollin. ♿ Ouvert de 19 h 30 à 23 h 30. Menus à 14, 16 et 19 €. Vous connaissez cet ustensile magique de la cuisine asiatique, qui sert à saisir les aliments avec très peu de matière grasse ? C'est bien de lui qu'il s'agit ici, puisque tout est fait au wok, devant vous. Explications. Un : vous choisissez entre riz, nouilles aux œufs ou nouilles au riz, que l'on vous apporte dans un grand bol. Deux : vous allez vous servir en légumes, poisson et viande dans des bacs réservés à cet effet. Trois : vous faites cuire l'ensemble au wok par les préposés, qui vous suggèrent les sauces et épices appropriées. Le résultat est savoureux (mais oubliez les entrées, vraiment pas terribles). Un mot du lieu : une longue salle minimaliste avec ses tables en pin clair, ses chaises en plastique couleur givre et pieds en aluminium, enfin sa trilogie blanc-noir-acier. Bref, il faut aimer...

Plus chic

|●| ***Au Vieux Chêne*** *(plan C3,* ***3****) :* 7, rue du Dahomey, 75011. ☎ 01-43-71-67-69. Ⓜ Faidherbe-Chaligny. Ouvert midi et soir jusqu'à 22 h 30 (23 h le samedi). Le soir, prudent de réserver. Fermé les samedi midi et dimanche. Congés annuels : 1 semaine à Pâques, la dernière semaine de juillet, les 2 premières d'août et 1 semaine entre Noël et le Jour de l'an. Formule entrée + plat ou plat + dessert à 13 € le midi ; menu à 29 €. Carte autour de 35 €. Une nouvelle équipe à la tête de ce sympathique bistrot, rescapé de l'époque des menuisiers. Déco sobre mais agréable, avec une large baie vitrée et des petites tables de bistrot. Une salle bien patinée avec 3 colonnes de fonte classées Monuments historiques. Excellente cuisine de saison, avec des produits frais, bien tournés, et de bons petits vins gouleyants pour accompagner le tout. Stéphane Chevassus, qu'on a connu au *Sot-L'y-Laisse,* est un sage qui se méfie des fausses originalités. À côté de

plats rustiques, aux parfums d'éternité, des créations mémorables, comme ces noix de Saint-Jacques au potiron à la nage de citronnelle. Un bistrot parisien qui a pris l'air du large sans perdre la boussole.

|●| *Chez Ramulaud* *(plan C3, **44**)* **:** 269, rue du Faubourg-Saint-Antoine, 75011. ☎ 01-43-72-23-29. Ⓜ Faidherbe-Chaligny ou Nation. Service de 12 h à 14 h 30 et de 20 h à 23 h. Fermé le samedi midi. Congés annuels : 1 semaine au printemps et 1 semaine à Noël (en général). Le midi, formules à 13 et 15 €, selon le nombre de plats ; le soir, menu-carte à 28 €. À la carte, compter 35 €. Joli décor bistrot bien patiné pour une cuisine franche et copieuse, souvent innovante. Et comme il s'agit avant tout d'un bistrot, la dive bouteille est à l'honneur, mais pas n'importe laquelle : on privilégie le rapport qualité-prix. Du coup, les méconnus du Languedoc, du Sud-Ouest, des vallées du Rhône ou de la Loire sont bien mis en valeur. Pas de demi-bouteilles, mais des vins au verre et même au compteur (le demander). Très conseillé de réserver ; même le lundi soir, c'est plein. Pourtant, à la carte, l'addition grimpe vite... mais c'est si bon !

|●| *Chez Paul* *(plan B3, **29**)* **:** 13, rue de Charonne (à l'angle de la rue de Lappe), 75011. ☎ 01-47-00-34-57. Ⓜ Bastille ou Ledru-Rollin. Service de 12 h à 14 h 30 et de 19 h à minuit et demi. Pas de menu, compter de 16 à 25 € sans la boisson. Réservation conseillée, sinon longue attente incontournable. Ce bistrot était la cantoche des artisans du faubourg Saint-Antoine. Son décor années 1940 est aujourd'hui bien patiné : banquettes de moleskine et chaises dépareillées, miroirs usés par les regards des nombreux clients... La cuisine est simple et traditionnelle (saucisson chaud, harengs-pommes à l'huile, chateaubriand, carré d'agneau, sardines grillées...), fraîche et servie très généreusement. Les serveuses, quant à elles, connaissent leur affaire. C'est un peu cher le midi puisqu'il n'y a pas de formule, mais d'un excellent rapport qualité-prix le soir ; et la carte des vins ferait rêver les plus sobres d'entre nous. Cartes de paiement refusées.

|●| *Cefalù* *(plan D3, **42**)* **:** 43, av. Philippe-Auguste, 75011. ☎ 01-43-71-29-34. Ⓜ Nation. À 10 mn du Père-Lachaise et à 5 mn de la place de la Nation. Service de 12 h à 14 h et de 19 h 30 à 21 h 30. Fermé les samedi midi et dimanche. Réservation très conseillée le soir (même en semaine). Congés annuels : en août. Formule à 14,50 € le midi en semaine ; menu dégustation à 30 €. Compter autour de 35 € à la carte. M. Cala, originaire du village de Mussomeli en Sicile (célèbre pour sa forteresse inexpugnable), rend hommage à sa terre natale en cuisinant avec art ses spécialités. *Antipasti* à la sicilienne, sole au caviar d'aubergine, carpaccio d'espadon, spaghettis à l'orange, *cannolo,* dessert typiquement sicilien. Un petit restaurant très accueillant. Apéritif maison offert à nos lecteurs sur présentation de ce guide.

I●I ***Waly Fay*** *(plan C3,* ***28****)* **:** 6, rue Godefroy-Cavaignac, 75011. ☎ 01-40-24-17-79. Ⓜ Charonne ou Voltaire. ♿ Ouvert le soir uniquement, de 20 h à 2 h (service jusqu'à minuit et demi). Le dimanche, brunch *Soul Food* de 12 h à 17 h. Congés annuels : 1 ou 2 semaines autour du 15 août. Réservation conseillée. À la carte, compter autour de 30 € sans la boisson. Un trio d'amis à la tête de ce restaurant « afro-soul-antillais » qui vous plonge, le temps d'une soirée, dans son univers ethno-urbain. La cuisine noire tous azimuts (boudin créole, acras, *thiep bou dien, maffé* de légumes, poulet *yassa,* colombo...) fait bien les choses, même si, certains soirs, elle se fait un peu désirer. L'ambiance tamisée, les petites bougies et la musique bien choisie compensent et invitent au voyage...

I●I ***La Plancha*** *(plan B3,* ***35****)* **:** 34, rue Keller, 75011. ☎ 01-48-05-20-30. Ⓜ Bastille. Ouvert de 18 h à 2 h (service jusqu'à 1 h 30). Fermé les dimanche et lundi. Congés annuels : 10 jours après le 15 août. Tapas et *plancha* à partir de 8 €. Compter 35 € au minimum pour se faire plaisir. Une vraie *bodega* tenue par un vrai Basque très sympa. Quelques tables et un comptoir accueillant. Petit, chaleureux, intime et souvent bondé. Aux premières tapas, on comprend pourquoi ! C'est tout simplement exquis : poivrons, moules, *chipirons,* sardines *a la plancha...* Ne pas manquer de goûter au fromage de brebis frais *(ardi-gasna).* Le tout arrosé d'une bonne sangria, ça va de soi, ou d'un savoureux rioja ! Aucun problème du côté de l'ambiance – excellente et bien arrosée. Son défaut : l'addition qui grimpe très vite ! Cartes de paiement refusées.

Très chic

I●I ***Mansouria*** *(plan C3,* ***39****)* **:** 11, rue Faidherbe, 75011. ☎ 01-43-71-00-16. Ⓜ Faidherbe-Chaligny. Ouvert de 12 h à 14 h et de 19 h 30 à 23 h. Fermé les dimanche, lundi midi et mardi midi. Menu servi midi et soir à 30 € ; menu dégustation à 46 € par personne, pour 2 personnes au minimum ; plat du jour à 17 € ; à la carte, compter 45 €. L'un des marocains les plus tendance de la capitale. Déco raffinée, lumière tamisée. Il faut souvent réserver pour avoir une table chez Fatima, grande adepte de la vie parisienne. Quinquas nantis et jeunes yuppies roucoulent devant les tajines et se pâment devant le couscous. Avec raison, il est vrai. Le *mourouzia* (agneau mijoté dans le *ras el hanout,* un mélange de 27 épices, servi avec une sauce au miel) récolte des suffrages amplement mérités. Service discret et souriant. Deux petits salons marocains. Apéritif maison offert à nos lecteurs sur présentation de ce guide.

I●I ***Les Amognes*** *(plan C3,* ***40****)* **:** 243, rue du Faubourg-Saint-Antoine, 75011. ☎ 01-43-72-73-05.

Ⓜ Faidherbe-Chaligny. ♿ Ouvert tous les jours de 12 h à 15 h et de 20 h à 23 h. Compter 30 à 35 € à la carte, sans la boisson. Jean-Louis Thuillier – qui a fait ses classes chez *Robuchon,* période Jamin – propose des saveurs saisonnières salées-sucrées teintées du soleil des îles. Les cuissons sont justes, les sauces audacieuses. Gigot de 7 heures-petits légumes, moelleux au chocolat à la cardamome... Quoique... certains jours, tout cela paraît plus approximatif. Soyez indulgent ! Pas facile aujourd'hui d'être « bon » au quotidien.

I●I ***Blue Elephant*** *(plan B3, **38**) :* 43, rue de la Roquette, 75011. ☎ 01-47-00-42-00. Ⓜ Bastille. ♿ Ouvert midi et soir, jusqu'à 1 h (dernière commande à minuit). Réservation obligatoire en fin de semaine. Fermé le samedi midi. Menus à 16 et 22 € le midi ; le soir, menu dégustation à 44 € et plus ! Buffet à volonté le dimanche de 12 h à 15 h : 34 € pour les adultes (hors boissons), 2 € par année pour les enfants de 4 à 11 ans et gratuit pour les moins de 4 ans. Un décor de catalogue de vacances, assez éloigné de la réalité quotidienne thaïlandaise : plantes tropicales, cascade, petit pont posé dans une paillote de luxe aux multiples coins et recoins, avec partout des tables espacées et un service à l'asiatique irréprochable et tout sourire. Voilà les recettes de la réussite de cet *Elephant* thaï qui sait, de plus, nous proposer une cuisine nullement édulcorée, mais avec des épices discrètement adaptées à tous les palais. Des vins qui s'adaptent superbement pour chacun des mets.

Bars à vin

I●I 🍷 ***Bistrot à vins Mélac*** *(plan C3, **86**) :* 42, rue Léon-Frot, 75011. ☎ 01-43-70-59-27. Ⓜ Charonne. ♿ Service de 9 h à 15 h 30 et de 19 h 30 à 22 h 30. Fermé les dimanche et lundi. Congés annuels : à Pâques, en août, ainsi qu'entre Noël et le Jour de l'an. Pas de menu, compter de 20 à 30 € selon ce que l'on prend. Un vrai bar à vin, tenu par un amoureux du pinard à la personnalité bien trempée. Ne le titillez pas en demandant une carafe d'eau, vous feriez trembler ses belles bacchantes ! Jacques Mélac fait partie des quelques patrons de bistrot qui vendangent leur propre vin. Pas des hectolitres, mais quelques dizaines de bouteilles vendues au bénéfice d'une œuvre sociale. Il possède aussi un petit vignoble dans le Languedoc et produit deux corbières rouges bien généreux (Domaine des Trois Filles – les siennes – et Domaine des Trois Chieuses – ses ex...), que l'on recommande. Pour accompagner tout ça, une bonne petite cuisine auvergnate copieusement inspirée de recettes familiales (farçous, saucisse-aligot...) et un excellent fromage en provenance directe d'Aurillac. Un verre de vin du Domaine des Trois Filles offert à nos lecteurs sur présentation de ce guide.

I●I 🍷 ***Les Domaines qui montent*** *(plan C2-3, **89**)* **:** 136, bd Voltaire, 75011. ☎ 01-43-56-89-15. Ⓜ Voltaire. Service de 12 h à 14 h. Fermé les dimanche et lundi. Congés annuels : du 7 au 22 août. Formule à 13 €. Vin au verre ou en bouteille vendu au prix de la boutique, sans droit de bouchon ! La formule change tous les jours. En terrasse ou en salle, laissez-vous conseiller par la souriante équipe, experte ès vins, qui a transformé cette ancienne quincaillerie en l'une des rares tables d'hôtes de la capitale. Livraisons quotidiennes de produits frais. Le repas s'accompagne du choix d'un des 300 vins vendus à table à prix coûtant, ou d'un verre pris à l'une des 11 fontaines à vin, aux prix imbattables ! Côté solides, tartes salées, grandes salades, soupes, plat du jour, fromages fermiers et desserts simples et succulents. En plus, il y a toujours un truc à découvrir, comme le jus de kiwi de Bretagne, la bière bio ou la « Bernache » de Touraine, moult sucré entre cidre et vin, parfait pour accompagner la tapenade maison. Penser à réserver, surtout le samedi. Une autre maison dans le 17e : 22, rue Cardinal. ☎ 01-42-27-63-96. Apéritif maison, café ou digestif maison offert à nos lecteurs sur présentation de ce guide.

Salon de thé

I●I ☕ ***La Bague de Kenza*** *(plan C3, **45**)* **:** 173, rue du Faubourg-Saint-Antoine, 75011. ☎ 01-43-41-47-02. Ⓜ Faidherbe-Chaligny. Ouvert tous les jours de 9 h (13 h 30 le vendredi) à 20 h. Pâtisseries de 1,50 à 2,29 €. Plats autour de 9,50 €. Un lieu idéalement placé pour qui cherche à se refaire une santé, face à l'hôpital Saint-Antoine. On boit un thé à la menthe avec une pâtisserie livrée par la maison mère, rue Saint-Maur. Ou l'on s'arrange pour venir tôt si l'on veut avoir une chance de goûter un des bons petits plats maison... Café offert à nos lecteurs sur présentation de ce guide.

Où boire un verre ?

🍷 ***Le Réservoir*** *(plan C3, **90**)* **:** 16, rue de la Forge-Royale, 75011. ☎ 01-43-56-39-60. Ⓜ Ledru-Rollin. ♿ Ouvert du mardi au samedi à partir de 20 h et le dimanche de 12 h à 17 h. Les dimanche et lundi soir à partir de 20 h, seul le bar est ouvert. Congés annuels : 15 jours en août. Prix d'un repas complet sans la boisson : 42 € ; brunch à 22 € le dimanche de mi-septembre à mi-juin. Un cadre d'enfer : une immense salle aux influences baroques avec, au-dessus du bar, un antique réservoir qui tombe en poussière et de la matière (tables en bois, chandeliers en fer forgé, pierre murale...) qui confère à l'ensemble une note *middle-age* de très bon goût. La cuisine est à l'image du lieu : originale, créative et branchée, associant produits frais et exotiques dans des compositions sucrées-salées savoureuses. Nombreux plats autour du poisson. Également une bonne programmation musicale quasi-quotidienne, rendant les lieux soudainement bien plus bruyants. On y vient pour l'atmosphère, le cadre, le bar, les concerts, la cuisine... ce qui se ressent dans les prix. Indispensable de réserver.

🍷 ***Café de l'Industrie*** *(plan B3, 92)* **:** 16, rue Saint-Sabin, 75011. ☎ 01-47-00-13-53. Ⓜ Bréguet-Sabin ou Bastille. Ouvert de 10 h à 2 h (dernier service à 1 h). Bières à partir de 2 € au bar, *caïpiroska* à 6 €, ti-punch à 4,50 €. Le midi, une formule à 9 € avec thé ou café ; sinon, compter 22 € pour se restaurer. Brunch au champagne à 16 €. Ce grand bistrot Bastoche, quasi une institution, aussi couru en journée qu'en soirée, offre le double avantage d'être au cœur des circuits néo-popu-bobo de la capitale tout en restant convivial et décontracté, et de servir à boire comme à manger... Aussi confortable pour refaire le monde autour d'un demi dans la journée que propice aux rencontres le soir, autour d'une *caïpiroska* ou d'un ti-punch pas dégueu... Pour les affamés, une cuisine de bistrot honnête, entre pavé de rumsteak au poivre, saucisse-purée à l'ancienne et cuisse de canard au miel épicé. Tout ça dans la bonne humeur d'un service souriant et rapide. Orchestre jazz les lundi, mardi et mercredi soir. Forts de leur succès, les proprios ont récupéré le resto d'en face pour lui donner un petit frère : même esprit, même carte, mêmes tables en bois et mêmes tapis colorés sur le même vieux plancher. C'est l'***Industribis :*** 10, rue Sedaine. ☎ 01-47-00-13-53. Attention, le samedi, n'ouvre ses portes qu'à 17 h.

🍷 ***Le Lèche-Vin*** *(plan B3, 94)* **:** 13, rue Daval, 75011. ☎ 01-43-55-06-70. Ⓜ Bastille ou Bréguet-Sabin. Ouvert de 18 h 30 à 2 h. Fermé le dimanche. Congés annuels : en août. Consommations de 2 à 5,50 €. *Happy hours* de 18 h à 22 h. Les murs sont recouverts de centaines d'images pieuses où le Christ, la Vierge et tous les saints figurent en tête devant Bouddha et Vishnu. Une magnifique statue de sainte Thérèse (grandeur nature, s'il vous plaît !) trône en bonne place à l'entrée. Nous ne sommes ni à Lourdes ni dans le quartier Saint-Sulpice, mais à deux pas de la Bastoche, dans un ancien bistrot 100 % parisien. Si le patron n'a pas touché à la décoration façon capharnaüm théologique de son prédécesseur, c'est plus par goût de la provocation kitsch. Et si vous avez un doute, allez visiter les w.-c. (interdits aux moins de 18 ans).

🍷 ***Havanita Café*** *(plan B3,* ***95****)* **:** 11, rue de Lappe, 75011. ☎ 01-43-55-96-42. Ⓜ Bastille. Ouvert tous les jours de 17 h à 2 h. *Daïquiris* et compagnie à partir de 5,50 € après 20 h (*happy hours* de 17 h à 20 h). Confortablement installé dans un fauteuil-club, vous vous retrouvez en 2 mn dans un bar de La Havane, au milieu des ventilos et des palmiers. Des brunes explosives vous servent les meilleurs *daïquiris* et *mojitos* de la capitale. Côté musique, un DJ de talent passe inlassablement des salsas, mambos, *cumbias* ou autres *mérengués* endiablés. Un endroit voué à l'exotisme mode. Des arrivages hebdomadaires de cigares cubains raviront tous les amateurs de barreaux de chaise. L'établissement fait également restaurant (bof !).

🍷 ***Sanz Sans*** *(plan B3,* ***96****)* **:** 49, rue du Faubourg-Saint-Antoine, 75011. ☎ 01-44-75-78-78. Ⓜ Bastille. ♿ Ouvert de 9 h à 5 h (2 h le lundi). Fermé le dimanche midi. Demi à 4 € après 22 h ; menus à 23 et 30 € ; compter 25 € pour un repas à la carte. À deux pas de Radio Nova, ce bar cool attire tout ce qui demeure les « couleurs » de la Bastille : Blacks, Blancs, Beurs, artistes, homos, mannequins, intellos, journalistes et quelques *fashion victims* se donnent rendez-vous pour grignoter un morceau ou boire une bière au rez-de-chaussée, au fond, à l'étage, dans le salon ou au bar. La décoration est bon marché (Emmaüs, puces...), le confort sommaire – mais cela a son charme –, la carte internationale, et le son rap, acid, jazz, hip-hop, soul, funk, house... est mixé par un DJ différent chaque soir. Service aléatoire.

🍷 ***Le Bar Sans Nom*** *(plan B3,* ***97****)* **:** 49, rue de Lappe, 75011. ☎ 01-48-05-59-36. Ⓜ Bastille. ♿ Ouvert tous les jours à partir de 18 h. Consommations de 4,60 à 9,50 €. Ce délicieux petit bar tranche par son authenticité avec ce quartier qui a trop vite flambé. Un Sud-Américain de Paris, sa compagne et une équipe cosmopolite (à eux tous, ils parlent 7 langues !), sur 2 pièces – un bar au décor raffiné et baroque –, offrent à des 18-50 ans de merveilleux cocktails et toutes les musiques du monde, y compris des avant-premières. *Mojitos* d'enfer !

🍷 ***Le Buveur de Lune*** *(plan C2-3,* ***99****)* **:** 50, rue Léon-Frot, 75011. ☎ 01-43-67-63-70. Ⓜ Charonne. Ouvert jusqu'à 2 h. Fermé le dimanche. Bières à partir de 2,40 €. Plats autour de 10 €, entrecôte à 12 € ; spécialité de tartines de pain bio. Exactement le type de bar sans prétention que l'on aime. Une grande salle aérée, où les jeunes habitués se retrouvent, et où l'on s'envoie sans s'prendre la tête un plat en direct, une côte de bœuf de 500 g, un confit ou tout ce dont vous aurez envie : suffit de demander. On y est toujours le bienvenu pour boire un coup ou en faire son QG. Apéro-concerts acoustiques 2 fois par mois (généralement) le vendredi, théâtre de bar (du jeudi au samedi), expos photos et peintures...

🍸 ***Bottle Shop*** *(plan B3,* ***100****)* **:** 5, rue Trousseau, 75011. ☎ 01-43-14-28-04. Ⓜ Ledru-Rollin. ♿ Ouvert de 12 h à 2 h. Congés annuels : 3 jours à Noël et le Jour de l'an. Demi à partir de 2,30 € ; cocktails aux alentours de 7 € ; boissons non alcoolisées à 2,60 € ; *happy hours* de 17 h à 20 h. Plat du jour à 9,20 € ; salades autour de 8 €. Brunch le dimanche à 18 €. Un bar-pub à l'ambiance franco-anglaise. Derrière le bar, des serveurs bien sympas. Pas mal de clients du quartier – notamment intermittents et expats – qui font bien vivre l'endroit, même en semaine. Rien de spectaculaire, sinon une atmosphère amicale qu'on aimerait trouver partout. Laissez-vous tenter par un des cocktails spéciaux. Tous les 15 jours, DJs le week-end.

🍸 ***Le Fanfaron*** *(plan B3,* ***91****)* **:** 6, rue de la Main-d'Or, 75011. ☎ 01-49-23-41-14. Ⓜ Ledru-Rollin. Ouvert du mardi au samedi de 18 h à 2 h. Congés annuels : 2 semaines en août. Demi à 2,30 €. Baptisé en l'honneur du film de Dino Risi, dont le titi – et gominé – derrière le bar semble fan, ce temple tapissé d'affiches de cinéma kitsch (de *Dracula* à *Blow Up*) distille du bon rock anglais ainsi que de bons *shots* comme le « Deep Throat » (tabasco, grenadine, vodka) qui donne le hoquet ! *NOUVEAUTÉ.*

DU CÔTÉ D'OBERKAMPF

Où manger ?

Très bon marché

11e

🍽 ***L'Alicheur*** *(plan B1,* ***46****)* **:** 96, rue Saint-Maur, 75011. ☎ 01-43-38-61-38. Ⓜ Rue-Saint-Maur. Service de 12 h à 15 h 30 et de 19 h à 23 h 30. Fermé le samedi et le dimanche midi. Formule déjeuner à 7,80 € ; autres formules à 7,30 et 9,30 €. Nouilles de 4,50 à 6,50 €. *Rolls* de 1,30 à 1,80 €. Rethori vit avec son temps et même le devance, réconciliant les habitants du quartier avec une cuisine rapide aux parfums du monde. Une cuisine que lui a apprise sa mère, Rosine, qui fut une des reines de la cuisine khmère. Dans son snack, on avale sur le pouce des soupes parfumées qui réchauffent le cœur et le corps, des salades malignes qui rafraîchissent les idées, et surtout ces *rolls,* mini-rouleaux aux légumes et à la viande dont il a déposé le brevet et qui éclatent en bouche, tout en douceur. Simple, bon, pas cher, gentil comme tout. Et pour les curieux, il y a toujours l'énigme du jour, inscrite au tableau, qui permet à qui la découvre de gagner un *roll* d'honneur. Autant vous prévenir, c'est pas si facile !

Ⅰ●Ⅰ ***Sizin*** *(plan A-B1,* ***54****) :* 36, rue du Faubourg-du-Temple, 75011. ☎ 01-48-06-54-03. Ⓜ Goncourt ou République. ♿ Service de 11 h 30 à 15 h et de 18 h à 23 h 30. Fermé le dimanche midi. Menu à 9,90 € le midi en semaine ; à la carte, compter 15 € sans la boisson. Face au *Palais des Glaces,* au fond d'un préau, cette cantine de quartier propose depuis plus de 20 ans, à la carte, toute la panoplie de la cuisine turque : pizzas au feu de bois, *böreks, kanarya* (aubergine et poivron au yaourt) et autres *mezze,* plats à base de viande hachée et d'agneau, sans oublier les onctueux yaourts maison et les *baklavas* au miel et aux noix. Service un brin nonchalant.

Bon marché

Ⅰ●Ⅰ ***Le Caravansérail*** *(plan B1,* ***52****) :* 2 bis, rue Neuve-Popincourt, 75011. ☎ 01-43-38-64-55. Ⓜ Parmentier. Service de 12 h à 15 h et de 19 h à 23 h. Fermé les dimanche midi et lundi. Congés annuels : en août. Menu le midi à 9,30 € ; à la carte, compter environ 19 €. Oubliez le *chawarma* et les frites grasses, et place aux produits frais : *hoummous* et son pain tiède, grillades ou brochettes de viande accompagnées d'un blé concassé parfumé, *pide* (pizza turque ovale), yaourt au miel et café turc pour conclure. Le cadre aux murs patinés de cette ancienne épicerie est bercé de lumière et, en été, on se dore au calme sur la petite terrasse. Une cuisine pas compliquée et des vins au pichet pas ruineux. L'accueil est chaleureux, ça se sait, mieux vaut réserver.

Ⅰ●Ⅰ ***Restaurant Reuan Thaï*** *(plan B1,* ***53****) :* 36, rue de l'Orillon, 75011. ☎ 01-43-55-15-82. Ⓜ Belleville. Ouvert de 12 h à 14 h 30 et de 19 h à 23 h 30. Buffet à 8 € le midi ; à la carte, compter entre 15 et 20 €. Installée depuis une dizaine d'années dans l'exotique quartier de Belleville, « la maison thaïe » propose une authentique cuisine thaïlandaise, un peu moins pimentée que l'originale, où coriandre, citronnelle, safran blanc et coco dispensent toujours leur délicieux bouquet de saveurs. L'adresse vaut le coup rien que pour son buffet varié, relevé comme il faut, même si, à la carte, les plats sont plus travaillés (tourteaux, gambas, calamars...). Cependant, ne pas arriver trop tard pour le buffet, plats souvent manquants ou petitement renouvelés ! Service rapide et souriant, déco avec les bouddhas du pays et les coussins brodés typiques.

I●I ***Au Trou Normand** (plan A1, **50**) :* 9, rue Jean-Pierre-Timbaud, 75011. ☎ 01-48-05-80-23. Ⓜ République, Filles-du-Calvaire ou Oberkampf. Service tous les jours de 12 h à 15 h et de 19 h 30 à 23 h 30 (minuit le week-end). En semaine, formule à 12,50 € le midi. À la carte, compter 22 € pour un repas complet. L'ambiance est celle d'un café dans la plus pure tradition parisienne avec ses murs lie-de-vin, ses toiles cirées en vichy rouge et son patron toujours prêt à vous faire partager sa nouvelle trouvaille œnologique. Côté cuisine, de bons petits plats bien de chez nous comme la parmentière de jambon de pays au cantal, le jarret de porc braisé, le magret, etc. En été, vous pourrez savourer le tout sur les quelques tables qui égaient le bitume.

I●I ***La Passerelle** (plan C2, **47**) :* 3, rue Saint-Hubert, 75011. ☎ 01-43-57-04-82. Ⓜ Rue-Saint-Maur. Ouvert du mardi au jeudi de 16 h à 1 h et les vendredi et samedi jusqu'à 2 h. Fermé les dimanche et lundi. Congés annuels : la 1re quinzaine d'août. Plat du jour entre 10 et 12 € ; à la carte, compter autour de 20 €. Dans un vieux quartier populaire, un ancien atelier de réparation de moulins à café fort joliment reconverti en patio andalou. On peut s'y reposer, s'y détendre dans de profonds fauteuils. Bons petits plats et tapas maison tendance latino (*fajitas,* etc.) à des prix raisonnables et, à toutes heures, copieuses salades, délicieuses tourtes, assiettes composées, gâteaux divers... Extra aussi pour les nourritures spirituelles, avec sa librairie faisant la part belle aux petits éditeurs et offrant de riches occasions de rencontre avec un livre, un auteur, une expo... *La Passerelle,* un nom fort bien choisi quand on a pour vocation de relier les gens entre eux dans un cadre chaleureux qui s'y prête vraiment. Bref, un lieu à consommer sans modération ! Également une petite épicerie de produits issus du commerce équitable et bio. Café offert à nos lecteurs sur présentation de ce guide.

I●I ***La Vache Acrobate** (plan A2, **60**) :* 77, rue Amelot, 75011. ☎ 01-47-00-49-42. Ⓜ Saint-Sébastien-Froissart ou Chemin-Vert. Service de 12 h à 15 h et de 19 h à 23 h. Fermé les samedi midi et dimanche. Formule à 13,50 € au déjeuner. À la carte, compter 20 € pour un plat et un dessert. Un petit troquet coloré, où seuls les habitués savent qu'ils vont goûter une cuisine inventive et chaleureuse : salade d'épinards et de volaille marinée aux raisins, jarret de porc grillé au miel et romarin, tartare, *chipirons...* Assiettes élégantes et très copieuses (une entrée vaut largement un plat). Dommage que le cadre s'accommode mal de cette évasion culinaire (petites tables de bistrot serrées les unes contre les autres). Idéal à deux ou trois. On a bien aimé la carte des vins, qui représente tous les vignobles. On les demande au verre, en quart ou à la bouteille. Accueil très sympa. Café offert à nos lecteurs sur présentation de ce guide.

|●| ***Aux Jeux de Pom*** *(plan C1, **48**)* **:** 123, bd de Ménilmontant, 75011. ☎ 01-47-00-03-66. Ⓜ Ménilmontant ou Père-Lachaise. Ouvert tous les jours de 12 h à minuit. Le midi, formule à 14 €. Carte autour de 23 €. Dans la famille bistrot, je voudrais du renouveau et je pioche Pom Moulier. Elle a d'ailleurs quelques atouts dans son jeu : le chocolatier *Hermet* et le *Carré des Feuillants* l'ont formée. Cette cuisinière de 25 ans a désormais toutes les cartes en main pour vous faire plaisir dans son bar-resto, ouvert en plein cœur de Ménilmontant. Belote. Déco colorée, ambiance chaleureuse, cuisine enjouée relevée de touches d'épices, d'herbes et de fantaisie. Rebelote. Voici une adresse qui met le sourire aux lèvres et l'eau à la bouche. Dans l'après-midi, jeux de société et bouquins accompagneront les délicieux gâteaux (le fondant au chocolat est à tomber). Dix de der. Nombreux vins au verre choisis avec soin. Courez-y, tous les chemins mènent à Pom. *NOUVEAUTÉ.*

Prix moyens

|●| ***Le Marsangy*** *(plan B1, **79**)* **:** 73, av. Parmentier, 75011. ☎ 01-47-00-94-25. Ⓜ Parmentier. Service de 12 h à 14 h et de 20 h à 22 h 30. Fermé le week-end. Congés annuels : 15 jours en mai et 10 jours avant Noël. Menu à 20 € (un plat et une entrée ou un dessert). *Le Marsangy* porte le nom du village du patron, dans l'Yonne. De vieilles représentations du village ornent les murs de ce restaurant élégant, tout en bois, des tables aux chaises. L'atmosphère est relaxante mais teintée d'une pointe de sérieux, comme dans un club privé. Les plats sont bien de chez nous, frais et souvent renouvelés : saint-marcellin rôti avec salade de mâche, faux-filet à l'échalote, clafoutis aux fruits frais. La carte des vins séduit par son choix et ses prix.

|●| ***Engizek*** *(plan B1, **62**)* **:** 24, rue Jean-Pierre-Timbaud, 75011. ☎ 01-48-06-65-65. Ⓜ Oberkampf ou République. Service de 12 h à 14 h 30 et de 19 h à 23 h 30. Fermé le dimanche. Menus à 10,50 € le midi, 15, 18 et 20 € le soir ; compter autour de 18-20 € à la carte. La réputation de ce resto turco-kurde, ouvert depuis plus de 20 ans, n'est plus à faire. Spécialités au feu de bois et plats à l'étouffée sont les valeurs sûres de la maison. L'accueil souriant en est une autre, tout comme le service rapide. L'*Engizek* (prononcer « En-Gui-Zeg »), c'est le nom d'une montagne à l'ouest de la Turquie, d'où est originaire le patron. Une adresse

des plus fiable, comme on dit, et avec la clim' qui plus est. Thé à la menthe ou café ou digestif offert à nos lecteurs sur présentation de ce guide.

lel ***Astier*** *(plan B1, **69**) :* 44, rue Jean-Pierre-Timbaud, 75011. ☎ 01-43-57-16-35. Ⓜ Parmentier. Ouvert de 12 h à 14 h et de 20 h à 22 h 15. Fermé les samedi, dimanche et jours fériés. Congés annuels : 1 semaine à Pâques, en août et 10 jours entre Noël et le Jour de l'an. Menus-carte à 23 €, le midi, et 28 €. Le cadre n'a pas bougé depuis des lustres, les tables sont collées les unes aux autres, le service est souvent effréné, et pourtant, *Astier* reste un des meilleurs rapports qualité-prix qu'on connaisse dans la capitale. Le menu-carte, qui change tous les jours, est un modèle du genre. Cuisine classique, élaborée avec de bons produits. Parmi les spécialités de la maison : les harengs-pommes à l'huile, l'assiette de bulots et crevettes, l'entrecôte béarnaise-pommes Pont-Neuf et les gratins de fruits.

lel ***Au Village*** *(plan B1, **61**) :* 86, av. Parmentier, 75011. ☎ 01-43-57-18-95. Ⓜ Parmentier. Ouvert du lundi au jeudi de 20 h à minuit, jusqu'à 2 h les vendredi, samedi et dimanche. Compter entre 25 et 30 €. Voilà un petit resto afro-antillais où il fait bon se réfugier quand Paris semble gris et terne. Les nouveaux venus ne tarderont pas à se laisser embarquer par l'ambiance, aidés des habitués (majoritairement des Africains) et le joueur de kora. On commence la soirée par un ti-punch ou un punch au gingembre également très réjouissant, puis arrivent un *mafé,* un poulet *yassa* ou un *thiéboudienne* (mérou) pour continuer le voyage. Les assiettes sont généreuses, les conversations animées et les cœurs réchauffés. D'excellentes raisons justifiant que le *Village* soit toujours bondé... Réservation recommandée. Digestif maison offert à nos lecteurs sur présentation de ce guide.

lel ***Les Oudayas*** *(plan B1, **66**) :* 5, rue de Nemours, 75011. ☎ 01-43-55-58-03. Ⓜ Parmentier. Ouvert tous les jours, toute l'année. Service de 12 h à 14 h 30 et de 19 h à 23 h. Menu à 15,50 € le midi en semaine. À la carte, compter 22 € pour un repas complet. Entrées aux alentours de 5,30 € avec large choix de bricks, entremets ; plats aux environs de 13 €, allant du tajine au *kefta* et au méchoui, en passant par le couscous. Portant le nom d'une célèbre casbah de Rabat et d'une tribu qui y séjourna au XIIIe siècle, ce discret restaurant se révèle un petit marocain copieux, rapide et bien satisfaisant. Accueil souriant, jolis plats à tajine... de la cuisine d'Afrique du Nord comme on l'aime. Et n'oubliez pas le thé à la menthe et ses effluves de fleur d'oranger. Digestif maison offert à nos lecteurs sur présentation de ce guide.

lel ***Blue Billard – Blue Bayou*** *(plan B1, **75**) :* 111-113, rue Saint-Maur, 75011. ☎ 01-43-55-87-21. Ⓜ Parmentier ou Rue-Saint-Maur.

Le Blue Billard est ouvert tous les jours de 11 h à 2 h (4 h certains week-ends) ; service jusqu'à 23 h 30 (minuit et demi les vendredi et samedi). Le *Blue Bayou* ouvre à partir de 19 h 30. Formule déjeuner + billard à 8,50 €. Au 1er étage du *Blue Bayou,* place à la cuisine cajun : menus à 15, 23 et 28 € ; le dimanche, brunchs cajun à 15,50 et 21 €. Au *Blue Billard,* bières à partir de 3,50 € ; cocktails à 7,50 €. Le cadre, lui, ressemble à un décor de western, avec rondins de bois et une petite scène musicale où viennent se produire des groupes « Blue Bayou ». Le 1er mardi de chaque mois, dîner et bal cajun (sur réservation). En bas, le *Blue Billard,* une ancienne usine de caméras qui accueille les amoureux du billard avec 2 salles composées de billards français, américains et pools anglais (12 € l'heure).

|●| ***Chez Raymonde*** *(plan B1, **72**) :* 119, av. Parmentier, 75011. ☎ 01-43-55-26-27. Ⓜ Parmentier ou Goncourt. Ouvert le soir, du mardi au dimanche. Fermé le lundi. Congés annuels : du 1er au 15 janvier, du 1er au 15 juin et du 1er au 15 septembre. Formule à 16 €, du mardi au jeudi. Les vendredi, samedi et dimanche soir, forfait cabaret-dîner dansant à 55 €, vin compris. Un lieu original qui renoue avec le Paname d'antan, quand l'ouvrier parisien avait plaisir, après le turbin, à s'offrir un peu de bon temps en compagnie de sa gigolette. *Chez Raymonde,* les tables enserrent la piste de danse au parquet bien astiqué et, les soirs de week-ends, Yannick, le chef, enlace Benoît, son compère en salle, pour lancer le bal auquel chacun est invité à participer. Un accordéoniste qui change régulièrement enchaîne valses et tangos, pour le plus grand plaisir des uns et des autres. Parfois, quand la salle est timide, c'est un peu triste. La bonne idée : y venir à plusieurs. Réserver !

|●| ***Les Fernandises*** *(plan B1, **70**) :* 19, rue de la Fontaine-au-Roi, 75011. ☎ 01-48-06-16-96. Ⓜ Goncourt. Service de 12 h à 15 h et de 19 h 30 à minuit. Fermé le samedi midi et le dimanche. Congés annuels : 2 semaines début mai et en août. Menus à 13 et 15 € le midi. Le soir, uniquement à la carte, compter environ 30 €. Sympathique bistrot de quartier qui fait le plein d'habitués tous les midis. On est au coude à coude avec son voisin, l'ambiance est bourdonnante et un peu enfumée, mais la formule trois plats du déjeuner est bien attrayante. Cuisine traditionnelle mâtinée d'accents du Sud-Ouest (les jeunes proprios, un frère et sa sœur, sont basques) et de quelques élans « nouvelle cuisine ». Vins de producteurs à prix doux. Le soir, il y a moins de monde, c'est plus calme, mais aussi plus cher.

|●| ***Le Tagine*** *(plan A1, **71**) :* 13, rue de Crussol, 75011. ☎ 01-47-00-28-67. Ⓜ Filles-du-Calvaire ou Oberkampf. À deux pas du cirque d'Hiver. Ouvert de 12 h à 14 h 30 et de 19 h à 23 h 15. Fermé le lundi et le mardi midi. Congés annuels :

en août. À la carte, compter de 28 à 30 € pour un repas, boisson comprise. L'un des restos marocains les plus élégants de l'Est parisien. Le chef, originaire d'une petite ville près d'Oujda, au nord du Maroc, met un point d'honneur à n'utiliser que d'excellents produits. Ainsi, les tajines aux fèves, aux abricots confits ou aux figues fraîches sont au poulet fermier, les brochettes au gigot d'agneau, les pains légèrement briochés et les pâtisseries confectionnées maison (gâteau « sellou » de madame à goûter !). C'est bien simple, tout est bon et frais, avec un emploi des herbes et des épices bien ciblé. Et il y a une chaleur dans l'accueil, la déco et le service qui donne envie de revenir... Digestif maison offert à nos lecteurs sur présentation de ce guide.

L'Homme Bleu *(plan B1, **76**)* **:** 55 bis, rue Jean-Pierre-Timbaud, 75011. ☎ 01-48-07-05-63. Ⓜ Couronnes ou Parmentier. Ouvert de 17 h à 2 h (dernier service à 1 h). Fermé le dimanche. Congés annuels : en août. Compter autour de 23 € le repas, à la carte uniquement. À l'écart des « couscousouks » de la Bastille, du côté de Belleville, Ali et son équipe soignent depuis près de 20 ans leurs clients rassemblés chaque soir sous la grande tente, à l'abri des tempêtes de sable. Au programme : *kefta,* couscous comme on aime, tajines mijotés à souhait, petits farcis goûteux (*boreks,* bricks...) préparés sous vos yeux au coin de la cheminée par d'heureuses *tilawins.* Alors, Touaregs, si vous passez par là...

Plus chic

Les Jumeaux *(plan A2, **74**)* **:** 73, rue Amelot, 75011. ☎ 01-43-14-27-00. Ⓜ Chemin-Vert. ♿ Service de 12 h à 14 h 30 et de 19 h 30 à 22 h 30. Fermé les samedi midi, dimanche et lundi. Congés annuels : 3 semaines en août. Formule unique à 27 € le midi avec entrée + plat ou plat + dessert, et à 33 € le soir. On choisit (difficilement) sur l'ardoise entre les 4 entrées, 4 plats et 4 desserts, qui changent tous les mois. Qualité et raffinement sont les maîtres mots de ce lieu tenu par de vrais jumeaux que l'on différencie par leurs costumes : l'un, tout de blanc vêtu, joue des casseroles, tandis que l'autre, tout de noir, officie en salle. Le décor d'une moderne sobriété marron-beige donne un côté urbain passe-partout qui contraste avec la convivialité du service et avec l'originalité, la fraîcheur et la finesse des plats traditionnels. Mieux vaut réserver en fin de semaine.

Kazaphani *(plan B1, **63**)* **:** 122, av. Parmentier, 75011. ☎ 01-48-07-20-19. Ⓜ Goncourt ou Parmentier. Fermé le lundi. Menus à 18 et 23 €. *Mezze* autour de 30 €. Ce gentil resto de quartier, hors temps, hors mode, sert une des meilleures cuisines grecques que l'on connaisse... chypriote, plus exactement. Pour vous régaler d'une cuisine simple et savoureuse dont les recettes familiales ont été conservées au fil des années. Poulpes à l'huile d'olive, au vin, fritures, *tzaziki,* tarama, *keftedes,* moussaka... Ici, tout est bon et ça fait bientôt 30 ans que ça dure ! Réservation fortement conseillée le soir, surtout le week-end.

Très chic

|●| ***Le Villaret** (plan B1, **80**) :* 13, rue Ternaux, 75011. ☎ 01-43-57-89-76. Ⓜ Parmentier. Service de 12 h à 14 h et de 19 h 30 à 23 h 30 (1 h les vendredi et samedi). Fermé le dimanche. Congés annuels : 10 jours en avril, tout le mois d'août et 10 jours en fin d'année. Menus à 21 et 26 € comprenant plat + entrée ou dessert, servis le midi ; le soir, menu dégustation à 50 €. Joël en salle et Olivier en cuisine tiennent la barre de ce bistrot épatant. Les plats choisis selon le marché et une longue carte de grands crus venus du monde entier (Argentine, Afrique du Sud, États-Unis) à prix câlins donnent du bonheur à toutes les tables. On se régalera d'un petit coulis aux rougets, puis d'une papillote de palourdes au thym, ou d'une tranche de foie de veau au vinaigre de Banyuls. Le cadre, fait de poutres et vieille pierre apparente, reste simple et agréable. Belles assiettes carrées et cloche pour annoncer un plat prêt à servir. Parfait pour un repas d'affaires ou entre amis de bon goût.

Bar à vin

|●| 🍸 ***Le Clown Bar** (plan A2, **87**) :* 114, rue Amelot, 75011. ☎ 01-43-55-87-35. Ⓜ Filles-du-Calvaire. Ouvert de 12 h à 14 h 30 et de 19 h à minuit. Fermé le dimanche. Congés annuels : la semaine du 15 août, à Noël et pour le Jour de l'an. Formules à 13,50 € le midi et à 25 € le soir ; repas complet à la carte aux alentours de 30 € ; verres de vin entre 3,50 et 5 €, bouteilles à partir de 15 €. À deux pas du cirque d'Hiver, un bistrot à vin fréquenté par les artistes venus en voisins. Le décor est classé et placé tout naturellement sous le signe du clown. C'est d'ailleurs le rendez-vous mondial des clowns depuis presque un siècle. Il y en a partout ! Sur la superbe frise de céramique, au plafond, sur les vieilles affiches placardées au

mur, dans les vitrines... Belle sélection de vins au verre ou en fillette (50 cl). La cuisine n'est pas particulièrement emballante, mais on peut se contenter d'une assiette de charcuterie, d'un boudin fermier ou d'une honnête terrine maison pour accompagner son ballon, accoudé au vieux comptoir patiné ou installé sur la petite terrasse. Cartes de paiement refusées.

Salon de thé

Thé Troc (plan B1, **85**) : 52, rue Jean-Pierre-Timbaud, 75011. ☎ 01-43-55-54-80. Ⓜ Parmentier. Ouvert du lundi au vendredi de 9 h 30 à 20 h et le samedi de 11 h à 20 h. Thés de 2,80 à 4,50 €. À la fois salon de thé, de lecture, magasin de B.D. et d'artisanat du monde, disquaire ainsi que brocanteur, cette drôle d'adresse régale. Les compositions maison de thé (Inde, Chine, Japon, Afrique...), comme le *kawa cachemire* à base de cannelle, cardamome et anis, s'accompagnent de bons gâteaux aux épices. Reposant, avec ses banquettes en bois, ses coussins laotiens et ses boîtes à sucre en métal, le lieu aspire à la lecture (revues à disposition) ou à une discussion tranquille. Entre zen, exotisme, saveurs et B.D. (le patron est éditeur, notamment des *Freaks Brothers*), ici, on sait prendre le temps de vivre.

Où boire un verre ?

L'Autre Café (plan B1, **126**) : 62, rue Jean-Pierre-Timbaud, 75011. ☎ 01-40-21-03-07. Ⓜ Parmentier. ♿ Ouvert du lundi au vendredi de 10 h à 2 h et les week-ends et jours fériés de 11 h 30 à 2 h. Congés annuels : les 24, 25, 31 décembre et le 1er janvier. Demi autour de 2,50 € au bar, cocktails autour de 7 €. À la carte, compter 25 € pour un repas complet ; grandes assiettes (fromage, charcuterie) à 10 €. Brunch le dimanche à 18 €. Ancien café-hôtel des *Demoiselles de Ménilmontant,* devenu un grand café aéré avec un étage en mezzanine et des volumes sympas, bercé par de la musique jazzy ou sud-américaine, selon l'humeur. Côté culture, l'endroit abrite des expos de peintures, organise des projections de courts-métrages, ainsi que des rencontres sur la photographie. Atmosphère conviviale et pas m'as-tu-vu.

Les 3 Têtards (plan B1, **119**) : 46, rue Jean-Pierre-Timbaud, 75011. ☎ 01-43-14-27-37. Ⓜ Parmentier. Ouvert de 8 h (17 h les samedi et dimanche) à 2 h. Demi à partir de 2 € au bar et de 2,30 à

3 € en salle ; alcools à partir de 5,50 € ; coutume maison, la tequila ou le cocktail « 3 Têtards » à 6 € ; « Shot » à 3,50 €. Formule à 5 € (salades composées, tartines Poilâne). *Les 3 Têtards* font leur petite vie tranquille, dans leur coin, loin d'Oberkampf. Les grandes vitres donnent sur une petite place plantée d'arbres qui inspire joueurs d'échecs, de scrabble ou de backgammon et les discussions sur le mode cool d'une jeunesse habituée. Magazines à disposition et nouvelles du jour au tableau de la gazette. Sympa comme tout !

Le Troisième Bureau *(plan B1, **114**)* **:** 74, rue de la Folie-Méricourt, 75011. ☎ 01-43-55-87-65. Ⓜ Parmentier ou Oberkampf. Ouvert du lundi au vendredi de 9 h à 2 h et les samedi et dimanche de 10 h à 2 h (dernière commande à minuit). Congés annuels : du 24 décembre au 2 janvier et du 10 au 20 août. Demi à 2,50 €. Le midi, formules à 11 et 13 € ; plat du jour et salades autour de 9 € ; à la carte, compter 18 €. Brunch à 15,50 €. Jeune, décontracté, le lieu qui a longtemps cherché une 3e voie entre le bar et le restaurant a fini par jouer sur les deux tableaux. Sur le devant, on boit ; à l'arrière, on se restaure (croustillants de boudin au miel, filet de bar au beurre de rhubarbe) ; et parfois, pour plus de commodité, on fait les deux à la fois partout. Journaux, magazines, expos de peintures. Définitivement moins frime et plus cool que l'ensemble des bars de la rue Oberkampf toute proche. Apéritif maison offert à nos lecteurs sur présentation de ce guide.

Pop In *(plan A2, **110**)* **:** 105, rue Amelot, 75011. ☎ 01-48-05-56-11. Ⓜ Saint-Sébastien-Froissart. ♿ Ouvert de 18 h 30 à 1 h 30. *Happy hours* de 18 h 30 à 21 h. Fermé le lundi. Congés annuels : 2 ou 3 semaines en août et entre Noël et le 1er janvier. La blonde Pop à la pression pour 1,50 €. On entre ici comme dans un vieux pub de la banlieue londonienne. Gays et hétéros s'y retrouvent pour commencer la soirée. Mais *piano piano...* Accoudés au bar ou avachis sur des vieux sofas de grand-mère, les bières défilent et le houblon endort ses troupes. Heureusement, quelques notes surgissent du sous-sol pour nous rappeler à l'ordre. Des groupes débutants ou confirmés se font les dents sur les platines, et des soirées « Popingays » sont organisées tous les jeudis et le 3e samedi de chaque mois à partir de 21 h. Pour danser autrement. Peut-être. À vous de voir.

La Caravane *(plan B1, **112**)* **:** 35, rue de la Fontaine-au-Roi, 75011. ☎ 01-49-23-01-86. Ⓜ Goncourt. ♿ Ouvert du lundi au vendredi de 11 h à 2 h et les samedi et dimanche de 17 h à 2 h. Demi à 2,30 €. Cocktails autour de 5-6 €. Côté resto, service jusque vers minuit-1 h, en déboursant 15 à 20 €. À deux pas de la branchitude d'Oberkampf, deux copains ont choisi ce vieux rade de quartier pour attacher leur chameau et installer leur caravane. Le comptoir et les quelques tables en formica s'intègrent à merveille dans ce sympathique fouillis ethno-rigolo, mélange de récup', de judicieux coups de pinceaux et de loupiotes reposantes. Forcément, ça attire les potes des copains et les badauds qui passent, qui s'attablent 10 mn ou 3 h pour siroter une bonne petite *caïpirinha,* grignoter quelques tapas ou déguster un petit plat bien tourné, tendance épices méditerranéennes mâtinées d'inspirations brésiliennes. Et certains soirs, lectures ou concerts viennent ponctuer la soirée. Tout ça dans une ambiance décontractée.

🍸 ***Barracao*** *(plan B1,* ***122****)* **:** 108, rue Oberkampf, 75011. ☎ 01-43-55-66-06. Ⓜ Rue Saint-Maur ou Ménilmontant. ♿ Ouvert tous les jours de 17 h à 2 h (sauf le lundi). Délicieux cocktails brésiliens de 5,50 à 6,50 €. Bières *do Brasil* de 3 à 6 €. Les jours de grande fraîcheur, rendez-vous à « La Grande Baraque » et réchauffez-vous à coups de *batida* (cocktail moelleux à base de lait concentré sucré) ou d'un *pinga* (pour les fins de soirée). Ici, on ne se prend pas au sérieux, et l'un des patrons, marié à une fille de Salvador de Bahia, saura vous servir quelques bons petits plats d'après les recettes de belle-maman ! Déco faite de fresques de quartier de Salvador de Bahia ; au moins, c'est coloré. Café offert à nos lecteurs sur présentation de ce guide.

🍸 ***Cocoa Café*** *(plan A1,* ***111****)* **:** 3, av. de la République, 75011. ☎ 01-43-57-89-03. Ⓜ République. Ouvert du lundi au samedi de 10 h à 2 h. Congés annuels : 2 semaines en août. Beaux cocktails à 9,50 €. *Happy hours* à 6,50 € de 16 h 30 à 20 h. Jolie carte des vins à la carafe et à la bouteille. Quelques « plats d'ailleurs » copieux, savoureux et originaux, de 11,50 à 18,50 €. Le midi, formule à 13,50 €. Seule adresse un peu sympa à proximité de la place de la République, le *Cocoa* apaise... par son cadre moderne, ses couleurs pourpres et chocolatées, sa terrasse métallisée, sa banquette en velours et sa musique *world* décontractée. Des livres anciens et quelques encyclopédies traînent sur les étagères. Idéal le soir, ou en été, voilà du cosy plaisant.

12e ARRONDISSEMENT

Où manger ?

Très bon marché

|●| ***Au Pays de Vannes*** *(plan C2, 1)* : 34 bis, rue de Wattignies, 75012. ☎ 01-43-07-87-42. Ⓜ Michel-Bizot. Repas le midi seulement, de 11 h 45 à 14 h 45 ; et pour les lève-tôt (ou les couche-tard), le petit dej' est servi dès 7 h. Fermé les dimanche et jours fériés. Congés annuels : en août. Menus (boisson comprise) à 10,75 et 14,50 €. La cantoche du quartier ! Un brave troquet où se déploie sur un mur un drapeau breton signalant à toutes fins utiles, pour ceux qui ne l'auraient pas compris, qu'ici on est Armor à mort. Le 1er menu, avec son prix étudié et sa brassée de plats du

|●| **Où manger ?**

1 Au Pays de Vannes
2 Bihan Café
3 Les Crocs
4 Le Gave de Pau, Chez Yvette
5 Lolo et les Lauréats
7 ...Comme Cochons
8 Le Contemporain
9 Si Señor !
10 Les Zygomates
11 Sardegna a Tavola
12 Le Bistrot Dagorno
13 À la Biche au Bois
14 L'Ébauchoir
15 La Connivence
16 Cappadoce
17 Swann et Vincent
18 Les Bombis
19 Jacquot de Bayonne
20 Le Janissaire
21 Agua Limón
22 Square Trousseau
23 Café Barge Restaurant
24 Vinea Café
25 Le Traversière
26 La Table d'Aligre
27 Les Amis de Messina
28 Entre les Vignes
30 Le Petit Porcheron
31 Hermès et Bacchus
32 Jardins de Mandchourie

Où boire un verre ?

35 Café La Liberté
36 Le Barrio Latino
38 China Club
39 Viaduc Café
41 La Distillerie
42 The Frog at Bercy Village

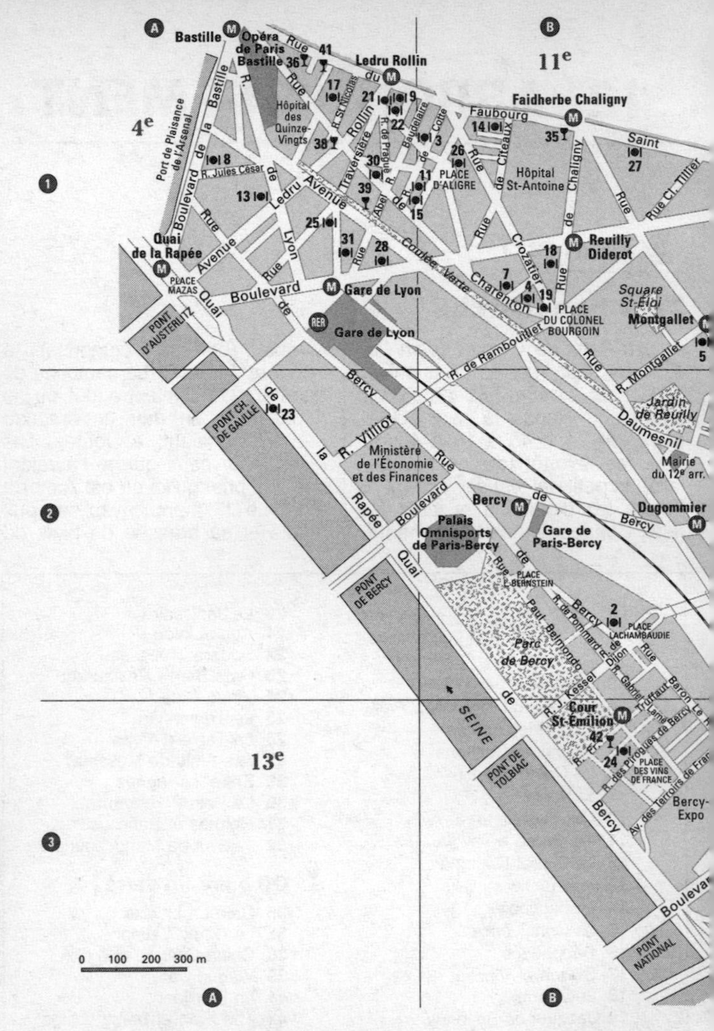
Bastille
Opéra de Paris Bastille
Ledru Rollin
11e
4e
13e
Faidherbe Chaligny
Hôpital des Quinze-Vingts
Boulevard de la Bastille
Port de Plaisance de l'Arsenal
R. Jules César
Rue du Faubourg Saint
Avenue Ledru Rollin
Rue Traversière
R. St Nicolas
R. de Prague
Rue de Cotte
R. Baudelaire
R. Abel
PLACE D'ALIGRE
Hôpital St-Antoine
Rue de Cîteaux
Rue de Chaligny
Rue Cl. Tillier
Rue Crozatier
Rue de Charenton
Coulée Verte
Quai de la Rapée
Avenue
PLACE MAZAS
Rue de Lyon
Boulevard de Bercy
Gare de Lyon
Reuilly Diderot
Square St-Éloi
Montgallet
PLACE DU COLONEL BOURGOIN
R. de Rambouillet
R. Montgallet
Jardin de Reuilly
Daumesnil
Mairie du 12e arr.
PONT D'AUSTERLITZ
PONT CH. DE GAULLE
R. Villiot
Ministère de l'Économie et des Finances
Rue de la Rapée
Boulevard
Bercy
Dugommier
Palais Omnisports de Paris-Bercy
Gare de Paris-Bercy
PONT DE BERCY
Quai de la Seine
PLACE L. BERNSTEIN
Rue Paul Belmondo
R. de Pommard
R. de Dijon
PLACE LACHAMBAUDIE
Parc de Bercy
R. J. Kessel
R. Gabriel Lamé
Rue Baron Le Roy
Truffaut
Cour St-Émilion
R. Fr.
R. des Pirogues de Bercy
PLACE DES VINS DE FRANCE
Av. des Terroirs de France
Bercy-Expo
SEINE
PONT DE TOLBIAC
PONT NATIONAL
Boulevard
0 100 200 300 m
A
B
1
2
3

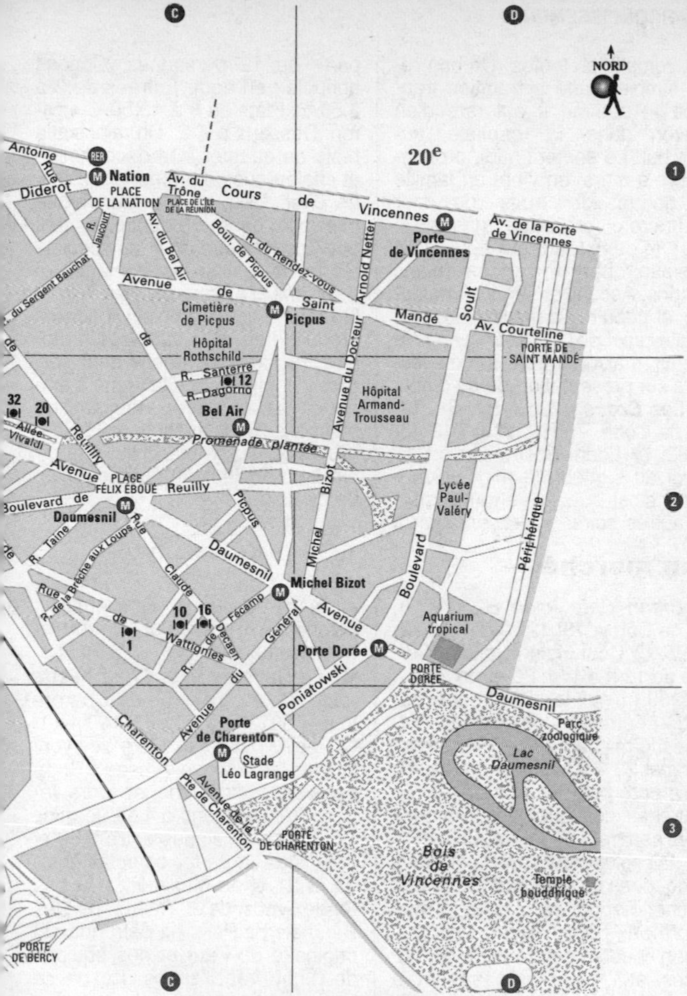

C
D
NORD
20e
1
2
3

Antoine
RER
Rue
Nation
Diderot
PLACE DE LA NATION
Av. du Trône
PLACE DE L'ILE DE LA RÉUNION
Cours de Vincennes
Porte de Vincennes
Av. de la Porte de Vincennes
R. Jaucourt
Av. du Bel Air
Boul. de Picpus
R. du Rendez-vous
Arnold Netter
R. du Sergent Bauchat
Avenue de Saint Mandé
Cimetière de Picpus
Picpus
Soult
Av. Courteline
PORTE DE SAINT MANDÉ
Hôpital Rothschild
R. Santerre
12
R. Dagorno
Avenue du Docteur
Hôpital Armand-Trousseau
32
20
Allée Vivaldi
Bel Air
Reuilly
Promenade plantée
Avenue
PLACE FÉLIX ÉBOUÉ
Reuilly
Bizot
Lycée Paul-Valéry
Boulevard de
Daumesnil
Picpus
Périphérique
Rue
R. Taine
Rue de la Brèche aux Loups
Claude
Daumesnil
Michel
Michel Bizot
Boulevard
Rue
R. de la
Fécamp
Général
Avenue
Aquarium tropical
10
16
de
1
Wattignies
de Decaen
R.
Porte Dorée
du
PORTE DORÉE
Poniatowski
Daumesnil
Charenton
Avenue
Porte de Charenton
Parc zoologique
Lac Daumesnil
Stade Léo Lagrange
Avenue de la Pte de Charenton
PORTE DE CHARENTON
Bois de Vincennes
Temple bouddhique
PORTE DE BERCY
12e

12e ARRONDISSEMENT

jour, remplit les tables. Un bon repas simple, griffé « tradition française », comme il est rare d'en trouver dans la capitale aujourd'hui. Le samedi midi, de septembre à mars, on vient en famille se gorger de fruits de mer (9 huîtres, crevettes grises et roses et demi-tourteau) pour 20 € l'assiette, quart de sancerre blanc compris. Accueil et service chaleureux et populo. Le meilleur rapport qualité-prix de l'arrondissement ! Apéritif maison offert à nos lecteurs sur présentation de ce guide.

|●| ***Les Crocs*** *(plan A-B1, **3**) :* 14, rue de Cotte, 75012. ☎ 01-43-46-63-63. Ⓜ Ledru-Rollin. Ouvert du mardi au samedi, le midi uniquement, ainsi que le vendredi soir ; les autres soirs, sur réservation à partir de 12 personnes. Congés annuels : en août. Entrées de 2 à 3,50 €. Plats de 8 à 13,50 € environ. Desserts à 4 €. Un minuscule resto de quartier à la déco simple et chaleureuse, comme la cuisine. Le chef, Lulu, ne se fournit que chez de bons producteurs, tant pour les vins que pour les spécialités landaises ou les fromages et salaisons d'Auvergne, et à Aligre, le marché couvert voisin, pour les produits frais et la viande. Un rapport qualité-prix franchement correct, y compris dans la vente à emporter, car le patron, toujours de bon conseil, fait aussi dans l'épicerie. Verre de vin blanc ou café offert à nos lecteurs sur présentation de ce guide.

Bon marché

|●| ***Bihan Café*** *(plan B2, **2**) :* 4, rue de Bercy, 75012. ☎ 01-40-19-09-95. Ⓜ Cour-Saint-Émilion. Service de 12 h à 14 h 30 et de 20 h à 22 h 30 (minuit les vendredi et samedi). Fermé le dimanche. Formules le midi à 12 et 15 €. Sinon, compter 20 € à la carte. La maison ne prend pas les chèques. En contrebas des quelques marches qui le séparent de la rue, un bistrot qui fait plus vrai que certaines mangeoires du nouveau Bercy tout proche. Répertoire classique revisité, à prix doux, dans un sympathique coude à coude entre les habitués et... ceux qui aspirent à l'être. À signaler, une intéressante collection de liqueurs artisanales et eaux-de-vie à l'ancienne : églantine « gratte-cul », sorbier des oiseaux...

|●| ***Le Gave de Pau, Chez Yvette*** *(plan B1, **4**) :* 147, rue de Charenton, 75012. ☎ 01-43-44-74-11. Ⓜ Reuilly-Diderot ou Gare-de-Lyon. Ouvert midi et soir jusqu'à 2 h. Fermé les dimanche et jours fériés. Premier menu à 12 € le midi, 14 € le soir ; salades entre 7,50 et 8,50 € ; à la carte, compter entre 18 et 21 € au maximum. Un des rendez-vous de 3e mi-temps des Béarnais de Paris (la patronne est originaire de Pau) et des équipes de rugby franciliennes. Ici, on se sent un peu comme à la maison : assiettes style « Arcopal », plats

12e

sans chichis avec toutes les imperfections que cela suppose, et alors ? Les grands gaillards se refont une santé autour de cœurs de canards persillés ou encore d'un magret aux pêches. Essai transformé par l'accueil chaleureux d'Yvette. Pour sûr, on fait partie des supporters de cette bonne petite adresse routarde.

|●| ***Lolo et les Lauréats*** *(plan B1, **5**)* **:** 68 bis, rue de Reuilly (à l'angle avec la rue Montgallet), 75012. ☎ 01-40-02-07-12. Ⓜ Montgallet. Ouvert de 7 h 30 à 20 h. Fermé le dimanche. À la carte, compter autour de 20 € ; plats du jour de 10 à 12,50 €. Sandwichs à 3,20 €, croque-campagne à 7,50 €, tartes salées autour de 6,80 € avec salade. Création des propriétaires d'*Aux Bons Crus,* bar à vin en vogue proche de la place des Victoires, ce bistrot, au long comptoir ancien tout de bois vêtu, est la bonne affaire du quartier. Les vins sélectionnés et vendus au verre (pas cher), dont plusieurs sont médaillés du Concours agricole, se boivent avec plaisir. La cuisine de ménage fait de son mieux, et la terrasse plein sud bien ensoleillée (couverte et chauffée en hiver) incite à la relaxation. Kir offert à nos lecteurs sur présentation de ce guide.

|●| ***Agua Limón*** *(plan A1, **21**)* **:** 12, rue Théophile-Roussel, 75012. ☎ 01-43-44-92-24. Ⓜ Ledru-Rollin. Service de 12 h à 14 h 30 et de 19 h à 23 h. Fermé les dimanche et lundi. Congés annuels : en août et 1 semaine en décembre. Réservation conseillée en fin de semaine. Le midi, formule assiette de 5 tapas et boisson à 16 € ou tapas à la carte (environ 7 € la portion) ; menus à 18 € le midi, 23 € le soir. Attention, n'accepte pas les chèques. Un bar à tapas chaleureux et convivial, à l'image des patrons des lieux. Frises d'azulejos, guirlandes d'ail et de piments séchés, collection d'éventails et d'assiettes de céramique, lanternes en fer forgé, danseuses de flamenco et scènes de corrida... Tout le folklore ibérique s'est donné rendez-vous sur les murs colorés de bleu vif et de jaune patiné, avec beaucoup de goût. Le ton est donné, la cuisine que l'on vous sert ici est authentique, généreuse et parfumée. Les tapas ont le goût de là-bas, comme ces excellents *boquerones* (anchois au vinaigre) ou encore ces artichauts à l'escabèche ; et la sangria se boit bien, de préférence dans le salon, tout au fond. Paella sur commande la veille.

|●| ***Les Bombis*** *(plan B1, **18**)* **:** 22, rue de Chaligny, 75012. ☎ 01-43-45-36-22. Ⓜ Reuilly-Diderot. Fermé les samedi midi, dimanche et jours fériés. Le midi, formules à 12 et 14 € ; le soir, menu-carte à 25 €. Charmant ce bistrot, avec ses éléments anciens conservés (comptoir en bois, carrelage géométrique gris et noir), sa belle hauteur sous plafond et ses éclairages tamisés. La carte est bistrotière comme il se doit, plutôt classique, mais variant au gré des saisons ; et les vins sont à prix doux. Le contenu de

l'assiette ne déçoit pas et le rapport qualité-prix est franchement bon le soir. Accueil discret mais prévenant. *NOUVEAUTÉ.*

I●I ***Jardins de Mandchourie*** *(plan C2, **32**) :* 34, allée Vivaldi, 75012. ☎ 01-43-45-58-88. Ⓜ Montgallet ou Dugommier. ♿ Service de 12 h à 14 h 30 et de 19 h à 22 h 30. Fermé le lundi. Ne pas se laisser influencer par la salle un peu surdimensionnée et le cadre assez austère. Il faut bien un peu de temps pour que ça se patine. Accueil particulièrement sympathique. La patronne saura vous expliquer toutes les richesses de cette délicieuse cuisine du Nord-Est de la Chine. En particulier, goûter à la salade d'algues (un goût vraiment venu d'ailleurs), à la soupe aux fruits de mer bien parfumée et aux grands classiques soigneusement mijotés (sauté de nouilles, encornets frits aux oignons, etc.). Mais le must, c'est le « tambour en croûte », un poisson des mers de Chine merveilleusement cuisiné et qui vaut bien ses 15 €. Vins à prix modérés.

Prix moyens

I●I ***Hermès et Bacchus*** *(plan A1, **31**) :* 6, rue Émile-Gilbert, 75012. ☎ 01-40-01-91-80. Ⓜ Gare-de-Lyon. Ouvert du lundi au vendredi. Congés annuels : en août. Menu à 16,20 € le midi ; compter environ 26 € à la carte pour un repas complet. À deux pas de la gare de Lyon, dans une petite rue tranquille, vaste salle où voisinent tables de bistrot et cartons de vin. Du bon, du sérieux, au verre, en bouteille, en cartons de six (à emporter, ceux-là). Le chef a fait ses classes chez quelques grands, et, finement troussée, sa cuisine simple sait réjouir : œuf en meurette, escargots, cuisse de lapin à la moutarde, aiguillette de canard au miel, avec ce quelque chose en plus. Le service, efficace, est un peu bousculé (le succès est déjà là...).

I●I ***...Comme Cochons*** *(plan B1, **7**) :* 135, rue de Charenton, 75012. ☎ 01-43-42-43-36. Ⓜ Reuilly-Diderot. Service midi et soir jusqu'à 23 h. Fermé le lundi. Pas de réservation le midi, mais recommandée le soir. Le midi, menus à 12 et 15 € ; le soir, à la carte uniquement, compter de 23 à 28 €. Un bistrot tendance actuelle, avec une imbattable formule du déjeuner qui offre entrée, plat, dessert et même la boisson. Le soir, l'addition double, mais le plaisir est toujours là. Sur l'ardoise, les plats jouent le registre de la cuisine de marché. Le cochon est régulièrement à l'honneur et tout est goûteux, copieux et joliment présenté. Accueil sympathique et service prévenant. Rien d'étonnant finalement à ce que cela soit plein tout le temps. Café offert à nos lecteurs sur présentation de ce guide.

I●I ***La Table d'Aligre*** *(plan B1, **26**) :* 11, pl. d'Aligre, 75012. ☎ 01-43-07-84-88. Ⓜ Ledru-Rollin. ♿ Service de 12 h à 14 h et de 20 h à 22 h 45. Fermé le lundi. Congés annuels : 1 semaine autour du 15 août. Formules à 12,20 € (le midi seulement), 14,50 et 22,50 € ; sinon, menu-carte à 27,50 €. Aux commandes, un chef sympathique et bourré d'idées qui propose une cuisine de marché, toujours inventive. Sans vous énumérer tous les plats de la carte (qui suit les saisons et change tous les 2 ou 3 mois), le millefeuille de veau et pousses d'épinards, les filets de cailles en brochette au jus de pomme nous ont régalé les papilles le jour de notre passage. Et pour faire glisser tout ça, une palette de vins à prix tout doux. Un mot enfin sur la salle, sobre et agréable avec ses murs crème égayés de tableaux, ses chaises années 1940 et sa belle colonne de fonte au milieu. De la salle à l'étage, belle vue sur le pittoresque marché d'Aligre.

Les Zygomates *(plan C2, **10**) :* 7, rue de Capri, 75012. ☎ 01-40-19-93-04. Ⓜ Michel-Bizot ou Daumesnil. Service de 12 h à 14 h et de 19 h 30 à 22 h 45. Fermé les dimanche et lundi. Congés annuels : en août. Menus à 14 €, au déjeuner, puis à 22 et 29 € (avec entrée + plat ou plat + dessert). Rien n'a changé dans cette charcuterie début XXe siècle. Le décor en trompe l'œil, le bois verni, le marbre et les scènes de chasse, on s'y croirait. Mais le plus beau, c'est sans aucun doute la cuisine de qualité, à prix étudiés, qui y est servie. Des menus où les plats ne sont pas de simples prétextes : salade de foie gras cru aux pignons, queue de cochon farcie aux morilles, fondant au chocolat amer et son sorbet. Il est préférable de réserver, car les petits malins se sont vite donné l'adresse. Café offert à nos lecteurs sur présentation de ce guide.

Si Señor ! *(plan A1, **9**) :* 9, rue Antoine-Vollon, 75012. ☎ 01-43-47-18-01. Ⓜ Ledru-Rollin. ♿ Ouvert de 12 h à 14 h 30 et de 19 h 30 à 23 h. Fermé les dimanche et lundi. Congés annuels : en août. Menus à 14,10 € le midi, 17,80 et 23,40 € le soir. À la carte, compter autour de 26 €. Ce resto espagnol tenu par une bande de copains franco-ibérique n'entre pas dans la catégorie des bars à tapas parisiens, tout simplement parce qu'il ne fonctionne pas comme un bar, ni dans celle des restos où la cuisine n'est qu'un prétexte pour boire, car ici, la cuisine est sincère, voire délicieuse. Superbes *tortllla española,* gambas grillées *a la plancha,* calamars frits tout en légèreté... Régulièrement, des spécialités régionales sortant des sentiers battus sont à l'honneur. Vente à emporter de vins espagnols. Rien à redire, tout est là, y compris la gentillesse. Belles expos temporaires aux murs. Quelques tables en terrasse.

Cappadoce *(plan C2, **16**) :* 12, rue de Capri, 75012. ☎ 01-43-46-17-20. Ⓜ Michel-Bizot ou Daumesnil. Ouvert de 12 h à 14 h 30 et de 19 h à 23 h 30. Fermé les samedi midi et dimanche. Il est prudent de réserver le soir. Congés annuels : en août. Menus de 15 à 24 €. L'hospitalité turque empreinte de gentillesse et de discrétion, ainsi qu'une cuisine bien élaborée ont assis la réputation du *Cappadoce* bien au-delà du quartier. Petite salle intime mais pas étriquée, éclairage tamisé. Les raisons du succès de ce restaurant sautent aux yeux : 3 menus bien pensés, végétarien, diététique et gastronomique. Le roulé au fromage et le caviar d'aubergine sont d'une délicatesse tout orientale ; l'agneau farci aux champignons et sauce piquante, grillades ou brochettes titillent vos papilles à plaisir. Les desserts faits maison, dont un étonnant potiron au sirop (genre pâte de coings), ne sont pas à dédaigner. Service exquis et attentionné. Digestif maison offert à nos lecteurs sur présentation de ce guide.

L'Ébauchoir *(plan B1,* ***14****)* **:** 43-45, rue de Cîteaux, 75012. ☎ 01-43-42-49-31. Ⓜ Faidherbe-Chaligny. Service de 12 h à 14 h 30 et de 20 h à 23 h. Fermé le dimanche et le lundi midi. Le midi, menus complets à 13,50 €, boisson comprise, ou 23 € ; le soir, à la carte, compter autour de 30 €. Une des adresses incontournables du faubourg. Une réussite due à son impeccable 1er menu du déjeuner (entrée, plat, dessert et boisson) qui fait le bonheur des artistes et artisans, fort nombreux dans le secteur. Au programme, selon l'humeur : sardines fraîches farcies, poireaux en vinaigrette de lard, pavé de thon sauce beurre d'orange et badiane... Le soir, toujours autant de monde, mais le ticket moyen augmente carrément.

Entre les Vignes *(plan A1,* ***28****)* **:** 27 ter, bd Diderot, 75012. ☎ 01-43-43-62-84. Ⓜ Gare-de-Lyon. Service de 12 h à 14 h 30 et de 19 h 30 à 22 h 30. Fermé les samedi et dimanche. Congés annuels : 3 semaines en août. Plats à 15 €, formules à 20 et 25 €. Anciennement *Chez Régis,* cette décidément bien sympathique adresse n'a rien perdu de ses atouts. Le patron, affable, amoureux de son métier et désireux de faire partager ses coups de cœur, concocte une cuisine savoureuse, égayée d'une touche de nouveauté. Le décor de la terrasse couverte ou de la petite salle, avec son comptoir qui tire vers le vieux bistrot, est un cadre bien agréable pour apprécier la salade de mesclun, artichauts et copeaux de parmesan, le risotto aux cèpes et girolles ou le filet de daurade à l'embeurrée de chou vert. Les desserts, simples, sont néanmoins réussis, les vins judicieusement choisis : le plaisir est là. C'est plutôt réjouissant. *NOUVEAUTÉ.*

Le Petit Porcheron *(plan A1,* ***30****)* **:** 3, rue de Prague, 75012. ☎ 01-43-47-39-47. Ⓜ Ledru-Rollin. Ouvert tous les jours de 8 h à 2 h (service jusqu'à 23 h). Menu déjeuner à 15 €. À la carte, compter de 30 à 40 €. C'est à l'équipe de *...Comme Cochons* que l'on doit cette succursale plutôt propre sur elle, entre le bistrot de quartier et le lieu dans l'air du temps. La cuisine y est plaisante, enlevée (les plats changent). Un des points forts de la maison, c'est la cave. Ne pas hésiter à poser des questions. Desserts très bons (croquant de nougat glacé, trio de crèmes brûlées...). Service courtois et sympathique. Décidément, tout est bon au *Petit Porcheron* !

🍽 ***À la Biche au Bois** (plan A1, 13) :* 45, av. Ledru-Rollin, 75012. ☎ 01-43-43-34-38. Ⓜ Gare-de-Lyon. ♿ Service de 12 h à 14 h 30 et de 19 h à 23 h. Fermé le week-end et le lundi midi. Congés annuels : du 25 juillet au 25 août et du 23 décembre au 2 janvier. Prudent de réserver. Menu à 22,90 €. Compter 25 € à la carte. Cette bonne halte, à deux pas de la gare de Lyon, est la providence des voyageurs. D'ailleurs, ça ne désemplit pas, le midi comme le soir. Certes, le décor est franchement quelconque et les tables à touche-touche n'invitent pas aux confidences amoureuses, mais la carte est un vrai bonheur : magret de canard aux fruits des bois, cassolette de faisan au foie gras, sans oublier le coq au vin et son onctueuse sauce, une de leurs spécialités servies toute l'année. Beau plateau de fromages bien affinés, pâtisseries maison et vins à prix raisonnables. On en sort repu !

🍽 ***La Connivence** (plan A-B1, 15) :* 1, rue de Cotte, 75012. ☎ 01-46-28-46-17. Ⓜ Ledru-Rollin. ♿ Service de 12 h à 14 h 30 et de 20 h à 23 h. Fermé le dimanche. Congés annuels : en août. Le midi, formules entrée + plat à 14 € et avec le dessert à 17 €. Menus-carte pour le midi et le soir à 19 et 24 €. La salle, décorée de façon originale avec ses alcôves en brique et son bar au milieu, est le théâtre d'une pièce plutôt bien exécutée. Le chef, qui assure certains jours un service tout en sourire, distille une cuisine goûteuse, à la fois traditionnelle et inventive, avec, par exemple, sa canette 3 façons (confit, magret, abats en Parmentier) ou son pâté d'oie du Rupt de Mad. On aimerait pouvoir savourer tout ça bien tranquillement, grâce à un service et un accueil décontractés et chaleureux. Ce n'est pas toujours le cas. Dommage.

🍽 ***Le Bistrot Dagorno** (plan C2, 12) :* 9, rue Dagorno, 75012. ☎ 01-43-42-23-77. Ⓜ Picpus ou Bel-Air. ♿ Service de 12 h à 14 h et de 19 h 30 à 21 h 30. Fermé les samedi, dimanche, lundi soir et jours fériés. Congés annuels : 3 semaines en août. Formule à 13,90 € et menu à 15,90 € servis uniquement le midi, et un menu-carte à 27 €. On choisit sur un grand tableau noir des plats qui changent en fonction des saisons. Jarret de veau au jus de morilles, gâteau de Saint-Jacques à la bisque de crabe... Bons desserts maison comme la tarte fine aux pommes tièdes avec glace vanille... La clientèle du quartier ne s'y trompe pas et afflue pour savourer cette cuisine de marché. Accueil très sympa. Apéritif maison offert à nos lecteurs sur présentation de ce guide.

🍽 ***Jacquot de Bayonne*** *(plan B1, **19**) :* 151, rue de Charenton, 75012. ☎ 01-44-74-68-90. Ⓜ Reuilly-Diderot. ♿ Service de 12 h à 14 h et de 19 h 30 à 22 h. Fermé les samedi midi et dimanche. Congés annuels : en août. Plat du jour à 9,50 €; formules à 27,10 et 28,20 €. Salle claire, pierres apparentes, carte résolument tournée vers le terroir basque, ce petit resto familial séduit d'emblée. Il faut dire que l'accueil y est pour beaucoup : simple, chaleureux, amical. On est invité ici comme chez des amis de longue date. Ah oui, on a oublié de vous dire que le chef avait officié 10 ans dans un des plus grands hôtels de l'île Maurice. Mais on n'en trouve que peu de traces dans son menu. Jugez plutôt : jambon de Bayonne, bien sûr, piperade, *chipirons* farcis sauce à l'encre, moules farcies au beurre d'amande et, pour finir, une tourtière des Landes. Le ton est donné, le rendez-vous repris. Apéritif maison offert à nos lecteurs sur présentation de ce guide.

🍽 ***Le Contemporain*** *(plan A1, **8**) :* 24, bd de la Bastille, 75012. ☎ 01-43-43-95-15. Ⓜ Bastille. Le midi, formules à 14,50 et 17,50 €. À la carte, compter autour de 25 €. Anciennement à la Butte-aux-Cailles, le patron a jeté l'ancre le long du port de la Bastille (sans la vue sur les bateaux, dommage...). Dans un décor résolument d'aujourd'hui, à deux pas de la Maison rouge, elle aussi dédiée à l'art contemporain, il sert une cuisine rajeunie et pleine de saveurs. Chèvre chaud, œuf poché ou cocotte, saucisson de Lyon ou rognons : les produits sont frais, apprêtés avec sincérité, mis en valeur comme il faut. Pour résumer, on y mange fort bien. Dans une salle attenante, on sert aussi une petite restauration de bon aloi. Une adresse qui réunit ainsi plusieurs atouts mérite d'être connue, non ? *NOUVEAUTÉ.*

🍽 ***Swann et Vincent*** *(plan A1, **17**) :* 7, rue Saint-Nicolas, 75012. ☎ 01-43-43-49-40. Ⓜ Ledru-Rollin. Ouvert tous les jours de 12 h à 14 h 30 et de 19 h 15 à 23 h 30 (minuit les vendredi et samedi). Menu du midi à 14,50 €; carte autour de 30 € sans la boisson. Mmm, les *antipasti* et les charcuteries ! Re-mmm les *gnocchetti* maison, les raviolis de *ricotta* ! Mmm encore les sauces *al pesto* (au pistou) et *all'arrabbiata* (au piment) versées à point sur les pâtes *al dente.* Et la *panna cotta* (crème de la crème !), miam-miam ! Et, pour sortir un peu des pâtes : fines escalopes de veau au citron, anchois frais marinés... En voilà donc un fameux italien qui, en plus d'une cuisine modèle du genre, nous régale par son décor de bistrot rétro bien patiné et ses grandes tablées autour desquelles les bandes de copains peuvent profiter ensemble, pour peu qu'elles aient réservé, de ce restaurant affichant presque toujours complet. Assez bruyant dans la grande salle et tables assez serrées. Kir maison offert à nos lecteurs sur présentation de ce guide.

|●| ***Le Janissaire*** *(plan C2, **20**)* **:** 22-24, allée Vivaldi, 75012. ☎ 01-43-40-37-37. Ⓜ Daumesnil ou Montgallet. Service de 12 h à 14 h 30 et de 19 h à 23 h 30. Fermé les samedi midi et dimanche. Réservation conseillée le soir. Menu à 13 € le midi ; un menu dégustation à 23 € d'un bon rapport qualité-prix, un menu océan à 26 €, un autre à 42 € ; compter autour de 27 € à la carte. Dans le prolongement de la Coulée verte, une délicieuse cuisine turque qui sort du lot. Le choix sera difficile entre les *mezze* froids ou chauds, ou les incontournables *böreks* (roulés au fromage), entre autres. Les viandes sont grillées, avec ou sans sauce, cuisinées en papillote, ou marinées dans un onctueux yaourt épicé avant de passer sur les fourneaux. Belle carte de vins de Turquie. Décor agréable et résolument moderne, où se marient des œuvres de peintres turcs contemporains, des tapis anciens et de vieux documents officiels de l'Empire ottoman. Au plafond, des vitraux reproduisent des motifs de kilims. Service discret et efficace. Aux beaux jours, agréable terrasse.

|●| ***Vinea Café*** *(plan B3, **24**)* **:** 26-28, cour Saint-Émilion, 75012. ☎ 01-44-74-09-09. Ⓜ Cour-Saint-Émilion. ♿ Service tous les jours jusqu'à minuit environ pour la restauration, 2 h pour le bar (2 h 30 les vendredi et samedi). Menu à 15,60 € uniquement le midi, comprenant un verre de vin, une entrée + un plat ou un plat + un dessert. Plats du jour à 11 €. Brunch le dimanche (entre 12 h et 16 h) à 23 €. Cocktails de 7 à 9 €. C'est l'une des adresses emblématiques du renouveau de Bercy, l'une des premières à avoir investi les anciens chais du XIXe siècle. En fait, les propriétaires, rodés aux détournements de lieux, ont déjà à leur actif le *Viaduc Café,* dans les voûtes de l'ancienne ligne de la Bastille. Il y a des similitudes entre ces deux lieux, mélange de belle pierre et de contemporain, et terrasses époustouflantes. Dommage que l'adresse ne se bile pas trop côté cuisine (elle pourrait en faire un peu plus, comme en salle). Mais si on vous brosse ainsi l'envers du décor, c'est que l'endroit est tout de même réussi !

Plus chic

|●| ***Square Trousseau*** *(plan A1, **22**)* **:** 1, rue Antoine-Vollon, 75012. ☎ 01-43-43-06-00. Ⓜ Ledru-Rollin. ♿ Ouvert midi et soir (service jusqu'à 23 h 30). Fermé les dimanche et lundi. Réservation chaudement recommandée. Formule entrée + plat ou plat + dessert à 15 €. Menus à 20 € (le midi uniquement) et 25 €. Carte autour de 35 €, boisson en sus. Tentures de velours rouge et rideaux de dentelle préservent

des regards indiscrets. Ici, l'atmosphère et le style bistrot 1900 sont à l'honneur : superbe bar de zinc ancien, carrelage mosaïque, banquettes de moleskine rouge et plafond à moulures. Un lieu très parisien, fréquenté par une clientèle élégante mais décontractée, où il n'est pas rare de croiser une tête connue. Les suggestions du jour sont affichées au mur sur de grandes ardoises. La carte, qui change toutes les semaines en fonction du marché, joue dans le registre traditionnel revisité. C'est joliment présenté, agréable en bouche, mais pas donné-donné. La carte des vins, bien conçue et renouvelée régulièrement aussi, sort des sentiers battus. Possibilité d'acheter la sélection de la maison dans la boutique de produits qu'ils ont ouverte à côté. Terrasse prisée en été.

|●| *Sardegna a Tavola* *(plan A-B1,* ***11)*** **:** 1, rue de Cotte, 75012. ☎ 01-44-75-03-28. Ⓜ Ledru-Rollin. Service de 12 h à 14 h 30 et de 19 h à 23 h. Fermé le dimanche et le lundi midi. À la carte, prévoir de 30 à 50 €. Cette sympathique auberge sarde, située à deux pas du marché d'Aligre, nous a fait découvrir la cuisine familiale et mitonnée de cette île italienne. Pas franchement légère mais haute en couleur et en saveur. Belles charcuteries sardes (celles qui pendent audessus de vos têtes), superbes *bruschetta,* gnocchis aux saucisses fraîches maison délicatement parfumées au fenouil, délicieuses suggestions du jour, souvent à base de poisson ou de fruits de mer, soigneusement détaillées par le débonnaire patron (renseignez-vous sur leur prix, car elles peuvent rapidement doper l'addition). En lisant bien la carte, on s'en tire toutefois pour un prix raisonnable, d'autant que les portions sont très copieuses. Et pour terminer ces agapes, un digestif à base de figue de Barbarie ou de myrte est offert à tous les clients.

|●| *Les Amis de Messina* *(plan B1,* ***27)*** **:** 204, rue du Faubourg-Saint-Antoine, 75012. ☎ 01-43-67-96-01. Ⓜ Faidherbe-Chaligny. Service de 12 h à 15 h et de 19 h 30 à 23 h. Fermé les samedi midi et dimanche. Congés annuels : en août. Menu à 30 €; compter 38 € à la carte. Pas beaucoup de restos dans le secteur! Alors ce rendez-vous moderne de la cuisine sicilienne est le bienvenu. Et c'est plein comme un œuf. Au programme : pâtes et poisson, pâtes au poisson... Simple, copieux et bien fait. Les plats les plus chers ne sont pas forcément les mieux exécutés, restez simple! Clientèle de quartier, ambiance copain-copain et tables à touche-touche.

|●| *Café Barge Restaurant* *(plan A2,* ***23)*** **:** port de la Rapée, 75012. ☎ 01-40-02-09-09. Ⓜ Gare-de-Lyon, Quai-de-la-Rapée ou Bercy. Le resto se trouve rive droite, entre le pont Charles-de-Gaulle et le pont de Bercy. Parking. Service du dimanche au vendredi de 12 h à 15 h 20 h à 22 h 30, et le samedi de 20 h à minuit. Compter 24 € le midi pour une entrée + un plat ou un plat + un dessert et 30 € pour le menu complet. Le soir, les prix montent respectivement à 29 et 35 € (et plusieurs plats avec supplément). Cette ancienne barge pétrolière a fini par jeter l'ancre et troquer sa précieuse cargaison contre quelques trésors d'Orient (meubles, canapés, objets divers) qui servent d'écrin à une cuisine d'inspiration méditerranéenne. Après 20 h, le DJ assure le spectacle du mardi au samedi. Le lundi, soirée tzigane. Enfin, sachez qu'on peut aussi se contenter de venir y boire un verre, une occasion d'admirer (ou non) les tables dessinées par des copains peintres, qui exposent à tour de rôle dans le resto. *And last but not least,* ne pas manquer d'aller faire un tour aux w.-c., le design céramiques et hublot avec vue sur la Seine a son charme. Terrasse sur les quais, prise d'assaut aux beaux jours.

Le Traversière *(plan A1,* ***25****)* **:** 40, rue Traversière, 75012. ☎ 01-43-44-02-10. Ⓜ Ledru-Rollin. Fermé les dimanche soir et lundi. Congés annuels : les 3 premières semaines d'août. Menus à 22 € le midi et 29 € le soir. Menu-carte à 39,50 €. Une adresse généreuse, rassurante, hors du temps, hors des modes. Un coin de rue devant lequel on est repassé dix fois, sans oser entrer. Et puis, une fois poussée la porte, c'est la France éternelle qui vous accueille, avec le sourire. Celle des repas à la campagne, des saveurs franches, des bons produits. Pas donné, certes. Mais Johnny Benariac prend encore le temps de faire son marché, d'utiliser les herbes, les légumes de saison, de choisir ses vins. Même ses clients, tiens, il doit les choisir. Ils ont une bonne tête, comme lui. *NOUVEAUTÉ.*

Où boire un verre ?

Café La Liberté *(plan B1,* ***35****)* **:** 196, rue du Faubourg-Saint-Antoine, 75012. ☎ 01-43-72-11-18. Ⓜ Faidherbe-Chaligny. ♿ Ouvert tous les jours de 9 h (11 h le week-end) à 2 h. Restauration le midi uniquement, de 12 h à 16 h 30. Formule à 10 €. Plat du jour à 8,60 € et tartines autour de 5,50 € (sauf au service du midi). Pression, vin au verre ou ti-punch de 2 à 4 €. « Liberté, égalité, fraternité... et convivialité », tel pourrait être le slogan de ce café atypique : tranquille en journée et le midi avec sa clientèle d'habitués et sa cuisine traditionnelle sans mauvaise surprise, et concerts les mardi et jeudi soir (autour de 21 h) de chansons françaises, fanfare, rock manouche ou musique latino. Déco minimaliste largement compensée par l'ambiance. Sachez y frayer votre chemin dans une atmosphère de Gitanes et clopes roulées. Clientèle cosmopolite et popu, pour des prix démocratiques, rares dans le quartier. Petite salle au fond, avec jeux d'échecs à disposition.

Le Barrio Latino *(plan A1,* ***36****)* **:** 46-48, rue du Faubourg-Saint-Antoine, 75012. ☎ 01-55-78-84-75. Ⓜ Bastille. ♿ Parking payant. Service de 11 h 30 à 15 h et de 19 h 45 à 0 h 45 ; ouvert en continu jusqu'à 2 h. Menus de 15 à 38 €. Brunch le dimanche à 26 € pour les adultes et 15,25 € pour les enfants. Les magasins de meubles de la rue du Faubourg-Saint-Antoine disparaissent les uns après les autres. L'une des dernières transformations en date a donné cet immense endroit tendance latino, à la déco néobaroque soft. Sur plusieurs étages, deux bars, un restaurant, un bar cubain et un espace VIP accessible par ascenseur. Telle est la recette du (déjà) boss du *B*fly* et du *Buddha Bar,* vers les Champs, pour surfer sur la vague latino et créer un QG pour starlettes à l'autre bout de Paris. Attendez-vous à faire la queue les soirs de week-end. Un DJ chauffe l'ambiance tous les soirs à partir de 22 h.

China Club *(plan A1,* ***38****)* **:** 50, rue de Charenton, 75012. ☎ 01-43-43-82-02. Ⓜ Bastille ou Ledru-Rollin. Ouvert tous les jours de 19 h à 2 h (3 h les vendredi et samedi). Congés annuels : de fin juillet à fin août, les 24, 25 et 31 décembre et les 1er et 2 janvier. Cocktails de 8 à 12 €, demi à 4,50 €. Vous rêvez de chasser le dragon ? Venez déjà vous asseoir dans les Chesterfields du *China Club.* Ce fumoir-bar-restaurant cosy au parfum d'ylang-ylang demeure un must d'orientalisme à Paris. On y croise des étudiantes en langues O, des mannequins Agnès b., des groupes de dragueurs gominés et parfois quelques célébrités. À l'étage, au coin d'un bon feu de cheminée, vous ferez une partie d'échecs ou jetterez un œil sur la presse internationale. Le service est assuré par de ravissantes Asiatiques et des garçons stylés. Optez pour un cocktail de fruits frais sans alcool. Au sous-sol, piano-bar ouvert les jeudi (entrée entre 10 et 15 €), vendredi et samedi soir (5 €) à partir de 22 h. Le restaurant, cher (compter de 30 à 50 €), n'est pas extra.

Viaduc Café *(plan A1,* ***39****)* **:** 43, av. Daumesnil, 75012. ☎ 01-44-74-70-70. Ⓜ Bastille ou Gare-de-Lyon. ♿ Ouvert tous les jours de 9 h à 2 h (restauration jusqu'à minuit). Formule, le midi uniquement, à 16,80 €. À la carte, compter 26 €. Jazz-brunch à 25 € le dimanche de 11 h à 16 h. Cocktails à 9 €. Après avoir arpenté la Promenade plantée, offrez-vous un peu de repos à la terrasse de ce néobistrot. Détendu devant une mousse, vous aurez tout le loisir de passer en revue votre enrichissante journée. Le soir, le lieu est idéal pour siroter un verre à deux, les yeux dans les yeux. Terrasse de 140 places en été. L'hiver, on se réfugie à l'intérieur, soit côté bar, soit dans la grande salle autour d'un plat. Café offert à nos lecteurs sur présentation de ce guide.

🍸 ***The Frog at Bercy Village*** *(plan B3, **42**)* **:** 25, cour Saint-Émilion, 75012. ☎ 01-43-40-70-71. Ⓜ Cour-Saint-Émilion. ♿ Ouvert tous les jours de 12 h à 2 h. Pintes à 6 €. *Happy hours* de 18 h à 20 h (sauf le week-end) pour 4,50 €. Une bonne occasion d'aller découvrir le nouveau Bercy et de goûter à l'une des 6 bières artisanales fabriquées dans cet immense pub-brasserie de 400 m², de la même famille que *The Frog & Princess* du 6e arrondissement, *The Frog & Rosbif* du 2e et *The Frog & British Library* du 13e. Ce vaisseau anglais s'étend sur 2 étages, plus un sous-sol et une mezzanine...

🍸 ***La Distillerie*** *(plan A1, **41**)* **:** 50, rue du Faubourg-Saint-Antoine, 75012. ☎ 01-40-01-99-00. Ⓜ Bastille ou Ledru-Rollin. Ouvert de 19 h à 4 h (5 h du jeudi au samedi). Fermé le lundi. Consommations entre 4 et 8 €. Menu à 20 € (servi du dimanche au jeudi) ; compter environ 23 € à la carte. Des lianes, des noix de coco, des meubles en bois... Les îles ne sont plus très loin ! Les cocktails à base de rhum sont fameux ! Du mercredi au samedi, à partir de 23 h, un DJ survolté anime la piste improvisée entre les tables, avec de l'afro, du zouk et du R'n'B. Également une carte de spécialités afro-créoles jusqu'à 23 h. La fête version afro-créole dans toute sa splendeur. Digestif maison offert du lundi au jeudi sur présentation de ce guide.

13e ARRONDISSEMENT

Où manger ?

Très bon marché

I●I *L'Espérance (zoom, 1)* : 9, rue de l'Espérance, 75013. ☎ 01-45-80-22-55. Ⓜ Place-d'Italie ou Corvisart. Service de 11 h 45 à 14 h 30 et de 19 h à 22 h. Congés annuels : en août. Menu à 10,40 € ; à la carte, compter 15 € environ. Une cantine de quartier qui fait le plein le midi avec son petit menu comprenant entrée (œuf mayo, salade de concombres ou museau), plat (steak-frites, bavette à l'échalote...), fromage ou dessert et un quart de vin. À la carte, le couscous, pas cher et de bon augure, vaut vraiment le coup. On vient pour se nourrir, pas pour disserter sur la gastronomie. À part ça, accueil gentil, salle agréable et service très efficace.

I●I ***Le Numéro 13*** *(plan A3, **31**)* : 6, pl. de Rungis, 75013. ☎ 01-45-88-02-12. Ⓜ Maison-Blanche. ♿ Ouvert tous les jours sauf le dimanche, jusqu'à 20 h 30. Congés annuels : en août. Plat du jour à 8,50 € ; tartines et salades à 7,80 €. Intéressante formule « bistrot » à 14,80 € le midi en semaine comprenant entrée + plat + dessert + boisson ; une autre à 11,80 €. Le *13* sent bon le vieux bistrot d'antan avec ses mosaïques au sol, son grand miroir et son mobilier en bois. La salle est vaste et claire, mais on préfère, outre les quelques tables rondes à l'intérieur, celles qui sont en terrasse dès les beaux jours. Salades copieuses et belles tartines.

I●I ***Café Banal*** *(plan A1, **11**)* : 39, bd de Port-Royal, 75013. ☎ 01-43-31-27-39. Ⓜ Les Gobelins ou Glacière. Ouvert de 11 h à minuit (dernière commande à 22 h). Fermé les samedi et dimanche. Congés annuels : 3 semaines en août et 2 semaines en décembre. Ce bistrot de quartier propose un concept qui ne court pas le pavé de la capitale : « Pour 1,50 €, tu manges un morceau » (et pour le même prix tu bois un coup, d'ailleurs). Et c'est vrai ! Poulet-frites, gratin dauphinois-rôti, quiche-salade... 5 ou 6 plats au choix, tous au même prix. C'est tout à fait correct, et en plus, c'est copieux (sauf peut-être la quiche-salade). Plat du jour à 7,50 €. Accueil sans chichis. De la clientèle (principalement estudiantine) serrée en rang d'oignons émane une atmosphère décontractée et... enfumée ! Quelques desserts pour ne pas laisser les papilles sucrées en plan, à un prix plus ordinaire (1,50 €). Un piano et des guitares pour qui se sent une âme d'artiste, quelques bouquins et un pan de mur réservé à vos coups de cœur, coups de gueule, petites annonces... Un lieu qui a une âme.

Bon marché

|●| ***Virgule*** *(plan B2,* ***4****)* **:** 9, rue Véronèse, 75013. ☎ 01-43-37-01-14. Ⓜ Place-d'Italie. Service de 12 h à 14 h 30 et de 19 h 30 à 23 h (dernière commande). Fermé le mercredi. Congés annuels : en août. Plat + café à 8,40 € et menu à 10 € le midi ; 2 formules à 22 et 26 € ; plusieurs menus de 13 à 23 € le soir. À deux pas de la place d'Italie, cette ancienne pizzeria au décor banal ne désemplit pas. Il faut dire que le 1er menu offre un excellent rapport quantité-qualité-prix et suffisamment de choix pour que chacun y trouve son compte. Cuisine franchouillarde de très bonne tenue, bien que les patrons soient d'origine... cambodgienne. Sans prétention et avec le sourire !

|●| ***Le Samson*** *(zoom,* ***3****)* **:** 9, rue Jean-Marie-Jego, 75013. ☎ 01-45-89-09-23. Ⓜ Corvisart. ♿ Ouvert de 12 h à 14 h 30 et de 18 h à 23 h 30 (minuit les vendredi et samedi). Menus à 11 € le midi, puis de 13 à 23 €. Compter autour de 26 € à la carte. Salle lumineuse et agréable, à la déco minimaliste mâtinée de quelques touches décalées (les banquettes sont recouvertes de toile de jean). Accueil aimable et service tout sourire. Cuisine sous influence méditerranéenne. P'tits plats tout simples, très bons. Premier menu d'un bon rapport qualité-prix, idéal pour le déjeuner. Digestif maison offert à nos lecteurs sur présentation de ce guide.

|●| ***Cocagne*** *(plan B1,* ***9****)* **:** 180, rue Jeanne-d'Arc, 75013. ☎ 01-45-35-88-52. Ⓜ Les Gobelins. ♿ Ouvert de 12 h à 15 h et de 19 h à minuit. Fermé le dimanche. Congés annuels : en août. Menus à partir de 8 € le midi, 15 € le soir ; plat du jour à 8 € ; à la carte, compter 15 €. *Cocagne...* est-ce la façon dont ils rêvent leur pays, le Liban, ou dont ils veulent le faire découvrir ? Quoi qu'il en soit, les adorables proprios représentent leur Levant avec discrétion, gentillesse et talent. Le cadre est banal, et seule une fresque du fort de Saïda, peinte par un ami jordanien, rappelle cet Orient, si proche, si lointain. Les habitants du quartier viennent ici en amis se délecter à bon compte des *mezze* du patron (ancien chef au resto de l'Institut du monde arabe) et du sourire de madame. Taboulé, *fattouch, chanklich* et autres ailes de poulet sont un vrai régal. En dessert, demander s'il y a des *kellages Ramadan* (sortes de crêpes en feuilles de brick fourrées à la crème parfumée à la fleur d'oranger), une véritable poésie. Plats à

Où manger ?

1 L'Espérance
2 Le Petit Pascal
3 Le Samson
4 Virgule
5 L'Atelier des Saveurs
6 Les Arcades
7 Le Bistrot irlandais
8 La Touraine
9 Cocagne
10 Les Cailloux
11 Café Banal
12 Menabé l'Île Rouge
13 À la Douceur Angevine
14 L'Oncle Benz
15 Les Décors
16 Chez Trassoudaine
17 L'Appennino
18 La Bonne Heure
20 Etchegorry
21 L'Avant-Goût
22 Le Terroir
23 Chez Paul
24 Le Petit Marguery
25 L'Ourcine
26 Chez Nathalie
27 La Récréative
28 Entoto
29 Kamukera
30 Athanas
31 Le Numéro 13
32 Le Temps des Cerises
33 Assis au Neuf

Restos asiatiques

34 Dong Tam
35 Tricotin 1
36 Fleurs de Mai
37 Restaurant Sinorama
38 Le Bambou
39 Phó Banh Cuôn 14
40 Villa d'Or
41 Paradis Thaï
42 La Mer de Chine
43 Lao Lanexang
44 Suave
45 Le Sorgho
46 Sukhothaï

Où boire un verre ?

51 La Folie en Tête
53 La Guinguette Pirate
54 Le Merle Moqueur
55 Chez Gladines
56 Le Couvent 2
57 Le Sputnik

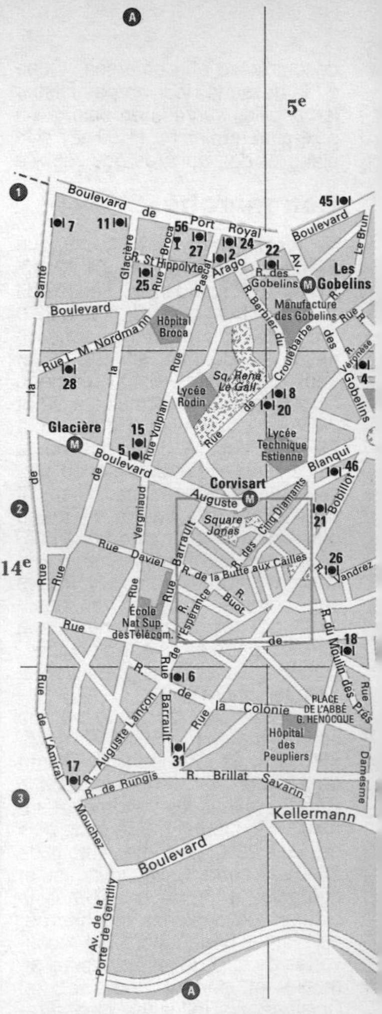

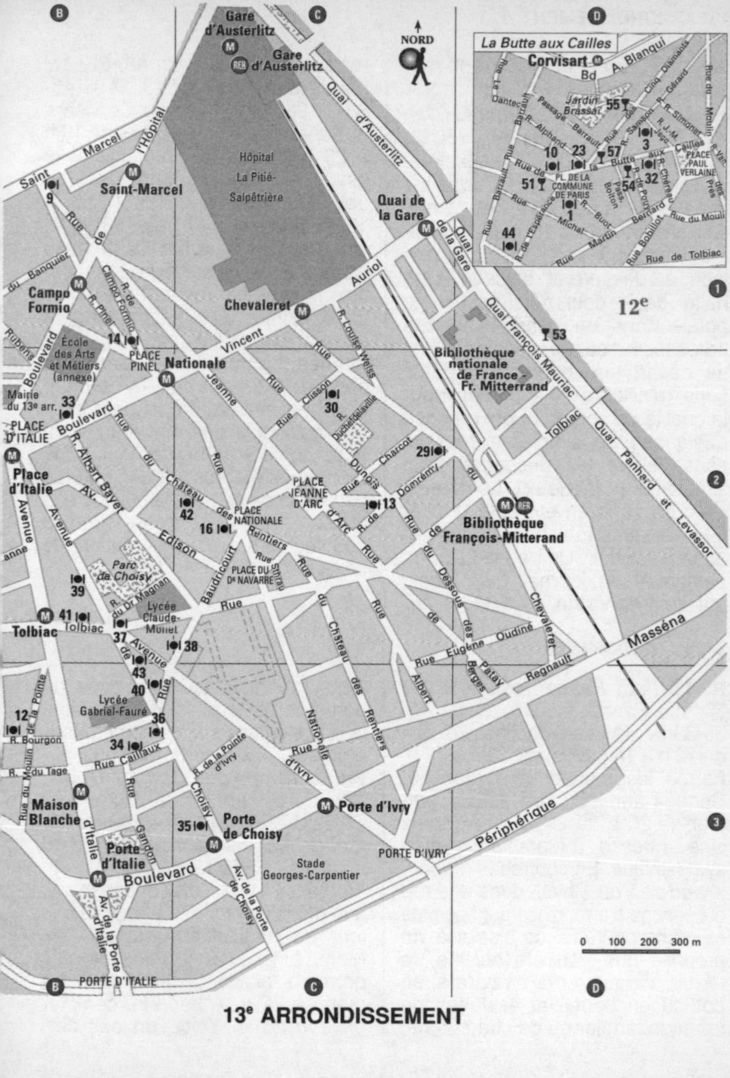

La Butte aux Cailles

Corvisart
Bd A. Blanqui
Rue Le Dantec
Jardin Brassaï
Passage Barrault
R. Alphand
Rue Barrault
Rue des Cinq Diamants
R. Gérard
R. Samson
R. Simonet
R. J.-M. Jégo
Rue du Moulin des Prés
Rue aux Cailles
PLACE PAUL VERLAINE
R. Vandrezanne
Rue de la Butte
PL. DE LA COMMUNE DE PARIS
Pass. Boiton
R. de Pouy
R. Buot
Rue Michal
R. Chereau
Rue du Moulinet
Rue de l'Espérance
Rue Martin Bernard
Rue Bobillot
Rue de Tolbiac

Gare d'Austerlitz
NORD
Quai d'Austerlitz
Boulevard Saint Marcel
Rue de l'Hôpital
Saint-Marcel
Hôpital La Pitié-Salpêtrière
Quai de la Gare
Rue du Banquier
Campo Formio
R. de Campo Formio
R. Pinel
Boulevard Auriol
Chevaleret
Boulevard Vincent Auriol
Quai François Mauriac
Bibliothèque nationale de France - Fr. Mitterrand
12e
Rue Rubens
École des Arts et Métiers (annexe)
PLACE PINEL
Nationale
Rue Jeanne d'Arc
Rue Louise Weiss
Rue Clisson
R. Duchefdelaville
Mairie du 13e arr.
PLACE D'ITALIE
Boulevard
Place d'Italie
R. Albert Bayet
Rue du Château des Rentiers
Rue Charcot
Rue Dunois
Rue de Domrémy
Rue de Tolbiac
Quai Panhard et Levassor
PLACE JEANNE D'ARC
PLACE NATIONALE
Rue des Rentiers
Bibliothèque François-Mitterrand
Avenue d'Italie
Avenue de Choisy
Av. Edison
Rue Baudricourt
PLACE DU Dr NAVARRE
Rue Sthrau
Rue du Dessous des Berges
Rue du Chevaleret
Parc de Choisy
R. du Dr Magnan
Lycée Claude-Monet
Tolbiac
Rue Albert
Rue Eugène Oudiné
Rue de Patay
Rue Regnault
Boulevard Masséna
Avenue de Tolbiac
Rue de la Pointe
Lycée Gabriel-Fauré
R. Bourgon
Rue Caillaux
R. de la Pointe d'Ivry
Rue Nationale
Rue d'Ivry
R. du Tage
Rue du Moulin de la Pointe
Rue Gandon
Rue de Choisy
Maison Blanche
Porte de Choisy
Porte d'Ivry
Périphérique
Porte d'Italie
Stade Georges-Carpentier
PORTE D'IVRY
Av. de la Porte de Choisy
Av. de la Porte d'Italie
PORTE D'ITALIE

0 100 200 300 m

13e ARRONDISSEMENT

emporter. Bref, un excellent rapport qualité-prix.

L'Atelier des Saveurs *(plan A2, **5**) :* 90, bd Blanqui, 75013. ☎ 01-43-31-72-00. Ⓜ Glacière. Ouvert de 7 h 30 à 20 h. Fermé les dimanche après-midi et lundi. Congés annuels : 15 jours en juillet. Formule à 11 € avec plat (salade...), dessert et boisson. Une halte idéale pour déjeuner sur le pouce dans un quartier où ces adresses ne sont pas légion. C'est au départ une boulangerie-pâtisserie (d'ailleurs déjà primée pour la qualité de son pain) qui propose quelques plats simples et réussis, sans oublier les desserts... tout simplement délicieux ! Le mieux, c'est d'y venir en été pour profiter des quelques tables installées sur un large trottoir. Un peu le Q.G. du personnel du journal *Le Monde*, qui vient en voisin. *NOUVEAUTÉ.*

Les Arcades *(plan A3, **6**) :* 27, rue de la Colonie, 75013. ☎ 01-45-88-30-98. Ⓜ Tolbiac ou Corvisart. Service de 12 h à 15 h et de 19 h à 23 h. Fermé le dimanche et le lundi soir. Congés annuels : en août. Formules à midi à 11,50 et 13 €, et le soir à 17,50 et 23,50 €. Un resto de quartier sans déco spectaculaire, juste égayé de petites lampes qui rendent les tables plutôt intimes. Les plats ménagers de tradition sont simples, bien tournés, sans chichis, comme le service, mais une fois la dernière bouchée avalée, on se plaît à se dire qu'on n'a pas mal mangé du tout, compte tenu du prix. Une bonne petite adresse quand on n'a pas envie de se faire la cuisine à la maison. Apéritif maison offert à nos lecteurs sur présentation de ce guide. *NOUVEAUTÉ.*

Prix moyens

Le Petit Pascal *(plan A1, **2**) :* 33, rue Pascal, 75013. ☎ 01-45-35-33-87. Ⓜ Les Gobelins. Service de 12 h à 14 h 30 et de 20 h à 22 h. Fermé les samedi et dimanche. Congés annuels : en août. Compter de 20 à 30 € pour un repas. Une adresse à l'ambiance bien sympathique. En contrebas du boulevard de Port-Royal, dans une rue qui change d'arrondissement comme ça, sans prévenir, ce bistrot à vin propose une honnête cuisine de terroir. Vin au verre, en carafe, en pot ou en bouteille, assiettes de fromage fermier ou de charcuterie, plats roboratifs accompagnés de pommes de terre fondantes, dont la liste s'égrène sur les nombreuses ardoises, et desserts maison.

Le Temps des Cerises *(zoom, **32**) :* 18, rue de la Butte-aux-Cailles, 75013. ☎ 01-45-89-69-48. Ⓜ Corvisart. Service de 11 h 45 à 14 h 10 et de 19 h 30 à 23 h 45. Fermé les samedi midi et dimanche, à midi les jours fériés et aux réveillons de Noël et du Jour de l'an. Menu à 10,50 € le midi, formule entrée + plat à 14,50 € et autre menu à 22 €. À la carte, compter environ 28 €. Voici l'un des derniers, si ce n'est le dernier, vieux bistrots de la Butte. Monté en coopérative en 1976 par une bande de potes, très anar dans l'âme, il résiste encore et toujours à l'invasion des bistrots chicos et néo-branchés du quartier. Et ça se ressent jusque dans l'ambiance au coude à coude, le décor (murs patinés et nappes en papier) et le service (sourires parfois un peu en autogestion eux aussi). Quant à votre portable, n'espérez même pas le sortir, ça dérange ! Côté assiette, voici un bon petit rapport qualité-prix, dans le 1er menu notamment, pour une cuisine à la bonne franquette, voire quasi ouvrière. À la carte, c'est un peu plus élaboré mais un peu plus cher. Poires au roquefort, joues de cochon braisées... En fait, on vient surtout ici pour cette survivance d'une époque où l'on croyait dur comme fer qu'on ne se battrait pas pour des queues de cerises !

|●| ***Menabé l'Île Rouge*** *(plan B3, 12) :* 33, rue Damesme, 75013. ☎ 01-45-65-04-11. Ⓜ Maison-Blanche ou Tolbiac. ♿ Ouvert de 12 h à 14 h et de 19 h à 22 h. Fermé les dimanche et jours fériés (sauf sur réservation 48 h à l'avance pour les groupes). Réservation vivement recommandée. Trois menus à 13 € (avec entrée + plat au choix) en semaine, 19 et 30 €. Les dimanche et jours fériés, menu unique à 30 €. Dans une rue tranquille, voici un modèle réduit de la culture culinaire malgache. Vingt places à tout casser dans ce petit resto au cadre simple. Né du désir de faire connaître l'île aux Parisiens, *Menabé* est dirigé par M. Razafintsalama. Très accueillant, il vous expliquera chaque plat. Parmi ceux-ci, le *romazava* (*brèdes* malgaches au bœuf), le *voanjobory* (pois *bambaras* au porc), l'*akoho* Ménabé (à base de poulet), le *ravitoto* (porc aux feuilles de manioc pilonnées)... et achards divers. C'est simple, assez copieux et bon, et l'atmosphère est conviviale. Alors en route pour la Grande Île ! Café offert à nos lecteurs sur présentation de ce guide.

|●| ***Le Bistrot Irlandais*** *(plan A1, 7) :* 15, rue de la Santé, 75013. ☎ 01-47-07-07-45. Ⓜ Glacière ; RER B : Port-Royal. ♿ Ouvert de 12 h à 14 h 30 et de 19 h 30 à 23 h (1 h les vendredi et samedi). Fermé les samedi midi et dimanche. Belles salades autour de 12 €, plats de 10 à 20 € ; menu le midi à 15 € ; à la carte, repas autour de 23 €. Dans ce restaurant aux banquettes rouges, aux portraits d'Irlandais célèbres aux murs, on sert de la cuisine de tradition irlandaise. Déclinaisons autour du poisson et du saumon, mais aussi *Irish stew* et *Guinness' beef stew.* Bons desserts, à faire suivre d'un *Irish coffee* ou d'un Baileys. Bien sûr, des bières, telles que la Guinness. Accueil souriant et dynamique d'Elvina et Spencer. Soirées à thème une fois par mois : musiciens, conteurs, magiciens... et expositions régulières. Apéritif

13e

maison offert à nos lecteurs sur présentation de ce guide.

🍽 ***La Touraine** (plan B2, **8**) :* 39, rue de Croulebarbe, 75013. ☎ 01-47-07-69-35. Ⓜ Corvisart ou Les Gobelins. ♿ Ouvert midi et soir jusqu'à 22 h 30. Fermé le dimanche. Conseillé de réserver, surtout si vous voulez l'une des tables en terrasse. Un 1er menu à 12 € ; autres menus entre 22 et 31 €. Carte autour de 35 €. Le soir, c'est vraiment tranquille. Deux grandes salles au décor rustique discret. Accueil tout à fait charmant. Roborative mais goûteuse cuisine comme en province (ris d'agneau flambés aux morilles, tournedos Rossini, panaché d'agneau à l'ail confit). Plein de menus copieux et un menu gastronomique (le plus cher, bien sûr). Pour faire quelques pas et digérer, un joli jardin de l'autre côté de la rue. Que vous faut-il de plus ? Apéritif maison offert à nos lecteurs sur présentation de ce guide.

🍽 ***Les Cailloux** (zoom, **10**) :* 58, rue des Cinq-Diamants, 75013. ☎ 01-45-80-15-08. Ⓜ Corvisart. ♿ Service de 12 h à 14 h 30 et de 19 h 30 à 23 h. Fermé les dimanche et lundi. Congés annuels : 2 semaines en août et 2 semaines fin décembre. On vous conseille de réserver. Formules à 13,50 €, le midi, et 17,50 €. À la carte, compter 25 €. Un resto tout dédié à l'Italie, avec des menus souvent renouvelés. Les pâtes, évidemment, sont à l'honneur et *al dente* (si vous ne les aimez pas trop fermes, mieux vaut le préciser !). Service particulièrement actif au déjeuner mais agréable. Très bonne formule déjeuner et bon point pour le verre de vin compris dans la formule.

🍽 ***L'Ourcine** (plan A1, **25**) :* 92, rue Broca, 75013. ☎ 01-47-07-13-65. Ⓜ Les Gobelins. Service de 12 h à 14 h 30 et de 19 h à 23 h. Fermé les dimanche et lundi. Congés annuels : 2 semaines fin juillet-début août. Menus à 21 €, le midi, et 29 € (entrée, plat et dessert). Sylvain Danière a fait ses classes à *La Régalade* (époque Camdeborde). Plutôt doué, il interprète aujourd'hui avec sa propre personnalité les leçons bien apprises. La couleur est annoncée sur la vitrine : « Une cuisine de cuisinier, des vins de vignerons ». Dans un joli petit troquet à la déco bistrot plutôt réussie : amusante armoire percée qui fait office de passe-plat. Le chef travaille prioritairement les produits du marché, et la carte change tous les jours. On se régale de cochon de lait ou langue de bœuf au foie gras, carpaccio de cochon, fraîcheur d'agrumes au campari, blanc-manger à la noix de coco...

🍽 ***À la Douceur Angevine** (plan C2, **13**) :* 1, rue Xaintrailles (à l'angle de la rue Domrémy), 75013. ☎ 01-45-83-32-30. Ⓜ Chevaleret ou Bibliothèque-François-Mitterrand. Ouvert le midi du lundi au vendredi, plus le jeudi soir. Congés annuels : une semaine au printemps et de mi-juillet à mi-août. Entrées de 5 à 10 €. Plats autour de 15 €. Pas de menu, juste une ardoise avec les suggestions du jour. Décor quelconque. Noter sous le comptoir la frise de raisins verts et jaunes, héritée d'une fête du Vin à Rochefort en 1937. Dame Catherine fait son marché exclusivement dans le 13e arrondissement et propose 2 ou 3 plats, genre foie de veau, large entrecôte-pommes sautées, potée aux choux ou canard aux navets. Toujours un plat du jour différent, arrosé de vin au pichet pas cher. Pour les amateurs, beau choix de vins de Loire... Fromages de petits producteurs et beaux desserts. Aux beaux jours, agréable terrasse insérée dans une carte postale traditionnelle du 13e. Dommage qu'il n'y ait pas de formule économique le midi. Cartes de paiement refusées. Apéritif maison offert à nos lecteurs sur présentation de ce guide.

|●| ***L'Oncle Benz*** *(plan B1-2,* ***14****)* ***:*** 1, rue de Campo-Formio, 75013. ☎ 01-45-84-39-90. Ⓜ Nationale ou Campo-Formio. ♿ Ouvert de 11 h 30 à 14 h 30 et de 19 h à 22 h 30 (bien plus tard les soirs de spectacle). Les dimanche et lundi, ouvert uniquement sur réservation. Congés annuels : 1 semaine à Noël, 2 semaines en août et 1 semaine pendant les vendanges, puisque le patron va chercher de quoi alimenter son bistrot en vin ! Menus à 11 €, le midi seulement, 16 et 22 € ; plat du jour à 9 € ; à la carte, compter 29 €. C'est vraiment un oncle au sens africain du terme. Le nom est un abrégé du patronyme du patron, et non une référence à une quelconque origine africaine ou marque de riz... La cuisine est française, du terroir (charcuterie corse, os à moelle, plats du Sud-Ouest...) et délivrée avec une régularité réjouissante. Les portions sont généreuses et l'offre renouvelée, surtout en ce qui concerne les vins au verre (plus de 60 crus !). Le week-end, spectacles à partir de 22 h pendant lesquels le service s'arrête, respect dû aux artistes oblige ! Certains d'entre eux viennent même se produire ici après un passage au *P'tit Journal*. Aux beaux jours, on dispose quelques tables à même le trottoir. Apéritif maison ou café offert à nos lecteurs sur présentation de ce guide.

|●| ***Chez Trassoudaine*** *(plan C2,* ***16****)* ***:*** 3, pl. Nationale, 75013. ☎ 01-45-83-06-45. Ⓜ Nationale. Ouvert de 10 h à 22 h. Fermé les samedi midi (sauf réservation) et dimanche. Congés annuels : en août. Pas de menu ; entrées entre 5 et 10 €, poisson ou crustacés à partir de 17 €, viande à partir de 8 €. Papa Robert et maman Astrig en cuisine, Arakel et Haigo, les deux fils mariés, l'un à une Mexicaine et l'autre à une Hollandaise... toute cette petite famille chaleureuse tient ce resto bizarrement fichu avec la bonne humeur de ceux qui ont vu d'autres horizons... Pavé du Limousin au poivre gris, côte de veau à l'oseille... et puis, en provenance de la mer, bar grillé, coquilles Saint-Jacques, provençales ou normandes, et un

étonnant bouquet du Sénégal (de grosses crevettes roses sautées à l'ail et au poivre de Cayenne). Petit clin d'œil aux origines de la direction avec l'assiette arménienne proposée en entrée au milieu des classiques filets de hareng ou œuf mayo. Une qualité dans les produits et une gentillesse dans l'accueil toujours de mise. Apéritif maison offert à nos lecteurs sur présentation de ce guide.

Les Décors *(plan A2,* ***15****)* **:** 18, rue Vulpian, 75013. ☎ 01-45-87-37-00. Ⓜ Glacière ou Corvisart. ♿ Service de 12 h à 14 h 30 et de 19 h 30 à 22 h 30. Fermé le samedi midi et le dimanche. Congés annuels : du 1er au 20 août et du 24 décembre au 5 janvier. Formules en semaine de 12,80 à 18,90 € (servies aussi le soir). Menus complets, servis midi et soir, de 14,80 à 21,90 €. Un décor comme une étape VRP de province avec des panneaux accrocheurs à l'extérieur pour attirer un chaland plutôt rare dans cette rue qui jouxte le nouveau siège du *Monde.* Patron aux commandes et madame aux fourneaux, occupée à mitonner une cuisine mi-française mi-helvétique. Palet vaudois, röstis, ragoût de porc en bolets. Pour les amateurs, on retiendra l'usage intensif des truffes (en saison), parfumant avantageusement pâtes fraîches, omelettes et œufs brouillés ; le tout souvent agrémenté de foie gras de canard. En spécialités aquatiques, les filets de perche du Léman côtoient les cuisses de grenouilles. Desserts décevants. Petits vins de pays et addition modérée. Café offert à nos lecteurs sur présentation de ce guide.

La Récréative *(plan A1,* ***27****)* **:** 23, bd de Port-Royal, 75013. ☎ 01-45-35-03-15. Ⓜ Les Gobelins. Ouvert de 12 h à 14 h 30 et de 19 h 30 à 22 h 30. Fermé les samedi midi et dimanche. Congés annuels : 1 semaine en mai et 3 semaines en août. Un 1er menu à 11 € servi au déjeuner ; menu-carte à 25 €. Dans la discrétion la plus totale, et sous la houlette d'une jeune chef inventive, *La Récréative* a fait sa place dans le quartier. Petite salle en longueur, tons chauds. La spécialité de la maison, ce sont les fruits, à presque tous les plats : la terrine de poires au roquefort et émincé de jambon en entrée, et la pastilla de canard à l'orange côté plats. Desserts très « récréatifs », comme le crumble de pain d'épice à la crème brûlée. Service très attentif.

Entoto *(plan A2,* ***28****)* **:** 143-145, rue Léon-Maurice-Nordmann, 75013. ☎ 01-45-87-08-51. Ⓜ Glacière. ♿ Service de 19 h 30 à 23 h 30. Fermé les dimanche et lundi. Peut ouvrir le lundi soir et le midi, sur réservation, pour des groupes de plus de 5 personnes. Plats à partir de 13 €. À la carte, prévoir entre 25 et 30 € pour un repas complet. C'est bien simple, voici un bon restaurant éthiopien de Paris (le plus ancien), digne des fastes dus à la reine de Saba. Pour goûter cette bonne cuisine, asseyez-vous dans cette salle tout en longueur et demandez conseil aux serveuses. De la mousse d'avocat en passant par des viandes crues ou cuites, vous nous direz des nouvelles de ces *indjera,* ces galettes dont on garnit le fond de l'assiette afin qu'elles s'imprègnent des sauces parfumées. Il faut aimer les ragoûts de viande bien épicés accompagnés de délicieux légumes variés, les tartares à l'éthiopienne appelés aussi *ketfo,* la poule berbéré (au mélange d'épices, d'aromates et de piment)... Café ou thé offert à nos lecteurs sur présentation de ce guide.

|●| ***La Bonne Heure*** *(plan B2, **18**) :* 72, rue du Moulin-des-Prés, 75013. ☎ 01-45-89-77-00. Ⓜ Corvisart, Tolbiac ou Place-d'Italie. Service de 12 h à 14 h 30 et de 19 h à 22 h 30. Fermé le dimanche. Congés annuels : 15 jours en août et pour les fêtes de fin d'année. À la carte, compter autour de 20 € avec entrée, plat et dessert. À l'entrée du croquignolet square des Peupliers, où se lovent des demeures en partie cachées par le lierre, *La Bonne Heure* fleure bon la campagne. Cuisine végétarienne et biologique, pleine de fraîcheur, pour quelques tables seulement. Plats (copieux) qui changent régulièrement : gratin de potimarron au saumon, tarte aux poireaux et noix de Saint-Jacques et crumble à la goyave et à l'ananas, par exemple. Pour arroser le tout, vous prendrez bien une petite bière ou un verre de vin bio ou, plus sobrement, un cocktail maison (fruits et/ou légumes) ou encore une limonade. Ah, la limo bio ! Service pas toujours expérimenté. Café ou thé artisanal offert à nos lecteurs sur présentation de ce guide.

Plus chic

|●| ***Athanas*** *(plan C2, **30**) :* 5, rue Clisson, 75013. ☎ 01-45-83-04-23. Ⓜ Chevaleret ou Nationale. ♿ Ouvert le midi en semaine uniquement ; le jeudi soir et le vendredi soir sur réservation. Fermé les samedi et dimanche. Menus à 19 € (2 plats), 25 € (3 plats) et 38 €. Compter 40 € à la carte. Dans un quartier proche de la Salpêtrière, une petite salle d'une vingtaine de couverts décorée de jolies toiles. Courte carte de bonnes recettes françaises, retravaillées par un artisan capable d'inventivité. Celui-ci se double d'un pâtissier accompli pour confectionner des desserts moelleux et irrésistibles. Vins au verre, comme ce bergerac puissant, et carte qui lorgne vers le Sud-Ouest et le Languedoc. On peut aussi demander un emballage pour emporter une bouteille entamée. Conviendra pour un lunch rapide mais de qualité, ou pour une soirée entre amis gastronomes. *NOUVEAUTÉ.*

|●| ***Etchegorry*** *(plan A-B2, **20**) :* 41, rue de Croulebarbe, 75013. ☎ 01-44-08-83-51. Ⓜ Corvisart ou

Les Gobelins. ♿ Service de 12 h à 14 h 30 et de 19 h 30 à 22 h 30. Fermé les dimanche et lundi. Congés annuels : 2 semaines en août. Conseillé de réserver. Menus à 19,50 €, au déjeuner, puis de 26 à 32,50 €. Sous la jolie façade fleurie, on lit une vieille inscription : « Cabaret de Mme Grégoire ». Il y a presque deux siècles se restauraient ici Victor Hugo, Béranger, Chateaubriand et bien d'autres poètes. Charme d'antan quasi intact, décor rustique et chaleureux, fenêtres donnant sur le square Le Gall, on se croirait en province ! Cuisine basco-béarnaise authentique : piperade comme au pays de Soule, *chipirons* à l'encre et *piquillos* à la morue, fromage de brebis à la confiture de cerises noires, délicieuse île flottante aux pralines roses, qui vient rivaliser avec le gâteau basque fondant... Tout est fait maison, même le pain de campagne. Un verre de jurançon moelleux offert à nos lecteurs sur présentation de ce guide.

L'Avant-Goût *(plan B2, **21**)* **:** 26, rue Bobillot, 75013. ☎ 01-53-80-24-00. Ⓜ Place-d'Italie. ♿ Service de 12 h à 14 h et de 19 h 30 à 23 h. Fermé les samedi, dimanche et lundi. Congés annuels : la 1re semaine de janvier, la 1re semaine de mai, la 2e quinzaine d'août et la 1re semaine de septembre. Menu du marché à 14 € le midi, menu-carte à 31 €. À la carte, compter autour de 36 €. La spécialité de *L'Avant-Goût,* le pot-au-feu de cochon, allie rusticité et finesse. Un plat épatant ! Autre option, le menu-carte, renouvelé tous les mois, qui offre le choix entre 5 entrées, 6 plats et 5 desserts. Savant, brillant, gourmand. Le midi, formule plus classique. Rayon flacons, le vouvray pétillant de Champalou, le gamay D. Richou ou le côtes-du-rhône Domaine Gramenon sont de bons compagnons de table ; sans oublier le vin du mois. Un resto qui sait aussi évoluer : nouvelle disposition de la salle, nouvelle vaisselle... Indispensable de réserver.

Chez Paul *(zoom, **23**)* **:** 22, rue de la Butte-aux-Cailles, 75013. ☎ 01-45-89-22-11. Ⓜ Place-d'Italie ou Corvisart. Service de 12 h à 14 h 30 (15 h le dimanche) et de 19 h 30 à minuit. Congés annuels : du 24 décembre au 3 janvier. Prévoir autour de 35 € ; vins à prix raisonnables. Sympathique néobistrot établi sur la Butte depuis plus de 10 ans. Cadre sobre mais agréable, pour une excellente cuisine de bistrot. Accueil chaleureux. Le patron fait montre d'un humour discret, et ce ne sont pas les bonnes idées qui lui manquent. Carte assez fournie : terrine de queue de bœuf, cochon de lait rôti à la sauge, sans oublier les suggestions du jour sur le tableau noir. Et puis, quelle purée ! Délicieux desserts.

Le Petit Marguery *(plan A1, **24**)* **:** 9, bd de Port-Royal, 75013. ☎ 01-43-31-58-59. Ⓜ Les Gobelins. Service de 12 h à 14 h 15 et de 19 h 30 à 22 h 15. Fermé les dimanche et lundi. Congés annuels : en août. Menus à 23,20 €, le midi,

26,20, 29,60 et 34,60 €. La tâche était rude : succéder honorablement aux frères Cousin, qui tinrent deux décennies durant cette institution où, en saison, grouses, faisans et sangliers passaient à la casserole, pour le plus grand bonheur de convives prospères et réjouis. Le décor 1900 n'a pas changé, et le service brasserie parisienne maintient la tradition. Quant à la carte, elle a conservé ses spécialités : le dos de rascasse à la tapenade ou les rognons à la graine de moutarde continuent à tenir leurs promesses. Les habitués ne seront donc ni déçus ni dépaysés. Et, à défaut de croiser ici Claude Chabrol, les cinéphiles pourront toujours jeter un œil à côté, à l'*Escurial,* un de nos cinémas parisiens préférés. Café offert à nos lecteurs sur présentation de ce guide.

|●| *L'Appennino* *(plan A3,* ***17****) :* 61, rue de l'Amiral-Mouchez, 75013. ☎ 01-45-89-08-15. RER B : Cité-Universitaire. Ouvert de 12 h à 14 h et de 19 h 45 à 22 h. Fermé les samedi midi et dimanche. Congés annuels : 3 semaines en août et 1 semaine à Noël. Pas de menu, compter autour de 35 € ; plats de pâtes à partir de 9 €. Sous le portait sévère d'Antonio Gramsci, le fondateur du PC italien, cette petite salle à manger bourgeoise et intimiste cache l'un des meilleurs restos italiens de Paris, spécialisé dans d'authentiques recettes d'Émilie-Romagne et du Nord proposées par Rino Marzani. On est sûr de déguster ici une vraie salade de *ricotta* au basilic et aux poivrons rouges, et bien sûr de merveilleux plats de *pasta* comme là-bas. Également de la charcuterie d'Italie du Nord, de belles escalopines *al prosciutto,* pour les plus gourmands, un foie de veau à la vénitienne ou encore du pigeon à la sauge. Après cela, on se laisse tenter par l'alléchante assiette de fromage italien, arrosée comme il se doit d'un des nombreux vins de la Botte figurant à la carte avant de craquer pour l'un des délicieux desserts maison, la plupart vraiment originaux. Madame se fait un plaisir de proposer quelques vins parmi les meilleurs crus italiens. Service efficace. Évitez si possible les tables près de la cuisine. Apéritif maison offert à nos lecteurs sur présentation de ce guide.

|●| *Chez Nathalie* *(plan B2,* ***26****) :* 45, rue Vandrezanne, 75013. ☎ 01-45-80-20-42. Ⓜ Place-d'Italie. Ouvert tous les jours. Service de 12 h à 14 h 30 et de 19 h 30 à 23 h. Formule déjeuner à 13 € (servie uniquement le midi en semaine) ; à la carte, prévoir environ 35 €. Dans le genre *fusion food* et autre « world bouffe », certaines adresses s'en sortent nettement mieux que d'autres. Sans révolutionner les papilles, *Nathalie* se contente plus simplement de les amuser avec des assiettes zappant de l'Espagne au Japon, sans pour autant négliger quelques bons tours bien de chez nous.

À l'arrivée, ça donne un jambon ibérique, des moules farcies d'Espagne ou un chateaubriand flanqué d'un gratin dauphinois aux 4 épices. Et en terrasse, ça n'en est que meilleur !

|●| ***Le Terroir*** *(plan A-B1, **22**)* **:** 11, bd Arago, 75013. ☎ 01-47-07-36-99. Ⓜ Les Gobelins. Ouvert de 12 h à 14 h 15 et de 20 h à 22 h 15. Fermé les samedi et dimanche. Congés annuels : 1 semaine début mai, 3 semaines en août et pendant les fêtes de fin d'année. Prévoir 35 € à la carte. Voici une terre pleine de saveurs en provenance directe de notre belle province. Les amis et les habitués ne s'y trompent pas, et se réfugient sur la valeur sûre du lieu : les rognons de veau cuisinés en cocotte, grillés ou à la moutarde. La carte propose aussi un très beau tableau de chasse : parmi volaille, andouillette, viande et poisson du marché, on décernera une mention spéciale au gibier (en saison) délicieusement mijoté, ainsi qu'à tous les plats à base de champignons. Jolie carte des vins. *NOUVEAUTÉ.*

|●| ***Assis au Neuf*** *(plan B2, **33**)* **:** 166, bd Vincent-Auriol ou 3, pl. des Alpes, 75013. ☎ 01-45-82-69-69. Ⓜ Place-d'Italie. ♿ Service de 12 h à 15 h et de 19 h 30 à 23 h 30 (minuit et demi en été). Menu à 13 € le midi, comprenant une entrée + un plat ou un plat + un dessert. À la carte, compter autour de 30 €. Un resto tout vitré avec un joli bar, gentiment branché, de grandes ardoises en guise de menu, une terrasse ouverte sur le boulevard (chauffée en hiver), une équipe dynamique, une cuisine inventive... Un coin de modernité dans le quartier ! La cuisine proposée a des accents méditerranéens, avec des salades goûteuses et des plats créatifs et savoureux. Poissons bien cuisinés et desserts réussis. Une bonne carte des vins, avec de très jolies trouvailles, et une sélection de vins au verre qui change tous les jours, notamment de la vallée du Rhône. En plus, un service souriant. Pourvu que ça dure ! Apéritif maison offert à nos lecteurs sur présentation de ce guide.

|●| ***Kamukera*** *(plan C2, **29**)* **:** 113, rue du Chevaleret, 75013. ☎ 01-53-61-25-05. Ⓜ Bibliothèque-François-Mitterrand ou Chevaleret. Service de 12 h à 15 h et de 19 h à minuit. Fermé les samedi midi et dimanche. Réserver le week-end. Congés annuels : 15 jours début août. Premiers menus à 12 € le midi, 18 € le soir ; autres menus à 35 et 40 € ; compter autour de 25 € à la carte. Si vous aimez la cuisine afro-antillaise peu pimentée et Claude François, cette adresse est pour vous ! Ketty, la propriétaire, est une ancienne Clodette, visiblement encore très imprégnée, à en croire les nombreuses photos du célèbre yé-yé. Cuisine généreuse et roborative : poulet *yassa, colombo* de porc, *maffé, n'dolet royal* (plat camerounais) et quelques desserts agréables comme le blanc-manger coco. On peut aussi grignoter sur le pouce une assiette

d'assortiments – beignets, acras, croustade de banane et feuilleté au saumon – accompagnée d'un ti-punch ou d'un planteur maison. Ambiance plus chaleureuse le samedi soir.

Restos asiatiques

🍴 ***Dong Tam*** *(plan B3, **34**)* **:** 12 bis, rue Caillaux, 75013. ☎ 01-45-84-87-18. Ⓜ Maison-Blanche. Fermé le mercredi. Soupes énormes autour de 7 €. À la carte, compter environ 15 €. Une adresse discrète que la communauté asiatique du quartier a vite repérée. Dans une petite salle proprette et accueillante, on déguste une authentique cuisine vietnamienne, servie avec le sourire. Des grands classiques comme le *bo bun* et les grillades, mais aussi des plats plus rares comme la soupe aux vermicelles et aux bulots ou encore la salade de fleurs de bananier au poulet. Comme toujours dans cette cuisine vietnamienne, beaucoup d'herbes fraîches et de saveurs délicates. Également quelques plats chinois et thaïlandais.

🍴 ***Fleurs de Mai*** *(plan B3, **36**)* **:** 61, av. de Choisy, 75013. ☎ 01-44-24-37-71. Ⓜ Maison-Blanche ou Porte-de-Choisy. Ouvert de 11 h 30 à 23 h. Fermé le mercredi. Compter autour de 15 € pour un repas bien copieux. Un petit resto ni trop engageant ni trop accueillant... alors pourquoi en parler? Tout simplement parce qu'on y mange un poulet fermier à la vapeur, à l'ail et au gingembre absolument succulent et des soupes au canard laqué ou aux raviolis de crevettes remarquables. À part ces plats très réussis, une foultitude d'autres plats, avec une large sélection de préparations à base de tofu très bien réalisées. Toujours plein, surtout en fin de semaine.

🍴 ***La Mer de Chine*** *(plan C2, **42**)* **:** 159, rue du Château-des-Rentiers, 75013. ☎ 01-45-84-22-49. Ⓜ Place-d'Italie ou Nationale. Service de 12 h à 14 h 30 et de 19 h à 1 h. Fermé le mardi. Congés annuels : de mi-août à mi-septembre. Menus à 15 €, le midi en semaine, et 25 €. Compter environ 30 € à la carte. C'est le genre d'intitulés qui, au début, peut dérouter, voire rebuter : « crabes en mue à l'ail », « langues de canard sautées au sel et au poivre », « beignets de tripes », « salade de méduse au poulet émincé ». Mais pour peu qu'on ait envie de voir plus loin que le bœuf aux oignons et le poulet à l'ananas, *La Mer de Chine* est l'une de ces adresses immanquables, sincères et vraies, bien loin des usines asiatiques qui pullulent non loin de là. Pour les vrais voyageurs.

🍴 ***Lao Lanexang*** *(plan B2-3, **43**)* **:** 105, av. d'Ivry, 75013. ☎ 01-45-85-19-23. Ⓜ Tolbiac. Service de 11 h 30 à 15 h et de 19 h à 23 h. Fermé le lundi. Congés annuels : 1 semaine en août. Menus de 8,90 à 11,90 €, servis uniquement le midi du mardi au vendredi. Ce resto sobre et agréable, avec des panneaux japonais diffusant une douce lumière, propose des spécialités laotiennes et vietnamiennes absolument délicieuses. Beaucoup de saveurs délicates, des mariages heureux d'herbes aromatiques et d'épices savamment dosées... de quoi séduire les plus rétifs à la cuisine asiatique. Les brochettes *Isan* sont particulièrement réussies, grillées juste ce qu'il faut et accompagnées d'une petite sauce sucrée-salée assez exceptionnelle. Une des meilleures adresses de notre Chinatown parisien. Apéritif maison offert à nos lecteurs sur présentation de ce guide.

IOI ***Paradis Thaï** (plan B2, **41**) :* 132, rue de Tolbiac, 75013. ☎ 01-45-83-22-26. Ⓜ Tolbiac. ♿ À la carte, compter environ 30 €. Voici LE resto chic et élégant de Chinatown ! Jolie déco, éclairage étudié, nappes blanches, vaisselle du pays, hôtesses en habits traditionnels... Bref, l'endroit idéal pour dîner en amoureux. La cuisine est à la hauteur du décor et de l'addition. Les saveurs de basilic, citronnelle et autres herbes aromatiques se bousculent à chaque coup de baguettes, avec des plats parfois très épicés, comme en Thaïlande, et d'autres plus doux pour les estomacs occidentaux susceptibles. Une très bonne adresse pour son rapport qualité-authenticité-dépaysement-déco.

IOI ***Villa d'Or** (plan B3, **40**) :* 84, rue Baudricourt, 75013. ☎ 01-45-86-99-95. Ⓜ Tolbiac. ♿ Ouvert jusqu'à 2 h. Fermé le mardi. Menus de 7,80 €, le midi, à 14,50 €. Dans cette rue où les restos chinois s'alignent les uns après les autres, seuls les initiés poussent la porte de la *Villa d'Or*. Ici, la cuisine est indochinoise (comme le dit le patron) et ce sont surtout les moules au basilic, les *kampot* (sortes de rouleaux de printemps cambodgiens) ou encore une des préparations de poisson à la vapeur qui font revenir les gourmets. La plupart des fruits de mer et des poissons ne sont pas surgelés, ce qui n'est pas si fréquent dans les restaurants du quartier. La fraîcheur des produits donne une dimension très agréable aux saveurs et aux textures. Apéritif maison offert à nos lecteurs sur présentation de ce guide.

IOI ***Le Bambou** (plan B-C2, **38**) :* 70, rue Baudricourt, 75013. ☎ 01-45-70-91-75. Ⓜ Tolbiac ou Maison-Blanche. Ouvert de 11 h 45 à 15 h 30 et de 18 h 45 à 22 h 30. Fermé le lundi. Congés annuels : la 2e quinzaine de septembre et la 1re quinzaine d'octobre. Pas de menu ; compter 15 € à la carte pour un repas complet. Cadre clair et plutôt joyeux pour découvrir l'une des meilleures tables vietnamiennes de Chinatown. Faire son choix est cruel tant la carte recèle de merveilles : le *bo bun,* excellent, parfumé à la citronnelle, la salade de papaye au bœuf séché ou au porc, crevettes et méduses, brochettes grillées, le *phó* généreux, etc. Toujours bondé, attente garantie le week-end, à moins d'arriver tôt.

IOI ***Restaurant Sinorama** (plan B2, **37**) :* 118, av. de Choisy, à l'angle de la rue du Docteur-Magnan, 75013. ☎ 01-53-82-09-51. Ⓜ Tolbiac. ♿ Service de 12 h à 15 h et de 19 h à 2 h. Menus à 8,90 € (en semaine), 9,50 et 35 € (pour deux) ; à la carte, compter 20 €. Un énième restaurant chinois? En quelque sorte, mais celui-ci se distingue en proposant, à la carte, des plats moins aseptisés et parfois inhabituels. Nombreuses marmites, comme le canard aux fleurs de lys. N'hésitez pas à choisir une des salades de méduse, particulièrement réussies. Les végétariens apprécieront le grand choix de plats à base de tofu (pâté de soja). Plusieurs grandes tables rondes, bien sympa en famille ou entre copains. Beaucoup de monde le week-end. Une bonne adresse pour oser l'exotisme culinaire.

|●| ***Tricotin 1*** *(plan C3, **35**) :* 15, av. de Choisy, 75013. ☎ 01-45-85-51-52. Ⓜ Porte-de-Choisy. Ouvert tous les jours de 9 h à 23 h 30. À la carte, compter entre 12 et 22 € environ. Une de ces institutions où l'on fait patiemment la queue le week-end. Grande salle assez bruyante, serveurs affairés, carte longue comme le bras, la conversation des voisins de gauche tricotant des baguettes avec celles des voisins de droite. On trouve ici tous les plats possibles et imaginables, mais nous aimons surtout les *dim sum* (petits plats à la vapeur et parfois frits), probablement les meilleurs et les plus variés de la capitale. On vous conseille même d'en faire un repas complet. Juste en face, une autre salle (fermée le mardi ; service midi et soir), plus petite, également dans le style cantine, toujours bondée. On y sert plus particulièrement des spécialités thaïlandaises.

|●| ***Sukhothaï*** *(plan B2, **46**) :* 12, rue du Père-Guérin, 75013. ☎ 01-45-81-55-88. Ⓜ Place-d'Italie. Ouvert de 12 h à 14 h 15 et de 19 h à 22 h 15. Fermé le dimanche et le lundi midi. Congés annuels : 3 semaines en août. Menus de 10 à 12,50 € le midi, et de 18 à 22 € le soir. Compter autour de 25 € à la carte. Ce restaurant de spécialités thaïlandaises est un petit temple dédié à l'art de la table asiatique. Le cadre, avec ses jolies statuettes, gravures et peintures, est soigné, et surtout, la cuisine fait des merveilles ! Citronnelle, piment et autres épices exotiques alliées aux viandes, poissons et crustacés sont travaillés tout en finesse. Il suffit de goûter aux crevettes pimentées au lait de coco ou de déguster un bœuf sauté au basilic pour se laisser transporter le long du Mékong... et oublier l'accueil distant. Il est conseillé de réserver.

|●| ***Phó Banh Cuôn 14*** *(plan B2, **39**) :* 129, av. de Choisy, 75013. ☎ 01-45-83-61-15. Ⓜ Tolbiac. Ouvert tous les jours de 9 h à 23 h (non-stop). Compter autour de 7 €, sans boisson ni dessert. Là, on se régale, on hume l'atmosphère et les parfums qui se dégagent. Patiemment, on attend qu'un coin de table se libère. Peu de place, juste pour poser une fesse en espérant ne pas déranger le service. L'important, ici,

c'est d'avoir du bol. Et même un grand bol de *phó,* soupe complète et reconstituante, variant selon les désirs de chacun. Ajoutez vous-même les herbes aromatiques et les pousses de soja croquantes, ou avalez nature, c'est super ! Encore mieux quand on peut profiter de la terrasse, aux beaux jours. Cartes de paiement refusées.

Suave *(zoom,* ***44****)* **:** 20, rue de la Providence, 75013. ☎ 01-45-89-99-27. Ⓜ Corvisart ou Tolbiac. À l'angle de la rue de l'Espérance. Ouvert de 12 h à 15 h et de 19 h à 23 h. Fermé le dimanche. Congés annuels : en août et 1 semaine fin décembre. Formule déjeuner à 11,50 €, avec entrée et plat, et 14,50 € en ajoutant le dessert. Compter 25 € à la carte. Si dans les restos chinois les hommes sont à leur affaire question popote, au Vietnam, la cuisine est affaire de femmes. Ce qui explique sans doute sa finesse, son parfum et sa qualité... sans provocation aucune, bien sûr ! Déco zen pour apaiser les tensions et carte raffinée pour attiser les désirs. On a aimé la salade de poisson mariné au citron vert et gingembre que l'on roule dans une pâte de riz version nem, ou la marmite de porc au caramel et le traditionnel *phó,* pâte de riz, servie ici avec du bœuf. Succès mérité, d'où pas mal de monde : mieux vaut venir tôt ou réserver. *NOUVEAUTÉ.*

Le Sorgho *(plan B1,* ***45****)* **:** 65, bd Saint-Marcel, 75013. ☎ 01-43-31-12-40. Ⓜ Les Gobelins. Fermé le dimanche. Plats autour de 7 € ; menu du jour à 10,30 €. À découvrir de toute urgence ! Dans le quartier des Gobelins, une ancienne brasserie de quartier, avec ses banquettes en skaï bordeaux, réaménagée en restaurant asiatique design : murs sobrement mais joliment décorés, lignes simples, couleurs douces. Pas de folklore ethnique mais de l'éco-design de bon goût. Économique, car les prix sont imbattables. L'aimable patronne, une Sino-Cambodgienne installée en France depuis les années 1970, applique des normes strictes de qualité à sa cuisine chinoise, vietnamienne et thaïlandaise : pas de glutamate dans les plats, nems fabriqués maison avec des produits sains et bio (poulet fermier), service et accueil affable. Peu de plats à la carte mais rien que du bon et du bien préparé. Voilà la nouvelle génération des petits restos asiatiques parisiens qui montre la voie à suivre à l'ancienne génération, qui a vraiment trop abusé avec le standard exotique. *NOUVEAUTÉ.*

Où boire un verre ?

La Folie en Tête *(zoom,* ***51****)* **:** 33, rue de la Butte-aux-Cailles, 75013. ☎ 01-45-80-65-99. Ⓜ Corvisart. Ouvert de 18 h à 2 h. Fermé le dimanche. Demi à 2 € de 18 h à 20 h, puis à 2,50 € ; ti-punch et rhum à 5 €. Jean-Pierre, Édouard, Liberto et Rosely ont remis un coup de pinceau sur les murs enfumés d'un des derniers rades sympas de la Butte. Suite à des plaintes, la programmation musicale a malheureusement été annulée, mais comme chaque année, il y a l'éternelle galerie d'instruments venus d'ailleurs scotchés aux murs (on ne les remarque même plus !) et les tronches venues d'ici attablées dans un coin autour d'un jeu d'échecs ou d'une vieille guitare.

🍷 ***La Guinguette Pirate*** *(plan D1,* ***53****)* ***:*** face au 11, quai François-Mauriac, 75013. ☎ 01-43-49-68-68. • www.guinguettepirate.com • Ⓜ Bibliothèque-François-Mitterrand ou Quai-de-la-Gare. Au pied de la Bibliothèque nationale de France. Ouvert du mardi au samedi de 18 h à 2 h, le dimanche de 19 h à minuit. Entrée : de 6 à 12 € selon la programmation ; verre à partir de 3 €. Philippe et Ricardo sont les capitaines de cette *Dame de Canton,* véritable jonque traditionnelle construite en Chine à l'aube des années 1980, amarrée en contrebas de la ZAC rive gauche. Et depuis ? Tout Paname a répondu présent à l'appel de ses sirènes ! La musique souffle dans la grande voile les notes hardies des *combos* de passage. Sur le pont, côté bar, on a le vent en poupe, tandis que dans les fonds de cale, ça discute devant quelques petits plats. De juin à septembre, belle terrasse sur les quais. Concerts jazz, reggae, chanson française, hip-hop... du mardi au dimanche. Soirées thématiques proposées autour de lectures, documentaires, expos...

🍷 ***Le Merle Moqueur*** *(zoom,* ***54****)* ***:*** 11, rue de la Butte-aux-Cailles, 75013. ☎ 01-45-65-12-43. Ⓜ Corvisart. ♿ Ouvert tous les jours de 17 h à 2 h. Pinte à 4 € pendant les *happy hours* (de 17 h à 20 h), 5,50 € après. On vous l'a dit et répété : c'est ici que la Mano Negra élimait ses fonds de culotte, il n'y a pas si longtemps... N'empêche, *Le Merle* en semaine, c'est le panard ! Ça fait plus de 10 ans que ça dure, et les w.-c. sont toujours au fond de la cour à gauche, la musique plutôt folle (« tout sauf du classique et de la techno ! »), les apéros en musique, les gens plutôt soiffards et la salle toujours comble. Une institution !

🍷 ***Chez Gladines*** *(zoom,* ***55****)* ***:*** 30, rue des Cinq-Diamants, 75013. ☎ 01-45-80-70-10. Ⓜ Corvisart. ♿ Ouvert jusqu'à 2 h ; restauration jusqu'à minuit les lundi et mardi, et jusqu'à 1 h du mercredi au samedi. Fermé le dimanche. Congés annuels : du 9 au 30 août. Menu à 10 € le midi. À la carte, compter 15 €. Pression à 1,70 €. Bistrot de quartier incontournable de la Butte-aux-Cailles, souvent bondé en soirée. Une clientèle conviviale néobab' où se retrouvent étudiants et habitués. Bonne atmosphère autour du zinc. On y mange aussi une gentille tambouille du Sud-Ouest et du Pays basque, genre salades copieuses et cassoulet maison. Service décontracté et bon enfant. Cartes de paiement refusées.

🍸 ***Le Couvent 2*** *(plan A1, **56**)* **:** 69, rue Broca, 75013. ☎ 01-43-31-28-28. Ⓜ Les Gobelins. Ouvert de 9 h à 2 h ; dernière commande de restauration vers 23 h. Fermé les samedi midi et dimanche. Congés annuels : entre Noël et le Jour de l'an. Le demi de bière à 2,50 €. Menu à 10 € le midi ; le soir, à la carte uniquement, l'addition monte autour de 13 € sans la boisson. Dans ce bar-resto qui fait aussi galerie, mélange canaille d'étudiants et d'artisans du quartier. Tous les 15 jours, une expo différente. Quelques salades copieuses en cas de fringale et des plats chauds au fromage. Bon choix du jour et spécialités européennes (goulasch, carbonade flamande, reblochonnade...).

🍸 ***Le Sputnik*** *(zoom, **57**)* **:** 14-16, rue de la Butte-aux-Cailles, 75013. ☎ 01-45-65-19-82. Ⓜ Corvisart ou Place-d'Italie. Wi-fi. Ouvert de 14 h à 2 h ; le dimanche, de 16 h à minuit. Ti-punch à 6 €, bière pression à 3 €. *Happy hours* avec des cocktails à 5 € de 18 h à 20 h. Le quart d'heure Internet est à 0,90 € et le tarif est dégressif (forfait 10 h pour 25 €). Un cybercafé façon la Butte. Autant dire un antre du *World Wide Web* bricolé à la libertaire par 5 potes prêts à casser leur tirelire pour se faire plaisir. Ce qui, visiblement, reste le meilleur moyen d'en donner, vu l'ambiance culturo-déjantée de certains soirs autour du bar. Quinze portables au compteur pour surfer dans l'arrière-salle. Certains soirs, c'est très calme, limite studieux. Les autres nuits, la clientèle de bric et de broc fait dans le happening populo-alternatif (concerts rock, foot sur écran géant, expo photos et *tequila party*).

14e ARRONDISSEMENT

Où manger ?

Très bon marché

|●| ***Aux Produits du Sud-Ouest*** *(plan C1, **1**)* **:** 21-23, rue d'Odessa, 75014. ☎ 01-43-20-34-07. Ⓜ Edgar-Quinet. ♿ Ouvert de 12 h à 14 h et de 19 h à 23 h (dernière commande). Fermé les dimanche, lundi et jours fériés. Congés annuels : de mi-juillet à fin août. Plat du jour + café ou verre de vin à 6,50 € le midi. À la carte, compter de 12 à 25 €. Sandwichs à emporter de 3 à 4,50 €; salades de 2,30 à 9 €. Ce resto-boutique au décor très Sud-Ouest (justement) propose des conserves artisanales de sa région à des prix défiant toute concurrence. Ne vous attendez donc pas à de la grande gastronomie landaise, mais plutôt à des plats honnêtes du terroir, comme l'assiette de charcuterie du pays ou les terrines de lapin ou de sanglier. Parfait pour un plat : cassoulet au confit d'oie, salmis de palombe, coq au vin, confit de canard, ainsi que foie gras de canard ou d'oie.

|●| ***Le Vaudésir*** *(plan D2, **54**)* **:** 41, rue Dareau, 75014. ☎ 01-43-22-03-93. Ⓜ Saint-Jacques. Ouvert du lundi au vendredi, le midi uniquement. Service de 12 h à 14 h. Congés annuels : en août. Compter 12 € pour un repas complet. Plat du jour à 7 €. Le p'tit caboulot de quartier comme on les aime, avec ses cols blancs et ses habitués, saupoudrés de quelques cols bleus survivants. Dans ses deux petites salles, on déguste une vraie cuisine familiale concoctée avec amour et de bons légumes. Un plat de ménage servi généreusement et qui part vite. Ainsi, il arrive qu'à 13 h 15-13 h 30, il faille se contenter d'une omelette-salade... Atmosphère chaleureuse et conviviale, mais ça, vous vous en doutiez ! Cartes de paiement refusées. Café offert à nos lecteurs sur présentation de ce guide.

|●| ***Le Daudet*** *(plan C2, **4**)* **:** 16, rue Alphonse-Daudet, 75014. ☎ 01-45-40-82-33. Ⓜ Alésia. ♿ Service de 12 h à 15 h. Fermé le dimanche. Congés annuels : en août. Plat du jour à 9 €. À la carte, compter 18 €. Sandwichs entre 3 et 4,50 € ; salades autour de 9 €, tartes salées autour de 6,50 €. Quartier animé dans la journée, assez mort le soir. Le midi, beaucoup de monde, travailleurs du

Où manger ?

1 Aux Produits du Sud-Ouest
4 Le Daudet
5 Au Bon Cep
7 Chez Marcelle
9 Chez Charles-Victor
10 À Mi-Chemin
11 La Chopotte
13 La Baraka
14 Le Jean Bart
15 Aquarius
16 La Comedia
17 Aux Petits Chandeliers
18 Le Petit Baigneur
19 Cana'Bar
20 Les Fils de la Ferme
21 Au Bretzel
22 Les Caves Solignac
23 Il Gallo Nero
24 Chez Clément
25 Krua Thaï
26 Le Château Poivre
27 Le Plomb du Cantal
28 La Mère Agitée
29 L'Auberge de Venise
30 La Régalade
31 Bistrot du Dôme
32 La Coupole
34 L'Amuse-Bouche
36 Vin et Marée
37 Les Tontons
38 Le Flamboyant
39 Il Barone
41 Les Vendanges
42 Le Bistrot des Pingouins
44 Monsieur Lapin
45 Arctika
46 La Cagouille
47 La Panetière
48 Swann et Vincent
49 Natacha
50 De Bouche à Oreille
51 La Grande Ourse
52 L'Entrepôt
54 Le Vaudésir

Bar à vin

60 Le Vin des Rues

Où boire un verre ?

70 Le Dôme
71 Le Rosebud
72 Magique
73 Les Crus du Soleil
76 Le Tournesol
77 Backstage Café

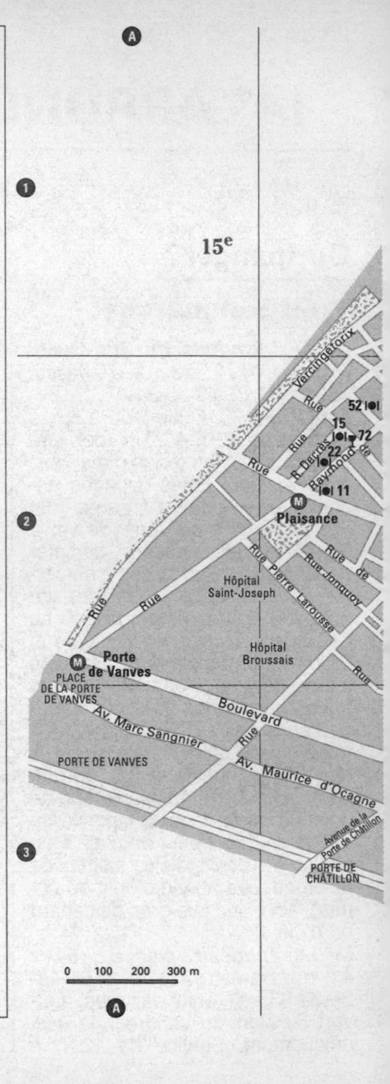

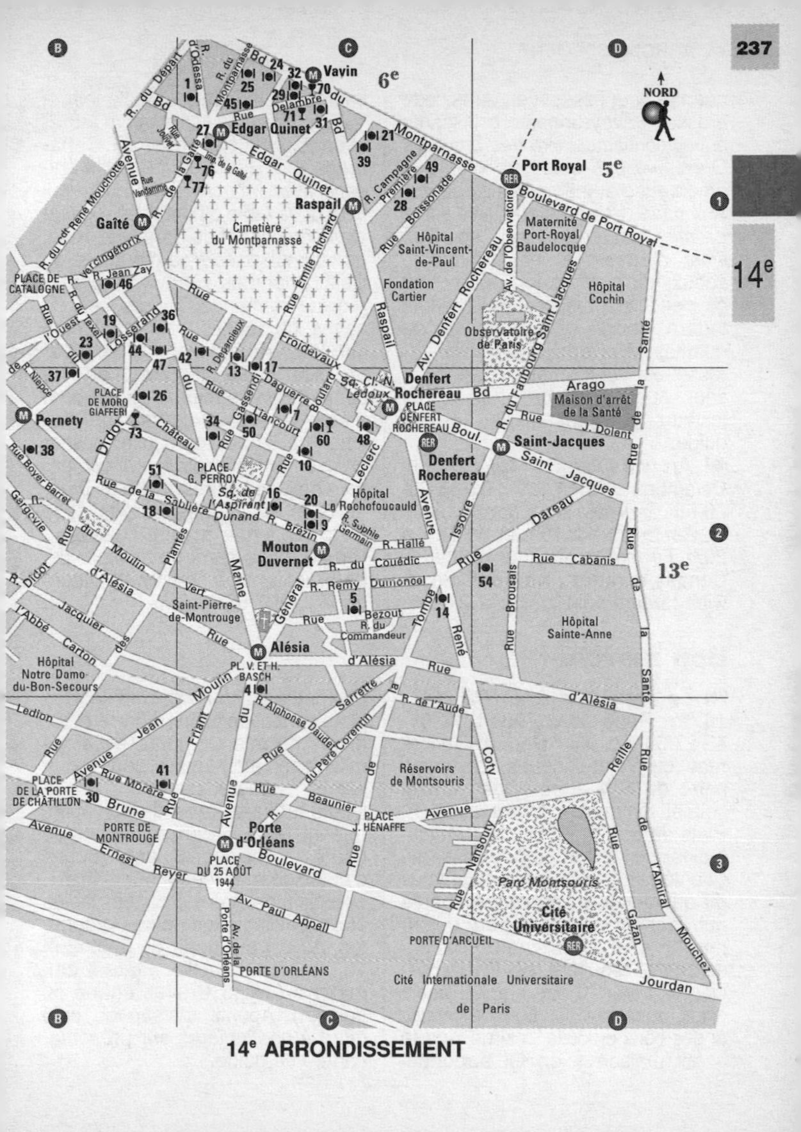

14e ARRONDISSEMENT

quartier pour l'essentiel, dans cette brasserie aveyronnaise bruissante et bourdonnante, voire très bruyante. On n'y va pas pour une offensive amoureuse et intime, à l'évidence. Aux murs, fresques sur les *Lettres de mon moulin,* ça va de soi. Cuisine d'Auvergne et d'Aveyron, choux farcis, tripoux, confits, tout ça servi copieusement. Excellent tartare maison et frites bien craquantes. Aux beaux jours, la terrasse est rapidement prise d'assaut. Apéritif maison offert à nos lecteurs sur présentation de ce guide.

I●I ***Arctika*** *(plan C1,* ***45****) :* 28, rue Delambre, 75014. ☎ 01-43-20-46-56. Ⓜ Vavin ou Edgar-Quinet. Ouvert de 11 h à 15 h et de 16 h à 20 h. Fermé les dimanche et lundi. Congés annuels : en août. Sandwich tarama-pain toasté à 3,80 €, saumon avec sauce à l'aneth à 4,25 €. Formule scandinave à 9 €, avec tarama, assiette de 3 harengs, etc. Une drôle de petite épicerie avec un coin dégustation qui tient de la table d'hôtes. Le résultat vaut son pesant de hareng mariné, de saumon danois ou d'anguille en filets. Superbes sandwichs préparés sur demande. Bières scandinaves et aquavit... vite fait bien fait. Pour se réchauffer, même par un soir d'été frisquet, on ne connaît rien de mieux. Le patron a même inventé l'« assiette-cimetière » à 5,50 € pour aller passer un moment au calme en compagnie de Baudelaire, Sartre et Dreyfus ! Ne soyez pas surpris si le resto est fermé à votre passage : l'ermite brise sans doute son iceberg, mais vous pouvez le joindre au ☎ 06-07-63-72-50.

Bon marché

I●I ***Le Jean Bart*** *(plan C2,* ***14****) :* 18, av. René-Coty, 75014. ☎ 01-43-27-50-82. Ⓜ Denfert-Rochereau ou Saint-Jacques. Ouvert à partir de 6 h. Fermé les samedi soir et dimanche. Menu à 16 €. Plats de 8 à 14 €. Cadre formica-moleskine de bar-tabac-brasserie. Clientèle d'employés, d'habitués du quartier et de touristes égarés qui viennent en masse pour déjeuner. En effet, la cuisine du patron, de qualité régulière, est fort appréciée alentour. C'est simple, Dominique, amoureux des bonnes vannes et des bons produits, n'aime que le « fait maison » en lui apportant une petite touche personnelle. Des plats certes classiques (tartare, rognons ou foie de veau, escalope milanaise, etc.), mais goûteux et servis généreusement. Excellentes terrines et viande particulièrement tendre. Pensez, le même boucher depuis 28 ans (onglet d'anthologie à seulement 8 €) ! Sélection de vins à prix abordables et qui privilégie les petites propriétés. Au verre à partir de 3,60 € et 13,50 € en bouteille. Plats à emporter à 6 € (8 € avec entrée ou dessert). Apéritif maison ou café offert à nos lecteurs sur présentation de ce guide.

|●| ***Au Bon Cep*** *(plan C2, **5**) :* 30, rue Bezout, 75014. ☎ 01-43-27-60-08. Ⓜ Alésia. ♿ Ouvert de 12 h à 15 h. Fermé les samedi et dimanche. Congés annuels : 1 semaine en janvier et 3 semaines en août. Plat du jour à 9,50 €. Formule déjeuner à 8,50 € et menu à 12,50 € (le midi en semaine). Compter entre 17 et 21 € à la carte. Donne sur une agréable placette. Là encore, un bar-resto faisant preuve d'une grande modestie. Clientèle de quartier et de quelques bureaux alentour. Le patron, placide et débonnaire, prend le temps de mesurer le temps qui passe. Des plats maison pourtant bien consistants, cuisinés avec sérieux à partir de vrais légumes et de produits de saison. L'été, terrasse accueillante. Atmosphère relax. Apéritif maison offert à nos lecteurs sur présentation de ce guide.

|●| ***Chez Marcelle*** *(plan C2, **7**) :* 18, rue Lalande, 75014. ☎ 01-43-20-00-38. Ⓜ Denfert-Rochereau. Ouvert de 12 h à 13 h 30 et de 19 h à 21 h 30. Fermé les dimanche et jours fériés. Congés annuels : en août. Menu à 11 € ; à la carte, compter 18 €. Dans une rue discrète, grosse surprise que de découvrir un authentique resto populaire, alors qu'on croyait que ça n'existait plus dans le coin. Salle au cadre chaleureux pour une belle cuisine de ménage servie généreusement. Le petit menu présente un étonnant rapport qualité-prix. Vins à prix modérés également. Dommage que l'accueil soit un peu rude.

|●| ***La Chopotte*** *(plan B2, **11**) :* 168, rue d'Alésia, 75014. ☎ 01-45-43-16-16. Ⓜ Plaisance. Ouvert midi et soir jusqu'à 22 h. Fermé le dimanche soir. Plats du jour à partir de 10 €. Compter 25 € à la carte. Rade de quartier transformé en bistrot à vin et qui a su conserver son style populaire. Bons petits vins de propriétaires accompagnant gentiment des plats roboratifs inscrits au tableau noir : véritable andouillette de Troyes AAAAA, confit de canard, côte de veau forestière, pièce de salers, etc. À signaler pour les amateurs, un généreux pot de filets de hareng maison et un moelleux au chocolat !

|●| ***Chez Charles-Victor*** *(plan C2, **9**) :* 8, rue Brézin, 75014. ☎ 01-40-44-55-51. Ⓜ Mouton-Duvernet. Ouvert jusqu'à 22 h 30. Fermé les samedi midi et dimanche, ainsi que le midi des jours fériés. Menu à 15,90 € avec entrée + plat ou plat + dessert, servi midi et soir ; menu complet à 21,50 €. Le soir, c'est souvent plein comme un œuf, il est donc conseillé de réserver. Murs jaunes, plantes vertes, grand tableau noir avec des plats à la craie, ambiance joyeuse... Et surprise dans l'assiette, avec une cuisine de marché façon grand-mère rajeunie, bien sympathique. Coppa maison, steak de thon à la tapenade, steak de gigot d'agneau, tartare préparé maison... et une kyrielle de desserts frais et délicieux, tel le crumble à la rhubarbe et aux

framboises. Service efficace en prime. Sélection de vins de propriété servis pour la plupart au pichet.

La Baraka *(plan C1, **13**) :* 70, rue Daguerre, 75014. ☎ 01-43-27-28-20. Ⓜ Denfert-Rochereau ou Gaîté. ♿ Service de 12 h à 14 h 30 et de 19 h à 23 h 30. Fermé les dimanche soir et lundi. Menus entre 9 et 15 € environ ; à la carte, compter autour de 21 €. Un resto nord-africain hors du temps. Déco couleur locale, simple, un brin vieillotte. La cuisine est bonne, servie sans fioritures. Côté prix aussi, la modestie est de mise. Aux beaux jours, profitez de la petite cour intérieure, rare dans Paris, à l'allure de tonnelle ficelée de vigne. Les jours de mauvais temps, vous pourrez vous installer dans le jardin d'hiver chauffé.

Aquarius *(plan B2, **15**) :* 40, rue de Gergovie, 75014. ☎ 01-45-41-36-88. Ⓜ Plaisance. Ouvert de 12 h à 14 h 15 et de 19 h à 22 h 30. Fermé le dimanche. Congés annuels : la dernière semaine de décembre. Formules à 11 € à midi et 15 € le soir. Qui a dit que restaurant végétarien était forcément synonyme de tristesse ? Voilà pourtant une petite adresse bien fraîche, bien agréable, dispensant une copieuse nourriture végétarienne plutôt gaie. Bon accueil. Goûtez aux bonnes salades, quenelles de soja, croquettes de tofu, feuilleté aux pleurotes, rôti aux noix, arrosés d'un bordeaux bio ! Tout cela possède beaucoup de saveur. Même pas sectaire, puisqu'on y trouve un petit coin pour les fumeurs. Apéritif maison offert à nos lecteurs sur présentation de ce guide.

Le Petit Baigneur *(plan B2, **18**) :* 10, rue de la Sablière, 75014. ☎ 01-45-45-47-12. Ⓜ Mouton-Duvernet. Service de 12 h à 14 h 30 et de 19 h à 22 h 30. Fermé les samedi midi, dimanche et jours fériés. Congés annuels : en août. Formules à 12,50 € avec plat + entrée ou dessert (uniquement le midi) et à 17 €. Bouteilles de vin de 12 à 24 € maxi. Un p'tit resto installé dans une ancienne épicerie, décoré d'objets chinés, et tenu par un jeune couple. Cuisine de famille, simple et sans prétention : harengs-pommes à l'huile, pâté de campagne, lapin aux pruneaux, et du bœuf (de l'excellent même, car le patron est un ancien boucher) décliné sous toutes les formes et à toutes les sauces. Ne pas manquer, donc, l'excellent tartare.

La Comedia *(plan C2, **16**) :* 51, rue Boulard, 75014. ☎ 01-45-39-38-00. Ⓜ Mouton-Duvernet. ♿ Ouvert de 7 h à minuit (service de 12 h à 22 h 30). Fermé le dimanche. Congés annuels : du 15 août au 7 septembre. À la carte uniquement, compter de 15 à 25 €. Non loin de la mairie du 14e, un bar-restaurant différent. Les banquettes et les chaises confortables recouvertes de velours rouge, les expos de peintres du quartier font de cette petite salle un lieu bien convivial. De plus, la cuisine, d'inspiration latine (italienne, portugaise), est copieuse et réussie. Un verre de *vinho verde* avec la morue au four, par exemple, un peu de musique non commerciale *(obrigado !)*, une chaleureuse ambiance : voilà une adresse bien sympathique. Apéritif maison offert à nos lecteurs sur présentation de ce guide.

|●| ***Aux Petits Chandeliers*** *(plan C1-2, **17**)* **:** 62, rue Daguerre, 75014. ☎ 01-43-20-25-87. Ⓜ Denfert-Rochereau ou Gaîté. Ouvert tous les jours de 12 h à 14 h 30 et de 19 h à 23 h 30. Assiette composée à 9 € servie en semaine ; plat du jour à 8 € ; à la carte, compter autour de 23 € sans la boisson. Deux salles à la décoration exotique, sobre et charmant patio fleuri, plats relevés de piment, cuisine parfumée et goûteuse, rhum... Nous voilà dans l'un des plus anciens réunionnais de Paris. *Rougails* et *massalé, bichiques* et *samoussas* : ces mots mettent l'eau à la bouche. Mais qu'est-ce donc ? Des préparations épicées à base de tomates ; un mélange d'aromates (anis, coriandre, cive, oignon, ail, girofle, poivron, safran) ; de grosses crevettes grises de rivière ; de petits friands farcis de viande relevée. En garniture des différents plats, riz et haricots rouges. Prix raisonnables, mais la qualité mériterait des portions moins chiches... En tout cas, dépaysement assuré. Café offert à nos lecteurs sur présentation de ce guide.

|●| ***Cana'Bar*** *(plan B1, **19**)* **:** 22, rue Raymond-Losserand, 75014. ☎ 01-43-22-92-15. Ⓜ Pernety ou Gaîté. Service de 12 h à 14 h 30 et de 20 h à 23 h. Fermé les samedi midi et dimanche midi. Le midi, menu à 11 € ; salades et plats à partir de 8,50 € ; addition ne dépassant pas 15 € pour un repas complet à la carte. Renouant avec la tradition populaire du resto de quartier, le *Cana'Bar* ambitionne de réunir autour de ses petites tables recouvertes de nappes à carreaux les jeunes comme les vieux, les nantis comme les prolétaires. Alchimie réussie. En outre, cadre Art déco intéressant, agrémenté de vieux objets et de clins d'œil décoratifs amusants. Menu du midi classique comme tout. À la carte, copieuses et goûteuses salades et plats tels le boudin aux deux pommes, le « RMI » (ragoût de mouton irlandais) ou le bon vieux bœuf bourguignon. Sans oublier le vin, tout à fait abordable. Accueil à la bonne franquette et bonne atmosphère. Service un peu débordé en cas d'affluence.

|●| ***La Panetière*** *(plan B1, **47**)* **:** 9, rue Maison-Dieu, 75014. ☎ 01-43-22-04-02. Ⓜ Gaîté ou Pernety. Service de 12 h à 14 h 15 et de 19 h à 23 h. Fermé les dimanche et lundi ainsi que le samedi midi. Menus de 15 € (le midi) à 23,50 €. Adresse discrète dans rue discrète. Bon professionnel proposant une cuisine française classique mais bien tournée. La carte change tous les 3 mois, mais on y retrouve quelques plats traditionnels : magret de canard au roquefort, andouillette AAAAA à la crème d'escargots, coquilles Saint-Jacques. Desserts

de qualité et carte des vins bien fournie. En particulier, on a dégoté un remarquable morgon de Jean-Paul Bouland en une inhabituelle bouteille de 50 cl ! Quelques vins « coup de cœur » proposés à un prix sympa (13 € la bouteille de 75 cl). Pour ceux et celles cherchant aussi un peu de calme, c'est l'adresse idéale...

Le Bistrot des Pingouins *(plan C1, **42**) :* 79, rue Daguerre, 75014. ☎ 01-43-21-92-29. Ⓜ Denfert-Rochereau ou Gaîté. ♿ Service de 12 h à 15 h et de 19 h 30 à minuit. Fermé les samedi midi et dimanche. Congés annuels : en août. Menu à 12,50 €. À la carte, compter environ 20 €. Grosses salades à partir de 11,50 €. Grande salle au cadre sobre, accueil sans chichis (curieusement, ni pingouins ni serveurs habillés comme tels). Le midi, vite rempli par les cols blancs du coin ; le soir, clientèle plus branchée de Montparnasse. Cuisine de bistrot avec une touche d'exotisme, honnêtement préparée et bien servie : saumon au sel de Guérande et piments d'Espelette, confit de canard, etc. Expos photos et peintures.

Prix moyens

À Mi-Chemin *(plan C2, **10**) :* 31, rue Boulard, 75014. ☎ 01-45-39-56-45. Ⓜ Denfert-Rochereau ou Mouton-Duvernet. Ouvert midi et soir jusqu'à 23 h 30. Fermé les dimanche et lundi. Congés annuels : en août. À midi, formules à 18 et 22 €. À la carte, compter 30 €. Cadre simple de bistrot pour une cuisine pleine d'une réjouissante créativité : utilisation subtile des épices, recherche dans les saveurs, plats bien travaillés et joliment présentés, bref, de sympathiques qualités. Bon choix à la carte, d'où nous vous avons sélectionné le millefeuille à la mousse de chèvre et figue au coulis de thé vert, la crème de langoustine bretonne aux filets d'amandes, la pastilla de filet de bar ; mais la carte évolue sans cesse au gré du marché et des saisons. Viande tendre, poisson cuit parfaitement... Service diligent. Resto bien plus qu'à mi-chemin de son excellente réputation. Terrasse aux beaux jours.

De Bouche à Oreille *(plan C2, **50**) :* 34, rue Gassendi, 75014. ☎ 01-43-27-73-14. Ⓜ Denfert-Rochereau ou Mouton-Duvernet. Service de 12 h à 14 h 30 et de 19 h 30 à 23 h. Fermé le samedi midi, le dimanche et le lundi midi. Congés annuels : du 1er au 15 août. Compter autour de 40 €, boisson comprise. Et le bouche-à-oreille a fonctionné. Cette discrète salle de resto a vite fait le plein de familiers, heureux de pouvoir goûter à petits prix la cuisine d'un jeune chef formé chez les grands. Benoît Chagny a choisi d'être seul en cuisine, ou presque, et de faire les plats qu'il aime, à son goût, qui est aussi le nôtre : charlotte de pommes de terre à la chair de tourteau, joue de bœuf braisée. Service d'une rare gentillesse... Le soir, réservation indispensable.

|●| ***La Grande Ourse*** *(plan B2,* ***51****)* **:** 9, rue Georges-Saché, 75014. ☎ 01-40-44-67-85. Ⓜ Mouton-Duvernet. Service de 12 h à 14 h et de 20 h à 22 h. Fermé les samedi midi, dimanche et lundi. Congés annuels : en août. Menus à 16 € (plat + entrée ou dessert) et 19 € (complet) le midi uniquement. Le soir, menu-sans remord à 33 €. Sinon, à la carte, compter 35 € pour un repas sans la boisson. Menu-enfants à 10 € (12 € les soirées spéciales). Dans ce discret resto de quartier, la cuisine du marché est confectionnée avec des produits exclusivement frais et labellisés. L'accueil est chaleureux et personnalisé. Mais l'originalité vient de ces dîners parents-enfants, chaque 1er mardi du mois à 19 h 30 (réservation indispensable) : dans la salle principale, les parents en amoureux ou entre copains ; dans l'arrière-salle, les bambins en compagnie d'une animatrice. Le repas (les plats servis aux petits sont choisis sur la carte des grands, en accord avec les parents) est suivi de lecture de contes. Une aubaine, surtout quand la baby-sitter a fait faux bond ! Soirées musicales également. Apéritif maison offert à nos lecteurs sur présentation de ce guide.

|●| ***Les Fils de la Ferme*** *(plan C2,* ***20****)* **:** 5, rue Mouton-Duvernet, 75014. ☎ 01-45-39-39-61. Ⓜ Mouton-Duvernet. Fermé le dimanche soir et le lundi. Congés annuels : en août. Menu-carte à 26 € et formule le midi (entrée + plat ou plat + dessert) à 17 €. Le père tenait *La Ferme du Périgord,* dans le 5e, et les fils ont du faire leurs devoirs sur un coin du fourneau, ça se sent. Car les deux frangins, jeunes et ambitieux, sont à l'aise aussi bien sur le poisson que sur la viande. Ils travaillent une cuisine de marché revisitée avec allégresse, finesse et précision, tout en goût et saveurs. Une adresse récente, qui a trouvé rapidement ses marques dans le quartier. Elle a conservé les anciens clients tout en en séduisant de nouveaux, avec une carte qui tourne comme un manège. Atmosphère tranquille et classique, loin de la branchitude. *NOUVEAUTÉ.*

|●| ***Au Bretzel*** *(plan C1,* ***21****)* **:** 1, rue Léopold-Robert, 75014. ☎ 01-40-47-82-37. Ⓜ Vavin ; RER B : Port-Royal. Ouvert midi et soir jusqu'à 22 h 30. Fermé le dimanche et le lundi midi. Congés annuels : 3 semaines en août. Le midi, entrée + plat ou plat + dessert à 12,50 € ; le soir, menu à 22,50 €. À la carte, compter environ 30 €. Loin des grandes brasseries alsaciennes, une petite *winstub* calme et proprette. Deux associés, l'un alsacien, l'autre égyptien, et voilà un cocktail réussi de savoir-faire et de gentillesse. Les plats sont savoureux, comme les *flammeküeche,* le *baeckehoffe* ou, bien sûr, l'in-

contournable choucroute. Le tout servi avec le sourire. On en redemande !

Les Caves Solignac *(plan B2, **22**) :* 9, rue Decrès, 75014. ☎ 01-45-45-58-59. Ⓜ Plaisance. Service de 12 h à 14 h et de 19 h 30 à 22 h. Fermé les samedi et dimanche, et pour les ponts. Congés annuels : du 14 juillet au 15 août et pendant les fêtes de fin d'année. Formule déjeuner entrée + plat ou plat + dessert ou entrée + fromage + dessert à 18 € ; le soir menu-carte à 27 €. Plat du jour à 13 €. Un discret resto dans une rue discrète du quartier Gergo-Vercin-Alésia, genre bistrot d'Astérix résistant à la tristesse du béton local. On se dit même, sans beaucoup réfléchir, que, vu l'isolement du rade et vu le monde qu'il y a dedans, la cuisine doit nécessairement y être bonne. Eh bien oui ! Cadre chaleureux, patron affable et une cuisine qui répond aux attentes des clients. Une vraie cuisine du terroir, des p'tits plats sérieux, bien ajustés, beaucoup de choix et toujours 2 ou 3 plats du jour. Tout est fait maison. Canard confit à souhait et pommes sarladaises fondantes, terrine de boudin aux oignons confits, viandes bien servies, rôti d'échine de porc cuit comme il faut... Le sans-faute goûteux accompagné de vins de proprios sélectionnés avec amour et carafés pour la plupart à des prix raisonnables, et de gentilles mignardises au café... Qu'espérer de plus ? Café offert à nos lecteurs sur présentation de ce guide.

Le Plomb du Cantal *(plan C1, **27**) :* 3, rue de la Gaîté, 75014. ☎ 01-43-35-16-92. Ⓜ Edgar-Quinet. ♿ Ouvert de 7 h à minuit. Congés annuels : en août. Salades à 11 € et plats aux alentours de 18,50 €. Une petite envie de plats auvergnats ou une grosse faim ? Deux bonnes raisons de venir au *Plomb*. On ne lésine pas ici sur les salades, les viandes et les pommes de terre, cuisinées en truffade, aligot ou encore sautées (présentées dans un poêlon en cuivre, miam !), la charcuterie et la saucisse sèche. Le choix est difficile, car tout est bon. On n'est pas surpris qu'il y ait autant de monde. Les tables débordent même sur le trottoir lorsque le temps le permet !

Krua Thaï *(plan C1, **25**) :* 41, rue du Montparnasse, 75014. ☎ 01-43-35-38-67. Ⓜ Edgar-Quinet, Vavin ou Montparnasse-Bienvenüe. Ouvert de 12 h à 14 h 30 et de 19 h à 23 h. Fermé le dimanche. Menus à 9,50 € le midi, 15 € le soir et 30 € ; à la carte, compter en moyenne 21 €. Dans cette rue des crêpes d'une banale désespérance, ce thaï aux saveurs franches a déjà conquis le cœur des Montparnos qui s'y précipitent pour goûter la soupe de crevettes à la citronnelle, le poulet au lait de coco et curry, la salade de papaye verte à la thaïe, ou encore les moules sautées au basilic. Accueil souriant et service efficace.

Le Château Poivre *(plan B2, **26**) :* 145, rue du Château, 75014. ☎ 01-43-22-03-68. Ⓜ Pernety. ♿ Service jusqu'à 22 h. Fermé le dimanche. Congés annuels : 15 jours en août, 15 jours à Noël et lors des « fêtes carillonnées ». Menu à 17 € ; à la carte, compter autour de 25 €. Une fois traversé le bar et l'accueil jovial des superbes bacchantes du patron, une petite salle chaleureuse aux tables joliment dressées vous accueille pour des petits plats mijotés (gibier en saison), de belles viandes et des plats du terroir traditionnels (confits, andouillettes, etc.). Le tout est copieusement servi, y compris le 1er menu. D'ailleurs, la clientèle du quartier ne s'y trompe pas, mêlant allègrement cols blancs et copines en goguette. De bons petits vins et un service aimable.

🍽 ***La Mère Agitée*** *(plan C1,* ***28****) :* 21, rue Campagne-Première, 75014. ☎ 01-43-35-56-64. Ⓜ Raspail. Ouvert de 12 h à 14 h et de 19 h 30 à 22 h 30. Fermé les dimanche et lundi ainsi que les samedi du 14 juillet au 31 août, sauf sur réservation à partir de 10 personnes. Congés annuels : 2 ou 3 semaines en août. Compter 25 € pour un repas sans le vin. À l'angle du passage d'Enfer (!), à quelques mètres de l'endroit où mourait Jean-Paul Belmondo dans *À bout de souffle,* c'est un restaurant atypique de cuisine traditionnelle, tenu par Valérie Delahaye, justement surnommée la... « mère agitée ». Dans la petite salle en rez-de-chaussée, envahie par les cartons de vin et au décor hétéroclite, ou dans la cave voûtée (35 places), on mange drôlement bien, même si la carte n'est pas affichée et que l'on ne vous proposera pas forcément les mêmes plats qu'à la table voisine. Atypique, on vous l'a dit ! Mais, bien sûr, c'est frais, les portions sont plus que copieuses... et la carte se renouvelle. Quelques vins agréables à prix doux. Dans la série « curiosité »... le portrait de Louis XVI voisine avec un autocollant des postiers CGT ! Bon... Apéritif maison offert à nos lecteurs sur présentation de ce guide.

🍽 ***Il Gallo Nero*** *(plan B1,* ***23****) :* 36, rue Raymond-Losserand, 75014. ☎ 01-42-18-00-38. Ⓜ Gaîté ou Pernety. ♿ Service de 12 h à 14 h 30 et de 19 h à 23 h. Fermé les dimanche et lundi. Congés annuels : en août et du 24 au 31 décembre. Formules à midi à 13,50 et 17 €. Compter de 25 à 30 € à la carte. Une salle au parquet de bois avec des dominantes beige et brun, de grandes baies vitrées éclairant l'intérieur. Cuisine italienne, orientée Sicile, plutôt généreuse avec des viandes, des poissons, des légumes grillés, de la *bruschetta,* du *carpaccio* et des pâtes comme il se doit... Préférez une assiette de fromage italien plutôt que des desserts sans grande originalité. Un menu qui change tous les jours selon le marché et les saisons, notamment un excellent *risotto* différent à chaque fois. Service gentiment familier. Pour rappel, le *gallo nero* est aussi le nom d'un excellent chianti. Apéritif maison, café ou digestif maison offert à nos lecteurs sur présentation de ce guide. *NOUVEAUTÉ.*

Le Flamboyant *(plan B2, 38)* : 11, rue Boyer-Barret, 75014. ☎ 01-45-41-00-22. Ⓜ Pernety. ♿ Service de 12 h à 15 h et de 20 h à minuit (dernière commande à 22 h 45). Fermé le dimanche soir, le lundi et le mardi midi. Pour le soir, réserver impérativement. Congés annuels : en août. Le midi en semaine, menu à 12,70 € ; sinon, compter de 25 à 35 € à la carte. L'un des meilleurs restos antillais de Paris. Le midi, un menu avec quart de vin compris (pas totalement antillais). À la carte, choix important. Bons acras de morue. Pour les plats, choix de crabe farci, *touffée* de requin, *colombo* de porc. En dessert, blanc-manger ou glace au gingembre, entre autres. Pour les amateurs, le punch, bien sûr ; pour les autres, l'eau Didier, importée de Martinique (pas plus chère pour autant). Agréable musique caraïbe. Service d'une extrême gentillesse. Acras de morue offerts à nos lecteurs sur présentation de ce guide.

Chez Clément *(plan C1, 24)* : 106, bd du Montparnasse, 75014. ☎ 01-44-10-54-00. Ⓜ Vavin. Service en continu tous les jours jusqu'à 1 h. Formule rôtisserie (entrée + plat ou plat + dessert) à 15,90 € servie midi et soir. Carte autour de 27 €. Coincé entre deux mastodontes, la *Brasserie du Dôme* et *La Coupole,* notre bon *Clément* a su trouver rapidement sa clientèle. Voir le texte *Chez Clément* dans le 17e arrondissement.

Swann et Vincent *(plan C2, 48)* : 22, pl. Denfert-Rochereau, 75014. ☎ 01-43-21-22-59. Ⓜ et RER B : Denfert-Rochereau. Ouvert tous les jours de 12 h à 14 h 30 et de 19 h 15 à 23 h 30. Réservation indispensable le soir. Formule à 14,50 € le midi ; carte autour de 30 €, boisson en sus. Ce 2e établissement (voir aussi *Swann et Vincent* dans le 12e) s'inscrit dans la lignée du précédent : les parfums d'huile d'olive nous envoient directement les papilles en Italie. Tout est bon, frais et copieux. Intéressante formule déjeuner. Beaucoup plus cher, en revanche, le soir à la carte. Kir offert à nos lecteurs sur présentation de ce guide.

Les Tontons *(plan B2, 37)* : 38, rue Raymond-Losserand, 75014. ☎ 01-43-21-69-45. Ⓜ Gaîté ou Pernety. Ouvert de 12 h à 14 h 30 et de 19 h 45 à 23 h. Fermé les dimanche et lundi. Congés annuels : 15 jours mi-août. Le midi, formule à 12 €. À la carte, compter entre 20 et 28 €. Le midi, on entre dans ce bistrot des années 1920 (un authentique café-charbon) pour manger une blanquette ou une belle côte de bœuf au sel de Guérande, sur un coin de table, en jetant juste un œil en passant au bar, l'autre étant déjà occupé à lire l'ardoise du jour. Le soir, l'atmosphère change. Lumières tamisées, conversations plus détendues, on prend le temps d'admirer les panneaux de mosaïque en pâte de verre, on lorgne le tartare du voisin pour savoir lequel on va choisir sur la dizaine proposée à la carte, entre 12 et

16,50 €. Si le chef, un des quatre « tontons » associés au renouveau de ce bistrot d'angle, passe par là, il vous conseillera plutôt de goûter aux tagliatelles d'écrevisses au velouté de poisson, car cet ancien saucier de chez *Robuchon* s'amuse en cuisine, improvisant selon l'humeur et le marché. Digestif maison offert à nos lecteurs sur présentation de ce guide.

|●| ***L'Entrepôt** (plan B2, **52**) :* 7-9, rue Francis-de-Pressensé, 75014. ☎ 01-45-40-07-50. Ⓜ Pernety. ♿ Service de 12 h à 14 h 30 et de 19 h 30 à 23 h 30 pour la restauration. Le bar est ouvert jusqu'à minuit (1 h le week-end). Plats de 12 à 15 €. Formule ciné-resto ou ciné-concert à 22 €, menu complet à 26 €. Brunch le dimanche. L'endroit, créé par Frédéric Mitterrand il y a plus d'un quart de siècle, reste parfait pour terminer une soirée après une séance dans la salle de ciné attenante, ou après un concert (le week-end), d'autant qu'on vous propose même des formules adaptées ! N'hésitez pas non plus à pousser la porte pour bavarder au bar ou à vous installer résolument dans la salle de resto, sorte de petit hangar douillet aux couleurs vives et chaleureuses, ouverte sur la cuisine et sur la cour arborée (extra aux beaux jours). Et lorsque vous vous en serez mis plein les mirettes, ce sera le tour de votre assiette, où les produits, copieusement servis et goûteux, satisferont aussi bien les végétariens, avec quelques plats à leur intention, que les insatiables omnivores (la viande et le poisson sont aussi choisis avec attention). Côté vin, un bon point : la carte est réduite mais s'adapte à tous les budgets, avec quelques propositions au verre. Café offert à nos lecteurs sur présentation de ce guide.

Plus chic

|●| ***Natacha** (plan C1, **49**) :* 17 bis, rue Campagne-Première, 75014. ☎ 01-43-20-79-27. Ⓜ Raspail. Service de 12 h à 14 h 30 et de 19 h 30 à 23 h 30. Fermé les dimanche et lundi. Congés annuels : 1 semaine en août. Le midi, intelligentes formules à 19 et 26 €, et demi de bon rouge à prix fort modéré. À la carte, compter 40 € boisson comprise. C'est d'abord un cadre confortable et chaleureux, où coexistent banquettes de velours rouge et tableaux modernes. Clientèle plutôt hommes d'affaires, stylistes et éditeurs le midi, plus branchée le soir. Dans tous les cas, réserver, car le jeune chef aux commandes de cette vénérable maison a de nombreux admirateurs. Cuisine classique, mais des recettes totalement dépoussiérées et réinterprétées avec brio. Ça donne ce succulent pressé d'escargots et sa petite salade parfumée, un hachis Parmentier qui acquiert ici ses lettres de noblesse, ou une soupe froide de concombre au Sainte-Maure en été.

|●| ***L'Auberge de Venise*** *(plan C1,* ***29****) :* 10, rue Delambre, 75014. ☎ 01-43-35-43-09. Ⓜ Vavin. Service de 12 h à 15 h et de 19 h à 23 h. Menu à 18 € midi et soir. Compter autour de 35 € à la carte. Si Montparnasse n'offre plus les attraits d'antan, ses cinémas et aussi une poignée de bonnes tables font qu'on peut encore, avec plaisir, s'amuser à y jouer les Montparnos d'un soir. Parmi celles-ci, cette auberge italienne au décor inspiré par la cité des doges. Côté cuisine, on trouve les grands classiques de la cuisine péninsulaire : la carte ne recèle aucune surprise, mais qu'à cela ne tienne, chaque flot est parfaitement maîtrisé et équilibré. Éditeurs et gens du spectacle y viennent en amis plus qu'en voisins. L'adage « selon que vous soyez puissant ou misérable » n'a pas cours ici : l'accueil souriant est le même pour tous et le service itou.

|●| ***La Régalade*** *(plan B3,* ***30****) :* 49, av. Jean-Moulin, 75014. ☎ 01-45-45-68-58. Ⓜ Alésia ou Porte-d'Orléans. Service de 12 h à 14 h et de 19 h à 23 h. Fermé les samedi, dimanche et lundi midi. Congés annuels : en août et 1 semaine à Noël. Menu-carte unique à 30 €. Menu dégustation à 42 €. Aux marches du 14e, près des houleux maréchaux et de la future ligne de tram, Bruno Doucet a repris cette remarquable adresse, lancée par le célèbre Camdeborde. Le décor (jolie salle rétro), l'équipe, les fournisseurs (d'authentiques produits béarnais) et quelques plats phares restent inchangés. Malgré tout, ce jeune chef talentueux (formé chez *Apicius*) et ambitieux a su relever le défi et instiller intelligemment, et à doses homéopathiques, quelques changements dans la carte, fort bien venus. Les classiques béarnais côtoient désormais une cuisine de marché créative, à base de produits de saison (gibier, champignons, asperges, etc.). Consulter l'étonnante carte des vins à prix d'amis. Le succès est, plus que jamais, au rendez-vous, et il est fortement conseillé de réserver. Café offert à nos lecteurs sur présentation de ce guide.

|●| ***Monsieur Lapin*** *(plan B1,* ***44****) :* 11, rue Raymond-Losserand, 75014. ☎ 01-43-20-21-39. Ⓜ Gaîté, Pernety ou Montparnasse-Bienvenüe. Service de 12 h à 14 h et de 19 h 30 à 22 h. Fermé le lundi. Congés annuels : en août. Menu-carte à 32 € ; menu dégustation à 49 €, à l'humeur du chef. Cadre particulièrement coquet et chaleureux, avec une dominante rose fanée d'automne. Si vous réservez, évitez de poser un lapin, il y en a déjà plein le décor. Cuisine très raffinée, déclinant bien entendu, et avec talent, les meilleures recettes de lapin : émincé de lapin à l'estragon, lapin sauté aux citrons confits, croustillant de..., etc. Mais vous trouverez également du carré d'agneau rôti ou un tendre filet de bœuf et son escalope de foie gras (et 3 ou 4 plats de poisson). Hors-d'œuvre goûteux, aux assem-

blages et parfums bien choisis, comme cette petite marmite d'huîtres au champagne. Quant aux desserts, ils se révèlent aériens (île flottante légère et nuageuse...). Fort bonne sélection de vins, notamment des graves de 1998 déjà superbement ouverts. Service parfait.

Bistrot du Dôme *(plan C1, **31**)* : 1, rue Delambre, 75014. ☎ 01-43-35-32-00. Ⓜ Vavin. Ouvert de 12 h 15 à 14 h 30 et de 19 h 30 à 23 h. Fermé les dimanche et lundi en août. Repas complet pour 37 € sans la boisson. L'annexe bistrotière de la célèbre brasserie de Montparnasse. La marée y est en pleine forme, la carte des vins sans houle. Le service, qui ne sort pas de la flibuste, vous laisse le temps de respirer avant de monter à l'abordage, carte en main. Moules au curry, turbotin béarnaise, tartare de saumon, solettes meunière... expriment la même savoureuse franchise que celle qui nous émeut tant à la table d'un cabanon des bords de mer.

La Coupole *(plan C1, **32**)* : 102, bd du Montparnasse, 75014. ☎ 01-43-20-14-20. Ⓜ Vavin. Ouvert tous les jours de 8 h (8 h 30 les samedi et dimanche) à 10 h 30 pour le petit dej' ; pour la brasserie, possibilité de commander à la carte à partir de 11 h 30, dernière commande à 1 h (1 h 30 les vendredi et samedi). Menu à 24,50 € le midi et après 22 h 30 ; autre menu à 34,50 €. À la carte, compter autour de 45 €. C'est l'un des derniers dinosaures de Montparnasse. Gigantesque « hall de gare » ; c'est le plus grand resto, en surface, de France. *La Coupole* a vu le jour en 1927 dans un dépôt de bois et charbon. Dès sa naissance, l'endroit était fréquenté par les artistes : Chagall, Man Ray, Soutine, Joséphine Baker et son lionceau. C'est là qu'Aragon rencontra Elsa, que le modèle Youki quitta Foujita pour Robert Desnos, lui-même en rupture avec Breton sur le surréalisme... Impossible d'établir une liste exhaustive de tous ceux qui fréquentèrent *La Coupole* : Hemingway, Lawrence Durrell, Henry Miller, Buñuel, Dalí, Picasso, Artaud, Colette, Simone de Beauvoir, etc. Quant à la décoration, elle n'a pas changé : style Art déco original, colonnes surmontées de fresques, carrelage cubiste. *La Coupole* est aujourd'hui l'une des plus grandes « cantines » parisiennes. Elle appartient depuis 1998 à Jean-Paul Bücher, le patron du groupe *Flo*. Les 33 célèbres piliers ont retrouvé leur couleur verte d'origine et les toiles des piliers ont récupéré leurs pimpantes couleurs à l'occasion du 70e anniversaire de ce lieu mythique qui en aura bientôt 80 (en 2007). Le bar a également retrouvé sa place, dans l'axe de la salle. Le dancing a été préservé aussi. Il fonctionne le week-end en soirée ; fiestas cubaines le mardi soir. Quant à la cuisine : continuité et innovation avec le savoir-faire et les recettes du groupe *Flo*. On y déguste toujours le célèbre curry, ainsi que le non moins célèbre *hot fudge* (glace et chocolat chaud aux amandes). Pourtant, ces changements ont bien écorné l'atmosphère. Apéritif maison offert à nos lecteurs sur présentation de ce guide.

|●| ***L'Amuse-Bouche*** *(plan C2,* ***34****)* **:** 186, rue du Château, 75014. ☎ 01-43-35-31-61. Ⓜ Mouton-Duvernet. ♿ Service de 12 h à 14 h et de 19 h 30 à 22 h 15. Fermé les dimanche et lundi. Congés annuels : en août. Menu-carte à 31 €; plats à 17,50 €. Gilles Lambert, ancien de chez *Cagna* et du *Miravile,* joue du piano avec un art consommé. Pour preuve, son menu-carte avec, par exemple, des ravioles de langoustines à l'estragon ou des joues de porc au gingembre et citron. En dessert, nougatine glacée aux noix et pruneaux.

|●| ***Vin et Marée*** *(plan B1,* ***36****)* **:** 108, av. du Maine, 75014. ☎ 01-43-20-29-50. Ⓜ Gaîté. ♿ Ouvert tous les jours jusqu'à 23 h 30. L'adresse est réputée : pensez à réserver. Prévoir un minimum de 40 € pour un repas à la carte sans la boisson. Ici, vous n'aurez que du poisson, rien que du poisson, servi en terrasse couverte ou à l'intérieur, dans un cadre cossu (longues et moelleuses banquettes de velours rouge et grande fresque exaltant l'exubérance des Indes). Une grande ardoise sur laquelle vous découvrirez le plat du jour et les idées du chef. Poisson à la cuisson parfaite, préparé et servi avec une rigueur très professionnelle. Quelques plats appréciés, dont le steak de thon et les solettes de sable. Sélection de vins intéressante, avec quelques propositions au verre. Desserts pas en reste avec, en vedette incontestée, le baba de Zanzibar. En prime, un service vraiment souriant qui change des habituelles brasseries.

|●| ***Il Barone*** *(plan C1,* ***39****)* **:** 5, rue Léopold-Robert, 75014. ☎ 01-43-20-87-14. Ⓜ Vavin. Ouvert midi et soir, sauf le dimanche. Compter de 35 à 40 € environ sans la boisson. Un petit restaurant aux spécialités italiennes sans façons. Ne vous inquiétez pas en entrant : la première salle est minuscule, demandez plutôt à être placé dans celle du fond. On ne vient pas ici pour le décor (simple), mais pour satisfaire ses papilles : bon choix d'*antipasti,* et les plats de *pasta* (grande variété) sont délicieux. Dommage que l'accueil ne soit pas toujours des plus chaleureux.

|●| ***Les Vendanges*** *(plan B3,* ***41****)* **:** 40, rue Friant, 75014. ☎ 01-45-39-59-98. Ⓜ Porte-d'Orléans. Service de 12 h à 15 h et de 19 h 30 à 22 h 30. Fermé les samedi (sauf le soir en novembre, décembre et janvier) et dimanche. Congés annuels : du 14 juillet au 15 août et du 24 décembre au 3 janvier. Formule entrée + plat ou plat + dessert à 25 € midi et soir; menu-carte à 35 €. Ceps, grappes, peintures de vignes et de châteaux au pochoir servent de plaisante toile de fond à ce restaurant d'angle. Question de se sentir vite à l'aise, comme si on venait déjeuner ou dîner en plein vignoble, dans une auberge un peu hors du temps, au milieu d'ha-

bitués amoureux de la bonne chère et peu portés sur l'eau de source. Pas de doute, ici on retrouve l'ambiance des vendanges toute l'année. Accueil et service très professionnels, et bonne cuisine de tradition et de saison, sérieuse et plaisante à la fois, que l'on découvre à travers un répertoire classique bien dépoussiéré. Enfin – « vendanges » oblige – ne passez pas à côté de la pléthorique carte des vins. Celle-ci comporte d'ailleurs de nombreuses demi-bouteilles de très bons crus et des vins au verre intelligemment sélectionnés.

I●I *La Cagouille* *(plan B1,* ***46****)* **:** 10, pl. Constantin-Brancusi, 75014. ☎ 01-43-22-09-01. Ⓜ Gaîté. ♿ Service de 12 h à 14 h et de 19 h 30 à 22 h 30. Deux formules, l'une à 26 € avec entrée + plat ou plat + dessert, et l'autre à 42 € avec entrée + plat + dessert, café et vin compris ; et à la carte, qui change midi et soir selon l'arrivage et la saison, compter de 35 à 40 € sans la boisson. Rien que du poisson, et du bon : moules de bouchot, tournedos de thon rouge au lard fumé... tout ça à déguster en salle ou sur la terrasse bien tranquille, quand le temps le permet. Et un bon choix de vins autour de 18 € pour accompagner tout ça. Réservation conseillée. Apéritif maison ou café offert à nos lecteurs sur présentation de ce guide.

Bar à vin

I●I 🍷 *Le Vin des Rues* *(plan C2,* ***60****)* **:** 21, rue Boulard, 75014. ☎ 01-43-22-19-78. Ⓜ Denfert-Rochereau ou Mouton-Duvernet. Service de 12 h à 15 h et de 19 h 30 à 23 h. Fermé le dimanche midi. Pas de menu, compter au minimum 25 € sans la boisson ; plats de 15 à 20 €, assiettes de charcuterie (12 €) ou de fromage (10 €). Il est de ces endroits inclassables où l'on ne sait plus trop qui mène la danse, du patron ou des clients... Au *Vin des Rues,* les habitués sont chez eux. On s'y retrouve entre voisins pour une cuisine lyonnaise et de terroir consistante et bien ficelée, avec en fer de lance les classiques andouillettes ou l'entrecôte de salers à la fourme d'Ambert. Le jeudi soir, c'est carrément la grand-messe ! Précédée de son accordéon, Dany entre en scène escortée par Nini ou Jean, voire les deux à la fois, pour un récital haut en couleur qui fleure bon les années Boudard. Les banquettes de moleskine refusent du monde, et toute l'assemblée de reprendre en chœur les ritournelles d'antan. Il y a monsieur Henri qui entraîne les belles dans la ronde, le portraitiste discret dont les croquis bien vus tapissent les murs, et la vieille garde agrippée au comptoir. Apéritif maison offert à nos lecteurs sur présentation de ce guide.

Où boire un verre?

Les Crus du Soleil *(plan B2, 73)* **:** 146, rue du Château, 75014. ☎ 01-45-39-78-99. Ⓜ Pernety. Ouvert de 10 h à 13 h et de 15 h 30 à 20 h 30 (22 h 30 les jeudi et vendredi). Fermé le dimanche. Un bar à vin d'un genre un peu particulier, puisqu'il s'agit avant tout d'un caviste spécialisé dans les vins et produits du Languedoc-Roussillon. Dans le prolongement de la boutique, une table d'hôtes et des bancs où sont proposés, à la bonne franquette, des apéro-dînatoires. Le principe : choisir une bouteille en rayon et les charcuteries pour l'accompagner (pain fourni). Le tout étant, alors, facturé au prix cave. Les jeudi et vendredi, différentes formules d'assiettes. Dur de repartir à la fermeture, mais la soirée ne fait que commencer! *NOUVEAUTÉ.*

Le Tournesol *(plan C1, **76**)* **:** 9, rue de la Gaîté, 75014. ☎ 01-43-27-65-72. Ⓜ Edgar-Quinet. Ouvert tous les soirs jusqu'à 2 h. Bière à 2,50 €, whisky à 5,40 € en salle. Un peu de couleur et de vraie vie dans le blafard « sex-shopisé » de la rue de la Gaîté, avec ce café monté par la bande de *La Fourmi* à Pigalle. Au programme : déco moitié *destroy* moitié *comic-strip,* régime de croisière de comptoir parigot (mousse pression, ballon de rouge, cocktail tendance, tartines, hamburgers, salades, entrecôtes) et sympathique brassage de « nuitards » visiblement ravis d'avoir enfin trouvé dans le quartier un *spot* où retrouver leurs compagnons de coudée.

Magique *(plan B2, **72**)* **:** 42, rue de Gergovie, 75014. ☎ 01-45-42-26-10. Ⓜ Pernety ou Plaisance. Ouvert de 20 h à 2 h. Fermé les lundi et mardi. Congés annuels : en août. Consommations à partir de 3 € environ. Plusieurs années déjà que Marc Havet interprète ses chansons les vendredi et samedi dans ce café-concert à l'ambiance chaleureuse. Bouteilles et verres traînent sur le piano autour duquel le public, la trentaine bien dans sa peau, papote gentiment. Spectacle à 22 h 30 (21 h 30 en semaine). Chanson les mercredi, jeudi, vendredi et samedi. Cartes de paiement refusées.

Le Rosebud *(plan C1, **71**)* **:** 11 bis, rue Delambre, 75014. ☎ 01-43-35-38-54. Ⓜ Vavin ou Edgar-Quinet. Ouvert tous les jours de 19 h à 2 h. Congés annuels : en août. Restauration à la carte uniquement : compter 20 € environ. Dans les années 1950, Jean-Paul Sartre et la bande de Montparnasse venaient souvent y prendre un verre. Ce bar, au cadre 1930 joliment agencé, accueille aujourd'hui une clientèle d'artistes-peintres, d'écrivains et de journalistes. Les tables de style bistrot baignent dans une douce pénombre, propice aux confidences. L'endroit est idéal pour souffler après une journée mouvementée. Le bar en L rend possible les face-à-face entre les consommateurs. Les serveurs aux cheveux grisonnants n'ont pas leur pareil pour concocter d'excellents cocktails : commandez un bloody mary (11 €) et vous comprendrez ! Et n'oubliez pas le tartare, mythique lui aussi.

🍸 ***Le Dôme*** *(plan C1, **70**)* **:** 108, bd du Montparnasse, 75014. ☎ 01-43-35-25-81. Ⓜ Vavin. Ouvert de 12 h à 15 h et de 19 h à 0 h 15. Fermé les dimanche et lundi en août. Compter 80 € pour un repas. Terrasse agréable, lampes Tiffany, chaises en osier, plantes vertes. Décor signé Slavik à tous les coups. Aux murs, intéressante collection de photos rappelant la grande époque et sa faune d'alors. C'est le plus touristique et le plus chicos des grands cafés de Montparnasse. Jean-Paul Sartre aimait y venir l'après-midi. Et dans l'assiette, poisson et fruits de mer.

🍸 ***Backstage Café*** *(plan C1, **77**)* **:** 31, rue de la Gaîté, 75014. ☎ 01-43-20-68-59. Ⓜ Gaîté ou Edgar-Quinet. Service continu de 12 h à 15 h et de 18 h à minuit (fermeture du bar à 2 h). Fermé le dimanche. Menus de 11 à 18 €. Cocktails à 8 €. Soyons clairs, on vient ici pour les cocktails. Un cadre violet, un nom à la mode, petits salons à l'ambiance bobo comme il en existe actuellement beaucoup à Paris, mais où l'on ne regrette pas d'être allé. Fini les cocktails à 10 € imbuvables ! Xavier, au bar, compose sur votre demande, avec les parfums ou alcools que vous aimez... Possibilité d'y manger une cuisine agréable qui a le mérite d'être servie jusqu'à minuit : pressé de chèvre frais et tomates confites, planche de bœuf grillé, *Backstage burger* au foie gras... Café offert à nos lecteurs sur présentation de ce guide.

15e ARRONDISSEMENT

Où manger ?

Bon marché

|●| ***Au Roi du Café*** *(plan C2, **2**)* **:** 59, rue Lecourbe, 75015. ☎ 01-47-34-48-50. Ⓜ Volontaires ou Sèvres-Lecourbe. Ouvert tous les jours de 7 h (9 h 30 le dimanche) à 2 h ; service de 11 h à 23 h. Menu à 11,80 €. Le roi du quartier, aussi, dans son genre. On vient là pour avaler un plat du jour sur un coin de marbre, assis, mélancolique, à une petite table datant, comme le zinc, du début du XXe siècle. La petite salle du fond, entièrement rénovée, a également conservé tout son charme avec son style Art déco. Assiettes très généreuses et cuisine traditionnelle de bon augure. Service stylé dans la pure tradition bistrotière, évidemment. On adore...

|●| ***Blue Buoï*** *(plan D2, **1**)* **:** 50, bd de Vaugirard, 75015. ☎ 01-43-20-79-90. Ⓜ Montparnasse-Bienvenüe (sortie « place Bienvenüe ») ou Pasteur. ♿ Wi-fi. Ouvert tous les jours de 7 h à 1 h (fin de service à 23 h). Formule à 11,50 € le midi en semaine ; à la carte, compter 15 €. À deux encablures de la gare Montparnasse, voilà une bonne halte pour manger sur le pouce des assiettes gourmandes, complètes et copieuses. Un plus pour l'assiette *Blue Buoï* et son assortiment de *samoussas* croustillants. Service diligent du personnel au doux sourire asiatique. Pour info, le *Blue Buoï* est un cocktail américano-vietnamien servi sur place. Expos photos, peintures, etc.

|●| ***Feyrouz*** *(plan B1, **7**)* **:** 8, rue de Lourmel, 75015. ☎ 01-45-78-07-02. Ⓜ Dupleix. Ouvert tous les jours de 7 h à 2 h. Sandwichs entre 3 et 4,30 €. On va dans ce resto libanais pour sa partie traiteur et pour ses sandwichs (au poulet, bœuf, foie de veau...) qui sont peu chers, comme on dit à Marseille, et si délicieux, comme on dit dans le 15e. Et vous allez aussi craquer pour les *mezze* étalés devant vos yeux. Si vous avez un creux, c'est le moment... Vins du pays et *arak*. Juste à côté, la même maison, cette fois consacrée au poisson sous toutes ses formes, à choisir sur place et accompagné de *mezze*. Bon marché.

|●| ***Aux Artistes*** *(plan D2, **5**)* **:** 63, rue Falguière, 75015. ☎ 01-43-22-05-39. Ⓜ Pasteur ou Falguière. Service de 12 h à 14 h 30 et de

19 h 30 à minuit. Fermé les samedi midi et dimanche. Congés annuels : en août et pour les fêtes de fin d'année. Formule du midi à 10 € avec entrée + plat avec frites ou salade, ou plat + dessert ; menu à 13 € servi midi et soir. Ce resto est un cas. Modigliani et Foujita y venaient au temps de la Cité des artistes. On y avait mangé dans les années 1970 ; eh bien ! l'atmosphère et le décor sont toujours les mêmes. Affiches et objets colorés partout. Clientèle très mélangée : étudiants, habitants du quartier et vieux de la vieille, mangeant dans une ambiance bruyante et enfumée, au coude à coude. Des plats bien franchouillards et de bonne facture, comme le boudin noir, les tripes à la mode de Caen, le bourguignon... Les soirs de week-end, aux heures cruciales, pas mal d'attente, mais le kir est bien bon au comptoir. Hors-d'œuvre copieux, bonne terrine et pas moins de 4 façons d'accommoder votre steak. En dessert, le « Rêve de jeune fille » est une surprise de la maison. En prime, le service est

Où manger ?

1 Blue Buoï
2 Au Roi du Café
3 Le Bistrot d'André
4 Erawan
5 Aux Artistes
6 La Petite Bretagne, Chez César
7 Feyrouz
8 Le Garibaldi
10 Au Dernier Métro
11 Chez Charles-Victor
12 La Cabane à Huîtres
13 Le Bec Rouge
14 Le Numide
16 Om' Zaki
17 Le Dirigeable
18 Le Triporteur
19 Sawadee
21 Le Bistrot d'Hélène
22 Uîtr
23 Banani
24 La Gitane
27 La Petite Auberge
28 Chez Clément
31 Kushiken
32 Le Bistro d'Hubert
33 Je Thé...me
34 L'Heure Gourmande
35 Tropic Beaugrenelle
36 L'Étape
37 Le Bordj du 15e
38 Le Bélisaire
39 L'Ami Marcel
40 Le Volant
41 Le Cap
42 Le Sept-Quinze
43 Le Troquet
44 L'Épopée
45 La Villa Coloniale
46 L'Os à Moelle
47 Le Pétel
48 Casa Alcalde
49 Swann et Vincent
50 Restaurant Stéphane Martin
52 Beurre Noisette
53 La Cave de l'Os à Moelle

Bars à vin

55 Le Saint-Vincent
56 Le Casier à Vin
57 Couleurs de Vigne

Salon de thé

60 L'Infinithé

Où boire un verre ?

61 Aviatic Bar
62 Le Bréguet

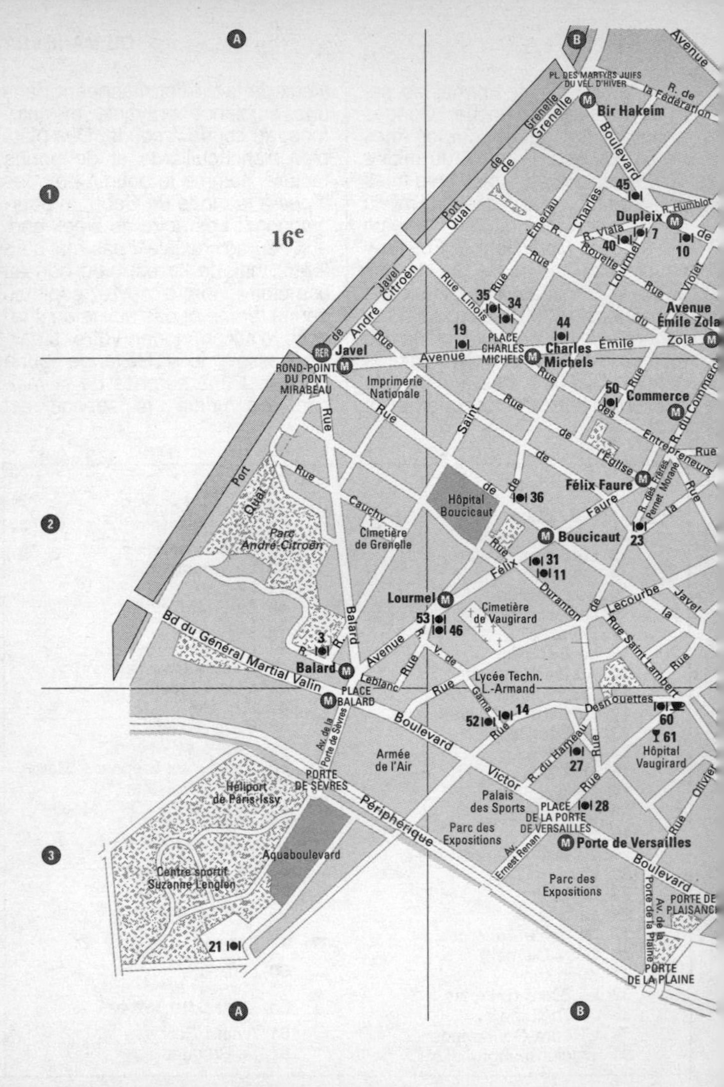

16e
15e
PL. DES MARTYRS JUIFS DU VÉL. D'HIVER
Bir Hakeim
R. de la Fédération
Quai de Grenelle
Port de Grenelle
Boulevard
45
R. Humblot
Dupleix
R. Viala
40
7
10
Rue Rouelle
Lourmel
Émeriau
Charles
Rue Linois
35
34
44
19
Avenue Émile Zola
Javel
Quai André Citroën
Port de Javel
Rue
PLACE CHARLES MICHELS
Charles Michels
Avenue Émile Zola
ROND-POINT DU PONT MIRABEAU
Imprimerie Nationale
50
Commerce
R. du Commerce
Rue des Entrepreneurs
Rue de l'Église
Félix Faure
R. des Frères Pernet Morane
Rue Saint Charles
Hôpital Boucicaut
36
Rue Cauchy
Parc André-Citroën
Cimetière de Grenelle
Boucicaut
23
31
11
Rue Félix Faure
Rue Duranton
Lourmel
53
46
Cimetière de Vaugirard
Rue Lecourbe
Rue de la Convention
Rue Saint Lambert
3
R. Balard
Balard
Avenue Félix Faure
Bd du Général Martial Valin
Leblanc
Rue Vasco de Gama
Lycée Techn. L.-Armand
PLACE BALARD
Av. de la Porte de Sèvres
52
14
Rue Desnouettes
60
61
Hôpital Vaugirard
Boulevard Victor
R. du Hameau
27
Armée de l'Air
PORTE DE SÈVRES
Héliport de Paris-Issy
Palais des Sports
PLACE DE LA PORTE DE VERSAILLES
28
Rue Olivier
Périphérique
Parc des Expositions
Av. Ernest Renan
Porte de Versailles
Aquaboulevard
Centre sportif Suzanne Lenglen
Boulevard
Parc des Expositions
PORTE DE PLAISANCE
Av. de la Porte de la Plaine
21
PORTE DE LA PLAINE

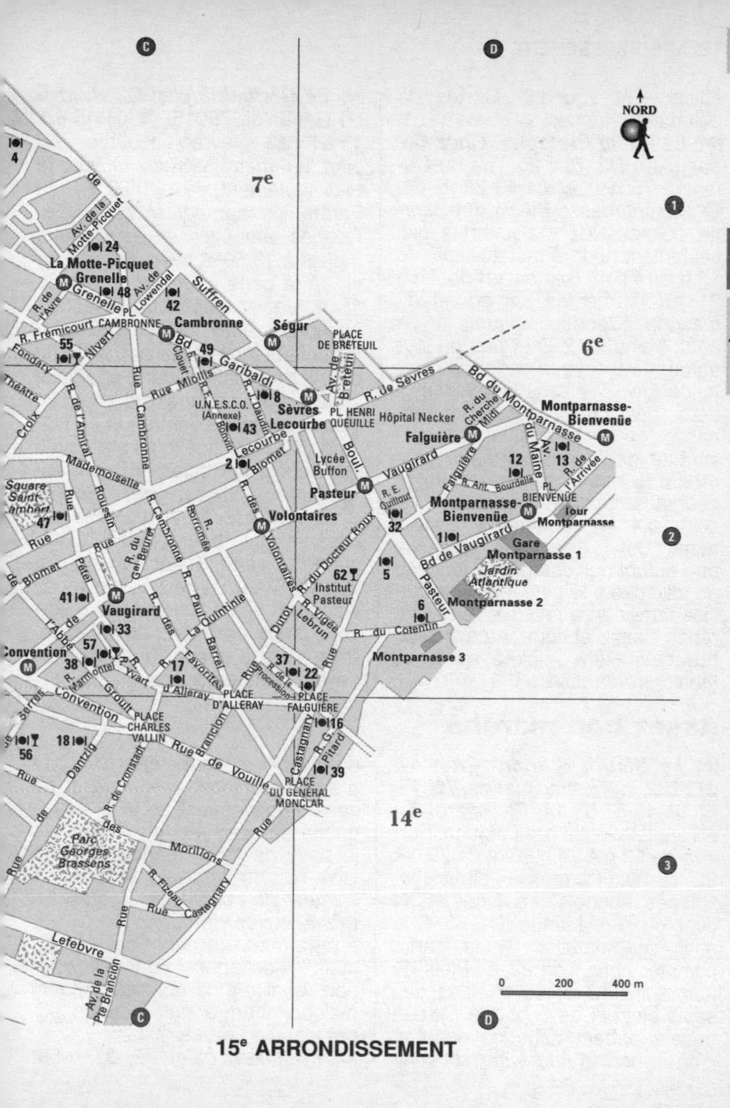

15e ARRONDISSEMENT

efficace et souriant. Cartes de paiement refusées.

La Petite Bretagne, Chez César *(plan D2, 6)* : 20, rue du Cotentin, 75015. ☎ 01-43-20-96-66. Ⓜ Montparnasse-Bienvenüe (sortie « Gare SNCF »). Ouvert le midi seulement pour la restauration, de 12 h à 14 h 45 (bar ouvert de 7 h à 21 h). Fermé les samedi et dimanche. Congés annuels : en août. Menu à 12 € et plat du jour autour de 9 € ; à la carte, compter autour de 15 € sans la boisson. À deux pas de la gare Montparnasse, ce petit caboulot à la devanture gentiment balnéaire peut rendre le même service au voyageur affamé qu'aux employés du coin, qui le fréquentent assidûment. Servi avec une efficacité bon enfant sur des tables tendues de toile cirée, le petit menu de cuisine familiale se révèle être un vrai repas simple et correct (cassoulet, bœuf à la bière...). L'été, quelques tables en terrasse.

Le Garibaldi *(plan C2, 8)* : 58, bd Garibaldi, 75015. ☎ 01-45-67-15-61. Ⓜ Sèvres-Lecourbe. Au pied du métro aérien. Ouvert le midi seulement, de 11 h 30 à 15 h. Fermé les samedi et dimanche. Congés annuels : en août. Menu 3 plats à 13,50 € avec un quart de vin. À la carte, compter autour de 15 €. Jadis, c'était un restaurant ouvrier. Aujourd'hui, les employés, les cols blancs et les habitants du quartier s'installent dans une salle toute simple et sans fard, avec un vieux comptoir à l'entrée et un plafond 1900. Cuisine sans prétention qui nourrit correctement son travailleur et à prix sympas, à l'image du décor. Museau vinaigrette, crudités, bœuf bourguignon, blanquette de veau. Service souriant et rapide. Coup de feu à l'heure du déjeuner, il est prudent de réserver. Quelques tables en terrasse. Café offert à nos lecteurs sur présentation de ce guide.

Assez bon marché

Le Bistrot d'André *(plan A2, 3)* : 232, rue Saint-Charles, 75015. ☎ 01-45-57-89-14. Ⓜ Balard. ♿ À l'angle avec la rue Leblanc. Service de 12 h à 14 h 30 et de 20 h à 22 h 30. Fermé le dimanche. Congés annuels : à Noël et au Jour de l'an. Menu à 13,50 € le midi en semaine. À la carte, compter autour de 22 €. Plats du jour entre 12 et 15 €. L'un des seuls bistrots de l'époque Citroën encore debout dans ce quartier, d'où le nom d'*André*, en souvenir du célèbre constructeur. Des prix d'avant-guerre pour le magret de canard poêlé sauce au miel, les rognons de veau aux champignons, le pavé de turbot sauce oseille... Une cuisine familiale telle qu'on l'aime. Un bon petit côtes-du-rhône, cuvée de la maison. Et régulièrement, un choix de vins du mois sélectionnés pour leur rapport qualité-prix optimal. Apéritif maison offert à nos lecteurs sur présentation de ce guide.

Kushiken *(plan B2, 31)* : 59,

av. Félix-Faure, 75015. ☎ 01-45-54-56-32. Ⓜ Boucicaut. Service jusqu'à 22 h 30. Fermé le dimanche et le lundi midi. Menus à 12,50 et 20,60 €. Les années n'ont pas de prise sur ce japonais installé sur l'avenue depuis des lustres et fréquenté assidûment par les habitants et les employés du quartier. La carte reste immuable, tout comme le service. Seuls les prix bougent tout doucement au fil des ans (mais si peu!). Le choix fort simple se fait entre les menus *makis, yakitoris* (brochettes de poulet) ou *ramodon* (brochettes de canard) et le menu *robata* (brochettes de fruits de mer et poisson). Dans l'un, il y a même de l'anguille.

I●I ***Om' Zaki*** *(plan D3,* ***16****)* ***:*** 76, rue de la Procession, 75015. ☎ 01-56-58-08-82. Ⓜ Volontaires. Ouvert du lundi au samedi soir. Le midi, assiette à 9 € ou formule à 11 € avec entrée + plat ou plat + dessert; « menu Zaki » à 19 €; *mezze* pour deux à 30 €; grillades entre 10 et 14 €. À un carrefour tranquille de ce quartier plus que calme, un petit refuge de chaleur et de convivialité, animé par toute une famille : un fils avec la mère aux fourneaux et la fille en salle, tout sourire. L'ambiance ne peut être qu'orientale : c'est la Palestine et la Syrie qui inspirent leur cuisine. *Mezze* chauds et froids avec des classiques comme les *kebbés* ou des surprises comme le *mouhamra* (poivrons rouges, noix et biscuits pilés ensemble), des grillades savoureuses aux multiples épices et des *baklavas* et des *mahalabyahs* (flan à la fleur d'oranger)... Le plus de l'été : la cour et sa tonnelle avec ces tons bleus venus de Méditerranée qui nous font voyager le temps d'une soirée.

I●I ***Au Dernier Métro*** *(plan B1,* ***10****)* ***:*** 70, bd de Grenelle, 75015. ☎ 01-45-75-01-23. Ⓜ Dupleix. Ouvert tous les jours de 6 h à 2 h pour le bar; cuisine en service continu de 11 h à 1 h. Menu à 17 €; plats autour de 10 €; à la carte, compter 25 € environ pour un repas complet; casse-croûte au pain Moisan à partir de 3,20 €. À première vue, ça ressemble plus à un pub irlandais qu'à un restaurant, mais une fois la porte passée, on trouve un mélange réussi qui en fait un sympathique bar-resto du coin de la rue. Une cuisine de bistrot classique, avec une nette influence du Sud-Ouest, un bar tout en longueur encombré d'habitués auxquels se joint une clientèle plus occasionnelle. Allez, tout le monde assis en rang d'oignons! Plein de vieilles pubs sur des plaques métalliques accrochées un peu partout. Les tartines Moisan des petits budgets côtoient sans façons les terrines de foie gras, le bœuf bourguignon ou le turbot à l'huile d'olive des grosses fringales. Arroser le tout d'une pinte de bière ou du vin du mois inscrit sur l'ardoise, à prix démocratiques. Quelques bons crus de café. Militants anti-tabac s'abstenir, ça va de soi! Sangria offerte à nos lecteurs sur présentation de ce guide.

🍽 ***La Cabane à Huîtres*** *(plan D2, **12**) :* 4, rue Antoine-Bourdelle, 75015. ☎ 01-45-49-47-27. Ⓜ Montparnasse-Bienvenüe. Ouvert du jeudi au samedi, midi et soir, et le dimanche midi. Menu à 18 €, tranche de foie gras au magret de canard fumé compris. Si cette *Cabane*-là n'ouvre qu'en fin de semaine, c'est que le reste du temps, le propriétaire se ravitaille directement dans son bassin natal, à Arcachon. Assis à l'une des quelques tables, entre les odeurs d'iode et l'accent chantant du patron qui ouvre ses délicieuses huîtres derrière le bar, on se croirait presque dans l'un des ports ostréicoles du Bassin. À goûter également : le fromage basque artisanal et les cannelés. La formule est simple mais efficace, et apporte une vraie bouffée d'air marin.

🍽 ***Tropic Beaugrenelle*** *(plan B1, **35**) :* 8, rue Beaugrenelle, 75015. ☎ 01-45-75-09-76. Ⓜ Charles-Michels. Service de 12 h à 15 h et de 19 h à 23 h. Fermé le dimanche. À midi, formules à 13 et 16 € ; le soir, menu à 22 €. La chaleur des Mauriciens est tenace, elle résiste même à la grisaille parisienne ! Et on vous garantit que, dans un nouveau décor coloré, la gentillesse de la patronne additionnée à quelques plats exotiques préparés avec attention vous feront rapidement oublier l'environnement des tours. En entrée, buffet à volonté, rien de très original, mais on garde un bon souvenir des *rougails* de poisson ou de poulet, ainsi que du curry d'agneau. Une petite adresse bien conviviale.

🍽 ***Chez Charles-Victor*** *(plan B2, **11**) :* 19, rue Duranton, 75015. ☎ 01-45-58-43-17. Ⓜ Boucicaut. Ouvert de 12 h à 14 h 30 et de 19 h 30 à 22 h 30. Fermé le samedi midi et le dimanche. Menus-carte avec entrée + plat ou plat + dessert à 15,50 €, ou 20,90 € pour le menu complet. Une adresse conviviale, à l'esprit bistrot contemporain, que l'on repère de loin dans cette petite rue. Même ambiance et même carte que chez le grand frère du même nom (voir *Chez Charles-Victor,* dans le 14e arrondissement). Ici aussi, coppa maison, rognons, steak de thon et tartare se disputent les faveurs des convives. Un bon rapport qualité-prix, en particulier le soir. *NOUVEAUTÉ.*

Prix moyens

🍽 ***La Cave de l'Os à Moelle*** *(plan B2, **53**) :* 181, rue de Lourmel, 75015. ☎ 01-45-57-28-28. Ⓜ Lourmel. Dernier service à 21 h 30. Fermé le lundi. Réservation nécessaire. Menu unique à 20 € avec buffet à volonté. En voilà une idée qu'elle est belle ! Après nous avoir séduits avec sa cuisine raffinée à prix très raisonnables, l'*Os à Moelle* remet ça juste en face en version table d'hôtes. Le principe, convivial, contribue déjà à la bonne ambiance du lieu : après une terrine et des crudités en entrée, chacun va se servir au fond de la salle, dans les casseroles qui mijotent sur le fourneau. Suivent fromages et un buffet de desserts. Le top, ce sont les vins à prix imbattables, qu'on choisit soi-même dans les casiers. Le soir, les grandes tablées sont très prisées, au 1er comme au 2e service. Normal, c'est un coup de cœur et une adresse insolite pour la capitale !

lol ***Le Volant*** *(plan B1,* ***40****) :* 13, rue Béatrix-Dussane, 75015. ☎ 01-45-75-27-67. Ⓜ Dupleix. ♿ Service de 12 h à 14 h 15 et de 19 h 45 à 23 h. Fermé le samedi midi, le dimanche et le lundi midi. Congés annuels : du 23 juillet au 20 août. Menu à 22,50 € au déjeuner, boisson comprise. À la carte, compter 30 €. Vu le décor, il n'est pas surprenant que le chef ait été pilote automobile. D'où le nom du resto. Par contre, qu'il ait 90 ans passés et soit toujours dans le circuit (entendez par là « en salle »), ça nous en a bouché un coin ! C'est au coude à coude qu'on goûte à une cuisine familiale où les plats mijotés, comme le sauté de veau ou le lapin, remportent un vif succès auprès d'une clientèle de quartier. Ici, c'est comme à la maison, et ça se ressent dans l'ambiance, chaleureuse et très bonne franquette.

lol ***Le Bec Rouge*** *(plan D2,* ***13****) :* 46 bis, bd du Montparnasse, 75015. ☎ 01-42-22-45-54. Ⓜ Montparnasse-Bienvenüe. ♿ Ouvert midi et soir jusqu'à 23 h 30. Congés annuels : à Noël. Formule déjeuner, vin compris, à 16 €, sauf les dimanche et jours fériés ; menus-carte à 20 et 24 €. Si le lieu évoque peu le pays des cigognes, avec son décor tout en bois, la cuisine se révèle résolument alsacienne, goûteuse et très copieuse. Quand on sait que la cuisine alsacienne tient bien au corps, on peut se partager certains plats comme la *flammeküeche,* qui est proposée en entrée. Équipe jeune et dynamique qui a su, en outre, instiller une belle atmosphère relax et conviviale. Côté plats : la tradition avec la choucroute (grand-mère ou de la mer), le *bibelakasse...* et les classiques : volaille fermière, pièce de bœuf au pinot noir. Le lundi, *baeckeoffe.* Le tout arrosé de bons petits vins à prix abordables. Apéritif maison offert à nos lecteurs sur présentation de ce guide.

lol ***Le Dirigeable*** *(plan C2,* ***17****) :* 37, rue d'Alleray, 75015. ☎ 01-45-32-01-54. Ⓜ Vaugirard. ♿ Service de 12 h à 14 h et de 20 h à 22 h 30 (23 h le week-end). Fermé les dimanche et lundi. Congés annuels : les 3 premières semaines d'août et entre Noël et le Jour de l'an. Menus à 16 et 19 € le midi ; le soir, compter 30 € pour un repas à la carte. Un vieux bistrot-resto parisien restauré sobrement et assez tendance. Vieux zinc à l'entrée pour boire un verre en attendant qu'une place se libère. À côté, une salle claire et lumineuse, des nappes et des serviettes en tissu, et des serveurs attentifs et aimables. On y mijote une cuisine française, basée sur le terroir et les provinces, et toujours imaginative. Le chef déborde d'idées. Les prix sont raisonnables pour la qualité proposée. *Le Dirigeable* se dirige comme il faut, c'est-à-dire avec goût et raison. Apéritif maison offert à nos lecteurs sur présentation de ce guide.

🍴 ***Le Triporteur*** *(plan C3,* ***18****)* **:** 4, rue de Dantzig, 75015. ☎ 01-45-32-82-40. Ⓜ Convention. Service de 12 h à 14 h et de 20 h à 22 h 30. Fermé les samedi midi et dimanche. Mieux vaut réserver. Congés annuels : 3 semaines en août. Menus à 13,50 et 16 € le midi ; le soir, à la carte uniquement, compter de 30 à 35 €. Un vieux triporteur posté comme une pièce de musée en surplomb de la porte retient l'attention du promeneur. Passé le gros rideau d'entrée, on s'installe à son aise dans cette grande salle divisée en deux parties (celle du fond est plus intime), aux teintes boisées et au décor de bric-à-brac recherché. Ici, pas de carte au sens classique, mais, sur de beaux tableaux noirs, des plats et des vins inscrits à la craie. Rien de banal dans cette cuisine qui se renouvelle de saison en saison : moules *a la plancha,* foie gras poêlé délicieusement accompagné d'un sorbet de poivron, un plus classique bar au fenouil bien tourné... Côté desserts, même souci de surprendre, et le délice au thym nous a charmés ! En plus, l'équipe assure un service rapide, sympathique et gourmand. Un resto qui mérite bien un petit détour !

🍴 ***Banani*** *(plan B2,* ***23****)* **:** 148, rue de la Croix-Nivert, 75015. ☎ 01-48-28-73-92. Ⓜ Félix-Faure. ♿ Service de 12 h à 14 h 30 et de 19 h 30 à 23 h. Fermé le dimanche midi. Menus à 10 et 16 € le midi, 26 € le soir. À la carte, compter de 25 à 30 €. À l'entrée, un Ganesh en or plante le décor : belle fresque de temple hindou, boiseries chaudes, lumières en demi-teintes et alcôves contribuent largement au charme de l'endroit. Dans l'assiette, toutes les saveurs indiennes sans chichis ni faux-semblant : de vraies épices savamment dosées, des *tandooris* extra-frais et tendres, des *byrianis* comme là-bas et d'excellents *massalas* ! Goûter la bière blonde indienne, elle se défend pas mal ! Apéritif maison offert à nos lecteurs sur présentation de ce guide.

🍴 ***La Gitane*** *(plan C1,* ***24****)* **:** 53 bis, av. de La Motte-Picquet, 75015. ☎ 01-47-34-62-92. Ⓜ La Motte-Picquet-Grenelle. Ouvert de 12 h à 14 h 30 et de 19 h à 23 h. Fermé les dimanche et jours fériés. Compter autour de 20 € pour un repas. Ce petit resto aux allures de bistrot satisfait une clientèle d'habitués depuis 3 décennies. C'est évidemment bon signe, et, si la salle est comble midi et soir, c'est que *La Gitane* sort de l'ordinaire. Le chef, originaire du Gers, renouvelle la carte à chaque changement de saison. Inscrits sur une grande ardoise, les plats aux accents du terroir sont aussi variés que savoureux : entre autres, on vous recommande chaudement le mémorable cassoulet ou l'andouillette. Et soyez sûr qu'ici, tout est fait maison. Ambiance assez jeune. Apéritif maison offert à nos lecteurs sur présentation de ce guide.

|●| *Le Bistrot d'Hélène* *(plan A3, **21**) :* 40, rue du Colonel-Pierre-Avia, 75015. ☎ 01-46-38-39-40. Ⓜ Balard ou Corentin-Celton. ♿ Fermé le samedi, le dimanche et le lundi soir. Congés annuels : 1 semaine pendant les fêtes de fin d'année. Formules à 16 € (plat unique), puis à 22 et 28 €, toutes servies midi et soir, car ici, on ne tourne pas l'ardoise le soir ! Niché dans ce bout de 15e plutôt dévolu aux déjeuners d'affaires (derrière l'Aquaboulevard, à la lisière d'Issy-les-Moulineaux), *Le Bistrot d'Hélène* fait office de surprise. Le chef concocte une belle (et fort bonne) cuisine de bistrot, traditionnelle dans l'ensemble : foie gras de canard poché au vin rouge, Parmentier de joue de cochon et baba au rhum. Les grands classiques sont parfaitement maîtrisés. Produits exclusivement de saison et de qualité : bœuf de Salers, magret du Sud-Ouest. Belle carte des vins. Reste l'accueil, au top de la gentillesse et du professionnalisme. Tout cela vaut bien une petite marche ! Café offert à nos lecteurs sur présentation de ce guide. *NOUVEAUTÉ.*

|●| *Sawadee* *(plan B1, **19**) :* 53, av. Émile-Zola, 75015. ☎ 01-45-77-68-90. Ⓜ Charles-Michels. Ouvert de 12 h à 14 h 30 et de 19 h à 22 h 30. Fermé le dimanche. Congés annuels : du 7 au 17 août. Formule à 20 €, menus de 24 à 32 € ; à la carte, il faut compter aux alentours de 25 €. Une des institutions thaïes de la capitale. Décor sobre, dans les tons rouges et or aux murs, rehaussé de statues et objets venant droit de Thaïlande. Dans l'assiette, en revanche, un véritable festival de couleurs et de parfums exotiques : poulet ou poisson au lait de coco, canard sauté au basilic, et tous les classiques de la cuisine thaïe. L'ensemble est bon, copieux et joliment présenté. Apéritif maison offert à nos lecteurs sur présentation de ce guide.

|●| *La Petite Auberge* *(plan B3, **27**) :* 13, rue du Hameau, 75015. ☎ 01-45-32-75-71. Ⓜ Porte-de-Versailles. Service de 12 h à 14 h et de 19 h à 22 h. Réserver impérativement le soir. Fermé les dimanche et jours fériés. Congés annuels : 1 semaine à Pâques, 3 semaines en août et la dernière semaine de décembre. Compter 23 € à la carte ; plats du jour entre 11 et 17 €. Siège social des supporteurs de l'équipe de rugby du Racing, le resto de M. Lonlas est un lieu d'humeur, mais surtout une petite adresse de quartier, à préférer au déjeuner. Rien d'extravagant, mais de la bonne bidoche accompagnée de frites. Lors du Salon de l'agriculture (la porte de Versailles est toute proche), des tablées de rudes paysans emplissent la salle, et on y entend des accents savoureux. Quand c'est bondé, l'attente peut être vraiment longue, surtout le soir où le serveur est généralement seul en salle. Dommage.

Le Bordj du 15e *(plan C-D2, **37**)* **:** 80, rue de la Procession, 75015. ☎ 01-47-34-54-69. Ⓜ Pasteur ou Volontaires. Service de 12 h à 15 h et de 19 h à 23 h 30. Fermé les samedi midi, dimanche midi et lundi soir. Congés annuels : 15 jours mi-août. Menus de 12,50 €, le midi, à 32 € (apéritif et vin compris). Couscous de 9,50 à 16 €. Dans 2 salles sobres mais coquettes, on savoure une cuisine qui marie harmonieusement les saveurs maghrébines et françaises. Les salades copieuses et variées côtoient les délicieux bricks, bien garnis. Également des grillades et les incontournables couscous. Pas gras pour un sou. Pour les amoureux, une table « spéciale confidences ». Quant au service, il est tout simplement charmant. Apéritif maison offert à nos lecteurs sur présentation de ce guide.

L'Étape *(plan B2, **36**)* **:** 89, rue de la Convention, 75015. ☎ 01-45-54-73-49. Ⓜ Boucicaut. ♿ Service de 12 h à 14 h 30 et de 19 h à 22 h 30. Fermé les samedi midi et dimanche. Congés annuels : en août. Menu à 20 € servi midi et soir, menu-carte à 28 €. Tout semble tranquille et apaisant dans cette maison au charme provincial. On est accueilli par une hôtesse d'une exquise courtoisie. Quant à la table, elle met à l'honneur une cuisine authentique, un peu plus audacieuse chaque année, avec des saveurs insolites comme les haricots de mer, la viande de kangourou et la moutarde à la violette. Quoi qu'il en soit, les idées et le talent sont là, et la fraîcheur des produits n'est pas en reste. Un conseil : gardez de la place pour le dessert !

Erawan *(plan C1, **4**)* **:** 76, rue de la Fédération, 75015. ☎ 01-47-83-55-67. Ⓜ Bir-Hakeim. Service de 12 h à 14 h 30 et de 19 h à 22 h 30. Fermé le dimanche. Congés annuels : 2 semaines en août. Menu à 12,50 € au déjeuner ; le soir, menus entre 19,50 et 28,50 €. Compter autour de 28 € à la carte. Le cadre est agréable, l'accueil courtois et le service efficace. La carte est celle de l'un des pionniers des restaurants thaïs à Paris et permet une immersion en règle dans cette gastronomie. La *tom ka kaï* est délicieuse, les ailes de poulet farcies ne manquent pas de saveur, et la salade de seiche à la citronnelle attire notre attention.

Le Cap *(plan C2, **41**)* **:** 30, rue Péclet, 75015. ☎ 01-40-43-02-18. Ⓜ Vaugirard. ♿ Parking payant. Ouvert tous les jours de 12 h à 15 h et de 19 h 30 à 23 h. Formules à 16 et 19 € au déjeuner et menus complets à 32 € le soir. À la carte, compter 28 €. Idéalement situé sur la place de la mairie, entièrement dédiée aux piétons, *Le Cap,* annexe bistrotière d'Yves Quintard, le gastro du 15e arrondissement, a mis les voiles sur la Méditerranée. Cuisine du soleil donc, à base d'huile d'olive et d'aromates. Un must : le tartare de bœuf à huile d'olive et au parmesan. Un regret : des vins un peu chers. Mais, pour terminer sur une note très positive : fabuleuse terrasse, chauffée en hiver, et un accueil des plus chaleureux.

🍽 ***Le Sept-Quinze*** *(plan C1, **42**)* **:** 29, av. de Lowendal, 75015. ☎ 01-43-06-23-06. Ⓜ Cambronne. Service de 12 h à 14 h 30 et de 20 h à 23 h. Fermé les samedi midi et dimanche. Congés annuels : 2 semaines en août et 1 semaine fin décembre. Menus à 18 € (entrée + plat ou plat + dessert) ou à 24 € le midi, et à 28 € le soir ; quelques vins au compteur et au verre. Des couleurs vert amande et ocre rouge de bon ton, des tables bistrot et des chaises en bois joliment habillées, un éclairage indirect, et le tour est joué. Complétez le tout par une cuisine du soleil intelligemment inventive, cela donne, par exemple, une croustade de filet de bœuf à la tapenade. Un bonheur pour le palais. Concluez avec un sablé aux figues accompagné de sa glace au piment, vous serez proche du 7e (ou du 15e !) ciel. Un menu-carte d'un excellent rapport qualité-prix, servi avec beaucoup d'attention et de sourire. Salle un peu bruyante. Attention, l'adresse est courue : réservation conseillée.

🍽 ***Swann et Vincent*** *(plan C1-2, **49**)* **:** 32, bd Garibaldi, 75015. ☎ 01-42-73-30-44. Ⓜ Cambronne ou Sèvres-Lecourbe. Ouvert midi et soir ; sert jusqu'à environ 22 h 45. Fermé le dimanche. Réservation indispensable. Congés annuels : 1 semaine à Noël. Menu à 14 € le midi ; carte autour de 30 €, boisson en sus. Parfums d'huile d'olive qui nous envoient directement les papilles en Italie. *Penne, tagliatelle al nero,* escalope de veau à la mozzarella... Ça change suivant le marché et l'humeur du patron. Tout est bon, frais et copieux. Même formule *Swann et Vincent* dans le 12e et le 14e arrondissement. Cartes de paiement refusées.

🍽 ***Uïtr*** *(plan D2, **22**)* **:** 1, pl. Falguière, 75015. ☎ 01-47-34-12-24. Ⓜ Plaisance ou Vaugirard. Ouvert tous les jours de 12 h à 14 h 30 et de 19 h 30 à 22 h 30 (dernier service). Menus à 15 et 19 €. À la carte, compter 26 €. Un bistrot de la mer très « nouvelle vague » cornaqué par Gérard Allemandou, heureux propriétaire de *La Cagouille* (14e). Le cadre ne dépote pas spécialement, mais les produits sont simples, resplendissants de fraîcheur (huîtres de différentes origines, Saint-Jacques en saison, calamars frits, pavé de thon...) et préparés de façon minimaliste, ce qui les met davantage en valeur que n'importe quel habillage ampoulé. La preuve, si besoin était, qu'à Paris le poisson peut aussi être bon sans faire flamber l'addition. Apéritif maison offert à nos lecteurs sur présentation de ce guide. *NOUVEAUTÉ.*

🍽 ***Le Numide*** *(plan B3, **14**)* **:** 75, rue Vasco-de-Gama, 75015. ☎ 01-45-32-13-13. Ⓜ Lourmel. ♿ Ouvert de 12 h à 14 h et de 19 h 30 à 22 h 30. Fermé les samedi midi et dimanche. Congés annuels : en août. Le midi en semaine, formule entrée + plat ou plat + dessert à 13,50 € ; menus à 13 et 21,50 € ; à la carte, compter autour de 30 € pour un repas complet sans la boisson. Dans un coin un peu excentré du 15e, ce resto propose une cuisine savoureuse de spécialités kabyles, comme l'*amakfoul*. Toujours succulent ! On a un faible pour le méchoui, légèrement grillé à l'extérieur, fondant à l'intérieur. Une adresse fiable pour la qualité des produits, mais les assiettes sont parfois un peu chiches, même si couscous et sauce peuvent être redemandés sans supplément. Dommage. Café ou thé à la menthe offert à nos lecteurs sur présentation de ce guide.

*Chez Clément (plan B3, **28**) :* 407, rue de Vaugirard, 75015. ☎ 01-53-68-94-00. Ⓜ Porte-de-Versailles. En face du parc des Expositions. Service continu tous les jours jusqu'à 1 h. Formule rôtisserie (entrée + plat ou plat + dessert) à 15,90 € servie midi et soir. Carte autour de 28 €. Voir le texte sur *Chez Clément* dans le 17e arrondissement.

***L'Heure Gourmande** (plan B1, **34**) :* 12, rue Beaugrenelle, 75015. ☎ 01-45-77-89-24. Ⓜ Charles-Michels. Ouvert de 12 h à 15 h et de 19 h à 22 h 30. Fermé le dimanche. Congés annuels : 1 semaine en août. Menus-express le midi à 11 et 15 € ; autres menus à 17,60, 23,60 et 30,60 €. *L'Heure Gourmande* est tenue par deux frères : Jean-Michel aux fourneaux, Dominique en salle. Ici, tout est préparé maison avec des produits frais. Cuisine simple et bonne : cuisse de canard confite, sole braisée au coulis d'écrevisses... Les profiteroles au chocolat préparées à chaque service sont un vrai régal ! Un décor reposant tout en gris et rose, avec une vraie salle non-fumeurs, incite à prolonger cette étape gourmande bien au-delà de l'heure. Apéritif maison offert à nos lecteurs sur présentation de ce guide.

Plus chic

***Le Troquet** (plan C2, **43**) :* 21, rue François-Bonvin, 75015. ☎ 01-45-66-89-00. Ⓜ Sèvres-Lecourbe ou Cambronne. Service de 12 h à 14 h et de 19 h 30 à 23 h. Fermé les dimanche et lundi. Réservation conseillée. Congés annuels : 1 semaine en mai, 3 semaines en août et 1 semaine à Noël. Menus à 23 et 27 € le midi, 30 et 37 € le soir. Vins à partir de 15 €. Une rue perdue dans le 15e, un décor de bistrot avec dessins satiriques de l'*Assiette au beurre* et une vaste salle aux tables nappées de rouge et blanc. Un service qui porte l'accent basque et, circulant entre les tables, des plats qui ont du nez, du goût et surtout du (très) bon. Tout est imaginatif et exquis. Qualité, simplicité et convivialité, voilà la belle devise de l'endroit.

***Le Bistro d'Hubert** (plan D2, **32**) :* 41, bd Pasteur, 75015. ☎ 01-

47-34-15-50. Ⓜ Pasteur. Ouvert de 12 h 15 à 14 h 15 et de 19 h 15 à 22 h 15. Fermé le samedi midi, le dimanche et le lundi midi. Menu-carte à 35 € ; à la carte, compter autour de 45 € avec un peu de vin. Cuisine grande ouverte sur une salle qui tient plus de la salle à manger d'une table d'hôtes que d'un véritable bistrot. Vieux briscard des fourneaux, le chef connaît toutes les ficelles de son métier. Il s'inspire du terroir landais : *pimientos* farcis, nougat de cuisse de canard farcie au foie gras, boudin noir campagnard... le tout en finesse et générosité. Pour les modestes appétits, un plat peut suffire. Accueil souriant et service diligent.

|●| ***Restaurant Stéphane Martin*** *(plan B2,* ***50****)* **:** 67, rue des Entrepreneurs, 75015. ☎ 01-45-79-03-31. Ⓜ Félix-Faure, Charles-Michels ou Commerce. Service de 12 h à 14 h et de 19 h 30 à 23 h. Fermé les dimanche et lundi. Congés annuels : 1 semaine en février, 3 semaines en août et à Noël. Menus à 12 €, au déjeuner, puis de 15 à 27 €. Il y a ces tables de quartier qui dépannent le dimanche soir et celles pour lesquelles on remonterait toute la ligne 6 du métro pour aller y dîner. Celle-ci en fait partie, avec un menu du déjeuner (3 plats, vin et café compris) particulièrement compétitif et un excellent menu-carte. La cuisine talentueuse, fine et inventive, suit le marché, les tendances et les saisons. Les musts sont servis toute l'année : émincé de foie gras de canard cru aux herbes folles, jarret de porc braisé au miel d'épices et embeurrée de chou rouge, moelleux au chocolat et caramel d'orange. Le tout agrémenté d'une ronde de pains maison (au thym, au sésame, nature...). Le cadre est classieux et les teintes chaleureuses, le service courtois quoiqu'un peu long. Mais franchement, pour ce prix-là, on y retourne demain !

|●| ***Je Thé...me*** *(plan C2,* ***33****)* **:** 4, rue d'Alleray, 75015. ☎ 01-48-42-48-30. Ⓜ Vaugirard. Service de 12 h à 14 h 30 et de 19 h 15 à 22 h 15. Fermé les dimanche et lundi. Congés annuels : 2 semaines en août et du 23 décembre au 3 janvier. Menu à 23 € le midi ; le soir, menu-carte à 33 €. C'est avec délice qu'on franchit la porte de cette ancienne épicerie fin XIXe siècle, aux allures de maison de poupée, avec son carrelage d'époque et son joyeux bric-à-brac. En prime, les amoureux apprécieront l'atmosphère intimiste et les tables suffisamment espacées pour ne pas prendre à témoin leurs voisins lors de déclarations enflammées ! Les plats, qu'on choisit à l'ardoise, sont d'une grande fraîcheur côté mer. On se régale aussi de viandes traditionnelles harmonieusement relevées, comme les rognons au cognac ou les ris de veau grand-mère. Côté douceurs, savoureux baba au rhum, sablé aux fruits rouges façon crumble... Le tout servi avec une grande gentillesse. Café offert à nos lecteurs sur présentation de ce guide.

|●| *L'Os à Moelle* *(plan B2,* ***46****) :* 3, rue de Vasco-de-Gama, 75015. ☎ 01-45-57-27-27. Ⓜ Lourmel. Parking payant. Ouvert jusqu'à 23 h 30 (minuit les vendredi et samedi). Fermé les dimanche et lundi. Congés annuels : 1 mois l'été et 1 semaine l'hiver. Menu-carte à 32 € le midi ; menu dégustation à 38 € le soir. Thierry Faucher, ancien du *Crillon,* joue à merveille une partition bistrotière façon grand chef. Son menu dégustation à 4 services offre un bel os à ronger. Selon ses achats au marché de Rungis, on pourra déguster par exemple la crème de langoustine au chorizo, le foie de veau poêlé au vinaigre de Banyuls. Carte des vins bien choisie, à des prix qui ne surchauffent pas l'addition.

|●| *L'Ami Marcel* *(plan D3,* ***39****) :* 33, rue Georges-Pitard, 75015. ☎ 01-48-56-62-06. Ⓜ Plaisance. Fermé le dimanche et le lundi. Congés annuels : les 3 premières semaines d'août. Formules déjeuner à 19 et 25 €. Le soir, menus-carte à 24 € (plat + entrée ou dessert) et 30 €. Prenez un vieux rade de quartier, relookez-le et placez-y une équipe jeune, dynamique et expérimentée, et vous obtenez cette adresse franchement conviviale. Tables à touche-touche, certes, mais accueil chaleureux et assiettes généreuses contribuent largement au plaisir. Belle cuisine de marché inspirée qui évolue tous les jours, à l'ardoise pour les formules déjeuner, et au gré des saisons sur la carte : thon mi-cuit mariné aux agrumes et gingembre, épaule d'agneau confite aux oignons, etc. De belles réussites largement plébiscitées par les habitants du quartier. Dommage, finalement, que la carte des vins, un peu chère, et les suppléments alourdissent tant l'addition... Réservation indispensable. *NOUVEAUTÉ.*

|●| Beurre Noisette *(plan B3,* ***52****) :* 68, rue Vasco-de-Gama, 75015. ☎ 01-48-56-82-49. Ⓜ Lourmel, Balard ou Porte-de-Versailles. Service de 12 h à 14 h 15 et de 19 h 15 à 23 h. Fermé les dimanche et lundi. Congés annuels : 3 semaines en août. Menus à 20 € au déjeuner, 32 € le soir. Compter 35 € à la carte. Cette petite rue plutôt excentrée est un échantillon représentatif de l'arrondissement, qui concentre de plus en plus d'adresses innovantes. Avec ses 2 salles sages et soignées, le *Beurre Noisette* en fait partie, grâce à un jeune chef qui conjugue habilement quelques spécialités du terroir (à notre passage, boudin noir, poitrine fermière et choux braisés, par exemple) et une cuisine plus inventive. En dessert, on s'est autant régalé des quenelles au chocolat, déjà un classique de la jeune maison, que des madeleines au miel qui les accompagnent.

|●| *Le Pétel* *(plan C2,* ***47****) :* 4, rue Pétel, 75015. ☎ 01-45-32-58-76. Ⓜ Vaugirard. Fermé les dimanche et lundi. Congés annuels : du 25 juillet au 15 août. Formule déjeuner à 18 € ; menus-carte à 25 € (entrée + plat ou plat + dessert) et

29,90 €. On l'a connu dans le 12e arrondissement sous l'enseigne de *L'Alchimiste,* qu'il avait brillamment lancé. Le voilà désormais aux commandes du *Pétel,* un ancien gastro de quartier, qu'il a repris, à la dérive. Courageux, le chef ! Certes, mais surtout soucieux d'offrir à sa nouvelle clientèle cossue (faut bien le dire !) et dans un joli cadre bistrot, une généreuse cuisine de saison. Des plats classiques légèrement teintés d'originalité : souris d'agneau au cidre et aux pruneaux, dos de sandre rôti aux épices, etc. Vins à la carte à partir de 15 €, servis au verre pour certains. Voilà qui ne gâche pas notre plaisir. Une très bonne adresse ! *NOUVEAUTÉ.*

Le Bélisaire *(plan C2, **38**)* **:** 2, rue Marmontel, 75015. ☎ 01-48-28-62-24. Ⓜ Convention ou Vaugirard. Ouvert de 12 h à 14 h et de 20 h à 22 h 30. Fermé les samedi midi et dimanche. Congés annuels : 1 semaine en avril, 3 semaines en août et 1 semaine pour les fêtes de fin d'année. Le midi, menu à 19 €. Menu-carte le soir à 30 €. Menu découverte à 35 € le samedi soir et à 37,50 € en semaine. Curieusement, alors qu'il joue dans la même cour que ces néobistrots dont le 15e arrondissement a le secret, *Le Bélisaire* est plus confidentiel. Pourtant, Matthieu Garrel a aussi fait ses classes chez un double-étoilé (Gérard Besson) et se démène pour maintenir son principal menu-carte à 30 € (il a également d'autres menus plus chers), tout en continuant à faire évoluer sa cuisine, de plus en plus fine et aboutie. Si l'on ajoute à cela le décor d'authentique bistrot, on voit que tous les ingrédients sont réunis pour savourer un repas sans fausse note.

L'Épopée *(plan B1, **44**)* **:** 89, av. Émile-Zola, 75015. ☎ 01-45-77-71-37. Ⓜ Charles-Michels. ♿ Service de 12 h à 13 h 45 et de 20 h à 22 h. Fermé les samedi midi et dimanche. Congés annuels : du 24 décembre au 3 janvier et du 28 juillet au 28 août. Formule entrée + plat ou plat + dessert à 27 € ; menu-carte à 32 €. Parmi les nombreux restos du 15e, rares sont ceux où l'on peut dîner en conservant une dose d'intimité. Ici, c'est le cas, et on a vraiment apprécié les tables rondes, légèrement en retrait pour certaines. La déco est raffinée, peut-être un peu conventionnelle, mais c'est vite oublié grâce à une carte alléchante qui varie au rythme des saisons. Parmi les classiques, les ravioles de langoustines au *saté,* vraiment exquises, et le bar vapeur-purée de pommes de terre à l'huile d'olive. Une qualité irréprochable et des plats vraiment bien présentés. Digestif maison offert à nos lecteurs sur présentation de ce guide.

Casa Alcalde *(plan C1, **48**)* **:** 117, bd de Grenelle, 75015. ☎ 01-47-83-39-71. Ⓜ La Motte-Picquet-Grenelle. Ouvert de 12 h à 14 h et de 19 h à 22 h 30. Menu à 28 € ; à la carte, compter autour de 35 €. Un grand bar sur lequel est posé un gros jambon *jabugo,* des coupelles pleines d'olives, des lumières rouges, des affiches de corrida, quelques faïences sur les tables, on est bien dans une auberge du Sud, quelque part entre le Pays basque et l'Espagne. La reine de la *casa,* la paella (beaucoup ne viennent que pour ça), tient parfaitement son rôle dans la version pour 2 personnes (elle a le côté généreux attendu), un peu moins dans sa version à l'assiette.

La Villa Coloniale *(plan B1, 45) :* 53, bd de Grenelle, 75015. ☎ 01-45-75-98-00. Ⓜ Bir-Hakeim ou Dupleix. Ouvert de 12 h à 1 h. Fermé le dimanche. Congés annuels : pendant le week-end du 15 août. Menus à 18 € le midi, 19 et 25 € le soir; à la carte, compter autour de 30 € pour un repas (sans le vin). Le soir, un menu à tendance exotique qui change toutes les semaines. Décor... colonial qui contraste un peu avec le reste du quartier. La carte, marquée en grande partie par les senteurs exotiques et les produits d'outre-mer, est assez réussie. Le chef excelle dans le sucré-salé et dans les trouvailles comme le poulet mexicain au maïs. Les desserts ne sont pas en reste (telle la crème brûlée aux gousses de vanille des Comores). À propos de gosier, on peut aussi s'installer juste pour boire un verre le soir ou pour un *tea time* l'après-midi. Digestif maison offert à nos lecteurs sur présentation de ce guide.

Bars à vin

Le Saint-Vincent *(plan C1, 55) :* 26, rue de la Croix-Nivert, 75015. ☎ 01-47-34-14-94. Ⓜ Cambronne. Menu le midi en semaine à 17 €; à la carte, compter environ 25 € sans le vin. « Bar à vin », annonce la devanture : et c'est bien de vins (exclusivement des beaujolais) et de terroir qu'il s'agit ici. Le bois des tonneaux, en surplomb du grand bar, répond à celui des tables rustiques et des banquettes confortables. Les tonalités sont aussi chaleureuses que l'accueil, et dans la grande salle, tête-à-tête et grandes tablées savourent à l'unisson andouillettes, coq au vin ou daurade, sans prétention mais frais, bien tournés et copieusement servis. Souvent, en fin de semaine, arrivage d'huîtres bien fraîches. Et tout cela s'arrose, évidemment, d'un beaujolais bien choisi. *NOUVEAUTÉ.*

Le Casier à Vin *(plan C3, 56) :* 53, rue Olivier-de-Serres, 75015. ☎ 01-45-33-36-80. Ⓜ Convention. Fermé le dimanche. Congés annuels : en août et à Noël. Compter 30 € sans la boisson. Un comptoir réfrigéré à l'entrée, des casiers à vin, quelques tables bistrot « en vitrine », le cadre a de quoi surprendre. Pourtant, prenez place sur le côté, le long des banquettes, ou mieux, au fond sur la table d'hôtes (6-8 personnes) et goûtez plutôt cette cuisine aux accents du Sud. Sur l'ardoise, belles assiettes de dégustation copieusement garnies : jambons et fromages ibériques, charcuteries du terroir, fromages fermiers. Et, quelques plats chauds type gratin d'aubergines au chèvre ou côte de bœuf de 360 g ! Rien de sophistiqué, mais ici, on privilégie la qualité et la provenance du produit. En dessert, ne pas manquer l'assiette de sorbets artisanaux (chocolat, vanille, caramel) : une pure merveille... Le tout accompagné d'un vin sélectionné au casier et facturé au prix cave, cela va de soi ! Accueil charmant. *NOUVEAUTÉ.*

Couleurs de Vigne *(plan C2,* ***57****)* **:** 2, rue Marmontel, 75015. ☎ 01-45-33-32-96. Ⓜ Convention ou Vaugirard. Ouvert le lundi de 17 h à 23 h et du mardi au vendredi à partir de 10 h 30. Fermé les week-ends et jours fériés. Congés annuels : du 15 juillet au 15 août. Verre de vin à 2 ou 3 €, et compter entre 6 et 45 € pour une bouteille. Assiettes à 8,50 €. Un chouette petit bar à vin où Alain, le chaleureux patron, adore papoter avec ses clients pour leur servir des crus sur mesure, qu'il a lui-même sélectionnés chez les viticulteurs français. Dans les ballons, formidable symphonie de vins à prix doux, que l'on accompagne volontiers d'assiettes de charcuterie et de fromage aux saveurs authentiques du terroir. Nos papilles sont sous le charme ! Une adresse aussi insolite qu'exceptionnelle, pour un très bon rapport qualité-prix. Réservation recommandée et achat de bouteilles possible. Verre de vin offert à nos lecteurs sur présentation de ce guide.

15e

Salon de thé

L'Infinithé *(plan B3,* ***60****)* **:** 8, rue Desnouettes, 75015. ☎ 01-40-43-14-23. Ⓜ Convention. Ouvert du mardi au vendredi à partir de 12 h, pour le service du déjeuner uniquement ; le samedi à partir de 13 h pour le déjeuner et le salon de thé. Congés annuels : en août. Belle formule salée-sucrée à 18 € comprenant plat, dessert et boisson. Thés à 5 €. Brunch à 25 € le premier dimanche de chaque mois à partir de 11 h 30 ; réservation indispensable. Un salon de thé mignon comme tout et grand comme un mouchoir de poche, qui donne sur la place Henri-Rollet. On se croirait dans les années 1930. Ambiance jazz très agréable. Les tartes salées varient tous les jours et donnent déjà envie de revenir le lendemain. Pour déjeuner, vous choisissez entre 4 propositions : tarte salée avec crudités, plat du jour, filet de saumon vapeur ou grande salade italienne. Quant aux desserts, bien sûr, le choix est plus large (mmm ! le moelleux ananas-coco ou encore le fameux *cheese-cake* !). Les inconditionnels retrouveront à *L'Infinithé Boutique* à 3 mn (8, rue Dombasle) les thés et cakes maison.

Où boire un verre?

🍷 ***Aviatic Bar*** *(plan B3, **61**)* **:** 354 bis, rue de Vaugirard, 75015. ☎ 01-45-32-94-86. Ⓜ Convention. Ouvert du lundi au samedi jusqu'à 2 h (fermeture un peu plus tôt en début de semaine). Demi à 2,30 €. *Happy hours* de 17 h à 21 h. Voilà un bar qui ose le croisement de la faïence 1900 et du rock 1980, perdu sur une rue de Vaugirard indifférente, trop occupée à terminer sa traversée de Paris. Accrochés au beau zinc en U, des piliers en santiags discutent de moto, tandis que le patron enchaîne les titres de la Mano Negra et les demis pas chers. Au plafond, une collection d'avions rappelant son illustre passé de QG des pilotes dans les années 1940.

🍷 ***Le Bréguet*** *(plan D2, **62**)* **:** 72, rue Falguière, 75015. ☎ 01-42-79-97-00. Ⓜ Pasteur. Ouvert de 17 h à 2 h. Fermé le dimanche. Congés annuels : 15 jours en août. Demis de 2,30 à 3,40 €, cocktails de 4 à 6,50 €. Petite restauration (tartines, salades...) autour de 8 €. Ce bar-surprise joue la carte alternative tous azimuts ! Au menu, des cocktails « Molotov » comme le Sarajevo, et cette satanée rage d'échapper au parisianisme ambiant ! Venus de Mayenne, de Vendée, de Normandie et de Bretagne, les 4 associés, plus déjantés les uns que les autres, ont fait de ce bar perdu d'avance un des lieux les plus délirants de Paname. Chapeau bas...

16e ARRONDISSEMENT

Où manger ?

Bon marché

Restaurant GR 5 *(plan nord B2, 3)* : 19, rue Gustave-Courbet, 75016. ☎ 01-47-27-09-84. Ⓜ Rue-de-la-Pompe, Trocadéro ou Victor-Hugo. ♿ Service jusqu'à 22 h. Fermé le dimanche. Menus entre 14 € (2 plats) et 17 € (3 plats) environ le midi, 16 et 18 € le soir. Fondues et raclettes le soir uniquement, autour de 35 € pour deux. Petit refuge au cœur du 16e arrondissement, le *GR 5,* du nom du sentier qui va d'Amsterdam à Nice et qui passe par Briançon (près de chez le patron), est une adresse discrète mais bondée midi et soir, où la halte est conseillée. Déco montagnarde aux nappes en vichy rouge, à l'ardoise du jour et qui sent bon la tartiflette au reblochon, la fondue et la raclette savoyarde. Quelques bons vins au pichet et des alcools de pays (génépi, grolle...). Service rapide et attentionné, clientèle très variée. Tables un peu serrées pour une adresse simple et efficace.

La Matta *(plan nord B3, 2)* : 23, rue de l'Annonciation, 75016. ☎ 01-40-50-04-66. Ⓜ La Muette. Ouvert jusqu'à 23 h. Fermé le dimanche. Compter autour de 18 € sans la boisson ; pizzas entre 10,50 et 14,50 € ; pâtes autour de 10 €. Un instantané d'Italie caché au fond d'une des rues commerçantes de cet arrondissement bon genre. Une adresse immuable, tout comme l'équipe enjouée qui sert de généreuses pizzas depuis des années. Rien n'a donc changé, hormis la salle du fond dont on a légèrement poussé les murs, pour le plus grand plaisir des habitués du lieu, toujours nombreux. Si vous souhaitez vos pâtes *al dente,* précisez-le à la commande. En dessert, on a craqué pour le tiramisù...

Brussel's Café *(plan sud A-B2, 15)* : 71, bd Exelmans, 75016. ☎ 01-46-51-24-33. Ⓜ Michel-Ange-Molitor ou Exelmans. Situé à l'angle de la rue Michel-Ange. Service continu de 11 h à 23 h. Fermé le dimanche. Formule moules à 11 € ; autre formule à 15 €. Dans cette vaste brasserie à la bruxelloise, évitez le resto, avec ses nappes blanches, et dirigez-vous vers le comptoir en bois blond, entouré de quelques tables où l'on peut satisfaire une petite faim sur le pouce, accompagnée d'une Bécasse pression

Où manger ?

2 La Matta .... (plan nord)
3 Restaurant GR 5 .... (plan nord)
4 Duret Mandarin .... (plan nord)
5 Tokyo Eat .... (plan nord)
8 Le Mozart .... (plan nord)
15 Brussel's Café ....(plan sud)
16 Le Tournesol .... (plan nord)
18 Le Bistrot de l'Étoile ..... (plan nord)
19 La Gare .... (plan nord)
20 Noura .... (plan nord)
21 Le Petit Rétro .... (plan nord)
22 Le Kiosque .... (plan nord)
23 La Grande Armée .... (plan nord)
26 Zebra Square .... (plan sud)
27 Fra Diavolo .... (plan nord)
28 Tsé .... (plan sud)
29 182 Rive Droite .... (plan sud)
30 Cristal Room Baccarat . (plan nord)

Bars à vin

35 Les Caves Angevines .... (plan sud)
36 Restaurant du musée du Vin, Le Caveau des Échansons .... (plan nord)

Salons de thé

40 Yamazaki .... (plan nord)
41 Thé Cool .... (plan nord)
42 Carette .... (plan nord)

Où manger une glace ?

45 Pascal le Glacier .... (plan nord)

Où boire un verre ?

50 Sir Winston .... (plan nord)
51 Le Comptoir de l'Arc .... (plan nord)

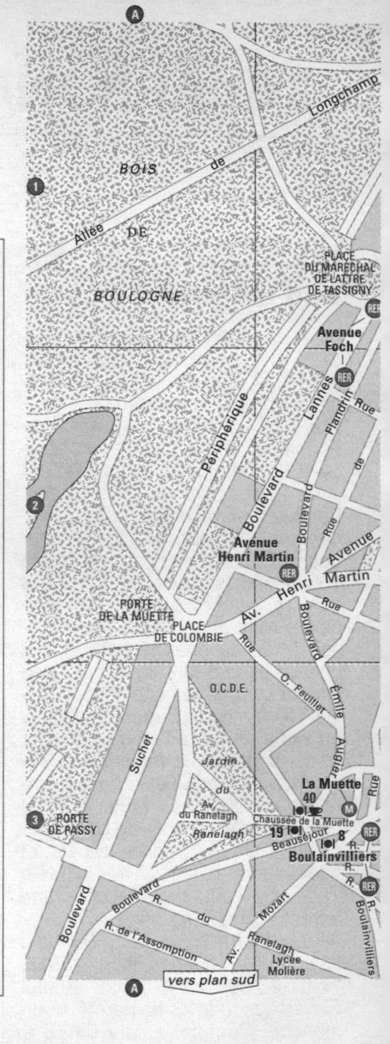

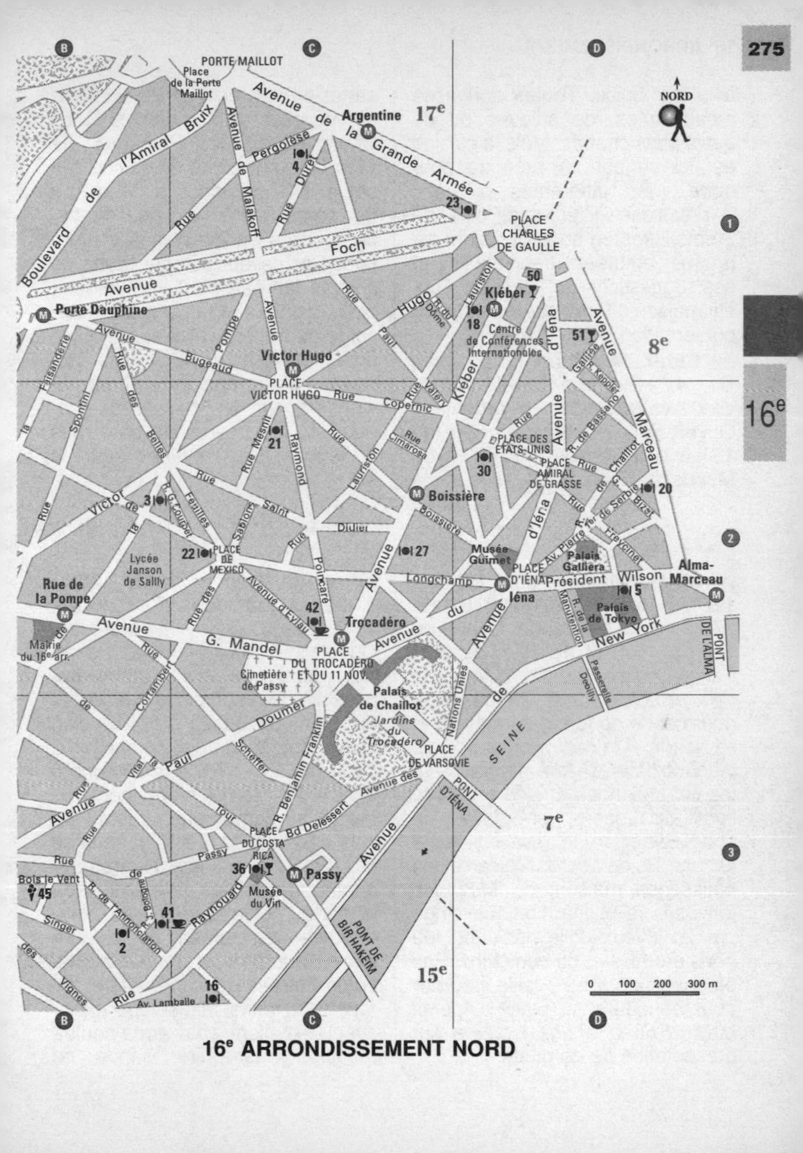

16e ARRONDISSEMENT NORD

à la framboise. Toutes sortes de moules-frites, de salades ou de petits plats chauds. Mais la cuisine est ici surtout un prétexte pour boire... les différentes bières : 7 pressions différentes, plus de 20 mousses en bouteille (blondes, brunes, ambrées, trappistes...) et des suggestions sur l'ardoise. Apéritif maison offert à nos lecteurs sur présentation de ce guide.

|●| ***Duret Mandarin*** *(plan nord C1, **4**) :* 34, rue Duret, 75016. ☎ 01-45-00-09-06. Ⓜ Argentine. Ouvert tous les jours. Service de 12 h à 14 h 15 et de 19 h à 22 h 45. Menus à 12,50 et 14,80 €; à la carte, prévoir environ 20 €. Dans un quartier plus porté sur les Church's que les Pataugas, ce *Mandarin* fait office d'aubaine absolue. Et l'ambiance a beau être de temps à autre un peu morne, personne n'y prête vraiment attention. Car ce qui compte, dans ce chinois familial, c'est l'accueil aux petits oignons et les prix d'une absolue gentillesse. Midi et soir, il y a donc matière à sortir ses baguettes pour attaquer les bons raviolis vapeur, les cuisses de grenouilles, les travers de porc rôtis ou encore les crevettes sautées sel et poivre.

Prix moyens

|●| ***Le Mozart*** *(plan nord B3, **8**) :* 12, av. Mozart, 75016. ☎ 01-45-27-62-45. Ⓜ La Muette. Ouvert de 12 h à 15 h et de 19 h à 22 h. Fermé le dimanche. Formule servie midi et soir à 12 €, avecassiette gourmande de foie gras maison et sa salade. À la carte, compter 25 €. L'andouillette AAAAA, la viande et les champignons arrivés en droite ligne de Lozère, les glaces de chez *Berthillon,* le pain cuit dans les fournils de *Michel Moisan* et les pâtisseries maison, ce *Mozart*-là fait dans le philharmonique dirigé par un joyeux drille dénicheur de bons produits et de bons vins. Pas étonnant alors qu'il faille batailler pour conquérir sa place ! Apéritif maison offert à nos lecteurs sur présentation de ce guide.

|●| ***Noura*** *(plan nord D2, **20**) :* 27-29, av. Marceau, 75016. ☎ 01-47-23-02-20. Ⓜ Alma-Marceau. Ouvert tous les jours de 7 h à minuit (dernier service à 23 h). Impossible de réserver; arriver assez tôt. Compter de 20 à 30 € selon votre appétit; assiette composée à partir de 13 €. Ne pas confondre avec le *Pavillon* du même nom, excellent au demeurant, mais qui ne joue pas dans la même gamme de prix. Resto-snack libanais très fréquenté. Parmi les propositions à la carte, petite assiette de hors-d'œuvre (assortiment de 6 variétés) : *hoummous, moutabal,* taboulé, feuilles de vigne, *falafel, fatayel* ! Ou alors faites-vous plaisir avec l'excellent *chawarma*-poulet-taboulé, c'est-à-dire viande de

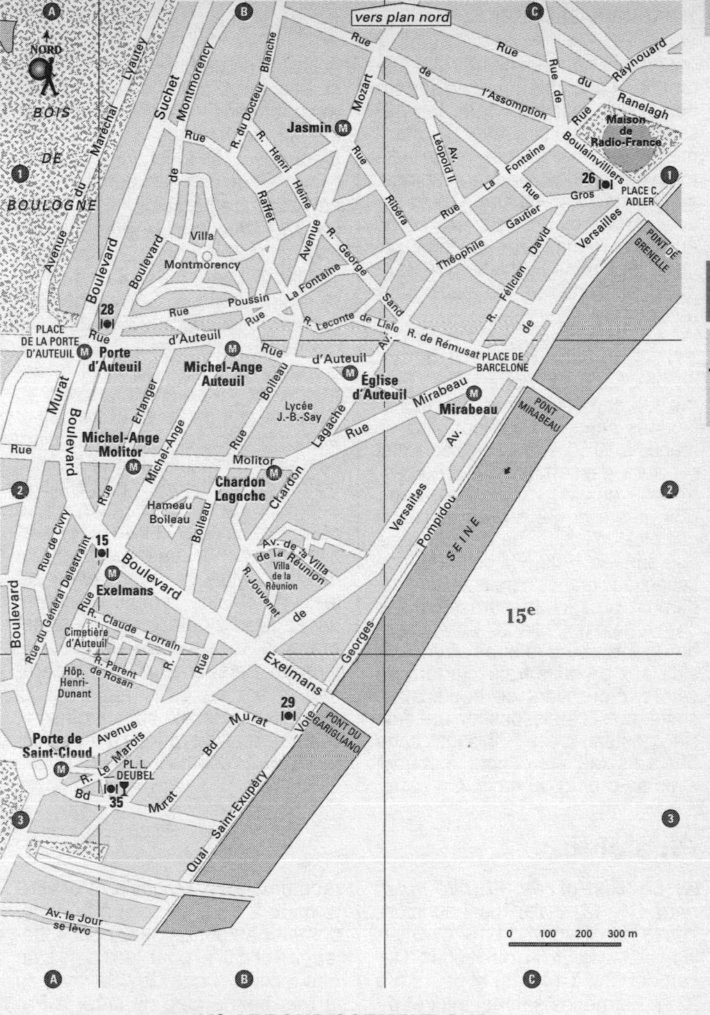

16e ARRONDISSEMENT SUD

poulet marinée, émincée, rôtie à la broche et accompagnée de son taboulé. Un petit tour dans les pâtisseries libanaises avec, notamment, un merveilleux *mafrouké* (cheveux d'ange moulus, imbibés, avec pistaches, *kachta*). Quelques vins au verre, du sancerre blanc au ksara rouge. Bref, le dépaysement total dans l'assiette. On peut aussi se contenter de sandwichs au comptoir.

Le Petit Rétro *(plan nord C2, 21)* **:** 5, rue Mesnil, 75016. ☎ 01-44-05-06-05. Ⓜ Victor-Hugo. Fermé les samedi midi et dimanche. Congés annuels : en août. À midi, menus à 19,50 €, avec entrée + plat ou plat + dessert, et à 24 € de l'entrée au dessert. À la carte, compter autour de 32 € pour un repas complet. Joli cadre de bistrot classé des années 1900 à la belle faïence fleurie, aux grands miroirs et lampes-globes, pour cette adresse où le chef régale une clientèle gentiment bourgeoise ou d'affaires d'une cuisine aux produits frais : tartare de salers, croustillant de boudin, assiette aux 3 poissons et un délicieux gâteau-crêpe. Plaisante carte des vins (au verre pour certains) avec sa promo du mois. On aime le lieu et sa formule du midi, même si elle peut parfois être un peu maigrichonne. Bon accueil. Et pour le café, sachez que la machine est d'époque... et fonctionne encore ! Kir offert à nos lecteurs sur présentation de ce guide.

182 Rive Droite *(plan sud B3, 29)* **:** 182, quai Louis-Blériot, 75016. ☎ 01-42-88-44-63. Ⓜ Porte-de-Saint-Cloud. ♿ Service de 12 h à 14 h 30 et de 19 h 30 à 22 h 30. Fermé les samedi midi et dimanche. Congés annuels : pendant la semaine du 15 août. Menu à 25 €. Carte autour de 35 €. Entre noir et blanc et néo-pop, *sixties* et *nineties,* ce nouveau néobistrot a choisi de ne pas trancher... et c'est tant mieux. C'est sûr : il faut vouloir se perdre dans ce coin du 16e, pas facile à dénicher, pas spécialement folichon. Mais la récompense est là : une cuisine sympa, fraîche et assez tradi, qui passe de l'œuf mayo à la saucisse-lentilles, du jambon persillé à la crème caramel. C'est ce qu'ils appellent ici « un bistrot décalé sur les quais ». Apéritif maison offert à nos lecteurs sur présentation de ce guide.

Plus chic

Le Bistrot de l'Étoile *(plan nord D1, 18)* **:** 19, rue Lauriston, 75016. ☎ 01-40-67-11-16. Ⓜ Charles-de-Gaulle-Étoile ou Kléber. Ouvert de 12 h à 14 h 30 et de 19 h à 23 h. Fermé les samedi midi et dimanche. Réservation hautement recommandée. Menus à 21 et 26 € le midi, à 35 € le soir ; à la carte, compter autour de 39 € pour le déjeuner et 50 € pour le dîner. L'un des 6 bistrots que Guy Savoy a eu la très bonne idée de créer à Paris ; pas une chaîne, même pas mini, mais une véritable adresse indépendante avec quelques principes directeurs déclinés avec élégance : qualité, originalité, accueil. La clientèle serait plutôt du genre costume-cravate que jean-baskets, mais dans les assiettes, l'effet Guy Savoy joue à plein, grâce à une cuisine à la recherche de nouvelles saveurs et de mélanges subtils, tout en restant résolument dans l'esprit bistrot.

Fra Diavolo *(plan nord C2, **27**)* **:** 73, av. Kléber, 75016. ☎ 01-47-27-73-75. Ⓜ Boissière ou Trocadéro. Ouvert tous les jours sauf le samedi midi. Service de 12 h à 14 h 30 et de 19 h 30 à 23 h. Menu autour de 15 € le midi (sauf le dimanche). Compter entre 30 et 40 € à la carte. Décor plaisant, tons chauds, hommage photo aux ancêtres napolitains du patron. Tout est préparé « à la minute ». La carte alterne viandes et produits de la mer, avec une préférence pour les coquillages et le poulpe. Risotto, *gnocchi* et pâtes *al dente* sont parfaits. Deux spécialités : risotto aux quatre fromages et tagliatelles au foie gras, flambées devant vous dans la meule de parmesan. C'est fin, enlevé, chantant et harmonieux. Sans oublier un nouveau concept directement importé de Napoli : la pizza au mètre (possible pour les grandes tablées). En revanche, les vins choisis de la péninsule (magnifique *corvo* de Sicile) risquent un peu de plomber l'addition, et le tiramisù maison ne nous a pas fait grande impression.

La Gare *(plan nord B3, **19**)* **:** 19, chaussée de la Muette, 75016. ☎ 01-42-15-15-31. Ⓜ La Muette. ♿ Ouvert tous les jours de 12 h à 15 h et de 19 h à minuit (dernière commande à 23 h 30). Congés annuels : à Noël. Menus à 16 € le midi en semaine, puis à 27 et 33 € ; à la carte, compter autour de 35 € sans la boisson. Une ancienne gare qui joue les belles ferroviaires ! La salle des pas perdus a judicieusement été transformée en bar (avec une charmante petite terrasse), où il est bien vu de siroter un *mojito* sur un air de salsa, et les voies et ballast au sous-sol, en restaurant. L'espace est remarquable, avec une immense terrasse donnant sur les voies de chemin de fer l'été, et les banquettes confortables. Cuisine apparente. Quant au poulet de Bresse avec purée, en direct de la rôtissoire, sans être aussi savoureux que celui de grand-mère, il se mange sans déplaisir, tout comme la noix d'entrecôte d'Argentine sauce béarnaise ou le tournedos de thon *a la plancha*. Apéritif maison offert à nos lecteurs sur présentation de ce guide.

Tsé *(plan sud B1, **28**)* **:** 78, rue d'Auteuil, 75016. ☎ 01-40-71-11-90. Ⓜ Porte-d'Auteuil. Ouvert tous les jours jusqu'à 3 h (2 h les dimanche et lundi). Compter 40 € à la carte. Service voiturier. C'est une montagne chinoise qui a

16e

donné son nom à ce lieu « très parisien ». Deux belles salles de restaurant à la décoration asiatique un peu léchée. D'ailleurs, c'est dommage que les chaises massives n'aient pas la place de rentrer sous les tables ! La touche d'originalité : un lit tibétain en bois dans lequel a été installée une table basse, pour un langoureux dîner en tête à tête. Saveurs asiatiques (Chine et Thaïlande) et plats plus parisiens se retrouvent à la carte, histoire de ne décevoir personne : en entrée, le savoureux duo de *tataki*-thon côtoie les escalopes de Saint-Jacques tièdes panées au *panko* et coriandre fraîche, suivis d'une poêlée de gambas-vermicelles à l'ail, sauce aigre-douce... Les vendredi et samedi, un DJ différent aux platines, pour ouvrir ses chakras sur une musique planante. Pensez à réserver une table ronde, sous peine de vous retrouver au coude à coude avec vos voisins.

Le Kiosque *(plan nord C2, **22**) :* 1, pl. de Mexico, 75016. ☎ 01-47-27-96-98. Ⓜ Trocadéro. Ouvert tous les jours de 12 h à 15 h et de 19 h 30 à 23 h. Menus à 24,50 € (entrée + plat ou plat + dessert) et à 29,50 € (entrée + plat + dessert). Également une formule « copines » à 25 € avec 2 entrées et du champagne. Le dimanche, brunch-terroir à 25 € servi de 12 h à 15 h. Même si l'ambiance oscille entre business et show-biz, le lieu nous a bien plu, et le concept encore plus : chaque semaine un quotidien régional, qui vous attend sur la table, est à l'honneur. En cuisine, on se cale sur les produits et plats de la région. Originalité et belles associations s'affichent dans l'assiette, parfois pas assez copieuses. À noter à l'entrée, au sol, un panneau d'autographes, et surtout, affichés aux murs, quelques originaux parmi les plus marquants du siècle dernier. Une vraie atmosphère ! Attention toutefois à certains suppléments et aux prix des cocktails. Belle carte des vins.

Tokyo Eat *(plan nord D2, **5**) :* 13, av. du Président-Wilson, 75016. ☎ 01-47-20-00-29. Ⓜ Alma-Marceau. ♿ Ouvert du mardi au dimanche de 12 h à 23 h 30 (22 h 30 le dimanche). Formule « au poteau » (traduisez « à l'ardoise »), le midi en semaine, avec entrée à 7 €, plat à 12 € et dessert à 7 €. Le soir, compter de 35 à 40 € environ. Ce resto branché doit son nom à son emplacement, dans le palais de Tokyo. Franchissez le cap de la déco rétro-kitsch mais rigolote, à mi-chemin entre le hall de gare et l'hôpital. Carte sans grande surprise mais appétissante. Nous avons mangé sans déplaisir un osso-buco de veau avec poêlée de *penne* aux artichauts confits et, en dessert, une tarte aux coings, crème pistache. Original et réussi. L'art n'a pas de prix, mais faites quand même attention à l'addition, qui grimpe vite. Un bon point : les vins servis au verre.

Le Tournesol *(plan nord C3, **16**) :* 2, av. de Lamballe, 75016.

☎ 01-45-25-95-94. Ⓜ Passy. Ouvert de 12 h à 14 h 30 et de 20 h à 2 h (dernier service à 23 h). Fermé les samedi midi et dimanche. Ouvert le dimanche soir en été. Prévoir 28 € à la carte, sans la boisson ; plats du jour entre 16 et 18 € environ. À quelques ondes de la maison de la Radio, l'adresse clé et quasi-unique du quartier dès que le soleil pointe son nez ! Parce que la terrasse plein sud à 180° est bien agréable et qu'en plein Passy ce n'est pas courant ! Cette brasserie années 1930, aux beaux lustres en bronze et fresques à tournesols, renaît avec une clientèle mode et de quartier. La carte n'a rien du Sud, mais se compose d'entrées (ravioles, salade de lentilles...) plus originales que les plats (rumsteak, sauté de veau, quelques poissons...). Assiette généreuse, tarte du jour en dessert, plaisante carte des vins... et même un écailler pour les amateurs de fruits de mer.

Très chic

🍽 ***Cristal Room Baccarat*** *(plan nord D2,* ***30****) :* 11, pl. des États-Unis, 75016. ☎ 01-40-22-11-10. Ⓜ Boissière ou Iéna. ♿ Ouvert tous les jours sauf le dimanche, de 8 h 30 à 10 h, de 12 h à 14 h 30 et de 20 h à 22 h 30 (dernier service) ; le samedi, service continu de 12 h à 18 h. À deux, compter 150 € pour un repas avec le vin. Dans l'ancien hôtel particulier de Marie-Laure de Noailles, redécoré par Philippe Starck pour la fameuse cristallerie Baccarat. Lustre marin à l'entrée, tapis incrustés de lumière, portraits en médaillon qui contrastent avec brique apparente, toilettes fantasmagoriques et service de verres « Harcourt ». Mais on vient surtout pour Thierry Burlot, le jeune chef. Après ses galops d'essai au *XV* et à l'*Emporio Armani Caffé,* sa carte tendance gastro reste simple. Plats de saison et inspiration du marché sont ici célébrés avec modestie. Le chef est breton, et ça se sent ! Ses poissons sont parfaitement préparés et bien servis. Carte des vins variée, pas chiche et bien assortie. Au moment du dessert, toutes les sensations de votre enfance se réveillent sous vos papilles. Le caramel fleur de sel, la réglisse ou le cacao Araguani des poires Belle-Hélène... un régal ! Ambiance décontractée, service jeune, tout sourire et disponible qui (r)assure. Ils sont heureux, ça se voit. Et nous aussi !

🍽 ***La Grande Armée*** *(plan nord D1,* ***23****) :* 3, av. de la Grande-Armée, 75016. ☎ 01-45-00-24-77. Ⓜ Charles-de-Gaulle-Étoile. Ouvert tous les jours jusqu'à 2 h (dernier service à 1 h). À la carte uniquement : compter autour de 50 €. Rachetée par les frères Costes, revisitée par Garcia, le décorateur du célèbre hôtel *Costes,* cette adresse ne devrait plus tarder à grossir les rangs de sa grande armée (subtilité !). Comme un seul homme, des régiments entiers de clients de plomb prêts à tous les sacrifices pour se fondre dans les pourpre et les bleu uniformes qui bivouaquent sous la tente de campagne. La fanfare joue du hip-hop et les jeunes cantinières avantageusement des hanches. La popote (hamburgers, tartare, saumon à l'unilatérale, omelette coriandre...) se charge d'améliorer l'ordinaire à des prix de bonne guerre. Il ne sert donc à rien de grogner et, si c'est le cas, battez en retraite.

Zebra Square *(plan sud C1, **26**)* **:** 3, pl. Clément-Ader, 75016. ☎ 01-44-14-91-91. RER C : Kennedy-Radio-France. Restaurant ouvert tous les jours, jusqu'à 23 h les dimanche et lundi, 23 h 30 les mardi, mercredi et jeudi, et minuit les vendredi et samedi. Brunch le dimanche midi jusqu'à 16 h. Lounge (à partir de 20 h). Service voiturier. Menu à 22 € le midi en semaine. Compter 40 € minimum à la carte. Brunchs de 24 à 28 €. En face de la maison de la Radio, ce restaurant branché est signé Taillibert (l'architecte du Parc des Princes) pour la façade extérieure en marbre gris. Assez particulier, il faut bien l'avouer, mais la clientèle dorée et les journaleux d'en face qui fréquentent les lieux semblent s'en accommoder. Grande salle de restaurant assez dépouillée et musique jazz *trendy*. La nouvelle cuisine qu'on y sert est assez légère (un peu moins pour le porte-monnaie !), et il vous restera bien une petite place pour aller boire un verre au *lounge-square,* très confortable et très chic.

Bars à vin

Les Caves Angevines *(plan sud B3, **35**)* **:** 2, pl. Léon-Deubel, 75016. ☎ 01-42-88-88-93. Ⓜ Porte-de-Saint-Cloud. Ouvert de 9 h à 17 h ; dîner le jeudi soir uniquement. Fermé le week-end. Compter entre 17 et 23 € le repas. Plats du jour à partir de 10 €. Tonneaux debout sur le trottoir, casiers à bouteilles qui occupent tout l'espace : on se sent tout de suite à son aise dans ce lieu convivial, à mi-chemin entre l'épicerie de quartier et le bistrot. En v'là des belles tartines, en v'là ! Terrines, rillettes, saucissons et fromages du Cantal (entre autres) pour faire patienter les gros mangeurs ou satisfaire les petits appétits. Dans les verres, des vins de petits propriétaires récoltants. Apéritif maison offert à nos lecteurs sur présentation de ce guide.

Restaurant du musée du Vin, Le Caveau des Échansons *(plan nord C3, **36**)* **:** 5, sq. Charles-Dickens, 75016. ☎ 01-45-25-63-26. Ⓜ Passy. ♿ Service de 12 h à 15 h. Fermé le lundi. Congés annuels : les 3 premières semaines d'août et du 24 décembre au 1er janvier. Plats à partir de 13 € ;

menus de 19 à 50 €. Menu-enfants à 15 €, avec dégustation de jus de raisin. Au cœur du 16e, vous vous retrouvez au musée du Vin, rue des Eaux ! Caves voûtées du XVe siècle, creusées dans l'argile de Chaillot par des frères qui cultivaient ici jadis la vigne. L'endroit est superbe et les plats bien mitonnés, même si le restaurant est surtout prétexte à s'asseoir, bavarder vin avec ses voisins et déguster. Par curiosité, jetez un coup d'œil sur la carte des vins (200 à 250 références) ; unique et grandiose. Tous les jours, 15 vins sont proposés au verre. Visite du musée du Vin offerte quand on déjeune sur place. Café offert à nos lecteurs sur présentation de ce guide.

Salons de thé

Yamazaki *(plan nord B3, **40**) :* 6, chaussée de la Muette, 75016. ☎ 01-40-50-19-19. Ⓜ La Muette. Ouvert tous les jours de 9 h à 19 h. Sandwichs de 4 à 6 €. Un snack chic et choc avec de beaux sandwichs au pain de mie (style œufs-lardons) ou au pain nordique (poulet, curry, carotte). Malgré l'accueil français, attablez-vous pour une des plus jolies pauses sucrées ou salées du coin. Toutes sortes de thés servis à la passoire pour accompagner ce qui fait avant tout la réputation de cette enseigne nipponne : les *matsuris* fraise-chantilly. Petits choux, jolis macarons et granité au thé vert pour les connaisseurs.

Thé Cool *(plan nord B-C3, **41**) :* 10, rue Jean-Bologne, 75016. ☎ 01-42-24-69-13. Ⓜ Passy ou La Muette. ♿ Ouvert du lundi au samedi de 12 h à 19 h et le dimanche de 11 h à 18 h. Congés annuels : du 10 au 20 août. Menus à 17,50 et 18,50 €. Un lieu douillet, ensoleillé, avec une terrasse agréable donnant sur le clocher de l'église du « village », pour avaler une salade fraîcheur et un cake pas si bête que ça... Le must, c'est le gâteau au fromage blanc maigre, pour ceux et celles qui veulent garder le ventre plat. Terrasse chauffée en hiver. Café ou thé offert à nos lecteurs sur présentation de ce guide.

Carette *(plan nord C2, **42**) :* 4, pl. du Trocadéro, 75016. ☎ 01-47-27-98-85. Ⓜ Trocadéro. Service continu de 8 h à 23 h. Sandwichs de 5 à 10 €. Club-sandwichs de 14 à 15 €. Superbes macarons à 4 € l'unité. Terrasse, petits rideaux, petites lampes sur les tables... Vieilles cloches, tables en bambou sur la terrasse. Murs roses, mamies roses, serveuses roses. Plutôt que de regarder la place du Trocadéro et les voitures qui passent, mettez-vous face à l'entrée et à la vitrine, à la déco gratinée, qui change au fil des saisons. Hors d'âge, mais la clientèle a tendance à rajeunir ! Les canapés et sandwichs sont garantis d'une grande fraîcheur. Café offert à nos lecteurs sur présentation de ce guide.

Où manger une glace?

Pascal le Glacier *(plan nord B3, 45)* **:** 17, rue Bois-le-Vent, 75016. ☎ 01-45-27-61-84. Ⓜ La Muette. Ouvert de 10 h 30 à 19 h. Fermé les dimanche et lundi. Congés annuels : en août. Cornet double à 4 €; 10,50 € le pot d'un demi-litre. Pascal Combette est un glacier génial dont les créations valent largement celles de *Berthillon.* Exigeant, il ne travaille que des fruits de grande qualité, n'utilise que de l'eau minérale et arrête la production de certains parfums quand il ne trouve pas les fruits à la hauteur de son exigence. Ses sorbets (orange sanguine, mirabelle, mangue...) nous glacent de bonheur. Côté glaces, sa vanille de Tahiti et son chocolat noir-cannelle vous titillent les papilles. *Pascal,* un glacier qui vous rendra givré. Cornets à emporter d'avril à octobre.

Où boire un verre?

Sir Winston *(plan nord D1, 50)* **:** 5, rue de Presbourg, 75016. ☎ 01-40-67-17-37. Ⓜ Charles-de-Gaulle-Étoile. Ouvert de 9 h à 2 h ou 3 h (4 h le week-end). Demi à 5 €, cocktails à partir de 7 € et large gamme de whiskies à prix variables. Brunch musical (gospel, jazz ou blues), le dimanche de 12 h à 16 h, à 24 €. À une enjambée de l'Étoile, un pub à l'élégance très *British* et baroque, tendance cosy-intimiste-tamisée. Grand bouddha à l'accueil. Des bougies éclairent les visages de jeunes B.C.B.G. très ouest-parisiens qui posent dans de gros fauteuils bien confortables. DJ tous les soirs.

Le Comptoir de l'Arc *(plan nord D1, 51)* **:** 73, av. Marceau, 75016. ☎ 01-47-20-72-04. Ⓜ George-V. Ouvert du lundi au samedi de 7 h à 23 h. Cocktails à partir de 5,50 €. Salade à 11 €. À deux pas des Champs-Élysées surpeuplés, cette vieille brasserie connaît une cure de jouvence ! De fait, sa situation stratégique, ses prix doux et son ambiance souriante attirent les 20-35 ans pétillants pour déguster une salade ou boire un verre avant le cinéma. *NOUVEAUTÉ.*

17e ARRONDISSEMENT

Où manger?

Très bon marché

|●| ***West Side Café*** *(plan A3,* ***34****)* **:** 34-37, rue Saint-Ferdinand, 75017. ☎ 01-40-68-75-05. Ⓜ Porte-Maillot. Ouvert du lundi au samedi de 11 h à 16 h. Sandwichs au pain bio et *bagels* de 4,90 à 7,10 €. *Westsiders* de 8,60 à 9,50 €. Menus de 8,50 à 11,90 €. D'un côté de la rue, une boutique de livraison et vente à domicile, d'une redoutable efficacité; de l'autre, un café au look contemporain, avec tables d'hôtes haut perchées, terrasse en rang d'oignons et accueil sympa de la part de serveuses aussi charmantes que suédoises. Choisissez vite votre formule sur le tableau et ne compliquez pas leur tâche, elles préparent selon la demande. Le haut de gamme du sandwich, avec une sélection de produits qui ne rigole pas. Offrez-vous le meilleur, à savoir un *westsider,* savoureux pain aux oignons et aux tomates, garni selon les goûts.

|●| ***Premiata Drogheria Di Meglio*** *(plan D2,* ***29****)* **:** 90, rue Legendre, 75017. ☎ 01-53-31-02-00. Ⓜ La Fourche. Ouvert de 11 h à 15 h 30 et de 17 h à 20 h 30 (23 h les jeudi, vendredi et samedi). Fermé le dimanche. Le soir, réservation obligatoire. Menu à 10,50 €; à la carte, compter environ 15 €. Une ancienne boucherie, pas besoin d'être Nestor Burma pour s'en apercevoir, suffit de regarder les jambons et saucissons suspendus aux anciens crochets à viande! Aujourd'hui, c'est une épicerie à l'italienne, avec un service traiteur qui marche à fond et une restauration sympa entre 12 h et 15 h... Peu de place, tout le monde participe au service, avant d'aller se glisser près de la grande table, au fond du magasin, pour se régaler de pâtes à la crème d'artichaut ou de gratin d'aubergines avec un verre de bardolino ou de valpolicella. Très bons sandwichs, et desserts qui ne sont pas en reste. Même concept au 39, rue Truffaut, à 50 m, dans une ancienne épicerie. Café offert à nos lecteurs sur présentation de ce guide.

|●| ***Chez Teuf*** *(plan D2,* ***1****)* **:** 117, rue des Dames, 75017. ☎ 01-43-87-63-08. Ⓜ Villiers. ♿ Service de 12 h à 14 h 30 et de 19 h à 23 h. Fermé le samedi midi et le dimanche. Le midi, formules à 10,50 € pour 1 plat + 1 café, 13 €

pour 1 entrée + 1 plat ou 1 plat + 1 dessert, les deux café compris ; menu à 17 € ; salades géantes à 12 €. À la carte compter 20 €. Dans une ambiance de 3e mi-temps bien sympathique, toujours conviviale, on se tutoie et on se fait la bise. Le maître des lieux, attentionné et rigolo, met de l'ambiance depuis son petit bar, sa grosse table de refuge en bois, sa salle voûtée ou la cuisine. Roi du cassoulet, du foie gras maison, de la côte de bœuf, du magret de canard, dont il est difficile de venir à bout... d'ailleurs, c'est marqué à l'entrée. Apéritif maison offert à nos lecteurs sur présentation de ce guide.

🍴 ***L'Épicerie Verte** (plan B3, **32**) :* 5, rue Saussier-Leroy, 75017. ☎ 01-47-64-19-68. Ⓜ Ternes. Ouvert de 10 h à 20 h pour l'épicerie, de 12 h à 19 h seulement pour la restauration. Fermé le dimanche. Congés annuels : restauration interrompue 3 semaines en août. Plats du jour et salades de 6 à 8,50 €. Compter 12 € pour un repas avec boisson. Un comptoir installé à l'avant de la petite boutique permet de se restaurer rapidement d'une tarte salée ou d'un plat du jour à base de produits naturels et biologiques. Pas de réservation possible et seulement 9 places, alors inutile de débarquer avec tous les copains. Une tarte du jour salée du style courgettes-courges-carottes ou un plat genre gratin (de céréales par exemple) accompagné de crudités, tourte, timbale de pâtes fraîches à la provençale, voilà un snack végétarien goûteux pour garder le teint frais, situé à deux pas de l'effervescence du marché Poncelet. Et toujours quelques tartes surcrées, flan ou fromage blanc, histoire que les gueules sucrées ne restent pas sur leur faim. Produits bio en vente à emporter.

🍴 ***Restaurant Istanbul** (plan D2, **3**) :* 43, rue des Batignolles, 75017. Ⓜ Rome. Ouvert de 11 h 30 à 21 h 30. Fermé le dimanche. Compter 4,50 € pour un *doner kebab*-frites. Deux têtes de Turcs bien connues du quartier, très sympas. Ah, le bon p'tit *kebab* au veau, qu'on va manger au soleil, sur un banc, au square des Batignolles. Les jours de pluie, on s'assied à 15 sur 4 tabourets, face à un miroir qui ne pardonne rien. *NOUVEAUTÉ.*

Bon marché

🍴 ***L'Escapade** (plan D2, **2**) :* 36, bd des Batignolles, 75017. ☎ 01-45-22-51-77. Ⓜ Place-de-Clichy. ♿ Fermé le dimanche (et le samedi soir de juin à septembre). Congés annuels : du 1er au 29 août. Plat du jour à 8,30 € ; menus à 9,90 €, le midi uniquement, puis de 12,50 à 19,50 €. Compter 21 € à la carte. L'idéal est de venir dans ce banal resto de quartier le samedi midi, au moment où le marché bio des Batignolles bat son plein, pour connaître l'effervescence de l'après-marché, au coude à coude avec les producteurs. Le reste de la semaine, c'est plus calme mais tout aussi bon. Le patron privilégie les produits bio, forcément, et son buffet de hors-d'œuvre (à volonté dès le 1er menu) est en tout point remarquable. Desserts maison. Digestif maison offert à nos lecteurs sur présentation de ce guide.

lel ***Au Petit Chavignol*** *(plan C2, 4)* **:** 78, rue de Tocqueville, 75017. ☎ 01-42-27-95-97. Ⓜ Villiers ou Malesherbes. Service de 8 h à 23 h 45. Fermé le dimanche. Plats autour de 9,40 € ; à la carte, compter 20 €. Un tonneau devant la porte et une tripotée d'habitués concentrés sur leur assiette... on ne se pose pas trop de questions, on entre ! Le choix est relativement simple : salle à l'avant ou à l'arrière, charcuterie ou tartare, vins de Loire ou de Bourgogne. Terroir aussi opulent que celui de l'Aveyron, les portions ont de quoi satisfaire les gros appétits. Mention

lel Où manger ?

- **1** Chez Teuf
- **2** L'Escapade
- **3** Restaurant Istanbul
- **4** Au Petit Chavignol
- **5** Le Bistro des Dames
- **6** La Gaieté Cosaque
- **7** L'Entredgeu
- **9** Le Petit Champerret
- **10** Au Vieux Logis
- **12** La Tête de Goinfre
- **13** L'Abadache
- **15** Sora Lena
- **16** Le Verre Bouteille
- **17** Polonia
- **18** Le Relais de Venise
- **19** Restaurant Le Clou
- **20** Chez Clément
- **21** Caïus
- **22** Le Café d'Angel
- **23** Sud-Ouest Monceau, Claude Laborda
- **24** Le Beudant
- **25** Graindorge
- **26** Le Sud
- **27** Pau Brazil
- **28** L'Ampère
- **29** Premiata Drogheria Di Meglio
- **30** Huîtres – Coquillages – Crustacés (Mme Landeau)
- **31** Le Petit Villiers
- **32** L'Épicerie Verte
- **33** Le Petit Verdot
- **34** West Side Café
- **35** Restaurant Vatel
- **36** La Bleuetière
- **38** Restaurant La Rucola
- **39** Le Galvacher

lel 🍷 Bars à vin

- **40** et **41** Les Domaines qui Montent

lel ☕ Salons de thé

- **45** Le Stübli & Le Stübli Delikatessen
- **46** Pastelaria Belem

🍷 Où boire un verre ?

- **50** James Joyce's Pub
- **51** Le Cambridge Tavern
- **52** 3 Pièces Cuisine
- **53** L'Endroit
- **54** Oh Bigre
- **55** Le Refuge
- **56** Le Café des Petits Frères

NORD

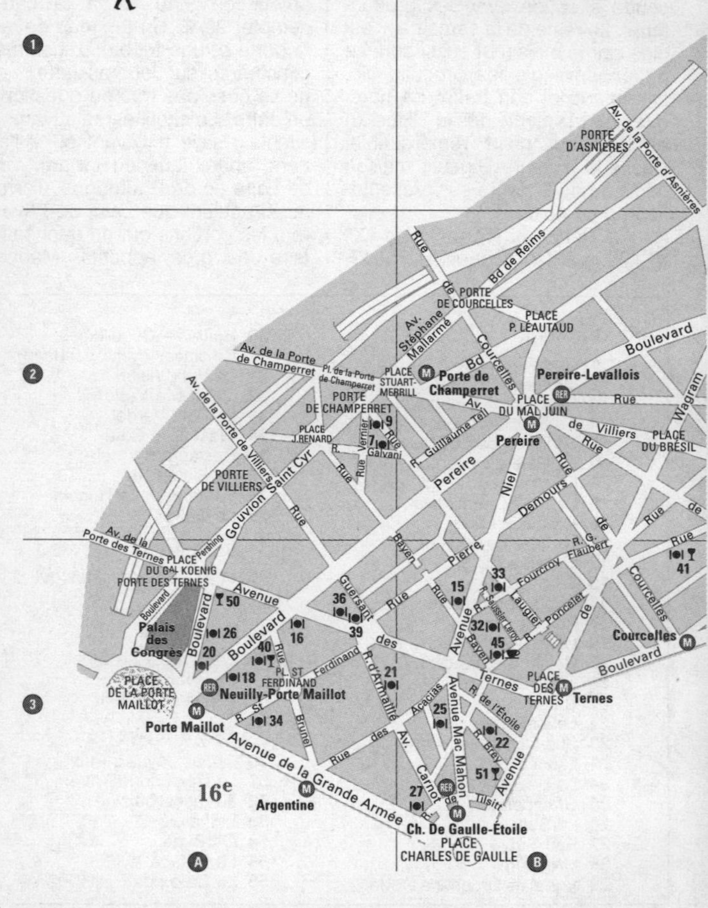
A
B
1
2
3
PORTE D'ASNIÈRES
Av. de la Porte d'Asnières
Bd de Reims
Rue de Courcelles
PORTE DE COURCELLES
PLACE P. LÉAUTAUD
Av. Stéphane Mallarmé
Boulevard
Av. de la Porte de Champerret
Pl. de la Porte de Champerret
PLACE STUART-MERRILL
Porte de Champerret
Pereire-Levallois
PORTE DE CHAMPERRET
PLACE DU MAL JUIN
Rue
Wagram
Av. de la Porte de Villiers
Bd Courcelles
Av.
Pereire
de Villiers
PLACE DU BRÉSIL
PLACE J.RENARD
R. Guillaume Tell
Rue Vernier
Rue Galvani
PORTE DE VILLIERS
Gouvion Saint Cyr
Pereire
Niel
Demours
Av. de la Porte des Ternes
PLACE DU GAL KOENIG
PORTE DES TERNES
Pershing
Bayen
Pierre
R. G. Flaubert
Fourcroy
Laugier
Poncelet
Courcelles
Courcelles
Palais des Congrès
Boulevard
Avenue
Guersant
Rue
R. Saussier Leroy
Bayen
Avenue
des
Ternes
PLACE DES TERNES
Ternes
Boulevard
PL. ST FERDINAND
Ferdinand
R. d'Armaillé
PLACE DE LA PORTE MAILLOT
Neuilly-Porte Maillot
Porte Maillot
R. St
Brunel
Acacias
Avenue Mac Mahon
R. de l'Étoile
R. Brey
Avenue
Avenue de la Grande Armée
Rue des
Av. Carnot
de Tilsitt
16e
Argentine
Ch. De Gaulle-Étoile
PLACE CHARLES DE GAULLE
7
9
15
16
18
20
21
22
25
26
27
32
33
34
36
39
40
41
45
50
51

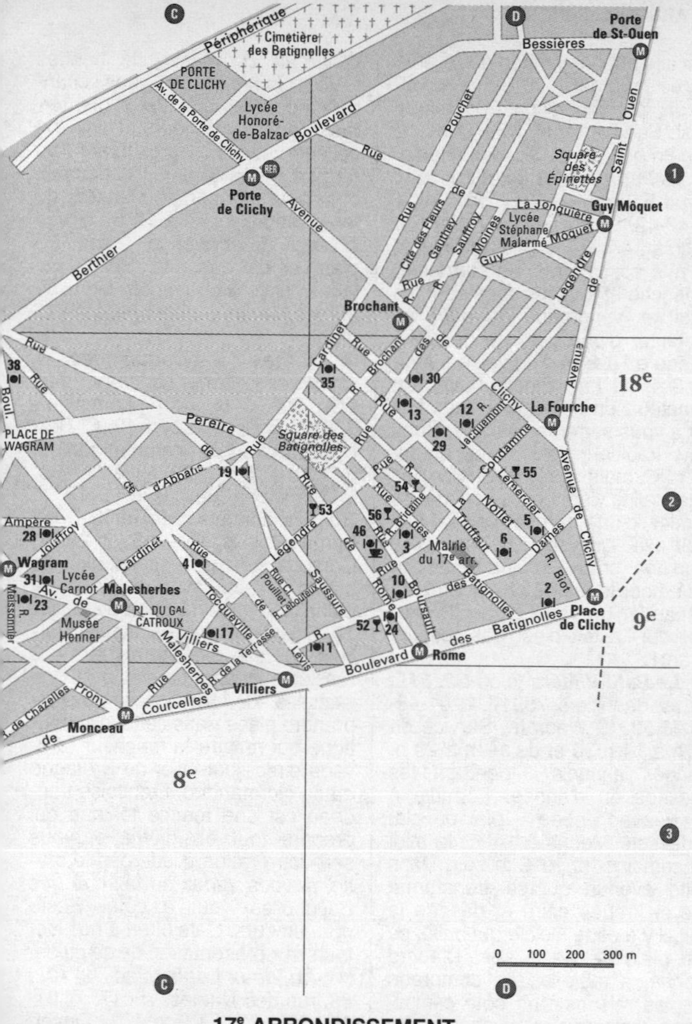

17e ARRONDISSEMENT

spéciale pour le jambon à l'os et la salade rouergate, un bel échantillon du patrimoine gastronomique local. Service tardif, rare dans ce coin un peu éteint. Accueil affable.

Le Petit Verdot *(plan B3, **33**) :* 9, rue Fourcroy, 75017. ☎ 01-42-27-47-42. Ⓜ Ternes. Service jusqu'à 14 h 30 le midi et jusqu'à 23 h le soir. Fermé les samedi et dimanche et tous les soirs sauf les jeudi et vendredi. On peut se contenter d'une planche de charcuterie à 10 € et d'un verre autour de 3 € au bar. Sinon, buvez au compteur, on ne va pas vous forcer à vous serrer la ceinture. Bons plats traditionnels le midi, autour de 14 €, mais, après le service, les plus malins viennent, au calme, se régaler d'une terrine canard-foie gras avec un verre de chiroubles et d'une crème brûlée avec un café, pour le même prix. Évitez de demander un verre d'eau, le dernier qui l'a fait n'est pas ressorti vivant !

Le Petit Villiers *(plan C2, **31**) :* 75, av. de Villiers, 75017. ☎ 01-48-88-96-59. Ⓜ Wagram. Service de 12 h à 14 h 30 et de 19 h à 23 h. Congés annuels : pendant les fêtes de fin d'année. Formule à 11 € avec entrée + plat ou plat + dessert. Menus à 14 €, le midi en semaine, et 19 € le soir. Dans cette avenue qui se transforme vite en trouée noire et déserte la nuit, il y a cette luciole qui brille, ce lieu plein de vie le soir. D'abord étonné, à table on en comprend vite les raisons : un côté campagnard chaleureux, une atmosphère déliée et conviviale, de bonnes vieilles toiles cirées, des chandelles pour les amoureux, une terrasse aux beaux jours et une excellente cuisine présentant un rapport qualité-prix imbattable dans tout le quartier. Pensez, du foie gras au menu à 19 € ! Grand choix : 15 entrées et autant de plats et de desserts. Belles salades, plats traditionnels bien mitonnés, le tout servi généreusement.

Huîtres – Coquillages – Crustacés *(Mme Landeau ; plan D2, **30**) :* 86, rue Lemercier, 75017. ☎ 01-46-27-81-12. Ⓜ Brochant. Ouvert du mardi au samedi de 10 h à 15 h et de 18 h à 21 h 30, le dimanche de 10 h à 15 h. Congés annuels : en août. Deux formules le midi, à 15 et 20 €. Compter 9,50 € la dégustation de bulots à l'aïoli avec un verre de blanc, 15 € les 12 fines de claire, 10 € la douzaine de moules farcies ou celle d'escargots et 14 € l'assiette océane. Le bonheur ! Une vingtaine de personnes peuvent prendre place dans cette jolie boutique qui respire la fraîcheur (arrivage direct journalier de Bretagne ou de Normandie). Françoise Landeau est une femme tonique qui prépare tout elle-même et vous sert votre ration d'iode dès le matin, si vous venez au marché des Batignolles, tout à côté. Resto non-fumeurs. Café offert à nos lecteurs sur présentation de ce guide.

Au Vieux Logis *(plan D2, **10**) :* 68, rue des Dames, 75017. ☎ 01-43-87-72-27. Ⓜ Rome. ♿ Ouvert de 12 h à 14 h 15 et de 20 h à 23 h. Fermé les samedi midi et dimanche. Pour les congés, dixit le patron, « ce sera selon son humeur » (généralement en août). Formules à 9,50 et 10,50 €, et menu à 12 € le midi ; autre menu à 19 € ; carte autour de 24 €. Tous les vendredis, apéritif offert midi et soir. Créé il y a une cinquantaine d'années, voilà un *Vieux Logis* garanti d'époque. La porte s'ouvre sur un minuscule bar, d'où l'on aperçoit 2 salles en enfilade, dont une sur cour avec verrière, sympa aux beaux jours. À la carte, l'andouillette-frites maison, le bœuf bourguignon ou la terrine se partagent la vedette. Les vins choisis par Frédéric sont d'un bon rapport qualité-prix, et il y a toujours un vin du mois. Clientèle d'habitués et de jeunes contents de poser leurs pieds sous la table. Animations une fois par mois (magie, chanson française, beaujolais nouveau...) et expositions de peintures, photos, dessins. Apéritif maison ou café offert à nos lecteurs sur présentation de ce guide.

I●I ***Le Bistro des Dames*** *(plan D2, **5**)* **:** 18, rue des Dames, 75017. ☎ 01-45-22-13-42. Ⓜ Place-de-Clichy. Ouvert de 12 h à 15 h et de 19 h à 2 h (service jusqu'à 23 h 30) ; les samedi et dimanche, service continu de 12 h 30 à 23 h 30. Plat du jour à 10 € environ ; à la carte, compter 15 € le midi et 25 € le soir. Au carrefour des rues Biot, Lemercier et des Dames, un triangle déjà animé dans la journée et qui se couche de plus en plus tard. Ce bistrot (même maison que l'hôtel voisin, la salle sert le matin pour les petits dej') a vite trouvé grâce aux papilles des gens du quartier. Une déco à l'ancienne assez réussie, quelques jolis flacons et un accueil sympa sans frime en font une jolie petite adresse pour l'apéro, avec verre de vin et saucisson, ou pour un repas plus consistant, en salle ou dans le charmant jardinet.

Prix moyens

I●I ***Sora Lena*** *(plan B3, **15**)* **:** 18, rue Bayen, 75017. ☎ 01-45-74-73-73. Ⓜ Ternes. Service de 12 h à 14 h 30 et de 20 h à 23 h 30. Fermé les samedi midi et dimanche. Congés annuels : du 1er au 15 août. Le midi, menu à 20 € environ ; le soir, compter 40 € à la carte. Les frères Giorgi ont du métier, et ils ont choisi un chef de cuisine, Lai-Ang Tea, capable d'attirer, comme son nom ne l'indique pas forcément, les amateurs de risotto aux artichauts et coppa, de foie de veau à la vénitienne ou de filet de bar au basilic. Une vraie cuisine du Sud, à base de bons produits travaillés intelligemment, qui vous fait voyager dans votre tête, à des prix qui s'envolent vite, évidemment. Mais le menu du midi est une jolie réussite, comme le cadre, coloré, chaleureux, qui prend, la nuit venue, une dimension encore plus magique.

Le Petit Champerret *(plan A2, 9) :* 30, rue Vernier, 75017. ☎ 01-43-80-01-39. Ⓜ Porte-de-Champerret. Service de 12 h 30 à 14 h et de 19 h 30 à 22 h. Fermé le samedi midi, le dimanche et le lundi soir. Réservation conseillée, surtout à midi. Congés annuels : en août. Formule à 19 € midi et soir : entrée + plat ou plat + dessert. Compter autour de 35 € pour un repas complet à la carte. Le couple Deltour a transformé ce troquet de quartier en un chaleureux « bistrot gourmand », comme il aime à le qualifier. L'ancienne glace et le vieux zinc sont toujours là, mais les boiseries ont goulûment viré au framboise et les murs à la crème anglaise... Voilà les prémices d'une expérience en trois temps : plusieurs entrées du jour de toute fraîcheur, plats de poisson et de viande bien mitonnés, et une longue, très longue liste de desserts maison. Rien que du premier choix dans l'assiette, la viande surtout, superbement rassise et cuite à la perfection. Ne passez pas à côté des gourmandises, c'est le point fort de la maison. Vins au verre et au pichet. Service efficace et convivial. Café offert (le soir) à nos lecteurs sur présentation de ce guide.

La Gaieté Cosaque *(plan D2, 6) :* 6, rue Truffaut, 75017. ☎ 01-44-70-06-07. Ⓜ Rome ou Place-de-Clichy. Ouvert de 12 h à 15 h et de 19 h à 1 h 30. Souvent complet, mieux vaut réserver. Fermé le dimanche et le lundi midi. Congés annuels : en août. Formule déjeuner à 9,50 € ; plat du jour à 8 € ; menus à 11 €, le midi, 19 et 23 € ; compter 30 € à la carte. *Na Zdorovia !* À votre santé ! Voilà ce que l'on entend dans ce sympathique restaurant à l'ambiance datcha, à la déco sobre, où la musique est bien présente les vendredi et samedi soir. En cuisine, ça parle russe, et même si l'accent – charmant – de l'accueil n'est pas toujours facile à comprendre entre deux vodkas, on déguste de bons petits plats authentiques et copieux. On n'échappe pas aux grands classiques (tarama, bœuf Strogonoff, etc.), mais on y découvre les *zakouskis* (assortiments en entrée), les *chachlyk* (brochettes) et autres *pelmenis* (raviolis) accompagnés de la traditionnelle sauce au raifort. On ne parle pas ici de grande cuisine, mais c'est bon, varié, consistant, et y'a d'l'ambiance ! Apéritif maison offert à nos lecteurs sur présentation de ce guide.

Polonia *(plan C2, 17) :* 20, rue Legendre, 75017. ☎ 01-43-80-10-06. Ⓜ Monceau ou Villiers. Service de 12 h à 14 h et de 19 h 30 à 22 h. Fermé les dimanche et lundi. Congés annuels : en août. Formule à 15 € ; à la carte, compter autour de 25 €. Un resto assez confidentiel d'une quinzaine de tables impeccablement dressées en rouge et blanc dans le hall d'entrée d'un hôtel particulier. Le menu est consistant et présenté avec soin : *bortsch* ukrainien ou *goulasch* en entrée, truite aux épinards ou jambonneau au raifort en plat de résistance. À la carte, goûtez à la roulade de bœuf à la Prince Radziwill. Bon choix de vodkas (un peu chères), notamment celles au sorbier et au poivre, mais la carte vous oriente également vers les parfums les plus adaptés à votre repas. Voilà de quoi vous donner envie de revisiter les classiques de l'Est dans un cadre élégant et sans vous ruiner. Service rapide et très aimable. Fait également traiteur, à condition de passer votre commande à l'avance. Apéritif maison offert à nos lecteurs sur présentation de ce guide.

🍽 ***L'Abadache*** *(plan D2, **13**)* : 89, rue Lemercier, 75017. ☎ 01-42-26-37-33. Ⓜ La Fourche. Ouvert de 12 h à 14 h 15 et de 20 h à 23 h. Fermé les samedi midi et dimanche. Congés annuels : les 3 premières semaines d'août et 10 jours pendant les fêtes de fin d'année. Formules déjeuner de 12 à 19 € ; également une formule soupe du jour + tartine à 7,50 €. Menu-carte (servi midi et soir) à 27 €. C'est son premier resto, et pourtant, ce jeune chef n'en est pas à sa première expérience, lui qui fut formé à bonne école. Dans une salle pas plus grande qu'un mouchoir de poche, dans l'arrière-salle autour de l'imposante table d'hôtes ou en terrasse (2 tables seulement), le grand nombre d'habitués (déjà !) se presse pour goûter une cuisine de marché créative et improvisée chaque jour suivant l'humeur et les produits. Produits de saison, donc, herbes fraîches, fond de sauce maison : la carte est assez limitée, mais toujours équilibrée. Et ne vous étonnez pas d'y trouver quelques plats ou ingrédients anglo-saxons *(summer-fruit pudding, cheesecake, stilton)*, car madame est anglaise. Beau choix de petits vins du Sud-Ouest ou du Languedoc dépassant rarement les 25 € la bouteille. Apéritif maison offert à nos lecteurs sur présentation de ce guide. *NOUVEAUTÉ.*

🍽 ***Le Galvacher*** *(plan A3, **39**)* : 64, av. des Ternes, 75017. ☎ 01-45-74-16-66. Ⓜ Ternes. Ouvert tous les jours. Service jusqu'à 22 h 30. Formules à 20 et 26 €. À la carte, compter autour de 38 €. Une vraie brasserie morvandelle, tout à la fois chic et décontractée, dans son cadre Belle Époque. Équipe très efficace en salle comme en cuisine, dirigée par un homme qui connaît ses produits, étant lui-même propriétaire d'une ferme aux confins du Morvan. Un galvacher des temps modernes, puisqu'on donnait ce nom, autrefois, aux charretiers qui quittaient chaque saison la Bourgogne pour Paris, se déplaçant avec leurs bœufs qu'ils vendaient ensuite sur place. Viande de qualité, donc, et « biaux produits » du pays, qu'on voit rarement sur les tables parisiennes (terrines de bœuf en gelée, charcuterie d'Arleuf, tomme de l'abbaye de la Pierre-qui-Vire). Il y a même quelques spécialités du Berry voisin. Bons vins de petits propriétaires, à prix abordables. *NOUVEAUTÉ.*

|●| ***Le Verre Bouteille*** *(plan A3, **16**)* **:** 85, av. des Ternes, 75017. ☎ 01-45-74-01-02. Ⓜ Porte-Maillot. Service de 12 h à 15 h et de 19 h à 4 h ou 5 h (3 h les dimanche et lundi). Trois formules : à 14,50 €, le midi, 20 € (plat avec une entrée ou un dessert) et 25 € (formule complète). À la carte, compter de 30 à 35 €. *Le Verre Bouteille* reçoit au déjeuner et le soir jusqu'à l'aube tous les couche-tard de la capitale autour de plats solides ou de copieuses salades comme la « Nain jaune » (comté, volaille, raisins secs, sauce curry), un nom qui fait référence aux jeux anciens qui tapissent en partie les murs. Des plats que l'on peut accompagner de vins de toute provenance, servis au verre pour une trentaine d'entre eux. Beaucoup d'animation en fin de semaine sur le coup de 4 h. Un 2e *Verre Bouteille* au 5, bd Gouvion-Saint-Cyr, 75017 (Ⓜ Porte-de-Champerret). ☎ 01-47-63-39-99. Mais celui-ci n'est ouvert que jusqu'à 23 h 30.

|●| ***Le Relais de Venise*** *(plan A3, **18**)* **:** 271, bd Pereire, 75017. ☎ 01-45-74-27-97. Ⓜ Porte-Maillot. Ouvert tous les jours ; service de 12 h à 14 h 30 et de 19 h à 23 h 45. Pas de réservation. Congés annuels : en juillet. Formule unique à 21 € avec entrée + plat, servie midi et soir ; desserts autour de 6 €. L'entrée est facile à repérer, c'est là où il y a la queue. Depuis 45 ans, ce resto traditionnel propose la même formule : une salade aux noix servie d'office, suivie presque immédiatement d'un contre-filet « Porte Maillot » accompagné de pommes allumettes fines et croustillantes et d'une sauce, absolument divine de saveurs et d'onctuosité, dont la recette est tenue secrète. Le tout servi en deux fois. Ne demandez pas autre chose, il n'y a pas ! On termine avec un dessert tout ce qu'il y a de plus classique : vacherin glacé, café liégeois ou profiteroles, par exemple. Le service, aimable, efficace et professionnel (faut pas traîner, vu le monde qui attend dehors) est assuré par des serveuses en robe noire et tablier blanc, à l'ancienne. Beau décor de brasserie parisienne, mâtiné de touches vénitiennes. Chèques refusés.

|●| ***La Tête de Goinfre*** *(plan D2, **12**)* **:** 16, rue Jacquemont, 75017. ☎ 01-42-29-89-80. Ⓜ La Fourche. Service de 12 h à 15 h et de 20 h à 23 h. Fermé le dimanche. Plats du jour de 12 à 15 €. Compter autour de 20-25 € à la carte. La collection de cochons du patron donne le ton. Ce bistrot aux nappes à carreaux rouges fait la part belle à la cochonnaille. Et pour ceux qui n'aiment pas la charcuterie, la carte propose un large choix de bons petits « plats des familles » aux portions généreuses, voire pantagruéliques. Et tout ça dépend du marché du matin. Apéritif maison offert à nos lecteurs sur présentation de ce guide.

|●| ***Chez Clément*** *(plan A3, **20**)* **:** 99, bd Gouvion-Saint-Cyr, 75017. ☎ 01-45-72-93-00. Ⓜ Porte-Maillot. En face du palais des Congrès.

Service continu tous les jours jusqu'à 1 h. Formule rôtisserie (entrée + plat ou plat + dessert) à 15,90 € servie midi et soir, autre formule à 21 € et carte autour de 28 €. Dans un décor original et une ambiance conviviale, cette demeure bourgeoise sur 3 étages n'a rien à envier à ses voisins. Son atout de charme : une cheminée où brûlent de belles bûches en hiver. Côté cuisine, des créations audacieuses côtoient des plats plus traditionnels (la fameuse rôtisserie et la purée maison, le faux-filet aux pommes Pont-Neuf ou les profiteroles au chocolat servies à volonté). Sans oublier l'excellente qualité des plateaux de fruits de mer et crustacés, dont le restaurant s'est fait une spécialité. Une autre adresse dans le même arrondissement, à deux pas de la place des Ternes, au 47, av. de Wagram. ☎ 01-53-81-97-00. Ⓜ Ternes. Également un beau décor de chalet savoyard et une cheminée.

|●| ***La Bleuetière** (plan A3, **36**) :* 68, av. des Ternes, 75017. ☎ 01-44-09-70-07. Ⓜ Ternes ou Neuilly-Porte-Maillot. Service de 12 h à 14 h 30 et de 19 h 15 à 23 h. Fermé les dimanche et lundi. Congés annuels : en août. Formule à 18 € le midi (entrée + plat ou plat + dessert ou encore entrée + dessert, avec 1 verre de vin). Formule complète le soir à 36 € avec un kir ou un cocktail maison et une bouteille de vin (blanc, rouge ou rosé, au choix). Plus cher à la carte. *Bleuetière* comme bleu, la couleur dominante du décor et la mer qu'elle symbolise. De fait, le propriétaire, autodidacte de son état, est un amoureux de l'île de Ré et travaille les produits de la mer à la perfection. La viande est aussi mise à l'honneur et relevée de façon très originale. La carte des vins est courte, concise et de bonne facture. Le service est courtois. En bref, *La Bleuetière* conjugue tous les atouts pour passer un bon moment.

Plus chic

|●| ***L'Entredgeu** (plan A2, **7**) :* 83, rue Laugier, 75017. ☎ 01-40-54-97-24. Ⓜ Porte-de-Champerret. ♿ Ouvert de 12 h à 14 h et de 19 h 30 à 22 h 30 (23 h les fins de semaine). Fermé les dimanche et lundi. Congés annuels : 3 semaines en août et 1 semaine à Noël. Menu à 22 € servi uniquement le midi. Menu-carte à 28 €. Entrée, plat, dessert : vous n'y couperez pas, c'est ainsi que fonctionne le menu-carte, ici ! Mais comme c'est plutôt bon, personne ne rechigne à commander la superbe terrine (servie entière), l'entrecôte et ses pommes frites à la graisse d'oie, le riz au lait et sa marmelade d'orange. À deux pas des Maréchaux, voilà donc l'une des bonnes adresses du moment, dans le genre néobistrot gourmand et abordable. Les jours d'affluence, le service fait ce qu'il peut

et garde le sourire : faites-en autant !

🍽 ***Caïus*** *(plan A-B3,* ***21****) :* 6, rue d'Armaillé, 75017. ☎ 01-42-27-19-20. Ⓜ Argentine ou Ternes. Service de 12 h à 15 h et de 19 h 30 à 22 h 30. Fermé les samedi midi et dimanche. Menu à 23 € (entrée + plat) le midi. Compter environ 45 € à la carte. La carte est saisonnière, hebdomadaire ou mensuelle, selon l'arrivage. La rémoulade de bulots s'avère une superbe entrée en matière pour les plats de poisson (poêlée de rouget, dos de cabillaud croustillant) cuit dans leur jus et émulsionnés juste ce qu'il faut. Les desserts valsent entre la pharmacopée gourmande et les potions magiques des sorciers : poire cocotte et fève tonka, ananas cuit dans une croûte de sel... Les dialogues entre l'Est et l'Ouest se poursuivent jusque dans la présentation des mets, dans des bols de faïence blanche épurée ou des assiettes carrées vert céladon. Bref, une cuisine française partie en voyage et revenue en excellente forme. Service débonnaire.

🍽 ***Le Café d'Angel*** *(plan B3,* ***22****) :* 16, rue Brey, 75017. ☎ 01-47-54-03-33. Ⓜ Charles-de-Gaulle-Étoile. Service de 12 h à 14 h et de 19 h 30 à 22 h. Fermé les samedi, dimanche et jours fériés. Congés annuels : les 3 premières semaines d'août et pour les fêtes de fin d'année. Menus à 19 et 22 € au déjeuner, 38 € au dîner. Compter 40 € à la carte. À l'ombre de l'Arc de Triomphe, dans une rue chaude du bourgeois et affairiste 17e arrondissement, ce bistrot joliment mis tourne à plein régime. Plusieurs atouts : une salle chaleureuse avec, en toile de fond, une cuisine visible de tous mais protégée par un bar qui fait office de garde du corps ; une clientèle de fringants trentenaires en provenance des bureaux environnants qui semblent trouver l'endroit à leur goût ; et enfin, une très agréable cuisine qui revisite le terroir comme chez les grands (normal, le chef, Jean-Marc Gorsy, est un ancien du *Jules Verne*), avec un zeste de fantaisie en sus. Croustillant pied de porc, rognons de veau, poisson du jour et, pour finir, gâteau au chocolat maison ou mousse à l'orange. Menus d'un remarquable rapport qualité-prix.

🍽 ***Le Beudant*** *(plan D2,* ***24****) :* 97, rue des Dames, 75017. ☎ 01-43-87-11-20. Ⓜ Rome. Service de 12 h à 14 h et de 19 h à 21 h 45. Fermé les dimanche et lundi. Formule déjeuner à 20 € (entrée + plat ou plat + dessert) ; menu à 25 €. À la carte, compter autour de 50 €. On jugerait que cette adresse au cadre empesé, flirtant avec le style hôtel-restaurant de province, est ancrée depuis des siècles dans le quartier. Dans ce lieu, vestige d'une autre époque, comme en témoigne la moquette, le temps est comme suspendu. Mais il n'a en rien altéré la qualité d'une cuisine traditionnelle épatante, servie avec autant de gentillesse que de générosité. Les mises en bouche introduisent des plats aux accents iodés, admirablement préparés et servis dans des assiettes en porcelaine de Limoges, d'où le chef est d'ailleurs originaire. C'est donc avec un certain respect que l'on porte à sa bouche une argenterie qui rend bien hommage à des mets de qualité. On espère que ce *Beudant* a largué les amarres pour un bout de temps. *NOUVEAUTÉ.*

|●| ***L'Ampère*** *(plan C2,* ***28****)* **:** 1, rue Ampère, 75017. ☎ 01-47-63-72-05. Ⓜ Wagram ou Malesherbes. Ouvert de 12 h à 14 h 30 et de 19 h à 22 h 30. Fermé les samedi et dimanche. Formule à 23 € (entrée + plat) ou à 29 € avec le dessert. Plats autour de 20 €. Compter autour de 33 € à la carte. Un resto qui s'est offert un grand coup de jeune avec l'arrivée d'un grand chef à ses fourneaux : un cadre néobistrot chaleureux et le tableau noir qui répand ses alléchantes suggestions. Mmm ! le poulet cuit avec pistaches et noisettes, la crème mousseuse d'étrilles... Et, chose pas si fréquente, les desserts ne sont pas en reste. Côté nectars, de beaux flacons qui tournent autour de 30 €. Alors c'est décidé, on reviendra ! Café offert à nos lecteurs sur présentation de ce guide. *NOUVEAUTÉ.*

|●| ***Restaurant Vatel*** *(plan D2,* ***35****)* **:** 122, rue Nollet, 75017. ☎ 01-42-26-26-60. Ⓜ Brochant. Dernier service à 21 h. Fermé le week-end. Congés annuels : de mi-juillet à début septembre et pendant la période de Noël. Menus à 29, 33 et 36 €. Pas de carte. On n'arrive pas dans ce resto isolé à l'angle de la rue Cardinet par hasard. Accueilli par une nuée d'étudiants souriants en uniforme et au garde-à-vous, ce resto d'application se révèle une bonne escale dans ce micro-quartier un peu morne. Salle moderne et chaleureuse sous une verrière, nappage de coton blanc, moquette épaisse, sièges confortables... Et ce sont donc de jeunes serveurs aux petits soins qui vous apportent crémeux de Raddock au curry ou ravelles de noix de veau à la tapenade et jus de tomates acidulées. On se pique au jeu, d'autant que tout ça est bien bon, et ce, dès le 1er menu (entrée, plat, fromage et dessert...). Si vous arrivez jusqu'au dessert, alors là vous êtes carrément cerné par 3 charlots (si, si...), soit plus d'une quinzaine de douceurs, dont l'identité vous est consciencieusement déclinée par le pâtissier. Tarte à la prune, dacquoise pralinée, macaron au chocolat... pourquoi choisir quand on peut prendre une petite part de chaque, juste pour voir ? Et pendant ce temps, les étudiants sont notés (pas trop sévèrement on espère), mais l'atmosphère n'est pas guindée pour autant. Un cocktail Vatel offert sur présentation de ce guide. *NOUVEAUTÉ.*

|●| ***Restaurant Le Clou*** *(plan C2,* ***19****)* **:** 132, rue Cardinet, 75017. ☎ 01-42-27-36-78. Ⓜ Malesherbes. ♿ Ouvert de 12 h à 14 h 30 et de 19 h 30 à 23 h. Fermé les samedi midi, dimanche et jours fériés. Réservation recommandée.

Congés annuels : 2 semaines mi-août et entre Noël et le Jour de l'an. Menus le midi à 20,50 €, le soir à 30 €; sinon, compter autour de 40 € à la carte. Carte des vins très raisonnable; magnifique choix de bordeaux 1er cru en AOC à partir de 42 €. Dans ce bistrot typique au milieu de nulle part, la cuisine sonne plus vraie que nature, et le menu de midi est la bonne affaire à ne pas manquer. Une vieille institution du 17e qui s'est quelque peu embourgeoisée. Atmosphère et clientèle assez conformistes. À l'ardoise du jour, terrine de boudin aux châtaignes, étouffée de bœuf à l'ancienne et desserts confondants. Le soir, tabler, par exemple, sur une épaule d'agneau confite au romarin, puis s'échouer délicieusement sur un moelleux tiède au chocolat. Terrasse ceinturant ce bistrot d'angle en été. Service de voiturier ! Café offert à nos lecteurs sur présentation de ce guide.

Sud-Ouest Monceau, Claude Laborda *(plan C2,* ***23****)* **:** 8, rue Meissonnier, 75017. ☎ 01-47-63-15-07. Ⓜ Wagram. Service de 12 h à 14 h 30 et de 19 h à 22 h. Réservation conseillée. Fermé les dimanche et lundi. Congés annuels : 1 semaine en avril et tout le mois d'août. Compter de 30 à 40 € à la carte, vin compris. Après avoir traversé la petite boutique du traiteur qui met en appétit (hou, ces bouteilles d'armagnac ancestrales qui atteignent presque 1 000 € pour certaines !), on arrive dans une salle digne d'une bonne auberge de province. La population du quartier vient déguster une kyrielle de spécialités de ce Sud-Ouest adulé, dans un cadre agréablement rustique plutôt bienvenu dans ce quartier solennel. Attentions de gastronome, le grille-pain posé sur chaque table, le beurrier à l'ancienne et le pain – délicieux – qui tient au corps. Parmi les entrées, ça peut aller du filet de hareng-pommes à l'huile aux *antipasti,* en passant par l'œuf-cocotte au foie gras, entre autres. Pour les plats, on retrouve bien sûr les incontournables du Sud-Ouest (le canard sous toutes ses formes), avec une tendance foie gras affirmée, mais aussi la garbure. Sans compter les plats du marché. Pour finir, pourquoi pas une tourtière gasconne ou un grand armagnac ? Bonne carte des vins. Service très agréable, en uniforme un peu désuet. On regrette quand même l'absence de menu qui fait que l'addition est un peu trop salée.

Restaurant La Rucola *(plan C2,* ***38****)* **:** 198, bd Malesherbes, 75017. ☎ 01-44-40-04-50. Ⓜ Wagram. Fermé les samedi midi et dimanche. Plats à partir de 10 €. Compter 35 € à la carte (sans la boisson). À deux pas de la porte Champerret, *La Rucola,* tenue par deux jeunes passionnés de cuisine, abrite l'un des plus sympathiques restos italiens du moment. Le chef, ancien de chez *Sormani,* réinvente les régions tous les 15 jours : Pouilles, Ombrie, Campanie... au plus grand bonheur des habitués. Parmi les grands classiques : assortiment de charcuteries italiennes, rougets à la *genovese,* carpaccio de thon à la vénitienne... Le tout servi dans un authentique cadre bistrot. On en redemande !

Graindorge *(plan B3, **25**)* **:** 15, rue de l'Arc-de-Triomphe, 75017. ☎ 01-47-54-00-28. Ⓜ Charles-de-Gaulle-Étoile. Service de 12 h à 14 h et de 19 h 30 à 22 h 30. Fermé les samedi midi et dimanche. Réserver en fin de semaine. Menus à 24 et 28 € le midi, 32 et 60 € le soir. Compter autour de 45 € à la carte. Décor néo-1930 assez classe. Bernard Broux est un chef inspiré. Son savoir-faire, il l'a mis au service de sa Flandre natale, dont il revisite les trésors. *Waterzoï* de la mer aux crevettes grises, escalope de foie gras chaud à la kriek, salmis de pintade fermière à la gueuze, voilà ce que vous pourrez, entre autres, déguster. Tout est parfaitement maîtrisé, d'une fraîcheur exceptionnelle et préparé à la commande. À la carte des vins, préférer celle des bières de Flandre, tant françaises que belges, qui, brunes, blondes ou ambrées, sont parfaitement en osmose avec les plats. Un verre de genièvre offert à nos lecteurs sur présentation de ce guide.

Le Sud *(plan A3, **26**)* **:** 91, bd Gouvion-Saint-Cyr, 75017. ☎ 01-45-74-02-77. Ⓜ Porte-Maillot. Ouvert de 12 h à 14 h et de 19 h à 23 h. Fermé le dimanche. Congés annuels : les 3 dernières semaines d'août et 10 jours entre Noël et le Jour de l'an. Compter aux alentours de 55 € à la carte, avec le vin ; bourride à 28 €. Accueilli par le chant des grillons, on pénètre par un couloir dans un ravissant patio provençal joliment coloré, où quelques oliviers jouent les figures locales. Ce qui, par beau temps, fait oublier momentanément la capitale. Avec les plats, le repas prend carrément un air de vacances. Tomates farcies au chèvre et herbes de Provence, rôti de thon frais, brandade de morue... et la spécialité de la maison, une bouillabaisse toulonnaise montée à l'aïoli. Aux beaux jours, *Le Sud* est pris d'assaut, et on est prié de réserver... 48 h à l'avance ! L'hiver, en période de salons, la chaleur est toujours là, et c'est parfois la surchauffe (nombreux hôtels à proximité). Possibilité d'attendre au 1er étage : verrière, petits salons et feu de cheminée en hiver. Café offert à nos lecteurs sur présentation de ce guide.

Pau Brazil *(plan B3, **27**)* **:** 32, rue de Tilsitt, 75017. ☎ 01-53-57-77-66. Ⓜ Charles-de-Gaulle-Étoile. Ouvert de 20 h à 2 h (dernière commande à 21 h). Pour les dîners-spectacles, arriver entre 20 h et 21 h. Ici, mieux vaut réserver une dizaine de jours à l'avance. Deux formules : « Ipanema » à 115 € et « Prestige » à 150 € ; les vins commencent à 28 €. Disons-le tout de suite : dans le genre, on ne fait pas mieux ! Certes, ça a des côtés kitscho-ringards, mais, dans ce restaurant brésilien très flashy, installé dans l'ancienne piscine de l'Étoile, avec son décor de paillettes, cocotiers et grands miroirs, l'ambiance est chaude ! Au programme, danse et fête ! Et dans l'assiette, la grande spécialité, ce sont les 7 viandes rôties au feu de bois du *rodizio,* servies à volonté avec leurs sauces et légumes. Le tout est accompagné d'un orchestre endiablé qui mène la danse comme à Rio en plein carnaval.

Bars à vin

Les Domaines qui Montent *(plan B3, **41**)* **:** 22, rue Cardinet, 75017. ☎ 01-42-27-63-96. Ⓜ Courcelles. Service le midi uniquement, de 12 h à 14 h (la boutique est ouverte de 10 h à 20 h). Fermé le dimanche. Congés annuels : du 8 au 22 août. Formule du jour à 13 € (entrée + plat ou plat + dessert). Avec sa double casquette de boutique et table d'hôtes, cette adresse conviviale réunit les amateurs de bonnes bouteilles. Le menu unique n'offre pas d'alternative, mais la cuisine de terroir ne blouse pas les épicuriens avertis. Bonne pioche quand le foie gras, par exemple, fait partie du menu. Ces domaines qui sont montés à la capitale nous donnent d'excellentes occasions de lever le coude à la santé de petits producteurs à découvrir. Un tour de France et de ses caves qui n'impose pas un choix entre la bourse ou le verre, puisqu'ici on consomme au prix boutique. Réservation vivement recommandée. Apéritif maison, café ou digestif maison offert à nos lecteurs sur présentation de ce guide.

Les Domaines qui Montent *(plan A3, **40**)* **:** 33, rue Brunel, 75017. ☎ 01-45-72-69-98. Ⓜ Argentine. Service de 12 h à 20 h. Fermé le dimanche. Congés annuels : en août. Formule à 14 € ; plats du jour à 10 € et vins de 3,30 € le verre à 50 € la bouteille (voire plus pour des crus exceptionnels). Si ce n'est le nom, rien à voir avec le précédent. Tout a commencé le jour où les cavistes ont décidé de disposer au milieu de leur magasin des tables d'hôtes et d'y convier les adorateurs de Dyonisos. Et il faut bien l'avouer, ici, on est comme chez de bons potes ! Pour commencer, on prend place bien au chaud près de la cheminée (et pour être sûr qu'elle fonctionne, on peut venir avec ses bûches !). Ensuite, on choisit un vin à la bouteille, en pot lyonnais ou au verre parmi ces vins issus des domaines de petits vignerons qui « montent à Paris » et parfois à la tête. Enfin, on se sustente au choix d'une planche de charcuterie à l'apéro ou d'un plat basque (garbure, *axoa,* etc.). Bons conseils sur les vins (à emporter ou à consommer sur place au même prix) et service fort sympathique.

Salons de thé

|●| ☕ ***Pastelaria Belem*** *(plan D2, **46**)* **:** 47, rue Boursault, 75017. ☎ 01-45-22-38-95. Ⓜ Rome. À deux encablures du square des Batignolles. Ouvert de 8 h à 20 h. Fermé le lundi. Congés annuels : en août. Gâteaux et en-cas autour de 1,50 €. Un salon de thé qui fait office de vitrine à l'une des rares pâtisseries portugaises de la capitale, avec ses azulejos et sa poignée de tables. Ici, on vient à toute heure pour déguster son petit noir accompagné de délicieux *pasteis de nata.* Les habitués, essentiellement lusophones, échangent les nouvelles du pays et en profitent pour commander le gâteau du prochain baptême du filleul. Tout est fait maison; les célèbres *pasteis* (tartelettes aux œufs, la spécialité du quartier lisboète de Belem) bien sûr, mais aussi les gourmandises au coco et au jaune d'œuf répondant au doux nom de *mimos de Lisboa.* Ceux qui trouveront tout ça un brin calorique se reporteront sur les en-cas salés à emporter, dont les croquettes de morue à goûter impérativement! Propreté irréprochable et accueil aimable.

|●| ☕ ***Le Stübli & Le Stübli Delikatessen*** *(plan B3, **45**)* **:** 11, rue Poncelet, 75017. ☎ 01-42-27-81-86. Ⓜ Ternes. Ouvert, pour le salon de thé, du mardi au samedi de 9 h à 18 h 30 et le dimanche de 9 h à 12 h 30; pour la pâtisserie, du mardi au samedi de 9 h à 19 h 30 et le dimanche de 9 h à 13 h. Brunch du mardi au samedi de 9 h à 11 h 30 et le dimanche jusqu'à 12 h 30. Fermé le lundi. Congés annuels : en août. Formule déjeuner à 14,50 €; plat du jour et assiettes composées à partir de 9 €; petit dej' de 10,70 à 13,90 €; brunch à 26,50 €; pâtisseries entre 4 et 6 €. *Sachertorte, linzertorte, strudel,* forêt-noire... les mille et une douceurs du monde germanique sont à la parade dans cette pâtisserie qui fait aussi salon de thé (au 1er étage). En face, un autre magasin se consacre au salé (saucisses, bretzels, etc.), ainsi qu'aux bières et alcools. Lorsque le temps est clément, quelques tables posées à même la rue permettent de bruncher à l'autrichienne, tout en vivant en direct la grande animation de cette rue commerçante qui attire le Tout-17e.

17e

Où boire un verre?

🍷 ***3 Pièces Cuisine*** *(plan D2, **52**)* **:** 25, rue de Chéroy, 75017. ☎ 01-44-90-85-10. Ⓜ Rome ou Villiers. Ouvert tous les jours. Plat du jour et café à moins de 10 €. Convivial, ludique, coloré... ce barresto à la déco brocante *seventies* la joue annexe salon de votre appart'. Étudiants de l'IUFM, associés des start-up avoisinantes et même quelques égarés à la sortie du théâtre Hébertot. C'est là, dans ce coin de la rue des Dames, que vous croiserez des amoureux autour d'un backgammon, des demoiselles accrochées à leurs portables et des tendres loups en quête de compagnie. Un demi et une tarte salée ? Peut-être un plat du jour s'il en reste. L'été, les grandes baies vitrées s'ouvrent vers la ville au moment où le village des Batignolles fait entendre tous ses bruissements... Clientèle mélangée, un brin artistique.

17e

Le Café des Petits Frères *(plan D2, **56**) :* 47, rue des Batignolles, 75017. ☎ 01-42-93-25-80. Ⓜ Rome. ♿ Ouvert du mardi au vendredi de 8 h à 12 h 30 et de 14 h à 18 h (17 h le vendredi). Congés annuels : en août. Café à 0,45 €, soda à 0,75 € et petit déjeuner à 1,50 €. Ce « bar pas comme les autres » permet aux personnes seules ou dans une situation précaire de rencontrer les habitants du quartier. C'est tout un quartier, jeune et moins jeune, qui se retrouve autour d'un verre (sans alcool) ou d'un p'tit noir. Et ça jacasse, tandis que d'autres préfèrent se plonger dans un jeu ou dans l'un des bouquins piochés au hasard des rayonnages, tout ça dans un cadre simple et chaleureux. Pas mal d'animations (expos photos, concerts...). Une initiative qu'il faut saluer ! Café offert à nos lecteurs sur présentation de ce guide.

James Joyce's Pub *(plan A3, **50**) :* 71, bd Gouvion-Saint-Cyr, 75017. ☎ 01-44-09-70-32. Ⓜ Porte-Maillot. ♿ Ouvert tous les jours de 10 h à 2 h. La bière pression est à 4 € et la pinte à 6,50 €. *Live music* le samedi soir à partir de 21 h. Voici un bar qui sent bon le malt et l'imprimerie. Alliance du whisky et de la littérature – James Joyce est l'écrivain le plus célèbre d'Irlande –, l'établissement accueille aussi bien les amateurs d'alcool de qualité que les futurs prix Goncourt. Pas de complexes si vous ne faites partie d'aucune de ces deux familles, vous ne serez pas le seul. Avant d'entrer, jetez un œil sur la belle façade, puis admirez la décoration des 2 étages, très cosy. La carte est bien fournie et les prix restent corrects. À signaler, dans les whiskies, un bon *Black Bushmill* (6,10 €).

Le Cambridge Tavern *(plan B3, **51**) :* 17, av. de Wagram, 75017. ☎ 01-43-80-34-12. Ⓜ Charles-de-Gaulle-Étoile. Ouvert du lundi au vendredi de 7 h à 4 h (*happy hours* de 16 h à 19 h) et le week-end jusqu'à 6 h 30 ! Bières autour de 4 € et whiskies de 7 à 10 €. Menus à 10 et 15 €. Un vrai pub qui, dans la journée, attire toute la clientèle des bureaux environnants et qui, le soir venu, réunit les buveurs de bière du quartier puis, plus tard, les amateurs de whisky. La cuisine de brasserie y est parfaitement correcte. Du mercredi au samedi, à partir de 22 h, y jouent d'excellents groupes de R'n'B ou de jazz, et ces soirs-là, ça décolle !

L'Endroit *(plan C-D2, **53**) :* 47, rue Legendre, 75017. ☎ 01-42-29-

50-00. Ⓜ Brochant ou Rome. Ouvert de 10 h à 15 h 15 et de 19 h 30 à 2 h (service jusqu'à 22 h 45). Le *soft drink* de 3 à 4 €, la bière de 4,30 à 5,90 € et le cocktail à 8,60 €. Restauration à la carte de 19 à 23 €. Dans le désert nocturne de cette partie du 17e, séquence volets clos et façades muettes, c'est l'unique point de chute et de vie en forme de bar design. Les trentenaires actifs du quartier et régulièrement les têtes connues environnantes viennent y tomber la veste, la cravate et descendre quelques verres de cocktails bien dosés *(margarita, screaming orgasm...)*. Le service la joue gentiment *city-chic*. Tout comme les décibels (mouvance soft) et la délicieuse terrasse ouverte sur une placette préservée du Paris-village.

🍷 ***Oh Bigre*** *(plan D2, **54**)* **:** 4, rue Bridaine, 75017. ☎ 01-44-90-05-04. Ⓜ Place-de-Clichy ou La Fourche. Ouvert du mardi au samedi de 18 h à 2 h. Ils sont sympas dans ce bar à vin, souriants, et toujours prêts à vous faire goûter une de leurs trouvailles – sachant que les proprios ont aussi une cave, rue des Batignoles, ça aide ! Ces trois copains vont eux-mêmes chercher des vins de pays, généralement en AOC, et trouvent quelques breuvages étonnants. En Touraine notamment, et spécialement un cheverny remarquable. Un bistrot se trouve être en vente dans le coin ? Ils l'achètent, et ça devient *Oh Bigre* ! Ambiance sobre et charmante. Excellentes assiettes de spécialités italiennes, notamment. *NOUVEAUTÉ.*

🍷 ***Le Refuge*** *(plan D2, **55**)* **:** 34, rue Lemercier, 75017. ☎ 01-42-93-46-16. Ⓜ La Fourche. Ouvert de 16 h à 5 h. « Ambiance jazz, intimité kabyle », comme l'écrivit joliment un des habitués de ce bar de quartier haut en couleur, où il faut jouer des coudes certains soirs... Café parigot à l'ancienne le matin, pour ceux qui ne supporteraient pas le choc des cultures.

18e ARRONDISSEMENT

Où manger ?

Très bon marché

I●I ***Hôtel-restaurant du Square*** *(plan D3, **4**)* **:** 6, pl. de la Chapelle, 75018. ☎ 01-46-07-69-74. Ⓜ La Chapelle. ♿ Au fond du square que l'on trouve en sortant de la station de métro. Service de 12 h à 15 h et de 19 h à 23 h. Fermé le dimanche. Congés annuels : du 1er au 15 août. Plat du jour à 7,50 € ; menu à 9,80 € servi midi et soir ; à la carte, compter autour de 15 €. Comme un « routier » en pleine ville, mais un peu paumé dans le quartier. Restaurant populaire avec menus copieux et bons couscous. Digestif maison offert à nos lecteurs sur présentation de ce guide.

I●I ***L'Étoile de Montmartre*** *(plan B2, **1**)* **:** 26, rue Duhesme, 75018. ☎ 01-46-06-11-65. Ⓜ Lamarck-Caulaincourt. Restauration de 12 h à 14 h 30 uniquement. Fermé le mardi. Plat du jour à 7 € et formule à 10 €. À l'ombre de la Butte, un troquet qui fleure bon le Paris d'antan. Haute salle aux murs jaunis par les années mais rehaussés d'adorables frises, mosaïque incrustée d'étoiles au sol, bar en formica... Un charme suranné habite ce lieu qui, chaque midi, fait le plein d'habitués. Jeunes, vieux, ouvriers ou encravatés s'installent alors au coude à coude pour profiter à moindre prix d'une petite cuisine éminemment familiale, modeste mais sincère. Ambiance pleine d'authenticité et de convivialité ; l'accueil de la famille Giordano, qui tient les rênes de cette maison depuis plus de 3 décennies, n'y est sans aucun doute pas étranger. Cartes de paiement refusées.

I●I ***Le Gastelier*** *(zoom, **26**)* **:** 1 bis, rue Tardieu, 75018. ☎ 01-46-06-22-06. Ⓜ Anvers ou Abbesses. Ouvert de 9 h à 19 h. Fermé le lundi. Congés annuels : en août. Petit dej' de 7,10 à 12 €. Sandwichs autour de 4 €. Tarte salée avec une salade verte à 7,50 € ; avec un verre de vin : 9,10 €. Assiette de 4 tartines à 9,60 € en été. Plat du jour style langue de bœuf, à déguster près de la fenêtre pour profiter de la vue imprenable sur la plus grosse meringue de Paris. Clubs-sandwichs au pain complet. Macarons ou (bonnes) pâtisseries à choisir en vitrine pour terminer. Tout ce qu'il faut sinon pour flemmarder en terrasse ou pour pique-niquer ensuite dans le jardin Louise-Michel, fameuse communarde, au pied du... Sacré-Cœur. Café offert à nos lecteurs sur présentation de ce guide.

À la Goutte d'Or *(plan C3,* ***7****) :* 41, rue de la Goutte-d'Or, 75018. ☎ 01-42-64-99-16. Ⓜ Barbès-Rochechouart ou La Chapelle. ♿ Ouvert de 11 h 30 à 15 h et de 18 h 30 à 22 h 30. Fermé le dimanche. Menus à 8, 10 et 11,50 € ; carte autour de 17 € sans la boisson. Salle sans charme aucur et agréable terrass resto est situé à l'a de Chartres et de l Excellents couscou traditionnelle franç paella sur comma modérés qui n'augn ment jamais, bien Apéritif maison ou c lecteurs sur présen guide.

Bon marché

Un Zèbre à Montmartre *(zoom,* ***47****) :* 38, rue Lepic, 75018. ☎ 01-42-23-97-80. Ⓜ Abbesses. Service de 11 h 30 à 23 h 30 non-stop. Croque-monsieur Poilâne à 6,90 €. Salades à 7,70 €. Formules à 13 € le midi, 15 et 21 € le soir, autour d'un plat savoureux style lasagnes des gones, entre autres assiettes colorées et odorantes. Sympa, le *Zèbre,* surtout aux beaux jours, quand on arrive à chiper une table en terrasse et qu'on profite tout à la fois du passage des voisins et des plats inscrits à l'ardoise de ce petit resto qui ne se prend pas au sérieux.

Le Nioumré *(plan C2,* ***44****) :* 7, rue des Poissonniers, 75018. ☎ 01-42-51-24-94. Ⓜ Château-Rouge ou Barbès-Rochechouart. Service jusqu'à 23 h. Fermé le lundi. L'addition ne dépasse pas les 15 € pour un repas, avec des plats entre 8 et 10 €. À deux pas du marché Dejean, le marché africain de Paris, voici un bon prétexte pour se mélanger à garrée et haute en aime bien le décor un peu kitsch de ce resto sénégalais, où passe souvent le joueur de *kora.* Même s'il a un peu perdu de son ambiance 100 % black (succès oblige, beaucoup de *toubabs* aujourd'hui !) et qu'on ne peut désormais plus y boire d'alcool, les portions sont toujours aussi copieuses et le service aussi amical. On a un faible pour le *tiéboudienne* (attention au piment quand même !), le poulet *yassa* (aux oignons et mariné dans le citron) et bien sûr le traditionnel *mafé* (poulet aux arachides). D'ailleurs, il n'y a presque que ça... Mais c'est bon et toujours aussi dépaysant.

No Problemo *(plan B2,* ***3****) :* 21, rue André-del-Sarte, 75018. ☎ 01-42-54-39-38. Ⓜ Anvers ou Château-Rouge. ♿ Ouvert tous les jours sauf le dimanche, de 11 h à 2 h (dernier service à 1 h). Plats entre 13 et 18-19 €, desserts à

18e

Où manger ?

1 L'Étoile de Montmartre
3 No Problemo
4 Hôtel-restaurant du Square
5 Le Mini-Resto
7 À la Goutte d'Or
11 La Preuve par 9
12 La Renaissance
13 La Gazelle
14 La Table d'Hélène
15 Wassana
16 La Farayade
17 Sale e Pepe
18 Le Rez-de-Chaussée
19 Sonia
20 Chez Paula
21 Le Palais du Kashmir
22 Thu-Thu
23 Chez Pradel
24 Chez Eusebio
25 La Bougnate
26 Le Gastelier
27 Le Soleil Gourmand
28 Les Feuillades
29 Piccola Strada
30 La Casserole
31 Le Jungle Montmartre
32 Le Maquis
33 Paris Bohème
34 L'Assiette
35 Le Cottage Marcadet
36 Les Routiers
37 L'Oriental
38 Le Bouclard
39 Taka
40 Le Village Kabyle
41 Au Petit Budapest
42 Le Restaurant
43 L'Étrier Bistrot
44 Le Nioumré
46 Wepler
47 Un Zèbre à Montmartre
48 La Famille
49 Al Caratello

Bars à vin

55 Aux Négociants
56 Au Bon Coin
57 Chez Grisette

Où boire un verre ?

60 Drôle d'Endroit pour une Rencontre
61 La Divette de Montmartre
62 La Fourmi
63 Chez Camille
64 Les Taulières

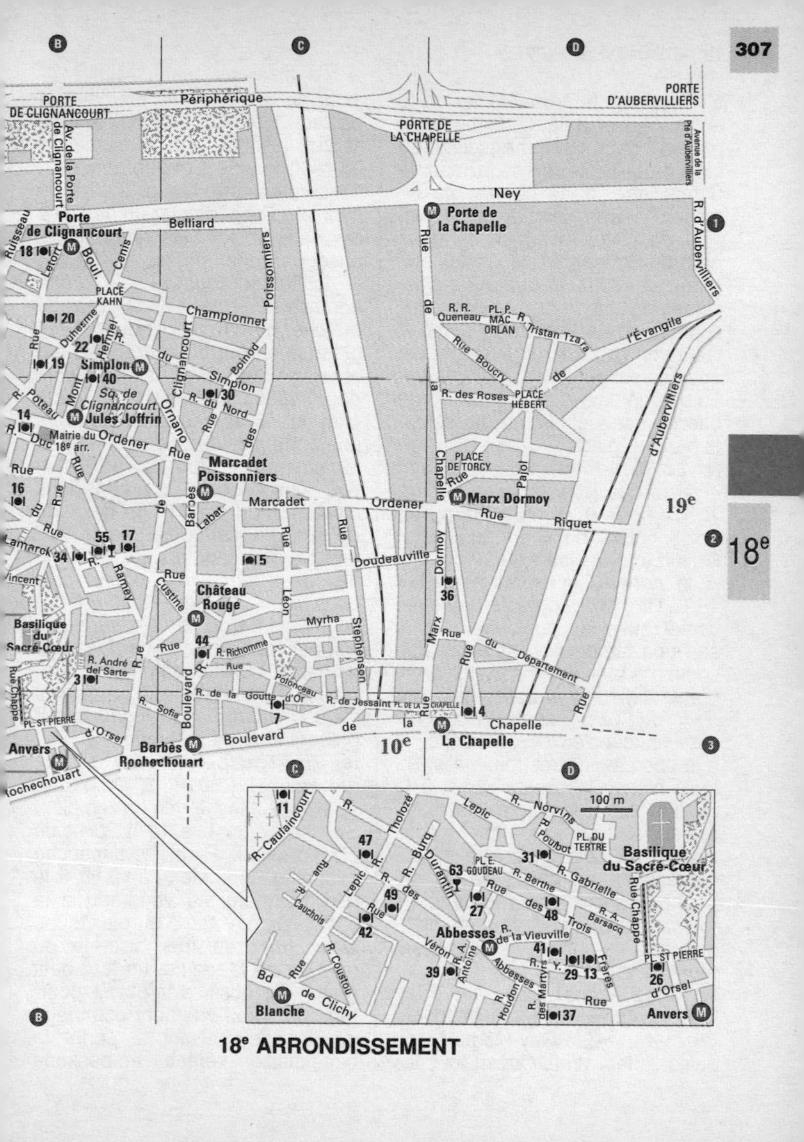

18e ARRONDISSEMENT

5,70 €; vin de propriété au verre entre 2,90 et 3,50 €, la bouteille entre 17 et 20 €. Une enseigne au pied de la Butte, près du marché Saint-Pierre, qui a changé de direction. Même gentille petite cuisine de bistrot avec un ou deux plats du jour genre raviolis aux épinards et ricotta et quelques classiques comme le tartare coupé au couteau ou l'entrecôte. Pas mal et vraiment copieux. À noter, c'est aussi un bar gentiment branché – et un peu enfumé – ouvert tard. Café offert à nos lecteurs sur présentation de ce guide.

|●| ***Le Mini-Resto*** *(plan C2,* ***5****)* **:** 46, rue des Poissonniers, 75018. ☎ 01-42-54-97-11. Ⓜ Marcadet-Poissonniers ou Château-Rouge. Ouvert tous les jours de 12 h à 2 h. À la carte uniquement, compter 16 €. Une petite gargote africaine, chaleureuse et populaire. On y sert une tambouille camerounaise comme à la maison, sans façon ni prétention. Son succès, ce resto ne le doit pas vraiment à l'emplacement, loin d'être exceptionnel, ni à la décoration (très minimaliste !), mais bien à la constance et à la qualité. Au programme, quelques classiques comme les *n'dole, gombo* ou poisson braisé, à accompagner, au choix, de riz ou, pour plus d'exotisme, d'igname, de *foufou,* d'*aloko* ou de banane plantain. Peu de choix, mais dépaysement garanti.

|●| ***Chez Pradel*** *(plan A1,* ***23****)* **:** 168, rue Ordener, 75018. ☎ 01-46-06-75-48. Ⓜ Guy-Môquet ou Jules-Joffrin. Wi-fi. Ouvert tous les jours de 8 h (7 h les mercredi et samedi, jours de marché) à 2 h; service jusqu'à 14 h 30 le midi et 23 h 30 le soir. Congés annuels : 15 jours en août. Menus à 12 €, le midi, et 15 €. Compter un peu plus de 20 € le soir. Récemment reprise par une équipe de jeunes « totalement motivés », cette adresse de proximité, au cœur du marché de la rue Ordener, fait presque le tour du cadran, au bar et dans les deux salles à la déco 1920 rafraîchie. Le jeune chef, lui, a fait ses gammes dans une autre cantine, celle du *Ritz* ! Et là, chapeau... Pour le prix d'un pourboire là-bas, trois propositions d'entrées, de plats et de desserts (le midi) ne manquent pas de surprendre par leur saveur et la finesse de leur exécution. Et cela dans une ambiance tout en décontraction. Une adresse sérieuse, sympathique et sans chichis : qui dit mieux ? Cartes de paiement refusées. Apéritif maison ou digestif maison offert à nos lecteurs sur présentation de ce guide.

|●| ***Thu-Thu*** *(plan B1,* ***22****)* **:** 51 bis, rue Hermel, 75018. ☎ 01-42-54-70-30. Ⓜ Jules-Joffrin ou Simplon. Service de 12 h à 14 h 30 et de 20 h à minuit. Fermé le dimanche midi et le lundi. Menu à 10,50 € le midi du mardi au vendredi; à la carte, compter 22 € au maximum. Dans une rue très discrète du quartier de la mairie, un tout petit resto tout aussi discret. Et pourtant, ce serait vraiment dommage de ne pas pousser la porte de cette maison, véritable ambassade

de la cuisine familiale vietnamienne. Certes, le cadre est un peu sombre et la déco minimaliste, mais la cuisine est, elle, tout à fait authentique et hautement savoureuse. *Bo bun,* soupe maison, nems, crevettes sel et poivre, poisson au fenouil, crêpe vietnamienne... Faire son choix est difficile tant la carte recèle de merveilles ! Mais quoi que vous tentiez, tout est d'une fraîcheur exemplaire et riche de saveurs délicatement parfumées. L'accueil, tout comme le reste, est également délicieux. Café offert à nos lecteurs sur présentation de ce guide.

La Gazelle *(zoom,* ***13****) :* 15, rue des Trois-Frères, 75018. ☎ 01-42-54-05-93. Ⓜ Abbesses. Ouvert à midi et le soir de 18 h 30 à minuit. Fermé le lundi midi. Congés annuels : à Noël. Menu de cuisine française traditionnelle à 14,50 €, comprenant entrée, plat et dessert ; couscous et tajines à partir de 11,50 € ; compter environ 18 € à la carte. Dans le quartier des Abbesses, avec un couscous dans l'assiette et quelques tableaux et faïences sur les murs, on se prend à rêver à des vacances au soleil. Semoule légère et savoureuse, légumes cuits à point, viandes tendres. Si vous êtes nombreux, vous aurez le plaisir de déguster la spécialité de la patronne : le gigot farci (à partir de 8 personnes). Parfait... mais on regrette le vin un peu cher (sans doute parce qu'il est mis en bouteille au pays...). Pour manger plus léger, agréable petite salade algéroise à accompagner d'un *brick,* par exemple. Une maison authentique, fréquentée par des gens de théâtre du quartier. Une pâtisserie offerte à nos lecteurs sur présentation de ce guide, de septembre à décembre.

Sonia *(plan B1,* ***19****) :* 8, rue Letort, 75018. ☎ 01-42-57-23-17. Ⓜ Jules-Joffrin, Simplon ou Porte-de-Clignancourt. Ouvert de 12 h à 14 h 30 et de 18 h 30 à 23 h 30 (dernier service). Fermé le dimanche midi, sauf en été. Menus à 7,50 et 13 € le midi, 16 € le soir. Une adresse indienne que l'on a longtemps hésité à vous dévoiler, car la petite salle (26 couverts) est souvent pleine. L'accueil est chaleureux et les plats savoureux. La cuisine est familiale, simple et juste, et chaque plat est subtilement épicé. Du *nan* (pain indien) à la pâte parfaitement levée, en passant par le poulet *madras* ou *vindaloo,* ou encore l'agneau *shahi korma* ou le *baigan burtha* (caviar d'aubergines), tout est cuit à point, et les saveurs indiennes sont bien présentes, au grand plaisir de vos papilles.

Le Palais du Kashmir *(plan B1,* ***21****) :* 77, rue du Poteau, 75018. ☎ 01-42-59-40-86. Ⓜ Jules-Joffrin. Ouvert tous les jours de 12 h à 14 h 30 et de 19 h à 23 h 30. Plat du jour ou formule déjeuner à 8 €. Menus à 15 et 18 € ; à la carte, compter 25 € sans la boisson. Inattendu dans ce quartier, un des bons restos indo-pakistanais de Paris. Ne soyez pas rebuté par le décor, tout dégoulinant de stuc ouvragé, de colonnes doriques invraisemblables, et laissez-vous séduire par une cuisine goûteuse et variée. En entrée, il faut prendre les beignets, soit *pakoras* (légumes), soit *samoussas* (originaires du Pendjab) – ce sont ces derniers qu'on préfère. Ensuite, goûtez le *mutton kashmir,* excellent, ou le poulet *shahi korma.* Évitez les vins (sans intérêt) et prenez un *lassi* ou un thé maison aux épices. Vous ne serez pas déçu du voyage. Apéritif maison offert à nos lecteurs sur présentation de ce guide.

|●| ***Chez Paula*** *(plan B1,* ***20****)* **:** 26, rue Letort, 75018. ☎ 01-42-23-86-41. Ⓜ Porte-de-Clignancourt. ♿ Service de 12 h à 14 h 30 et de 19 h à 21 h 30. Fermé les samedi et dimanche. Congés annuels : du 14 juillet au 15 août. Menus à 10 € le midi et 12,50 € le soir ; à la carte, compter autour de 20 €. Paula, originaire du Portugal, part en vacances... à l'humeur ! Elle tient son restaurant selon la même formule, mais c'est loin d'être désagréable ! Une bonne petite adresse de proximité, qui a su séduire la clientèle artistico-bohème du quartier, aimant s'y retrouver en petites bandes pour un repas sans façon. Paella (le vendredi), fondue bourguignonne, aïoli ou couscous sur réservation et, tous les jours, gambas grillées, steak au poivre qui ont leurs *aficionados,* ainsi d'ailleurs que les menus, qui ne volent pas leur monde. Accueil tantôt pétillant, tantôt nonchalant... Apéritif maison ou café offert à nos lecteurs sur présentation de ce guide.

|●| ***Al Caratello*** *(zoom,* ***49****)* **:** 5, rue Audran, 75018. ☎ 01-42-62-24-23. Ⓜ Abbesses ou Blanche. Ouvert de 12 h à 14 h 30 et de 19 h à 23 h 30. Fermé le lundi midi et le mardi soir. Menu du midi à 10,50 €, menu du soir (du dimanche au jeudi) à 17 €. À la carte, compter 20 €. Simple mais bonne adresse transalpine, aux murs jaunes et aux tables en bois. Les mets sont préparés avec soin, dressés avec élégance, copieux (mention spéciale aux *antipasti*) et servis avec le sourire. Les plats du jour (*rigatone* à la tomate ou *linguine* aux aubergines et aux gambas, par exemple) sont tout simplement délicieux et particulièrement avantageux. Ne pas hésiter à conclure sur une note sucrée avec un tiramisù ou une *panna cotta* aux fruits frais, avant un *caffè ristretto* et, pourquoi pas, une *grappá* ?...

|●| ***Le Rez-de-Chaussée*** *(plan B1,* ***18****)* **:** 65, rue Letort, 75018. ☎ 01-42-64-64-39. Ⓜ Porte-de-Clignancourt. Ouvert de 12 h à 14 h 15 et de 19 h à 22 h 30. Fermé le dimanche. Congés annuels : les 3 premières semaines d'août et entre Noël et le Jour de l'an. Formule à 12,30 € et menu à 17,20 €. À la carte, compter 20 €. Ayant repris en voisins (ils habitent au-dessus...) une ancienne institution du quartier, les propriétaires ont refait la déco avec goût, sans oublier le contenu des assiettes. Les produits sont authentiques (frican-

deau de Laguiole, pavé de bœuf d'Aubrac ou aligot...), bien mis en valeur, et les prix ont su rester sages. La carte des vins est... résolument orientée vers le Sud de la France, et les pots lyonnais sont à prix imbattables. On peut aussi emporter sa bouteille si elle n'est pas finie. Quelle bonne idée ! Apéritif maison offert à nos lecteurs sur présentation de ce guide.

I●I ***Sale e Pepe*** *(plan B2,* ***17****)* **:** 30, rue Ramey, 75018. ☎ 01-46-06-08-01. Ⓜ Château-Rouge ou Jules-Joffrin. Service de 12 h à 14 h 30 et de 19 h 30 à minuit. Fermé le dimanche et le lundi midi. Congés annuels : en août. Menus à 13,50 € (le midi seulement) et 20 €. Les adresses qui bannissent le tabac ne sont pas légion. Rendons donc hommage à cette petite table d'hôtes italienne qui s'efforce de faire du bien aux poumons de ses clients, l'espace d'un repas. Accessoirement, elle en profite pour faire du bien à leur estomac, avec des pizzas bien faites (en guise de garniture, ils mettent tout ce qui leur tombe sous la main), des petites salades toutes simples, quelques pâtes valables et des vins à déguster à la régalade. Très souvent plein : réservez.

I●I ***La Renaissance*** *(plan B1,* ***12****)* **:** 112, rue Championnet, 75018. ☎ 01-46-06-01-76. Ⓜ Porte-de-Clignancourt. Fermé les samedi soir et dimanche, sauf en été. Salades à 10 € ; compter de 15 à 20 € à la carte. Cette maison, qui a dû connaître ses heures de gloire... il y a longtemps, a gardé, avec ses fresques délavées, ses murs jaunis, son piano droit défraîchi, ses glaces gravées, son billard dans un coin et son comptoir d'époque, un charme certain. On prie d'ailleurs pour qu'il reste en l'état. La cuisine respecte le contrat, simple, honnête. La terrine de grand-mère et la tarte Tatin encadrent, pour les plus en appétit, tartare, andouillette ou entrecôte. C'est solide, à défaut d'être original.

I●I ***Wassana*** *(plan A2,* ***15****)* **:** 10, rue Ganneron, 75018. ☎ 01-44-70-08-54. Ⓜ Place-de-Clichy ou La Fourche. Ouvert de 12 h à 14 h 30 et de 19 h à 23 h 30. Fermé le samedi midi, le dimanche et le midi des jours fériés. Menus à 7,50 et 11 € le midi ; le soir, uniquement à la carte, compter alors 30 €. Bien caché dans une rue discrète, un vrai thaï. Une bonne adresse dont la réputation n'est pas démentie au fil des ans. Le cadre a été entièrement rénové et le résultat est tout à fait réussi : un petit vent de fraîcheur et de modernité dans une salle qui reste cosy. Succulentes soupes thaïlandaises et plats admirablement parfumés. Le midi, le 1er menu est d'un étonnant rapport qualité-prix. Et comme on n'est évidemment pas les seuls à apprécier ce petit coin de saveurs venues d'Asie, l'ambassadeur de Thaïlande en France a félicité Madame Wassana de faire désormais partie des 10 meilleurs restaurants thaïlandais en France. Apéritif maison ou café offert à nos lecteurs sur présentation de ce guide.

Prix moyens

|●| ***Les Routiers*** *(plan D2, **36**)* **:** 50 bis, rue Marx-Dormoy, 75018. ☎ 01-46-07-93-80. Ⓜ La Chapelle ou Marx-Dormoy. Service de 12 h à 14 h 15 et de 19 h 15 à 22 h 15. Fermé le dimanche. Congés annuels : 1 semaine en février-mars et tout le mois d'août. Menus de 16 à 23 € servis midi et soir; à la carte, compter autour de 35 €. Belle sélection de vins de propriétaire, à partir de 12 € pour la gouleyante cuvée du patron. Même si les camionneurs ne s'y arrêtent plus guère, le panonceau bleu et rouge et l'esprit routier demeurent. Et ce n'est sans doute pas pour son décor, qui ne paie pas de mine, que la kyrielle de fidèles s'attable midi comme soir en se serrant les coudes dans ce petit bistrot. Ce qu'on apprécie ici? D'abord la personnalité du patron, l'amical Bernard Dubreuil, professionnel sérieux et amoureux des bons produits. Ensuite sa cuisine : simple et franche, mitonnée à l'ancienne et servie en portions généreuses dans des plats... en inox! Millefeuille d'andouille et pomme, œufs cocotte au crabe, escalope de veau aux girolles, cassoulet aux haricots tarbais... tout ici est à essayer les yeux fermés, dans une ambiance conviviale.

|●| ***Au Petit Budapest*** *(zoom, **41**)* **:** 96, rue des Martyrs, 75018. ☎ 01-46-06-10-34. Ⓜ Abbesses ou Pigalle. Ouvert tous les soirs sauf le lundi, à partir de 19 h 30. Menus à 13,50 €, du mardi au jeudi seulement, et à 17,50 € (apéritif compris) environ 25 €; à la carte. Le patron semble tout droit sorti de son pays natal. Il a ouvert cette table magyare où il reçoit comme à la maison. Évidemment, la cuisine joue à fond la carte hongroise : goulash, charcuteries, *paprikash* (émincé de bœuf aux oignons et paprika) et rôti à la tsigane (porc mariné à la sauce piquante). Belle carte de vins magyars. Difficile de ne pas succomber au charme du service et à l'ambiance chaleureuse.

|●| ***Le Soleil Gourmand*** *(zoom, **27**)* **:** 10, rue Ravignan, 75018. ☎ 01-42-51-00-50. Ⓜ Abbesses. Ouvert tous les jours de 12 h 30 à 14 h 30 et de 19 h 30 à 23 h (réservation conseillée le soir). Accroché au pied de la Butte, ce *Soleil* séduit par... ses gourmandises! On se réchauffe à ses rayons en grignotant de belles tartes salées et bricks grillés au four. Sinon, on trouvera des plats du jour originaux, concoctés avec le plus grand soin par les chefs. On se gardera bien de ne pas oublier les glaces et sorbets (pétales de roses, lait d'amande, safran-miel...) en provenance du *Pic à Glace,* qui fournit pas mal de grands restaurants. Décor *Côté Sud,* avec mobilier en fer forgé. Et on peut y acheter vases, cadres et paniers. Coin épicerie. Clientèle montmartroise bon chic. Cartes de paiement refusées.

18e

🍽 ***Les Feuillades** (plan B2, **28**) :* 6, rue de la Fontaine-du-But, 75018. ☎ 01-46-06-13-40. Ⓜ Lamarck-Caulaincourt. Ouvert tous les jours de 19 h 30 à 23 h 30. Fermé le week-end du 15 août. Formule unique à 22 € ; carte des vins à prix raisonnables. Un restaurant en angle, à la façade blanche sans tapage mais au sympathique décor intérieur. On y trouve des couples en goguette venus passer un bon moment ou des bandes d'amis lancés dans une conversation décisive sur l'existence. Une adresse de bon goût, un peu à l'écart du vacarme de la Butte, qui en a conservé le charme discret. Petite terrasse au pied d'une volée de marches, très agréable aux beaux jours. Cuisine traditionnelle, simple mais inventive, avec un menu unique (entrée, plat, fromage ou dessert). Plats du style Tatin d'endives au roquefort ou filet de rascasse au caramel d'orange. Du classique, donc, un petit quelque chose en plus. Apéritif maison offert à nos lecteurs sur présentation de ce guide.

🍽 ***Piccola Strada** (zoom, **29**) :* 6, rue Yvonne-Le Tac, 75018. ☎ 01-42-54-83-39. Ⓜ Abbesses. ♿ Ouvert tous les jours de 12 h à 14 h 30 et de 19 h à minuit. Réservation conseillée le soir. Menu à 13,50 € le midi en semaine, avec entrée, plat et dessert ; le soir et le week-end, à la carte, compter autour de 30 €. Un petit italien tenu par un couple originaire du même pays que sa cuisine. Accueil charmant dans un décor soigné, où l'on a plaisir à s'attabler. C'est sans doute pour cela que quelques personnalités fréquentent le lieu en toute discrétion. Dans l'assiette, c'est bon et frais. Pâtes et *antipasti,* légumes vapeur, salade de Trévise... accompagnés d'un verre de *canonnau.* Les plats changent selon les saisons et les arrivages du marché. Café, digestif maison, jus de fruits ou soda offert à nos lecteurs sur présentation de ce guide.

🍽 ***Chez Eusebio** (plan A2, **24**) :* 11, rue Hégésippe-Moreau, 75018. ☎ 01-44-70-05-42. Ⓜ La Fourche. Fermé les dimanche et lundi. Compter environ 15 € le midi, vin compris ; le soir, compter plutôt 25 à 30 €. Eusebio, notre Galicien préféré, a déserté le 15ᵉ arrondissement pour ce petit bout de 18ᵉ, apparemment excentré mais finalement proche de tout, entre Montmartre et place Clichy. Le détour n'en est donc pas un ! Et de toute façon, on ne le regrette pas. Ne serait-ce pour l'occasion, bien rare, de voir graver en grosses lettres le prénom d'Hégésippe sur une plaque de rue (cet Hégésippe-là était un écrivain romantique). Comme quoi le *Routard* s'intéresse autant aux choses du ventre que de l'esprit ! Mais revenons à *Eusebio...* Le soir, tapas et *vino rojo* sont à la fête avec une part belle réservée aux charcuteries ibériques, à commencer par le porc *jabugo pata negra,* le top du top ! Le midi, l'ambiance est plus populaire, ce qui sied bien au cadre « bistrot de quartier ». Ouvriers et cravatés se retrouvent pour faire honneur au plat du jour, le verre de *rioja* à la main. Une cantine au sens noble du terme. *NOUVEAUTÉ.*

🍽 ***La Casserole*** *(plan C2,* ***30****)* **:** 17, rue Boinod, 75018. ☎ 01-42-54-50-97. Ⓜ Marcadet-Poissonniers ou Simplon. Ouvert de 12 h à 14 h et de 19 h 30 à 22 h. Fermé les samedi midi, dimanche, lundi et jours fériés. Congés annuels : du 14 juillet au 15 août. Menu à 12,50 € le midi du mardi au vendredi. Compter 30 € à la carte. On adore passer à la... *Casserole.* Le service souriant, la cuisine, l'accueil jovial... tout vaut le détour. Dans l'assiette, c'est copieux, frais et réjouissant. La cuisine est traditionnelle, au fil des saisons et du marché. Avec parfois de la caille, du castor ou de la biche... et de délicieux desserts aux fruits frais. Les w.-c., interdits aux moins de 18 ans, sont l'ultime touche d'un lieu décalé à fréquenter d'urgence. Digestif maison offert à nos lecteurs sur présentation de ce guide.

🍽 ***Paris Bohème*** *(plan A2,* ***33****)* **:** 181, rue Ordener, 75018. ☎ 01-46-06-64-20. Ⓜ Guy-Môquet ou Jules-Joffrin. Ouvert tous les jours. Menu le midi en semaine à 14 €. À la carte, le soir et le week-end, compter autour de 27 €. On entre par un bar à l'ancienne, qui ne paye pas de mine, pour découvrir à l'arrière une surprenante salle aux allures de bistrot-brasserie. Le cadre boisé, aux grands miroirs, transporte dans une atmosphère début XXe siècle. Aux beaux jours, on profite des tables situées dans la partie patio, vraiment agréable. L'accueil serviable côtoie une cuisine simple, efficace et assez traditionnelle, affichée sur un petit menu qui change quotidiennement : pièce de bœuf à la béarnaise, aiguillettes de veau au miel, blanquette de veau, gâteau aux trois chocolats... et même des huîtres fraîches pour les amateurs. Le midi, les tarifs restent en dessous des prix du marché pour le quartier, ce qui reste bien appréciable. Bon choix de vins à prix raisonnables, dont beaucoup disponibles en demi-bouteille. Conseillé de réserver. *NOUVEAUTÉ.*

🍽 ***Le Jungle Montmartre*** *(zoom,* ***31****)* **:** 32, rue Gabrielle, 75018. ☎ 01-46-06-75-69. Ⓜ Abbesses. Ouvert tous les jours de 18 h à 2 h. Uniquement à la carte ; compter un maximum de 21 € pour un repas ; plats autour de 12 €. Sans aucun doute, le resto-bar le plus *roots* de Paris. Ici, pas de fausses manières, pas de superflu, mais du brut de brut, dans une ambiance festive et bon enfant. Au rez-de-chaussée, tout commence par un cocktail pur jus (ti-punch, punch gingembre...) à déguster aux sons ragga, jungle ou trip-hop mixés par un DJ. On grimpe ensuite l'escalier pour s'attaquer à une authentique cuisine sénégalaise (*aloko,* poulet *yassa, maffé* de bœuf, *tiéboudienne...*), goûteuse et bien présentée, en écoutant le joueur de *kora* ou de *balafon...* qui vous plonge en immersion totale. À signaler qu'on peut aussi y siroter la fameuse bière africaine : la *Flag*. Atmosphère, atmosphère...

IOI ***Le Maquis*** *(plan A-B2,* ***32****) :* 69, rue Caulaincourt, 75018. ☎ 01-42-59-76-07. Ⓜ Lamarck-Caulaincourt. Ouvert midi et soir jusqu'à 22 h 30. Fermé le dimanche. Formule à 14 € le midi, menus à 19 et 29 € (apéritif compris pour ce dernier) ; autrement, les entrées sont à 10 €, les plats à 16 € et les desserts à 7 €. Décor sobre et de bon goût, où l'on apprécie l'atmosphère et l'accueil courtois, toujours jovial. De vieilles photos sur les murs ajoutent une touche de charme. Dans cette atmosphère feutrée, ou en terrasse l'été, cuisine familiale de qualité qui compte pas mal de poisson : morue poêlée à la purée, rognons de veau à la moutarde et tarte fine feuilletée aux pommes pour finir en beauté. Les desserts ne sont pas en reste, et pour cause : le patron est pâtissier et le pain est fait maison. Apéritif maison offert à nos lecteurs sur présentation de ce guide.

IOI ***Le Restaurant*** *(zoom,* ***42****) :* 32, rue Véron, 75018. ☎ 01-42-23-06-22. Ⓜ Abbesses. ♿ À l'angle avec la rue Audran. Service de 12 h à 14 h 30 et de 19 h 30 à 23 h 30. Le midi, une formule à 15 € ; le soir, menu-carte à 19,80 €. Voici un restaurant inventif, tenu par un jeune patron d'origine camerounaise, un rien dandy et parisien en diable ! Simplicité du lieu qui contraste avec un décor chaleureux (grandes baies vitrées, pierre, quelques bouquets séchés, une vieille horloge de Paris...) et avec la carte qui suit l'inspiration du marché, avec une tendance Sud-Ouest affirmée : velouté de potiron moelleux et gambas, fondant d'agneau en tajine, canette rôtie au miel... Vin à commander au verre ou au compteur (on ne paie que ce que l'on boit). Réservation souhaitable. Apéritif maison offert à nos lecteurs sur présentation de ce guide.

IOI ***La Table d'Hélène*** *(plan B2,* ***14****) :* 14, rue Duc, 75018. ☎ 01-46-06-49-68. Ⓜ Jules-Joffrin. Ouvert de 12 h 15 à 14 h et de 19 h 30 à 22 h (dernier service). Fermé les dimanche et lundi, sauf jours fériés. Congés annuels : en août. Formule le midi en semaine à 13 €. Menu-carte midi et soir (entrée-plat-dessert) à 25 €. À la carte, compter autour de 27 €. Il y a quelque chose de touchant dans l'application avec laquelle Hélène, venue à la restauration sur le tard, rattrape le temps perdu, offrant à ses clients, en plus de produits de qualité, frais et judicieusement choisis (salade de patates douces au curry antillais, saumon d'Écosse, bœuf irlandais...), son indéniable talent. Sa petite salle – non-fumeurs, elle y tient –, à la décoration sobre, est une bien sympathique halte, avant ou après l'ascension des marches de la butte Montmartre par sa face nord, les touristes en moins, la poésie en plus. Apéritif maison offert à nos lecteurs sur présentation de ce guide.

|●| ***L'Assiette*** *(plan B2, **34**)* **:** 78, rue Labat, 75018. ☎ 01-42-59-06-63. Ⓜ Château-Rouge ou Lamarck-Caulaincourt. Service de 12 h à 14 h 30 et de 19 h 30 à 22 h 30. Fermé les samedi midi, dimanche et jours fériés. Plusieurs menus de 10 € (le midi uniquement) à 19 €; compter autour de 19 € pour le menu-carte. Un endroit routard en diable, à la façade éclatante de couleurs, tenu par un couple adorable. Lui vient d'Ukraine, elle du Sud-Ouest. Une clientèle de fidèles accueillis en amis fait honneur au copieux menu du soir. Sur l'ardoise, au mur, de bonnes propositions quotidiennes : pâté basque, travers de porc aux lentilles, crêpe au sucre... Sur commande, également un menu cosaque (ukrainien, quoi) pour 10 personnes au minimum.

|●| ***L'Étrier Bistrot*** *(plan A2, **43**)* **:** 154, rue Lamarck, 75018. ☎ 01-42-29-14-01. Ⓜ Guy-Môquet. Ouvert de 12 h à 14 h 30 et de 19 h 30 à 22 h 30. Fermé les dimanche et lundi. Réservation conseillée. Congés annuels : en août. Formules de 15 à 25 € (avec quart de vin) le midi et à 30 € le soir. Un mouchoir de poche un peu isolé sur le versant de la butte Montmartre. Déco intimiste, malgré l'exiguïté des lieux : vaisselle choisie, tentures pourpres, chandelles en soirée. Au tableau noir, 4 propositions par catégorie. Cuisine de marché inventive, carte changeante et réussite variable où la maestria voisine parfois avec l'hésitation. Vins au verre ou en pichet tout à fait acceptables. Accueil prévenant et service efficace. Un bon rapport qualité-prix. Apéritif maison offert à nos lecteurs sur présentation de ce guide.

|●| ***La Preuve par 9*** *(zoom, **11**)* **:** 5, rue Damrémont, 75018. ☎ 01-42-62-64-69. Ⓜ Abbesses ou Place-de-Clichy. ♿ Ouvert tous les jours; service de 12 h à 14 h 30 (15 h 30 le week-end) et de 19 h à 23 h 30. Le midi, formules à 14 et 18 €; le soir, menu à 26 €. Compter un bon 30 € à la carte. Ouvert 9 jours sur 9, comme il est écrit sur un des tableaux noirs de ce resto aux allures de salle de classe, si sympa qu'on l'a adopté illico. Ici, on est à bonne école pour apprendre quelques recettes originales genre foie gras poire pochée au vin, steak de requin à la vanille ou sauté de bison aux fruits rouges. Il y a du choix : 9 entrées, 9 plats, 9 desserts, qui changent régulièrement. Élémentaire, mon cher... Et même si c'est plus cher le soir, il faut réserver pour espérer s'y asseoir. Apéritif maison offert à nos lecteurs sur présentation de ce guide.

|●| ***La Farayade*** *(plan B2, **16**)* **:** 10, rue Francœur, 75018. ☎ 01-42-51-53-41. Ⓜ Lamarck-Caulaincourt ou Jules-Joffrin. Ouvert midi et soir jusqu'à 23 h. Fermé le dimanche. Congés annuels : en août. Menus à 12 et 16 € le midi; le soir, à la carte, compter autour de 25 €. Petit restaurant libanais à la façade rouge lie-de-vin. Tenu par un vieux monsieur du pays,

digne et fier mais accueillant et charmeur. Pas la peine de venir ici si vous êtes du genre stressé-pressé. Non que ce soit la meilleure cuisine libanaise de Paris, mais le terme « restaurant de quartier » prend là tout son sens. Alors, tombez la veste et écoutez les conseils du patriarche des lieux. Le midi, choisissez l'une de ces belles assiettes de petites entrées orientales ou un menu (une entrée et un plat, plus un café ou un thé). Grande variété à la carte, avec, entre autres, des spécialités crues à base de viande d'agneau pilée et les traditionnels plats de *mezze.* Seul bémol : les pâtisseries, qui viennent de l'extérieur, ne sont pas ce qu'il y a de mieux. Apéritif maison offert à nos lecteurs sur présentation de ce guide.

Plus chic

🍴 ***La Famille*** *(zoom, **48**) :* 41, rue des Trois-Frères, 75018. ☎ 01-42-52-11-12. Ⓜ Abbesses ou Anvers. Ouvert du mardi au samedi, uniquement le soir ; le 1er dimanche de chaque mois, « cuisine miniature » à partir de 20 € (formule qui propose une cuisine expérimentale à prix plus réduits qu'en semaine). Congés annuels : en août. Pas de menus, mais un choix de 4 entrées et autant de plats et de desserts. Compter de 35 à 40 € pour un repas complet. Une joyeuse clientèle de bobos trentenaires a investi ce petit resto. On sent déjà que certains proches des proprios y ont pris leurs quartiers. Parquet, tables en mezzanine, murs blancs... Le tout est épuré et furieusement tendance. Aux fourneaux, un ancien du *Café des Délices* qui titille vos papilles avec des saveurs délicieusement surprenantes mais pas incongrues pour autant : gambas crues aux fruits de la passion, gaspacho pêche-tomate et glace à l'huile d'olive... Les portions sont tout à fait raisonnables et bien présentées. Petits inconvénients : le coude à coude, parfois gênant pour un dîner en tête à tête, et le niveau sonore qui monte rapidement. Petit zinc pour qui veut se contenter de tapas ou attendre qu'une place se libère. Service efficace et souriant. Réservation conseillée, vous l'aurez compris ! Digestif maison offert à nos lecteurs sur présentation de ce guide.

🍴 ***La Bougnate*** *(plan A-B3, **25**) :* 2, rue Germain-Pilon, 75018. ☎ 01-42-62-74-39. Ⓜ Pigalle. Ouvert seulement le soir ; service de 19 h à 1 h. Fermé le lundi. Formule à 21 €. À la carte, compter 35 €. Salle au sous-sol. On pourrait ne pas avoir l'idée de pousser la porte de cette bien accueillante maison, où la tradition auvergnate est maintenue. La fresque vineuse un rien égrillarde, les tables en bois précieux et leurs incroyables lampes, les surprenantes potences (c'est pour les bouteilles, quand l'aligot prend ses aises) constituent un décor qui évoque plus le Pigalle d'hier que les Abbesses d'aujourd'hui. Et pourtant, quel bonheur dans les assiettes ! Du solide, du sérieux, préparé avec art et servi avec gentillesse et attention : terrine de queue de bœuf, confit ou rognons, aligot, tarte aux prunes de Souillac, le tout arrosé de saint-pourçain au compteur ou de marcillac, composent un dîner mémorable. On l'aime, *La Bougnate* ! Apéritif maison offert à nos lecteurs sur présentation de ce guide.

|●| ***Le Village Kabyle*** *(plan B1-2,* ***40****)* **:** 4, rue Aimé-Lavy, 75018. ☎ 01-42-55-03-34. Ⓜ Jules-Joffrin. ♿ Fermé les dimanche et lundi. Menu à 30 €. Cartes de paiement acceptées à partir de 39 €... La cuisine kabyle sait être raffinée, et le décor apporte sa touche d'exotisme. Quant à Wally, c'est un poète à sa manière. On vient à bout, sans difficulté, d'un couscous sans viande et sans bouillon, aux légumes vapeur *(amekfoul)*, même après une salade de carottes aux aromates *(zroudia si akaren)* ou une soupe *(chorba)*. Les desserts sortent de l'ordinaire et concluent un repas authentique et dépaysant.

|●| ***Wepler*** *(plan A3,* ***46****)* **:** 14, pl. de Clichy, 75018. ☎ 01-45-22-53-24. Ⓜ Place-de-Clichy. Ouvert tous les jours de 12 h à 1 h. Menus à 19 et 25 €. À la carte, compter autour de 40 €. Cette institution de la place de Clichy a largement dépassé les cent ans. Abritant au début du siècle dernier un café-restaurant, des salles de billard et de spectacle, réduite depuis, cette brasserie qui s'assoupissait a pris un coup de jeune, de même que sa carte. Si on y mange toujours de bons coquillages et crustacés, les propositions du chef sont aussi alléchantes, la sole, meunière ou grillée, figure toujours au menu ; et, le propre de la brasserie, on peut y manger à toute heure (ou presque) dans une salle claire et spacieuse où s'affaire une brigade de serveurs attentifs. Renouant avec la tradition littéraire ou artistique (la maison a vu défiler Picasso, Modigliani, Apollinaire, Chabrol...), chaque mois de novembre, un prix (indépendant) de littérature est décerné, qui porte le nom de la brasserie.

|●| ***L'Oriental*** *(zoom,* ***37****)* **:** 76, rue des Martyrs, 75018. ☎ 01-42-64-39-80. Ⓜ Pigalle. Fermé les dimanche et lundi. Congés annuels : de fin juillet à fin août. Le midi, une formule plat et boisson à 14,50 €. Menu « gastronomique » à 34 €, comprenant l'apéro. À la carte, prévoir autour de 30 € pour combler un gros appétit. À deux pas de Pigalle, une adresse qui change des pièges à touristes du quartier. Dans leur petit resto à la déco orientale sobre et élégante, Serge et Salika Kaci concoctent avec sérieux une cuisine marocaine sincère et authentique. Couscous et tajines sont tout particulièrement réussis, à la cuisson juste, parfumés et tout simplement savoureux. La pastilla au poulet ou aux figues, les anchois à l'orientale ou le brick aux légumes sont éga-

lement sans reproche. Réservation conseillée le week-end, surtout si vous voulez profiter du délicieux cadre *Mille et Une Nuits* des deux petites salles en sous-sol. Service souriant et attentionné. Apéritif maison offert à nos lecteurs sur présentation de ce guide.

Le Bouclard *(plan A2,* ***38****) :* 1, rue Cavalotti, 75018. ☎ 01-45-22-60-01. Ⓜ Place-de-Clichy. Ouvert tous les jours de 12 h à 14 h 30 et de 19 h à 22 h 30. Congés annuels : du 14 au 28 août. Compter environ 40 € à la carte (avec le vin, 50 €). Un cadre rustique joliment étudié, une cuisine qui rend hommage au terroir et à la tradition, des vins judicieusement choisis que l'on consomme au compteur, voilà qui fait depuis une dizaine d'années le succès (mérité) du bistrot de Michel Bonnemort. Ce franc gaillard aurait d'ailleurs pu aisément porter le patronyme de Bonvivant ! Car il aime faire profiter ses clients de plats préparés en toute simplicité mais avec des produits de première qualité. Gratin de queues d'écrevisses, chou farci au sandre, fricassée de boudin et pommes au calvados, montbéliard et purée façon aligot... de quoi mettre les papilles en émoi ! Le menu du midi, avec verre de vin et café compris, est d'un excellent rapport qualité-prix. Le soir, c'est tout de même bien cher. Apéritif maison offert à nos lecteurs sur présentation de ce guide.

Taka *(zoom,* ***39****) :* 1, rue Véron, 75018. ☎ 01-42-23-74-16. Ⓜ Pigalle ou Abbesses. Service de 19 h 30 à 22 h. Fermé les dimanche, lundi et jours fériés. Réservation impérative au moins la veille. Congés annuels : du 14 au 31 juillet et du 15 au 31 août. Compter autour de 25 € pour un repas, un peu plus avec un flacon de saké chaud. Un tout petit japonais planqué dans une ruelle sombre du pied de la Butte. Authentique cuisine du pays du Soleil levant parfaitement exécutée et d'une très grande qualité. Goûter au *shabu-shabu* (fines tranches de bœuf et légumes cuits dans un bouillon aux algues), au *sukiyaki* (sorte de fondue de viande et légumes) ou au *maku no uchi* (menu maison avec entrées goûteuses, poisson cru et fritures, racines de lotus cuites), présenté dans une boîte typiquement japonaise. Garder une place pour le dessert, par exemple des haricots rouges sucrés tièdes, avec de la glace au thé vert. Déco et ambiance nippones jusque dans le boulier qu'utilise l'adorable M. Taka au moment de l'addition.

Le Cottage Marcadet *(plan B2,* ***35****) :* 151 bis, rue Marcadet, 75018. ☎ 01-42-57-71-22. Ⓜ Lamarck-Caulaincourt. Service de 12 h à 14 h et de 20 h à 22 h. Fermé le dimanche. Congés annuels : à Pâques et en août. Formules du midi à 20,50 € avec entrée + plat ou plat + dessert et à 27 € avec entrée + plat + dessert ; menu gastronomique à 36,50 €, vin compris ; à la carte, compter autour de 40 €. Derrière la butte

Montmartre, une adresse plutôt 16e, à fréquenter en de grandes occasions – il y a d'ailleurs une table ronde pour les réunions de famille. Décor sobre et classique, avec quelques belles toiles aux murs et de confortables chaises. L'accueil est comme le reste, distingué, guindé diront certains, mais c'est aussi pour cela que l'on vient jusqu'ici. Pour profiter d'une cuisine traditionnelle de bonne facture, et notamment du gibier quand arrive la saison (civet de lièvre), des terrines et des noix de Saint-Jacques, des huîtres chaudes. Au dessert, le nougat au coulis de fruits rouges et le gratin de figues font leur petit effet.

Bars à vin

Aux Négociants *(plan B2, **55**) :* 27, rue Lambert, 75018. ☎ 01-46-06-15-11. Ⓜ Château-Rouge ou Lamarck-Caulaincourt. Ouvert de 12 h à 14 h 30 et de 19 h 30 à 22 h 30. Fermé les samedi, dimanche et jours fériés. Congés annuels : en août. Le verre de vin entre 2,50 et 3,80 €, le plat du jour autour de 12 € ; pour un repas, compter environ 25 € sans la boisson. Robert Doisneau, que l'on peut apercevoir sur quelques photos accrochées aux murs, aimait beaucoup ce bar à vin qui, s'il voit moins de prolos et plus de bobos, reste d'une régularité d'horloge aussi bien dans le choix de ses vins gouleyants que dans la franchise de sa cuisine. Jean, le taulier, un pur produit du terroir sarthois et ancien charcutier, confectionne lui-même ses plantureuses terrines et son boudin, choisit ses viandes avec soin, fait venir ses canards gras du Berry et parcourt le vignoble dès qu'il a un moment de libre. Côte-roannaise, coteaux-du-vendômois, pinot d'Aunis, vouvray et montlouis circulent au comptoir et sur les tables, à prix toujours populaires tout au long de la journée. Vins au verre, en bouteille ou au compteur ! Café offert à nos lecteurs sur présentation de ce guide.

Au Bon Coin *(plan B2, **56**) :* 49, rue des Cloÿs, 75018. ☎ 01-46-06-91-36. Ⓜ Jules-Joffrin. Service jusqu'à 21 h 30. Fermé les vendredi soir, samedi soir et dimanche. Le midi, entrée à 2,50 €, plat à 7,50 € ; le soir, à la carte, compter 18 € ; vin au verre autour de 3 €. On l'aime bien, ce bistrot à vin, ancien bougnat dans la même famille depuis les années 1930 et remis au goût du jour. Des vins judicieusement choisis accompagnent sans façon les plats à l'ardoise du midi ; la cuisine est plus recherchée le soir. Les desserts (crèmes, tartes aux fruits), faits maison, cela va de soi, sont tout simplement excellents. Une ambiance d'habitués réjouis, la clientèle mélangée d'un authentique petit resto de quartier, des plats généreux dont les prix ont su rester sages : qui dit mieux ? La boutique attenante, elle, propose terrines, vins et produits gourmands, à déguster sur place et/ou à emporter.

|●| 🍷 ***Chez Grisette*** *(plan B3, **57**) :* 14, rue Houdon, 75018. ☎ 01-42-62-04-80. Ⓜ Pigalle ou Abbesses. ♿ Ouvert le soir de 19 h à 23 h. Fermé les samedi et dimanche. Congés annuels : en août et 1 semaine entre Noël et le Jour de l'an. Menus à 23 et 29 €. Prévoir autour de 33 € (ou plus avec le vin) à la carte. La patronne se fait toujours un plaisir de rappeler que les « grisettes », c'étaient les jeunes filles qui secondaient les anciennes couturières de Montmartre. Ici, en tout cas, on ne perd pas de temps à tricoter : il faut dire qu'il y a des tas de bouteilles à essayer ! Des simples vins de pays aux nobles crus de la vallée du Rhône, il y a de quoi boire en accompagnant les belles planches, de même que les petits plats du jour (pounti, boudin, œufs en meurette...), de charcute ou de fromage. Café offert à nos lecteurs sur présentation de ce guide.

Où boire un verre ?

🍷 ***Drôle d'Endroit pour une Rencontre*** *(plan A2, **60**) :* 46, rue Caulaincourt, 75018. ☎ 01-42-55-14-25. Ⓜ Lamarck-Caulaincourt. Ouvert du mardi au samedi de 10 h à 2 h ; le dimanche de 12 h à minuit. Demi à 3,50 €. On dirait un peu le bar de *Friends* : bois, brique, fauteuils club, jeux et bouquins. L'après-midi on peut goûter avec des tartines au *Nutella* ou jouer à Risk ! Pour les âmes seules, on peut consulter un classeur de client(e)s qui laissent leurs photos et contact... Et le soir, c'est le bar où il faut être vu pour les 20-35 ans, avec de la bonne musique et des vodkas parfumées aux bonbons Haribo ! *NOUVEAUTÉ.*

🍷 ***Chez Camille*** *(zoom, **63**) :* 8, rue Ravignan, 75018. ☎ 01-46-06-05-78. Ⓜ Abbesses. Ouvert de 17 h à 2 h. Demi à 2,30 €. Le petit bar qui monte... la butte ! Détectable à ses trottoirs avoisinant achalandés de bobos et de prolos le verre à la main, c'est le bar de ceux qui veulent retrouver un lieu digne d'*Amélie Poulain*. Les bières à prix doux sont distribuées à la chaîne à une belle clientèle bavarde et debout. *NOUVEAUTÉ.*

🍷 ***Les Taulières*** *(plan B2, **64**) :* 10, rue de la Fontaine-du-But, 75018. ☎ 01-42-58-60-64. Ⓜ Lamarck-Caulaincourt. Ouvert de 19 h à 2 h. Fermé le lundi. *Mojito* à 4 € ; verre de vin à 3 €. Deux DJs sinon rien dans ce bar branché et kitsch, mais enfin sympa grâce à ses deux taulières Catherine et Nathalie – sourire et tutoiement ! Dans les toilettes, un marcassin porte des lunettes, des sièges en peluche d'Alf et des nénuphars au plafond ! La déco change souvent ! Consolez-vous sur un *mojito* – avec Angustura – délicieux ! *NOUVEAUTÉ.*

La Divette de Montmartre *(plan B2, **61**)* **:** 136, rue Marcadet, 75018. ☎ 01-46-06-19-64. Ⓜ Lamarck-Caulaincourt. Ouvert du lundi au samedi de 15 h à 1 h. Fermé le dimanche. Congés annuels : 2 ou 3 semaines en août. Demi à 2,30 €, whisky à 5 €. Un véritable musée du vinyle ! Sur le plafond, sur les murs, derrière les banquettes, entre les bouteilles, des disques, toujours des disques, rien que des disques, à la différence près qu'il s'agit de disques à images. Du début du XXe siècle (un vieux Pathé 1902) à nos jours, en passant par Elvis, les Beatles, la Mano Negra, Claude François et les aventures de Spiderman l'Araignée, ils sont tous là. Au total, près de 2000 disques exposés ! La visite est gratuite, mais un petit tour côté bar ne fera de mal à personne. Pour le reste, la maison fait également tabac, galerie musicale (vieux phonographes, postes Marconi...) et mini-salle de jeux avec un baby. Génial !

La Fourmi *(plan B3, **62**)* **:** 74, rue des Martyrs, 75018. ☎ 01-42-64-70-35. Ⓜ Pigalle ou Abbesses. Ouvert tous les jours de 8 h (10 h 30 le dimanche) à 2 h (4 h les vendredi et samedi). Demi à 1,70 € jusqu'à 20 h, 2,50 € après. Un ancien bistrot remis au goût du jour – murs patinés, bar en étain, chaises récupérées à droite et à gauche, lustre hérisson... – pour une clientèle Paris-Paname décidément courtisée ces temps-ci. Les libellules sont jolies, les garçons conquis, et la musique *world-tendance* favorise les transports vers d'autres extrémités. On bouquine *Lylo, Nova, Coda,* on se refile le tuyau de la prochaine soirée sous un pont, dans une impasse ou sous les étoiles, et on apprécie à sa juste valeur l'accent chantant de la table voisine : « *I love Paris !* »

19e ARRONDISSEMENT

Où manger ?

Bon marché

|●| ***Bar Fleuri*** *(plan B3, **1**)* **:** 1, rue du Plateau, 75019. ☎ 01-42-08-13-38. Ⓜ Buttes-Chaumont ou Jourdain. Service le midi uniquement, de 12 h à 15 h 30. Ouvert jusqu'à 21 h. Fermé les dimanche et jours fériés. Congés annuels : en août. À la carte, plats du jour à partir de 7 € ; compter autour de 15 € sans la boisson. Voilà un petit bistrot de quartier qui reste (peut-être plus pour longtemps, hélas !) le seul témoin de l'activité qui régnait ici du temps de la SFP. Ce bar date de 1920, et son décor n'a pas changé... ni son nom, qu'il doit sûrement au vieux carrelage qui orne les murs. Ici, pas de carte, mais une ardoise posée devant vous. Une cuisine généreuse, traditionnelle et familiale, avec 5 ou 6 choix par jour d'entrées, de plats ou de desserts. Accueil chaleureux.

|●| ***Thalassa*** *(plan B3, **15**)* **:** 50, av. Simon-Bolivar, 75019. ☎ 01-42-00-50-54. Ⓜ Buttes-Chaumont ou Pyrénées. Service de 12 h à 14 h 30 et de 17 h 30 à 23 h. Fermé le dimanche et le lundi midi. Congés annuels : en août. Formules de 10 à 14 €, valables du mardi au vendredi, uniquement à midi. À la carte, compter autour de 20 €. À deux pas des Buttes-Chaumont, un petit (resto) grec sans prétention à la décoration sobre de taverne. On y trouve bien sûr tous les classiques de la cuisine hellène, du *tzaziki* à la moussaka en passant par les feuilles de vigne farcies, et tout est frais et bon. Accueil agréable. Cartes de paiement refusées.

|●| ***Aux Arts et Sciences Réunis*** *(plan C2, **2**)* **:** 161, av. Jean-Jaurès, 75019. ☎ 01-42-40-53-18. Ⓜ Ourcq. ♿ Service de 12 h à 14 h 30 et de 19 h à 22 h. Fermé les dimanche et jours fériés. Menus à 10,50 € le midi en semaine, campagnard à 19,50 €, gastronomique à 24,50 €. C'est le restaurant du siège des compagnons charpentiers du Devoir du tour de France, héroïques défenseurs des arts de la pierre, du bois et... de la table. Sur la façade, le compas et l'équerre symbolisent l'esprit et la matière. Passez la première salle avec le comptoir et prenez place dans une très belle pièce parquetée avec cimaises travaillées et,

Où manger ?

1 Bar Fleuri
2 Aux Arts et Sciences Réunis
3 Zoé Bouillon
4 Bombay Café
5 Cok Ming
6 Ay Caramba
7 L'Oriental
8 19e Avenue-Dagorno
9 L'Heure Bleue
10 Mon Oncle Vigneron
11 Au Rendez-Vous de la Marine
12 Lao Siam
13 Chez Valentin
14 L'Hermès
15 Thalassa
16 Au Cochon de Lait
17 Chapeau Melon
18 Le Relais des Buttes
19 Chez Vincent
20 La Lanterne
21 Le Pacifique
22 L'Atlantide
23 La Cave Gourmande

Bar à vin

28 Les Tontons

Où boire un verre ?

30 Le Café Parisien
31 Le Bar Ourcq
32 Abracadabar
35 Le Café de la Musique

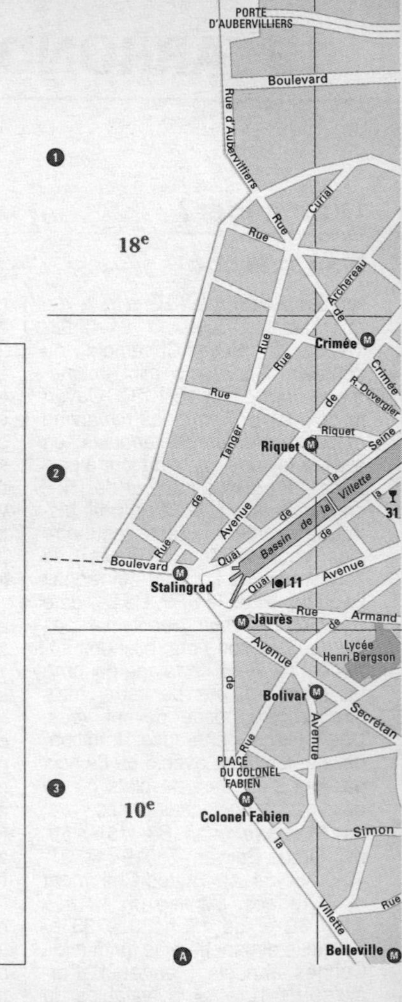

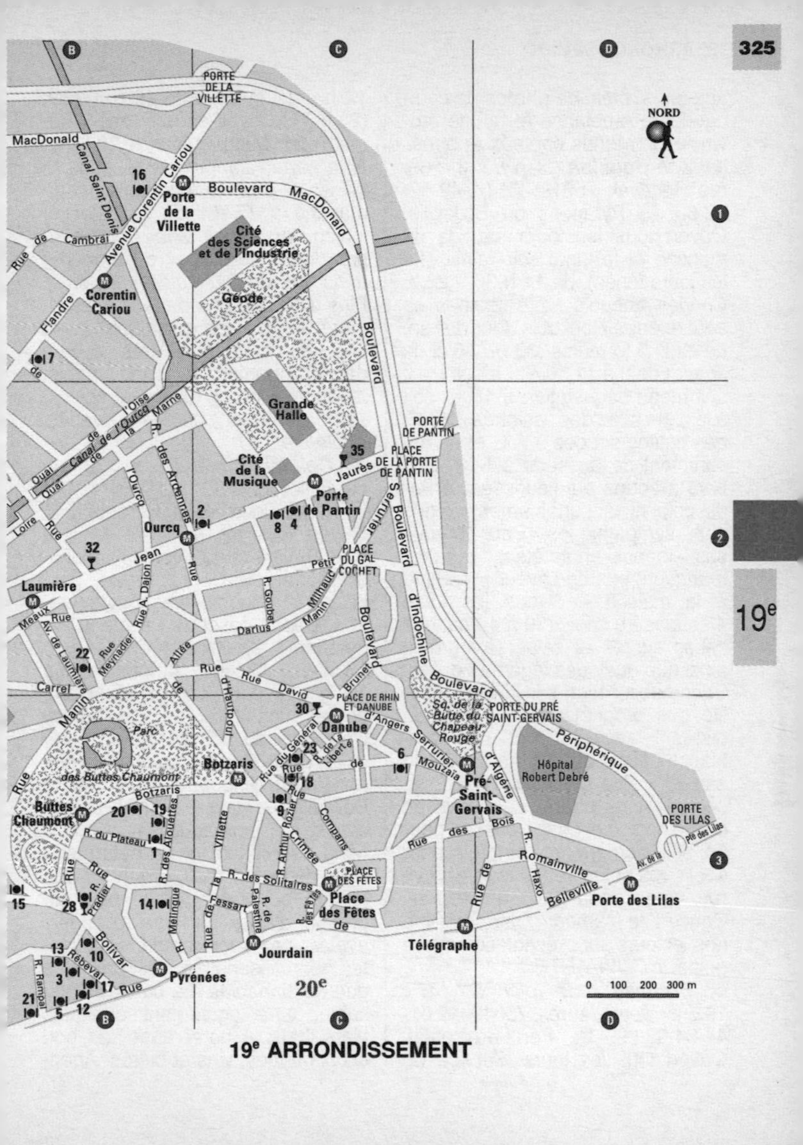

19e ARRONDISSEMENT

aux murs, plein de photos de compagnons. Ambiance et bouffe provinciales. Menus copieux et bons.

Zoé Bouillon *(plan B3, **3**) :* 66, rue Rébeval, 75019. ☎ 01-42-02-02-83. Ⓜ Pyrénées ou Belleville. Ouvert tous les jours sauf le dimanche et le lundi soir (ainsi que les jours fériés), de 11 h 30 à 22 h. Congés annuels : 2 semaines en août et entre Noël et le Jour de l'an. Le midi, 5 formules (30 ou 40 cl de soupe) de 8 à 11,50 €. Le soir c'est soit menu dégustation à 18 €, soit à la carte avec des assiettes à 10 €, des petites soupes à 7 € et un assortiment de desserts à 6 €. Des bars à soupe qui fleurissent à Paris, celui-ci est certainement un des plus sympathiques. Pour preuve ses menus honnêtes, qui ne manquent pas de saveur « comme à la maison » : tous les jours 4 soupes au choix (30 à 40 cl), des cakes sucrés et salés savoureux, ainsi que quelques légumes grillés. Sans oublier bien sûr la personnalité des propriétaires du lieu, qui distillent avec humour une ambiance copain-copain. La soirée du samedi « Zoé est à vous » (sur réservation) ne pourra que vous en convaincre. Le deal : passer pour un soir derrière le comptoir pour servir vos potes venus faire une virée pour vous voir à l'œuvre. Concert le samedi. Café offert à nos lecteurs sur présentation de ce guide. *NOUVEAUTÉ.*

Bombay Café *(plan C2, **4**) :* 192, av. Jean-Jaurès, 75019. ☎ 01-44-84-09-09. Ⓜ Porte-de-Pantin. Ouvert tous les jours. Service de 12 h à 15 h 30 et de 19 h à 23 h (23 h 30 le week-end). Fermé le samedi midi. Menu autour de 20,50 €. À la carte, compter 18 € sans la boisson. Brunch à volonté le dimanche à 15 €. Un café anglo-indien où l'on vient grignoter, prendre le thé, dîner ou bruncher dans un décor *typically colonial.* Plus d'espace que dans la maison-mère du 15e arrondissement, avec une cour intérieure très courue dans le quartier. Au menu : poulet *tandoori,* ailerons de poulet épicés, *samoussas* et *chutneys* variés, *apple-pie...*

Cok Ming *(plan B3, **5**) :* 39, rue de Belleville, 75019. ☎ 01-42-08-75-92. Ⓜ Belleville ou Pyrénées. ♿ Ouvert tous les jours de 11 h à 1 h 30. Une carte impressionnante comportant plusieurs menus, dont un à 8,50 € le midi en semaine (entrée, plat et dessert), un menu végétarien à 13 € ou le *Cok Ming* à 13,50 €. À la carte, compter de 15 à 18 €. Ils sont chinois du Cambodge, chaozhou de Canton ou wenzhou du Zhejiang, ils virevoltent entre les tables de ce grand restaurant clinquant de la rue de Belleville, à la fois attentifs et efficaces. On peut tout faire au *Cok Ming* : se concocter un petit menu fruits de mer à deux, organiser une fondue ou une marmite pour un groupe d'amis ou des collègues, avaler une soupe rapide, se délecter de rôtisseries à des prix plus que raisonnables. La carte, inépuisable, offre également quelques plats thaïs. À noter aussi, un bon choix de thés, vins et bières. Apéritif maison ou digestif maison offert à nos lecteurs sur présentation de ce guide.

lel ***L'Oriental*** *(plan B1, 7)* **:** 58, rue de l'Ourcq, 75019. ☎ 01-40-34-26-23. Ⓜ Crimée. ♿ Ouvert de 11 h 30 à 14 h 30 et de 19 h à 23 h. Fermé le dimanche. *Mezze* pour deux à 32 € ; plats de viande de 9,75 à 16 € ; compter autour de 15 € pour un repas sans la boisson. Salle toute propre, banale. Pas de charme exceptionnel, mais la musique et les photos rappellent le lointain Liban. Cuisine fraîche et bonne ; beaucoup d'entrées chaudes et froides, à commander une par une ou en *mezze* (assortiment de hors-d'œuvre orientaux), mais alors c'est un repas : *labné* (fromage blanc caillé et menthe), taboulé, *falafel, hoummous* du chef (pois chiches et viande hachée). Quelques copieux plats de viande et un *kefraya* ou un *nakad* (moins cher) pour faire descendre le tout. Beaucoup de monde le midi, dans une bonne ambiance. Bons desserts et vente à emporter. Salle climatisée. Café ou thé à la menthe offert à nos lecteurs sur présentation de ce guide.

Prix moyens

lel ***L'Heure Bleue*** *(plan C3, 9)* **:** 57, rue Arthur-Rozier, 75019. ☎ 01-42-39-18-07. Ⓜ Botzaris. Service de 12 h à 14 h 15 et de 19 h 30 à 22 h 30. Fermé les samedi, dimanche et jours fériés. Congés annuels : 3 semaines en août et pendant les vacances de Noël. Menu à 11 € le midi uniquement, avec un choix entre 3 entrées, 3 plats, 3 desserts ; le soir, à la carte, compter de 23 à 31 €. Situé dans une toute petite rue, c'est un endroit chaleureux, avec un beau parquet brut, un joli bar en bois et quelques journaux pour les solitaires. Deux copains, l'un venant de la restauration, l'autre du tourisme, ont créé ce lieu avec beaucoup de goût où les plats végétariens sont en bonne place. Cela donne, par exemple, des *cannelloni* d'aubergines à la feta, des rillettes d'agneau à l'orientale ou un bon confit de canard. Desserts séduisants et excellents. Apéritif maison offert à nos lecteurs sur présentation de ce guide.

lel ***Au Cochon de Lait*** *(plan B1, 16)* **:** 23, av. Corentin-Cariou, 75019. ☎ 01-40-36-85-84. Ⓜ Porte-de-la-Villette. Ouvert seulement de 12 h à 15 h ; pour le plat du jour, essayer de venir avant 12 h 45. Fermé le dimanche. Congés annuels : en août. Compter 23 € pour un repas sans la boisson ; l'onglet Villette autour de 13 €. Ce petit établissement de la porte de la Villette revendique d'être le dernier bistrot des anciens abattoirs, et ce, malgré son décor en faux formica... Quoi qu'il en soit, coincé entre ses concurrents, il affiche une bonne humeur familiale. Il est vrai que, tenant la maison depuis près de 40 ans, la patronne se fournit toujours chez le même boucher. Aidée par son fils, elle propose avec une grande gentillesse une bonne petite carte, toute simple mais faite maison. Bons desserts. Le dimanche, c'est pas la peine de venir, car la maman et le fiston font le marché ! Café offert à nos lecteurs sur présentation de ce guide.

I●I ***Mon Oncle Vigneron*** *(plan B3,* ***10****)* ***:*** 71, rue Rébeval, 75019. ☎ 01-42-00-43-30. Ⓜ Pyrénées. Ouvert de 11 h à 14 h 30 et le soir à partir de 18 h. Fermé les jeudi et dimanche. Compter autour de 25 €, vin compris. Le patron a passé son enfance à Saint-Jean-de-Luz ; suffit de regarder les plats qui arrivent devant les heureux convives : piperade du pays, cassoulet, confit de canard... Mais aussi des plats plus inattendus, inspirés de la cuisine africaine ou japonaise par exemple. Vous pouvez acheter vos conserves et vos vins côté épicerie, avant de vous asseoir à la table d'hôtes de ce qui était au départ, vous l'avez deviné, une banale cave à vin. La salle de resto est non-fumeurs, mais vous pourrez vous installer au fumoir-boudoir et boire un verre. Cartes de paiement refusées.

I●I ***L'Atlantide*** *(plan B2,* ***22****)* ***:*** 7, av. de Laumière, 75019. ☎ 01-42-45-09-81. Ⓜ Laumière. ♿ Ouvert du mardi au dimanche de 19 h à 23 h, ainsi que de 12 h à 14 h 30 le dimanche. Congés annuels : en août. Compter environ 20 € à la carte. *Seksu* et tajines de 13 à 17 €. Pâtisseries orientales et thé à la menthe à moins de 3 €. On est ici dans une sorte d'ambassade, tout en élégance et raffinement, de la cuisine berbère, qui contribue, avec la langue, à l'identité d'un peuple. Décor soigné d'objets authentiques, motifs géométriques des tissus et de la vaisselle, surprenante. Quant à la cuisine, variée, elle se hisse bien au-dessus de nos sempiternels couscous : fine, goûtue, elle surprend nos papilles point encore blasées. Service courtois et sympathique. Continent perdu, *L'Atlantide* est à un jet d'ancre des Buttes-Chaumont : ce n'est plus un secret. Apéritif maison offert à nos lecteurs sur présentation de ce guide.

I●I ***Chapeau Melon*** *(plan B3,* ***17****)* ***:*** 92, rue Rébeval, 75019. ☎ 01-42-02-68-60. Ⓜ Pyrénées. Cave ouverte du mardi au samedi de 10 h 30 à 13 h et de 16 h à 20 h 30 ; table d'hôtes du mercredi au samedi soir à partir de 20 h 30. Fermé les dimanche et lundi. Menu unique à 25 €, composé de 5 plats + un droit de bouchon de 6 €. Une cave à vin qui fait aussi table d'hôtes 4 soirs par semaine. Voilà une idée originale d'Olivier Camus, expert ès œnologie et heureux propriétaire des lieux. À l'heure de l'apéro, les assiettes de charcuterie et de fromage (saucissons corses, jambons italiens, fromages du Cantal), accompagnant le petit ballon de rouge, ne laisseront pas insensibles. À partir de 20 h 30, place à la cuisine d'Olivier, qui officie seul aux fourneaux. Grande sélection de vins à choisir dans les casiers avant de déguster le menu unique. Honneur aux saveurs d'ici et d'ailleurs, comme la *parmigianna* dorée à point, le foie gras poêlé aux lentilles, les filets de maquereaux marinés, ou encore les huîtres à la sauce japonaise. Et le menu change selon le marché et l'envie. Pour les néophytes, les conseils du patron, grand défenseur des vins de Loire, ne grèvent pas le porte-monnaie. Certains regretteront les portions congrues et le service un peu longuet. Mais tout est fait maison et l'accueil y est tellement adorable, alors... Vu le nombre limité de places (une quinzaine tout au plus), mieux vaut réserver. *NOUVEAUTÉ.*

🍽 ***Lao Siam*** *(plan B3,* ***12****)* **:** 49, rue de Belleville, 75019. ☎ 01-40-40-09-68. Ⓜ Belleville. ♿ Ouvert tous les jours de 12 h à 15 h et de 19 h à 23 h 30. Pas de menu ; compter autour de 20 € pour un repas. Restaurant sino-thaï prodiguant une cuisine plutôt fine et délicatement parfumée (l'influence thaïlandaise) quasiment au même prix que les autres restaurants asiatiques du quartier. On peut sans risque s'aventurer sur le tourteau à la diable, préférer les cailles à l'ail grillé ou bien les folies de la mer, ou encore le riz *pattaya.* Délicieux dessert à la noix de coco. Le cadre est plutôt sobre, ce qui n'est pas plus mal, et la salle souvent pleine d'Asiatiques, ce qui est toujours bon signe... Café offert à nos lecteurs sur présentation de ce guide.

🍽 ***Au Rendez-Vous de la Marine*** *(plan A2,* ***11****)* **:** 14, quai de la Loire, 75019. ☎ 01-42-49-33-40. Ⓜ Jaurès. Service de 12 h à 14 h et de 20 h à 22 h. Fermé les dimanche et lundi. Congés annuels : 1 semaine à Noël. Plat du jour à 11,60 €. Prévoir autour de 25 € à la carte. On se presse dans ce charmant bistrot, un ancien bougnat vieux de plus d'un siècle. Des fleurs sur les tables, quelques souvenirs de la mer, des photos de vedettes, et hop, ça emballe tout le monde ! Ambiance bruyante, surtout le midi, ou le soir quand, 2 samedis par mois (l'hiver seulement), une chanteuse réaliste nous fait piaffer avec talent. Aux beaux jours, tables en terrasse, avec vue sur le bassin de la Villette. Plats copieux et abordables, d'honnête facture. Penser à réserver ! Café offert à nos lecteurs sur présentation de ce guide.

🍽 ***Chez Valentin*** *(plan B3,* ***13****)* **:** 64, rue Rébeval, 75019. ☎ 01-42-08-12-34. Ⓜ Pyrénées ou Belleville. Ouvert midi et soir jusqu'à 23 h. Fermé les samedi midi et dimanche ainsi que tous les midis en août. À midi, menus à 12,50 et 15 € ; le soir, compter autour de 25 € à la carte. Ce resto perpétue la tradition du bon gros bœuf argentin et propose quelques plats d'influence sud-américaine. Le midi également, des classiques de la cuisine française, comme les fameux tripoux (de Saint-Flour, aux cèpes ou de Lozère). Excellent *dulce de lecce* en dessert. Bref, un gentil métissage de quartier. Bon accueil, musique douce, salle agréable et cuisine honnête.

🍽 ***L'Hermès*** *(plan B3,* ***14****)* **:** 23, rue Mélingue, 75019. ☎ 01-42-39-94-70. Ⓜ Pyrénées. Ouvert de 12 h à 14 h et de 19 h 30 à 22 h 30.

Fermé les dimanche, lundi, mercredi midi et jours fériés. Congés annuels : en août et 2 semaines dans le courant de l'année. Menus à 14 € (le midi seulement) et 26 € ; plat du jour à 13 € ; à la carte, compter de 35 à 40 € sans la boisson. Accueil chaleureux, salles éclairées par le soleil, ambiance de bistrot et carte virevoltant entre classicisme ménager et plats au goût du jour. Généreux menu au déjeuner, qui permet au resto d'afficher complet chaque midi. Menu plus élaboré le soir : aumônière de langoustines, foie gras au banyuls, par exemple, et, à l'ouverture de la chasse, des plats à base de lièvre, chevreuil et autres sangliers !

lel ***Ay Caramba*** *(plan C3, **6**)* : 59, rue de Mouzaïa, 75019. ☎ 01-42-41-76-30. Ⓜ Botzaris ou Pré-Saint-Gervais. ♿ Ouvert le soir de 19 h 30 à minuit, plus le midi des vendredi, samedi et dimanche de 12 h à 14 h 30. Fermé le lundi. Congés annuels : du 1er au 15 août. À la carte, compter 26 €. Le mardi soir, un plat enfant offert pour un plat parent acheté. Derrière une façade discrète, pourtant lardée de coups de pinceau, une *cantina* qui n'est pas, elle, une révélation, mais plutôt une valeur sûre pour les latinos de Paris. Déco plutôt rigolote pour ce grand café un rien canaille et son bar aux allures de Far West. Il faut d'entrée saluer la performance des *mariachis* (orchestre de 5 ou 6 musiciens) qui accompagneront agréablement votre dîner à partir de 21 h, tous les soirs. D'autant plus que la cuisine, sincère quoique sans étincelles, est très convenable. À goûter : salade de cactus *(nopal), fajitas, burritos, ceviche* corsé ! Vins mexicains, chiliens (plus goûteux) ou américains pour accompagnement. Service adorable. Et en fin de semaine, on pousse les tables et on danse... Ambiance garantie !

lel ***La Lanterne*** *(plan B3, **20**)* : 9, rue du Tunnel, 75019. ☎ 01-42-39-15-98. Ⓜ Buttes-Chaumont ou Botzaris. Ouvert midi et soir jusqu'à 23 h. Fermé les samedi midi et dimanche. Congés annuels : 15 jours en septembre. Plat du jour à 15 € ; à la carte, compter environ 35 €. Devanture décorée d'une grille de jardin public. La salle, genre un peu faux chic mais avec nappes et serviettes en tissu, mélange avec hardiesse le charmant (poutres, chandeliers) et le kitsch (faux plafond doré !). Cuisine française correcte. Des plats comme le magret au cidre et pain d'épice, le gigot de 7 heures (parfois en plat du jour) ou les 7 spécialités de tartares hachés au couteau. Petite terrasse au 1er étage, agréable aux beaux jours. Ambiance relaxante et service soigné. Une bonne adresse.

lel ***Le Pacifique*** *(plan B3, **21**)* : 35, rue de Belleville, 75019. ☎ 01-42-49-66-80. Ⓜ Belleville ou Pyrénées. Ouvert tous les jours de 11 h à 2 h. Menus à 14 € et, pour deux, à 33 €. À la carte, compter autour de 23 €. Le demi-canard laqué est à 24 € (mais il y en a pour deux).

Roc, pic, cap, péninsule ? Disons plutôt que si l'on manque de nez et que l'on se sent perdu au milieu de tous les restos asiates du quartier, c'est vers *Le Pacifique* qu'il faut mettre le cap. Depuis des lustres, ce grand chinois rallie le peuple de Belleville avec des raviolis à la vapeur qui ne sortent pas du freezer (bien au contraire !), des cassolettes qui font un repas à elles seules (celles aux crevettes et aux vermicelles sont très recommandables) et des classiques de rôtisserie plutôt bien faits (le canard laqué se livre pour quatre).

Plus chic

🍴 ***Le Relais des Buttes*** *(plan C3, **18**)* **:** 86, rue Compans, 75019. ☎ 01-42-08-24-70. Ⓜ Place-des-Fêtes. ♿ Service de 12 h à 14 h 30 et de 19 h 30 à 22 h 15. Fermé les samedi midi et dimanche. Congés annuels : en août et une semaine entre Noël et le Jour de l'an. Menu à 32 € servi midi et soir ; à la carte, compter autour de 45 € sans le vin. Si la cuisine n'a pas la créativité de celle de certains confrères, son classicisme n'est pas pour déplaire. Point fort de la carte orchestrée par Marc Gautron : la fraîcheur des produits employés, ainsi que la netteté des préparations de la viande et des abats (rognons de veau aux girolles), et surtout du poisson (pavé de bar de ligne à la crème de basilic, crabe farci aux morilles...). Grand plus : une cour-terrasse à fréquenter aux grandes chaleurs et un feu de cheminée l'hiver. Le menu est plus original et d'un bon rapport qualité-prix. Livre de cave en constante amélioration. Ambiance d'une auberge de province au charme discret loin de toute réputation tapageuse. Café offert à nos lecteurs sur présentation de ce guide.

🍴 ***Chez Vincent*** *(plan B3, **19**)* **:** 5, rue du Tunnel, 75019. ☎ 01-42-02-22-45. Ⓜ Buttes-Chaumont ou Botzaris. Ouvert de 12 h à 14 h et de 19 h 45 à 23 h ; les jours fériés de 19 h 45 à 23 h. Fermé les samedi midi et dimanche. Réservation impérative. Congés annuels : les 2e et 3e semaines d'août. Formules à 35 et 40 € servies midi et soir ; à la carte, plats froids à partir de 13 €, plats de viande ou de poisson autour de 25 €. Dans une petite rue entre les anciens studios de la SFP et les Buttes-Chaumont se cache un surprenant restaurant italien. Salle classique mais chaleureuse avec, au milieu, un bar où sont réunis tous les ingrédients pour d'excellents *antipasti* que le chef prépare devant vous. Des amuse-gueules vous feront patienter jusqu'à l'arrivée des plats, copieux. Pâtes fraîches maison, carpaccio sublime. C'est un peu cher, d'accord, mais il est impossible de ne pas se laisser emporter par le vent de folie qui souffle sur la cuisine, ainsi que dans l'esprit de ces Italiens délurés, diables de *commediante* ! Essayez la formule dégustation, aussi généreuse et lyrique que les airs d'opéra ou de variétés italiennes qui emplissent la salle tous les soirs. Flatterie ou vérité, le patron aime à raconter que Leonardo Di Caprio y fait des virées lors de ses visites à Paris.

|●| ***La Cave Gourmande*** *(plan C3, **23**) :* 10, rue du Général-Brunet, 75019. ☎ 01-40-40-03-30. Ⓜ Botzaris. Service de 12 h 15 à 14 h 30 et de 19 h 30 à 22 h 30. Fermé les samedi et dimanche. Congés annuels : 1 semaine en février et 3 semaines en août. Formule le midi à 28 €. Menu-carte du marché à 32 €. Mark et Dominique Singer tirent ici habilement leur épingle du jeu. Tourte de confit de canard au jus de chicorée beurré, cochon de lait à l'aigre-doux d'ananas et girofle, colombo de turbot et quinoa à la cardamome... des plats originaux, sans défaut, servis avec vivacité dans un cadre de cave à vin chic. De quoi passer une excellente soirée, que la clientèle, pas trop coincée, ne vous gâchera pas...

19e

|●| ***19e Avenue-Dagorno*** *(plan C2, **8**) :* 190, av. Jean-Jaurès, 75019. ☎ 01-40-40-09-39. Ⓜ Porte-de-Pantin. Parking. Ouvert tous les jours de 12 h à 15 h 45 et de 18 h 45 à minuit. Formules à 15,75 € (entrée + plat ou plat + dessert) et 28,50 € (avec kir pétillant, Yu Uin). Cet établissement, ouvert en 1865 et contemporain des abattoirs (chantés par Boris Vian, pour ceux qui connaissent la chanson), a eu son heure de gloire. Aujourd'hui, jusque tard dans la soirée (après un concert à la Cité de la Musique, par exemple), il sert avec une régularité d'horloge de bons produits de la marée ou un avantageux menu tout compris (du kir au café). La brasserie à l'ancienne, donc, qu'on aurait espérée un tout petit peu plus à l'ancienne pour la déco. Mais une adresse qui tient ses promesses du côté cuisine. Il n'y en a pas tant que ça de ce côté-ci du parc de la Villette. Apéritif maison offert à nos lecteurs sur présentation de ce guide.

Bar à vin

|●| 🍷 ***Les Tontons*** *(plan B3, **28**) :* 6, rue Botzaris, 75019. ☎ 01-42-02-04-55. Ⓜ Buttes-Chaumont ou Pyrénées. Ouvert tous les jours de 11 h 30 à 15 h et de 19 h à 22 h 30. Différentes formules de 10,90 à 15,90 € servies midi et soir. L'endroit est vivant, sans chichis, fréquenté par des habitués qui s'y pressent au déjeuner (le service est alors un peu bousculé) pour déguster d'honnêtes petits plats accompagnés de sympathiques flacons, sous les auspices d'honnêtes et sympathiques truands ayant pour noms Lino Ventura, Bernard Blier et Francis Blanche (« Touche pas au grisbi ! », c'est lui). Vous ne serez pas flingué par l'addition.

Où boire un verre?

Le Café Parisien *(plan C3, **30**)* **:** 2, pl. de Rhin-et-Danube, 75019. ☎ 01-42-06-02-75. Ⓜ Danube. Ouvert de 7 h à minuit (minimum!). Fermé le dimanche. Demi à 1,80 €. Petite restauration le midi : salades gourmandes et tartines de pain Poilâne autour de 7 €. On l'adore, ce café de quartier, où règne une ambiance chaleureuse, où les gens se connaissent et se parlent et où, au moindre rayon de soleil, on sort les tables. Plein d'affiches de cinéma aux murs. Concerts certains soirs.

Abracadabar *(plan B2, **32**)* **:** 123, av. Jean-Jaurès, 75019. ☎ 01-42-03-18-04. Ⓜ Laumière. Du dimanche au mercredi, ouvert de 18 h à 2 h; les jeudi, vendredi et samedi jusqu'à 5 h. Le demi à 2,80 €; *happy bar* de 18 h à 20 h 30, avec des tarifs spéciaux sur toute la carte. Un rade aussi cool que dézingué, adopté d'office par les tribus du Nord-Est parisien, mais surtout une ambiance chauffée aux amitiés d'un soir et un grand cœur qui bat au milieu du grand nulle part. Ici, pas de chichis, entre qui veut. On n'est pas tenu de vider son verre, mais on peut aussi faire valser le comptoir en participant aux programmes divers, variés et plus encore. Parties de slams, soirée jeux, rock chaque mercredi, théâtre, concerts ou prototype qui programme des courts-métrages. Tous les vendredis et samedis, soirées concert + DJ (entrée libre).

Le Café de la Musique *(plan C2, **35**)* **:** 213, av. Jean-Jaurès, 75019. ☎ 01-48-03-15-91. Ⓜ Porte-de-Pantin. ♿ Ouvert tous les jours jusqu'à 2 h (1 h les dimanche et lundi). Demi à 4,70 € en salle. Brunch à 21 € les dimanche et jours fériés. Situé dans l'enceinte même de la Cité de la Musique, le café lancé par les frères Costes, décoré par Élisabeth de Portzamparc, a eu ses détracteurs... Si certains appréciaient le cadre design de ce bistrot post-moderne, d'autres le trouvaient « déjà vu », voire *eighties*! Le débat est en passe d'être tranché. Clientèle plutôt branchée, cuisine dans le vent et un brunch exceptionnel le dimanche de 11 h à 16 h maintiennent à flot cet élégant bistrot qui a su s'imposer dans ce quartier en pleine évolution.

Le Bar Ourcq *(plan B2, **31**)* **:** 68, quai de la Loire, 75019. ☎ 01-42-40-12-26. Ⓜ Laumière. Ouvert les mercredi, jeudi et dimanche de 15 h à minuit; les vendredi et samedi jusqu'à 2 h. Congés annuels : 2 mois dans l'année (téléphoner). Bières à 2 €. Heureusement qu'il existe encore des bars comme ça à Paris sur le canal – ou plus précisément sur le bassin de la Villette, déjà. Il faut aller le chercher bien haut, mais quelle bonne surprise! D'abord on y mixe, les gens ne viennent pas se montrer mais pour se voir. Prolos ou branchés se pressent. Surprise, la journée, vous pouvez vous servir et y emprunter transat et boules de pétanque comme chez mémé ! Un super spot l'été qui dépeint ce coin charmant de Paris qu'était le canal Saint-Martin avant sa boboïsation. Cartes de paiement refusées. *NOUVEAUTÉ.*

20e ARRONDISSEMENT

Où manger ?

Très bon marché

🍽 ***La Cagnotte de Belleville*** *(plan B1, **1**)* : 13, rue Jean-Baptiste-Dumay, 75020. ☎ 01-46-36-65-40. Ⓜ Jourdain ou Pyrénées. Resto ouvert le midi seulement. Plat du jour à 8 € ; vins à prix raisonnables. Au plafond, une frise comme un feuillage, témoin d'une longue histoire. En 1885, les malfrats sont légion ; les diligences remontant la rue de Belleville s'arrêtent au relais ; pendant que les chevaux s'abreuvent dans le puits au fond de la cour, les passagers se délestent de leur cagnotte, le temps d'un aller-retour ; le café en porte toujours le nom. Le midi, on y retrouve les habitués qui viennent se régaler d'un steak au poivre ou d'un lieu au citron. Une cuisine simple et goûteuse. Ambiance garantie. Cartes de paiement refusées.

Bon marché

🍽 ***Bistrot 1929*** *(plan B1, **12**)* : 49, rue Orfila, 75020. ☎ 01-46-36-73-60. Ⓜ Gambetta. Ouvert tous les jours jusqu'à 2 h ; service de 12 h à 14 h 30 et de 20 h à 23 h (minuit les vendredi et samedi). Les samedi et dimanche, brunch de 12 h à 16 h. Formule le midi à 10 € et menu du jour à 13,50 €. À la carte, le soir, compter autour de 25 € avec un verre de vin. Une adresse comme on les aime, ancien bougnat transformé en bistrot où se côtoie une clientèle mélangée qui en apprécie l'ambiance pas chichiteuse. La cuisine se hisse un cran au-dessus de la moyenne, le service est gracieux et vif malgré l'affluence, et les prix sont restés modestes. Fresques aux murs, tables bistrot, certaines décorées sous verre, *Libé* et *Le Monde* sur le comptoir, une animation permanente, une atmosphère quoi... Ne pas manquer de lever la tête et de regarder sur la façade : « Ici pas de jaloux : le soleil luit pour tout le monde. » Un beau programme, non ? Apéritif maison ou café offert à nos lecteurs sur présentation de ce guide.

🍽 ***Le Saint-Amour*** *(plan B2, **4**)* :

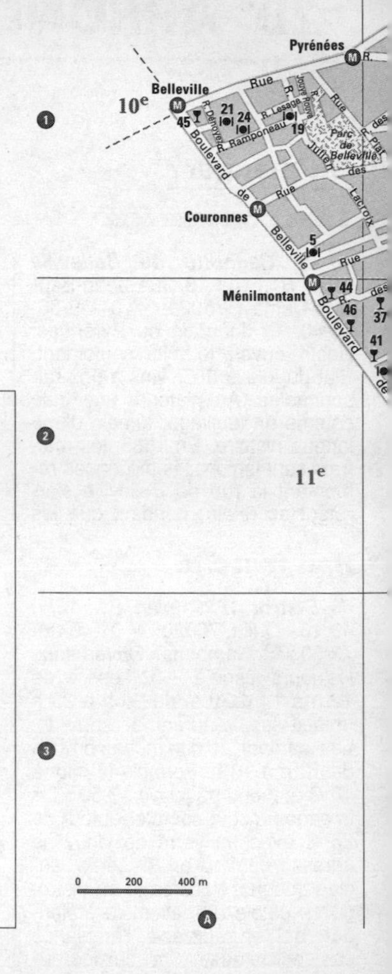

Où manger ?

- 1 La Cagnotte de Belleville
- 2 Au Rendez-Vous des Amis
- 3 Le Damier
- 4 Le Saint-Amour
- 5 Chez Max - Spécialités antillaises
- 7 Le Torreense
- 8 Le Jardin d'Or
- 10 Aristote
- 11 Le Bistrot des Capucins
- 12 Bistrot 1929
- 17 Dar Zap
- 19 Le Krung Thep
- 20 Giacomo Piccola Brescia
- 21 À Roda d'Afiar
- 22 Le Zéphyr
- 23 Les Allobroges
- 24 Chez Ramona
- 25 Bistro Chantefable

Où boire un verre ?

- 36 Bistrot Le Piston Pélican
- 37 Lou Pascalou
- 38 Le Mercure
- 39 La Maroquinerie
- 41 La Mère Lachaise
- 42 Les Trois Arts
- 43 La Flèche d'Or
- 44 Le Soleil
- 45 Aux Folies
- 46 Les Lucioles

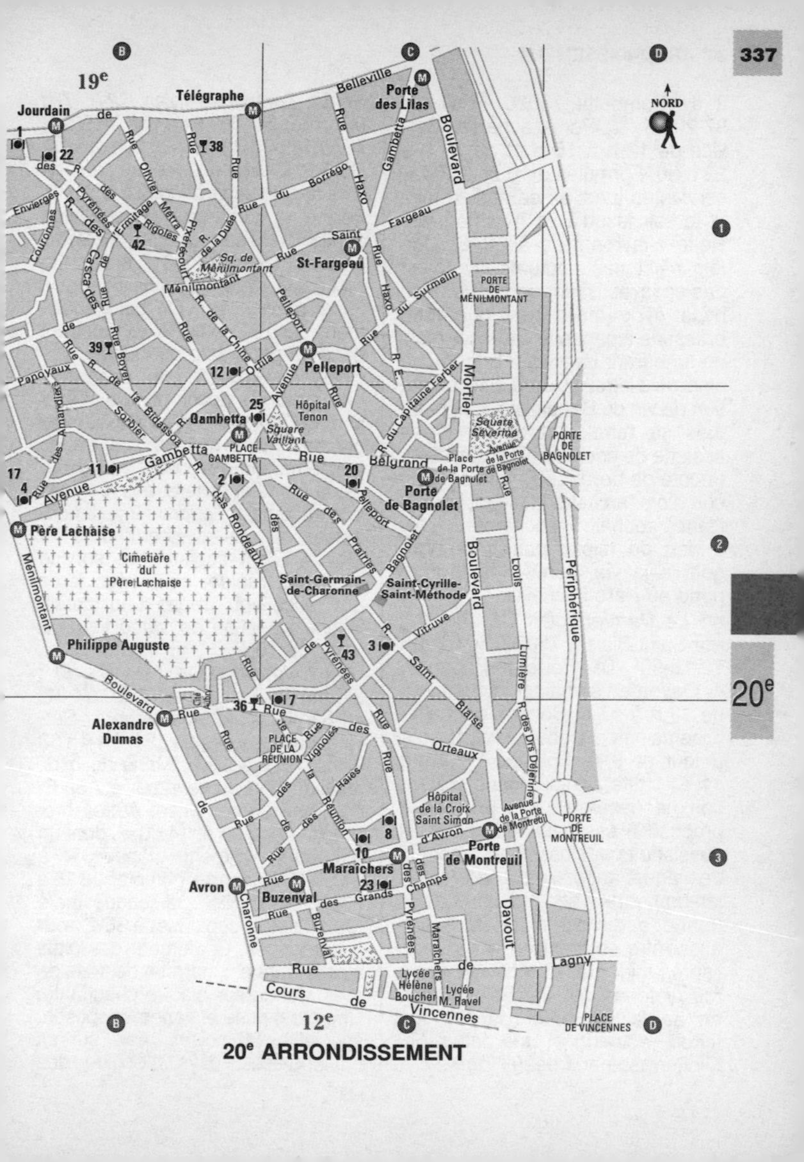

20e ARRONDISSEMENT

2, av. Gambetta, 75020. ☎ 01-47-97-20-15. Ⓜ Père-Lachaise. Service de 12 h à 15 h et de 19 h à 22 h 30. Formules à 10 et 12,50 € servies du lundi au samedi le midi et le soir jusqu'à 21 h ; sinon, assiette aveyronnaise à 22 €. Une fois n'est pas coutume, ce n'est pas en investissant dans une déco hyper-*hype* (ma chère !) que cette brasserie alpague le chaland, mais en lui offrant une vraie bonne cuisine de bistrot alliée à une sélection de vin du Beaujolais. Les habitués se retrouvent autour d'une assiette de cochonnaille, d'une entrecôte de bœuf de Salers ou d'un cou d'oie farci et son aligot, aillé et filant à souhait. Franchement, il n'y a rien de mieux pour reprendre goût à la vie, après une promenade au Père-Lachaise !

|●| ***Le Damier*** *(plan C2, **3**)* **:** 29, rue Saint-Blaise, 75020. ☎ 01-43-72-16-95. Ⓜ Porte-de-Bagnolet. ♿ Ouvert en semaine uniquement, de 12 h à 17 h. Congés annuels : 3 semaines en août. Plat du jour autour de 9 €. Formule 2 plats à 11 €. Cette adresse sans prétention ne désemplit pas le midi et propose à ses habitués des plats consistants et classiques : ragoûts de viande, andouillette, endives au jambon, tarte Tatin maison. La patronne a du caractère mais sait aussi être souriante. De passage l'après-midi dans cette agréable rue piétonne de l'îlot Saint-Blaise, on se laisse tenter par un thé (choix restreint) et une pâtisserie. Miniterrasse aux beaux jours.

|●| ***Le Torreense*** *(plan C2-3, **7**)* **:** 92, rue de la Réunion, 75020. ☎ 01-43-70-33-23. Ⓜ Alexandre-Dumas. Ouvert du lundi au samedi, midi et soir, service jusqu'à 22 h 30. Fermé le dimanche. Réservation conseillée le soir. Congés annuels : en août. Menu à 8,50 € environ le midi ; à la carte, compter autour de 20 € avec le vin. On bute quasiment sur le comptoir en entrant dans ce petit resto portugais, mais c'est bien là. Derrière le bar s'ouvre une salle au décor ringard. On y sert de bonnes spécialités lusitaniennes faites maison : le *cocido* (seulement le mercredi), le cassoulet, le porcelet grillé et des grillades au feu de bois. Toujours 2 ou 3 goûteuses façons d'accommoder la morue. C'est copieux. Le service n'est pas rapide, mais vous ferez un excellent repas antistress. Bonne sélection de *vinho verde* à partir de 10 €.

|●| ***Le Jardin d'Or*** *(plan C3, **8**)* **:** 81, rue des Pyrénées, 75020. ☎ 01-44-64-93-20. Ⓜ Maraîchers. Service tous les jours de 12 h à 14 h 30 et de 19 h à 23 h. Menu du midi, servi du lundi au vendredi, à 7,50 €, boisson non comprise. Autres menus entre 13,60 et 14,50 €, dont un abondant « menu vapeur » à 11,90 €. À la carte, compter de 18 à 20 €. Spécialité : la fondue thaïe (de qualité et copieuse) à 38 € pour 2 personnes. Également des plats autour de 8 € : marmite de fruits de mer, viande sur plaque chauffante. Une carte riche et variée, proposant spécialités chinoises mais surtout thaïlandaises, pays d'origine des

charmants patrons. Cuisine éminemment familiale, qui a su séduire les habitants du quartier. C'est simple, bon, pas cher et copieux. D'ailleurs, si vous n'avez qu'une petite faim, une entrée et un riz sauté (thaï de préférence) vous suffiront ! Accueil et service très agréables. Apéritif maison offert à nos lecteurs sur présentation de ce guide.

Aristote *(plan C3, **10**)* **:** 4, rue de la Réunion, 75020. ☎ 01-43-70-42-91. Ⓜ Maraîchers ou Buzenval. ♿ Ouvert midi et soir jusqu'à 23 h 30 (dernier service). Fermé le dimanche. Congés annuels : 2 semaines en août. Menu à 9,50 € (sans la boisson) le midi en semaine ; le soir, à la carte, compter autour de 18 €. Vins en bouteille autour de 14 €. Petit resto de quartier simple mais chaleureux, proposant des spécialités turco-grecques. Parmi les plats, outre de copieuses brochettes de grillades et des valeurs sûres telles que le *hunkar beyendi* (carré d'agneau, purée d'aubergines, lait et beurre fondu) ou le *pacha kebab* (gigot d'agneau, aubergines et pommes de terre en sauce), découvrez le *guveç* (viande de veau et légumes en sauce) ou les préparations *yogurtlu* (au yaourt) à base de steak haché ou d'agneau. Quelques spécialités de la mer satisferont l'appétit des non-carnivores... Clientèle d'habitués, accueilsouriant et attentionné. Apéritif maison ou digestif maison offert à nos lecteurs sur présentation de ce guide.

Prix moyens

Chez Max – Spécialités antillaises *(plan A1, **5**)* **:** 16, bd de Belleville, 75020. ☎ 01-46-36-51-79. Ⓜ Ménilmontant. Restauration du mardi au samedi de 12 h à 15 h, ainsi que les vendredi et samedi à partir de 20 h 15. Magasin ouvert les mêmes jours de 10 h à 19 h. Compter à la carte autour de 24 € le soir. Acras de morue, boudin créole, *colombo* de porc ou de requin, poulet à la créole, cabri, blanc-manger à la coco... sont à déguster sur place ou à emporter. Ce resto à l'ambiance antillaise, entre la musique, la déco, l'accent de la patronne bien souriante, l'apéro au ti-punch et sa cuisine épicée, porte le soleil en lui ! À faire les jours de grisaille !

Au Rendez-Vous des Amis *(plan B2, **2**)* **:** 10, av. du Père-Lachaise, 75020. ☎ 01-47-97-72-16. Ⓜ Gambetta. Ouvert le midi uniquement ; service entre 12 h et 15 h. Fermé les dimanche et lundi. Congés annuels : du 20 juillet au 20 août. Formule à 10,20 €. Menu à 11,30 € avec une entrée et un plat. À la carte, compter de 22 à 25 €. À deux pas du Père-Lachaise, une atmosphère bon enfant, où les Saint-Jacques à la provençale, l'escalope de foie gras aux pommes et le faux-filet sauce au bleu chantent en sarabande les plaisirs gourmands de nos grands-mères. Une clientèle branchée, mais aussi des habitués aux rires sonores, qui couvrent le bruit des fourchettes gourmandes. Sur le mur, des tableaux, sûrement un copain venu là exposer.

Bistro Chantefable *(plan B-C2,* ***25****)* **:** 93, av. Gambetta, 75020. ☎ 01-46-36-81-76. Ⓜ Gambetta. Ouvert tous les jours de 6 h à 1 h. À la carte, compter autour de 30 €. À deux pas du cinéma, la soirée continue au *Chantefable,* en compagnie des poètes disparus qui se retrouvent chaque dernier samedi du mois pour « chanter fables ». Une salle Empire (1920) enchâssée d'immenses miroirs et de reproductions de tableaux début XXe siècle. Ici, on régale autant les carnivores (planche du boucher à 17 €) que les piscivores (assiette de l'écailler à 21 €). L'ardoise vous confiera le reste. Ambiance garantie et personnel aux petits soins.

Dar Zap *(plan B2,* ***17****)* **:** 84, bd de Ménilmontant, 75020. ☎ 01-43-49-10-64. Ⓜ Père-Lachaise. Service de 17 h (13 h le week-end) à minuit. Fermé le lundi en hiver (jusqu'à avril). Menu (entrée + plat + dessert) à 20 €, de novembre à mars inclus. Compter autour de 30 € à la carte. Un thé et une pâtisserie autour de 4 €. Le week-end jusqu'à 17 h, brunch berbère à partir de 15 €. Imaginez le Maghreb en béret, un titi portant des babouches, et vous saisirez l'esprit de cette épatante petite brève de comptoir nord'-af'. On y croise l'Orient et Ménilmuche, l'oued et le bistrot, à l'ombre des platanes dans une ambiance en pente douce, sonore et parfumée. L'été, en terrasse, et l'hiver, dans le moelleux des coussins, la bohème locale vient y descendre bricks aux œufs, *briouats* au chèvre, assortiment de *kémias,* tajines végétariens et quelques mets d'Afrique de l'Ouest (maffé...). Nouveau : une terrasse chauffée où fumer le narguilé. Les patrons sont adorables, leur cuisine aussi. Dépaysement garanti. Cartes de paiement refusées.

Chez Ramona *(plan A1,* ***24****)* **:** 17, rue Ramponeau, 75020. ☎ 01-46-36-83-55. Ⓜ Belleville ou Couronnes. Ouvert uniquement le soir, de 19 h à 23 h. Fermé le lundi. Paella sur commande à 36,60 € pour deux et à partir de 15,25 € par personne pour quatre. À la carte, prévoir autour de 23 €. Pas très engageante cette petite épicerie encombrée ! En fait, la salle de restaurant se trouve au 1er étage, en haut d'un escalier étroit. Là, on débarque dans un univers étonnant, une petite pièce tapissée de souvenirs ibériques à 3 pesetas, royaume du kitsch spontané, en plein Belleville ! D'emblée, on vous reçoit en vous tutoyant, accueil rustre et chaleureux en même temps. La paella manque un peu de subtilité, mais les parts sont généreuses. Sinon, plats traditionnels (beignets de calamars, moules, morue à la galicienne) assez rustiques mais plutôt bons. Adresse des plus dépaysante, histoire de vérifier que Paris est vraiment une ville cosmopolite !

🍽 ***Le Krung Thep*** *(plan A1,* ***19****)* **:** 93, rue Julien-Lacroix, 75020. ☎ 01-43-66-83-74. Ⓜ Pyrénées ou Belleville. Ouvert uniquement le soir, jusqu'à minuit. À la carte seulement, compter 23 € sans boisson. À l'autre bout du monde, un petit resto de quartier qui ne paie pas de mine, et pourtant... On ne s'y installe pas facilement (mesdames, évitez les jupes !), mais une fois assis, place à la carte-catalogue : salade de mangue ou aux fleurs de bananier, soupe de poulet-coco, moules sautées sauce piquante ou aigre-douce, etc. Mais attention, c'est relevé, tenez-le vous pour dit. Certains diront que c'est un peu cher... peut-être, mais c'est le prix à payer pour une cuisine thaïe authentique. Souvent complet, mieux vaut réserver et être à l'heure ensuite.

🍽 ***Giacomo Piccola Brescia*** *(plan C2,* ***20****)* **:** 31, rue Pelleport, 75020. ☎ 01-43-61-07-91. Ⓜ Porte-de-Bagnolet ou Gambetta. Ouvert midi et soir jusqu'à 22 h 30. Fermé les samedi midi et dimanche. Congés annuels : en août. Le midi, du lundi au vendredi, menu à 13 € avec une boisson ; le soir, prévoir autour de 30 € avec la boisson. La façade ne paie pas de mine, mais cette grande salle à la déco hétéroclite et aux murs couverts de tableaux, c'est le domaine de Giacomo, tonitruant Italien un peu fou et diablement sympathique. L'endroit est chaleureux, avec ses vieux meubles de boucherie, et souvent complet, malgré sa situation ingrate. Giacomo est natif du Nord de l'Italie, mais la cuisine (surtout les plats du jour) se balance du Nord au Sud selon l'humeur. On y mange de bonnes pâtes maison, précédées d'*antipasti* qui osent se montrer sur un beau buffet (un peu chers tout de même), et des viandes transalpines : *piccata,* osso-buco, etc. Comme dessert, le tiramisù s'impose de lui-même. Un moment agréable.

🍽 ***À Roda d'Afiar*** *(plan A1,* ***21****)* **:** 14, rue Dénoyez, 75020. ☎ 01-46-36-84-95. Ⓜ Belleville. Ouvert midi et soir jusqu'à 23 h. Fermé les dimanche soir et lundi. Menu à 9,90 € midi et soir ; à la carte, compter 25 € sans la boisson. « Spécialités espagnoles », précise la carte de visite. C'est parfaitement exact, on s'y croirait. Au comptoir, devant une collection d'éventails, les patrons causent en castillan en tapant le carton ou en regardant un match. Dans la petite salle lambrissée attenante, on mange une paella correcte ou une *fideua* (la même avec des pâtes) avec langoustines et tout le toutim, préparées à la demande. D'autres plats et entrées à base de poisson tout aussi réussis, et, là-dessus, un bon *sangre de toro.* Olé ! Si vous êtes prévoyant (au moins deux jours avant), la maison vous concoctera certains mets typiques et délicats, comme la *zarzuela* (marmite de poisson), le *cocido* (pot-au-feu de pois chiches) ou la *fabada* (potée aux fèves).

🍽 ***Le Bistrot des Capucins*** *(plan B2,* ***11****)* **:** 27, av. Gambetta, 75020.

☎ 01-46-36-74-75. Ⓜ Père-Lachaise. Service de 12 h 15 à 13 h 45 et de 19 h 30 à 21 h 45. Fermé les dimanche et lundi. Congés annuels : 3 semaines en août. Menu à 20,50 € ; compter 27 € à la carte. Bonnes bouteilles pour environ 14 €, vins classés pour 25 €, cocktail maison (le *Midol*). Nom en allusion au marché des Capucins de Bordeaux, dont le patron est originaire. Le concept : une cuisine de marché avec carte à l'ardoise renouvelée, le tout sous les rênes de Gérard Fouché, ancien du *Grand Véfour* et du *Pavillon Montsouris.* La déco simpliste et rappelant qu'ici on aime bien le rugby n'a rien à voir avec ce que l'on trouve dans l'assiette : fritons de canard aux noisettes et au foie gras, poêlée de petits-gris, filet de bar au cerfeuil, Tatin de poires au muscat ou crème brûlée aux pruneaux et armagnac. Service dynamique et de bonne humeur. Que du bon *made in France,* accompagné d'un choix de vins abordables (essayez le gaillac). Mieux vaut réserver le week-end.

Plus chic

|●| ***Le Zéphyr*** *(plan B1, **22**) :* 1, rue du Jourdain, 75020. ☎ 01-46-36-65-81. Ⓜ Jourdain. ♿ Service de 10 h à 2 h (dernière commande à 23 h 30). Menus à 13,50 € le midi, 20 € le soir ; assiette de dégustation autour d'un produit aux environs de 18 € ; à la carte, compter 38 € pour un repas. Bouteilles de 17 à 23 €, pots de vin autour de 16 €. « Zéphyr » : vent doux et agréable, brise légère. Cette définition correspond très bien à la cuisine qu'on pratique ici mais ne suffit pas à donner une idée exacte de l'établissement. Dans son décor Art déco de 1928 superbement conservé, *Le Zéphyr* brille d'une flamme naturelle mais modeste dans ce quartier populaire connaissant des « faims de mois » parfois difficiles. La preuve, ce menu du midi comprenant entrée, plat et dessert ! Que les gourmets se rassurent, midi et soir on y propose aussi un menu plus élaboré, ainsi qu'une belle carte aux intitulés élégants et une jolie sélection de desserts. Côté vins, plus de 40 références et pots de vin abordables. En résumé, on a rarement vu un lieu qui allie aussi bien une cuisine légère et une bonne gouaille de quartier dans un décor de cette classe !

|●| ***Les Allobroges*** *(plan C3, **23**) :* 71, rue des Grands-Champs, 75020. ☎ 01-43-73-40-00. Ⓜ Maraîchers. Service de 12 h à 14 h et de 20 h à 22 h. Fermé les dimanche, lundi et jours fériés. Congés annuels : 1 semaine à Pâques, en août et du 24 décembre au 4 janvier. Réservation recommandée, la veille si possible. Menus de 19 à 32 €, un « tout légume » à 28 € ; à la carte, l'addition tourne autour de 33 €. Murs

pastel et moquette épaisse, décoration délicate, petits raffinements (de l'amuse-gueule à la serviette maintenue par du raphia, en passant par les petits pains variés) et grande cuisine ; pas de doute, voici l'un des meilleurs rapports qualité-prix de l'Est parisien. Les modernes bourgeois se pressent dans les 2 petites salles séparées par un couloir, d'où l'on aperçoit Olivier Pateyron œuvrer en cuisine. Ses plats ne manquent pas d'esprit, et le plaisir est dans l'ensemble au rendez-vous. Service impeccable. Café offert à nos lecteurs sur présentation de ce guide.

Où boire un verre ?

La Mère Lachaise *(plan B2,* ***41****) :* 78, bd de Ménilmontant, 75020. ☎ 01-47-97-61-60. Ⓜ Père-Lachaise. Ouvert tous les jours de 8 h à 2 h (dernier service à minuit). À la carte, compter 15 € ; salades de 7 à 10 € ; petit dej' à 6 € ; brunch à 17 € le dimanche de 12 h à 17 h. À deux pas du cimetière du Père-Lachaise, un resto-bar tout beau. Une splendide terrasse où l'on prend le soleil entre deux bosquets de plantes vertes et des bouquets de fleurs, la maison versant dans l'herboristerie et le jardinage déco, et une arrière-salle non moins remarquable, fondue dans les bois peints et les patines terriennes, évoquant avec grâce l'âme nordique de quelques vieilles masures gustaviennes éclairées par les seules larmes de 2 ou 3 lampes pleureuses. Bonne musique.

Le Soleil *(plan A2,* ***44****) :* 136, bd de Ménilmontant, 75020. ☎ 01-46-36-47-44. Ⓜ Ménilmontant. Ouvert tous les jours de 10 h à 2 h. Bière autour de 2,50 €. Ne cherchez pas, c'est LA terrasse emblématique de Ménilmontant. Dès que la température dépasse les 12 °C et que les nuages ménagent une petite place à Phœbus, les patrons moustachus sortent une quantité astronomique de tables et de chaises ; et voguent les apéros jusqu'à la nuit tombée ! On s'interpelle de table en table, on drague, on regarde passer la vie... L'intérieur du *Soleil* est moins pittoresque. Il ne manque pas de charme pourtant, avec ses peintures naïves et son grand miroir.

Les Trois Arts *(plan B1,* ***42****) :* 21, rue des Rigoles, 75020. ☎ 01-43-49-36-27. Ⓜ Jourdain. Ouvert du mardi au dimanche soir. Demi à 2,30 € ; menu entre 8 et 10 € environ ; compter autour de 15 € à la carte. Dans un quartier éventré par les bulldozers, un vieux café plein de charme, où il fait bon prendre la pause quels que soient l'heure, l'âge ou le programme. Concerts (jazz, rock'n'roll, blues, musette...) de 19 h à 22 h les lundi, mardi, mercredi et dimanche et de 21 h à minuit les jeudi, vendredi et samedi ; le dimanche, l'orchestre national des *Trois Arts,* la fierté de la maison. On adore ce bout de bistrot en pente douce (qui s'est agrandi), où les vendeurs de roses, les parties de tarot et les demis pas chers... participent à l'illusion d'un Paris à la Doisneau.

🍷 ***Les Lucioles*** *(plan A2,* ***46****)* **:** 102, bd Ménilmontant, 75020. ☎ 01-40-33-10-24. Ⓜ Ménilmontant. Service de 12 h à 16 h et de 19 h 30 à minuit; fermeture à 2 h. Cocktail autour de 5,50 €, verre de vin à 2,30 €. L'un des cafés-bars les plus en vue du boulevard, avec Ménilmuche en direct à la terrasse et le reste du monde dans la salle. On ne sait d'ailleurs plus très bien si c'est le décor qui influe sur les mixtures ou l'inverse. Toujours est-il que le premier part en vrac (de la céramique, de la broc, du mobilier type *Jardiland,* des cages à oiseaux...) et que les secondes suivent parfois le même pli (vodka caramel, Sarajevo – vodka, citron tranche, café moulu, sucre – et « menthe religieuse » compilant menthe fraîche, alcool de pommes vertes, rhum blanc et citron vert). Apéro-concert le dimanche de 18 h à 21 h; *slam* le dernier mardi de chaque mois de 22 h 30 à minuit et demi (un poème lu, un verre offert) et « Le piano qui chante » les 1er et 3e jeudis de chaque mois de 21 h à minuit (pour chanter avec accompagnement). *NOUVEAUTÉ.*

🍷 ***Bistrot Le Piston Pélican*** *(plan B3,* ***36****)* **:** 15, rue de Bagnolet, 75020. ☎ 01-43-70-35-00. Ⓜ Alexandre-Dumas. Ouvert de 8 h (10 h le samedi) à 2 h. Fermé le dimanche. Demis à partir de 2,20 €, cocktails à 6,50 €. Pour se restaurer, formule à 10,50 € le midi ou plat unique à 11 €; à la carte, compter autour de 20 € (dernière commande à 23 h 30). Et toute la journée, dégustation légère possible. Tour à tour lupanar, café-épicerie (on y voit encore les cuves qui permettaient aux clients de remplir leurs litrons), puis bar, le *Pélican* se refit une santé, il y a quelque temps déjà, lorsque l'orchestre du Piston Circus (d'où le nom) y fit une entrée en fanfare. En 1996, les musiciens de la compagnie, à bout de souffle, refilèrent le morceau. Aujourd'hui, Serge a repris le flambeau. De la cuisine bistrot, quelques banquettes métro et, dans le circuit fermé des bars « néopopu » de l'Est parisien, *Le Piston* s'est imposé non sans panache. Concerts (salsa, brésilien, pop-rock, etc.) les vendredi et samedi à 21 h 30, DJs le jeudi à 21 h 30, et théâtre du jeudi au samedi soir.

🍷 ***La Maroquinerie*** *(plan B1,* ***39****)* **:** 23, rue Boyer, 75020. ☎ 01-40-33-64-85. Ⓜ Gambetta. ♿ Bar-restaurant ouvert de 18 h à 2 h. Fermé le dimanche. Congés annuels : en août. Deux formules au choix : plat + entrée ou dessert à 11,50 €, entrée + plat + dessert à 13,50 €. Carte autour de 18 €. Demi à 3 €. Dans les hauts de Ménilmontant, une ancienne maroquinerie reconvertie en salle de concert, café et resto. On sirote son verre assis dans la cour sous le soleil, debout au comptoir, ou à l'abri. Une bien belle adresse. Également une vraie salle de concert habitée par une bonne programmation éclectique

20e

tendance rock, chanson, *world* ou jazz. Tarifs démocratiques.

🍸 ***Lou Pascalou*** *(plan B2, **37**)* **:** 14, rue des Panoyaux, 75020. ☎ 01-46-36-78-10. Ⓜ Ménilmontant. Ouvert tous les jours de 9 h 30 à 2 h. Demi à 2,50 € le soir, 2 € dans la journée. Ancien café devenu un must du quartier, ce qui n'a pas découragé l'ancienne clientèle. Du coup, c'est assez mélangé, très bruyant, mais l'accueil sympathique influe positivement pour que naissent les conversations. L'été, la terrasse déborde. Au cas où vous n'auriez pas bien suivi l'évolution dudit quartier, le patron s'appelle Momo, diminutif de Mohammed, et pas de Maurice, les gars de Ménilmontant ayant depuis longtemps perdu l'habitude de dévaler les rues du village en roulant des mécaniques et en remontant leur pantalon d'un air content. Quoique...

🍸 ***Le Mercure*** *(plan B1, **38**)* **:** 84, rue Pixérécourt, 75020. ☎ 01-46-36-64-13. Ⓜ Télégraphe ou Place-des-Fêtes. Ouvert de 9 h (19 h le dimanche) à 2 h. Congés annuels : 10 jours en août. Verres autour de 2 €, plats à partir de 7,50 €. Cette adresse se révèle l'une des nombreuses lucioles qui redonnent un peu de lumière à ce 20e normalisé. Clientèle à dominante 25-45 ans, mais on y accepte les plus jeunes. D'ailleurs, c'est le siège du fan-club de Stephan Eicher. Accueil très sympa de Kamel, le patron. Aux murs, des vieilles cartes postales et des photos de gens qu'on aime bien : Presley, Frida Khalo, Zapata, la Callas, le sous-commandant Marcos, Léon Davidovich Bronstein, etc. Sûr qu'un Américain futé de passage proposera un jour d'acheter les w.-c. Parfois, des soirées musicales et des spectacles de marionnettes. Possibilité de petite restauration.

🍸 ***La Flèche d'Or*** *(plan C2, **43**)* **:** 102 bis, rue de Bagnolet, 75020. ☎ 01-44-64-01-02. Ⓜ Alexandre-Dumas. Ouvert du lundi au mercredi de 8 h à 2 h, du jeudi au samedi de 8 h à 7 h et le dimanche de 18 h à 2 h. Brunch le dimanche de 12 h à 17 h. Coca à 3,30 €. Brunch à 13 €. L'ancienne gare de Charonne sur la petite ceinture a enfin rouvert ses portes. Une déco originale signée par les étudiants des Beaux-Arts qui rappelle l'ancienne vocation des lieux. Des tarifs bas, des concerts – du punk au tango – presque tous les soirs, des serveuses qui mettent le feu, attirent une foule de lecteurs de *Technikart,* de nanas branchouilles ou de fêtards. Un must qui fait aussi resto tradi' avec une très belle vue et un service sympa. *NOUVEAUTÉ.*

🍸 ***Aux Folies*** *(plan A1, **45**)* **:** 8, rue de Belleville, 75020. ☎ 01-46-36-65-98. Ⓜ Belleville. Ouvert tous les jours de 6 h 30 à 1 h. *Mojito* à 4,50 €. Entre Belleville et le sentier chinois tous les bars ont fermé ? Non, *Aux Folies* insuffle depuis 1930 la bonne humeur de son bar où on se mélange de 20 à 40 ans. On y voit la vie en rose (sans doute aussi grâce aux néons), et on s'y prélasse dès que la terrasse est ouverte ! *NOUVEAUTÉ.*

LES COUPS DE CŒUR DU **routard 2006**

Nos meilleurs hôtels et restos en France

17,90 €

4000 établissements de qualité sélectionnés pour leur originalité et leur convivialité.

- des cartes régionales en couleurs
- index thématique : catégorie de prix, piscine, parking et terrasse.

HACHETTE

*bons plans, concours, forums,
magazine et des voyages à prix routard.

> www.routard.com

routard.com
Chacun
sa route

LES COUPS DE CŒUR DU **routard 2006**

Nos meilleures chambres d'hôtes en France

12,90 €

1500 adresses à la campagne, à découvrir en amoureux ou avec des enfants.

INDEX THÉMATIQUE :

- adresses avec piscines
- trésors d'œnologie
- activités sportives
- adresses insolites

HACHETTE

NON
aux mutilations

sousmunitions.org

NON AUX
BASM
BOMBES À SOUS-MUNITIONS

Chaque année, les bombes à sous-munitions tuent et mutilent des milliers de civils. Mobilisez-vous pour leur interdiction sur le site www.sousmunitions.org

HANDICAP
INTERNATIONAL

MGA / RCS Lyon B 380 259 044 – Crédit photo : Christian Choize

À la découverte des produits du terroir

11,90 €

Plus de 630 adresses pour déguster des produits gourmands fabriqués sur place.

- index des tables à la ferme et des produits du terroir
- index des produits "bio"

HACHETTE

routard ASSISTANCE

L'ASSURANCE VOYAGE INTEGRALE A L'ETRANGER

VOTRE ASSISTANCE « MONDE ENTIER » LA PLUS ETENDUE

RAPATRIEMENT MEDICAL (au besoin par avion sanitaire)		**ILLIMITÉ**
VOS DEPENSES : MEDECINE, CHIRURGIE, HOPITAL, GARANTIES A 100% SANS FRANCHISE	(env. 1.960.000 FF)	**300.000 €**
HOSPITALISE : RIEN A PAYER ! ... (ou entièrement remboursé)		
BILLET GRATUIT DE RETOUR DANS VOTRE PAYS : En cas de décès (ou état de santé alarmant) d'un proche parent, père, mère, conjoint, enfant(s)		**BILLET GRATUIT (de retour)**
*BILLET DE VISITE POUR UNE PERSONNE DE VOTRE CHOIX si vous être hospitalisé plus de 5 jours		**BILLET GRATUIT (aller - retour)**
Rapatriement du corps – Frais réels		**Sans limitation**

RESPONSABILITE CIVILE «VIE PRIVEE» A L'ETRANGER

Dommages CORPORELS (garantie à 100%)	(env. 4.900.000 FF)	**750.000 €**
Dommages MATERIELS (garantie à 100%) (dommages causés aux tiers)	(env. 2.900.000 FF)	**450.000 €** (AUCUNE FRANCHISE)

EXCLUSION RESPONSABILITE CIVILE AUTO : ne sont pas assurés les dommages causés ou subis par votre véhicule à moteur : ils doivent être couverts par un contrat spécial : ASSURANCE AUTO OU MOTO.

ASSISTANCE JURIDIQUE (Accident)	(env. 1.960.000 FF)	**300.000 €**
CAUTION PENALE	(env. 49.000 FF)	**7500 €**
AVANCE DE FONDS en cas de perte ou de vol d'argent	(env. 4.900 FF)	**750 €**

VOTRE ASSURANCE PERSONNELLE «ACCIDENTS» A L'ETRANGER

Infirmité totale et définitive	(env. 490.000 FF)	**75.000 €**
Infirmité partielle – (SANS FRANCHISE)	(env. 900 FF à 485.000 FF)	**de 150 € à 74.000 €**
Préjudice moral : dommage esthétique	(env. 98.000 FF)	**15.000 €**
Capital DECES	(env. 19.000 FF)	**3.000 €**

VOS BAGAGES ET BIENS PERSONNELS A L'ETRANGER

Vêtements, objets personnels pendant toute la durée de votre voyage à l'étranger :

vols, perte, accidents, incendie,	(env. 6.500 FF)	**1.000 €**
Dont APPAREILS PHOTO et objets de valeurs	(env. 1.900 FF)	**300 €**

INDEX DES RESTOS PAR SPÉCIALITÉS

CUISINE FRANÇAISE

Cuisine traditionnelle

Cuisine alsacienne

Cuisine auvergnate

Cuisine basque

Cuisine beaujolaise

Cuisine bourguignonne

INDEX DES RESTOS PAR SPÉCIALITÉS

Cuisine bretonne

Cuisine corse

Cuisine lorraine

Cuisine de la Lozère

Cuisine lyonnaise

Cuisine du Midi

Cuisine normande

Cuisine des pays de la Loire

Cuisine provençale

Cuisine de la région Rhône-Alpes

Cuisine du Sud-Ouest

CUISINE EUROPÉENNE

Cuisine européenne traditionnelle

Cuisine d'Europe du Nord

Cuisine d'Europe de l'Est

Cuisine méditerranéenne

Cuisine anglaise

Cuisine arménienne

Cuisine basque

Cuisine belge

Cuisine catalane

Cuisine chypriote

Cuisine danoise

Cuisine espagnole

Cuisine flamande

Cuisine grecque

Cuisine hongroise

Cuisine irlandaise

Cuisine italienne

Cuisine polonaise

Cuisine portugaise

Cuisine roumaine

Cuisine russe

Cuisine suédoise

Cuisine suisse

CUISINE AFRICAINE

Cuisine africaine traditionnelle

Cuisine d'Afrique de l'Ouest

Cuisine éthiopienne

Cuisine ivoirienne

Cuisine malgache

Cuisine réunionnaise

Cuisine sénégalaise

CUISINE NORD-AFRICAINE ET PROCHE-ORIENTALE

Cuisine d'Afrique du Nord

Cuisine algérienne

Cuisine juive

Cuisine libanaise

Cuisine marocaine

Cuisine syrienne

Cuisine turque

CUISINE ASIATIQUE

Cuisine asiatique traditionnelle

Cuisine du Proche-Orient

Cuisine afghane

Cuisine cambodgienne

Cuisine chinoise

Cuisine indienne

Cuisine indonésienne

Cuisine japonaise

Cuisine kurde

Cuisine laotienne

Cuisine mauricienne

Cuisine coréenne

Cuisine pakistanaise

Cuisine palestinienne

Cuisine thaïlandaise

Cuisine tibétaine

Cuisine vietnamienne

CUISINE DES AMÉRIQUES

Cuisine nord-américaine

Cuisine d'Amérique centrale

Cuisine sud-américaine

Cuisine créole

Cuisine argentine

Cuisine brésilienne

Cuisine chilienne

Cuisine colombienne

Cuisine mexicaine

Cuisine péruvienne

INDEX DES RESTOS PAR THÈMES

SANDWICHERIES

LES HISTORIQUES

SPÉCIALITÉS DE LA MER

LES BRANCHÉS

LES CRÉATIFS ET REMODELEURS DU TERROIR

APRÈS 22 H 30

LES TERRASSES

OÙ BRUNCHER ?

À TABLE LES ENFANTS !

OUVERT LE DIMANCHE

CUISINE VÉGÉTARIENNE

SALONS DE THÉ

GLACIERS

INDEX DES LIEUX OÙ BOIRE UN VERRE

BARS À VIN

OÙ BOIRE UN VERRE ?

INDEX DES LIEUX OÙ BOIRE UN VERRE

INDEX GÉNÉRAL PAR ORDRE ALPHABÉTIQUE

– A –

– B –

– C –

– D –

– E –

– F –

– G –

– H –

– I –

– J –

– K –

– L –

– M –

– N –

– O –

– P –

– Q-R –

- S -

- T -

– U-V –

– W –

– Y-Z –

OÙ TROUVER LES CARTES ET LES PLANS ?

les **Routards** *parlent aux* **Routards**

Faites-nous part de vos expériences, de vos découvertes, de vos tuyaux.
Indiquez-nous les renseignements périmés. Aidez-nous à remettre l'ouvrage à jour. Faites profiter les autres de vos adresses nouvelles, combines géniales... On adresse un exemplaire gratuit de la prochaine édition à ceux qui nous envoient les lettres les meilleures, pour la qualité et la pertinence des informations. Quelques conseils cependant :
– Envoyez-nous votre courrier le plus tôt possible afin que l'on puisse insérer vos tuyaux sur la prochaine édition.
– N'oubliez pas de préciser l'ouvrage que vous désirez recevoir.
– Vérifiez que vos remarques concernent l'édition en cours et notez les pages du guide concernées par vos observations.
– Quand vous indiquez des hôtels ou des restaurants, pensez à signaler leur adresse précise et, pour les grandes villes, les moyens de transport pour y aller. Si vous le pouvez, joignez la carte de visite de l'hôtel ou du resto décrit.
– N'écrivez si possible que d'un côté de la lettre (et non recto verso).
– Bien sûr, on s'arrache moins les yeux sur les lettres dactylographiées ou correctement écrites !

Le Guide du routard : 5, rue de l'Arrivée,
92190 Meudon

E-mail : guide@routard.com
Internet : www.routard.com

Photocomposé par Euronumérique
Imprimé en France par Hérissey
Dépôt légal n° 68660-3/2006
Collection n° 22 - Édition n° 01
24/0443-2
I.S.B.N. 2.01.24.0443-X